21世紀の啓蒙

理性、科学、ヒューマニズム、進歩

下巻

スティーブン・ピンカー

橘 明美・坂田雪子＝訳

草思社文庫

ENLIGHTENMENT NOW
THE CASE FOR REASON, SCIENCE, HUMANISM,
AND PROGRESS
by
STEVEN PINKER

Japanese translation published by arrangement
with Brockman, Inc.

21世紀の啓蒙【下巻】目次

21世紀の啓蒙【上巻】目次

21世紀の啓蒙　下巻

［編集部注］

・本文中の番号ルビは、原注を示し、巻末に掲載した。

・〔 〕の割注は、訳者による注記を示した。

・引用箇所の翻訳は、訳注のない限り、本書訳者によるもので、邦訳書とは異なるところもある。

・なお参考文献は、巻末に収録されているが、左記のＵＲＬからもＰＤＦをダウンロードすることができる。

http://www.soshisha.com/en_references

第一六章　知識を得て人間は賢くなっている

教育は社会を豊かにし、平和で民主的にする

「賢い人」を意味するホモ・サピエンスは、情報を有効に活用する種である。エントロピーがもたらす腐敗にも、進化がもたらす苦労〔第二章参照。他の生物が進化し、より対処しづらくなること〕にも、情報を用いることで対抗し、そのために、あらゆる場所で知識を獲得してきた。それは周囲の地形や動植物、それらを制圧するための道具や武器についての知識、さらにはその道具や武器の扱いについて、親族や仲間だけでなく敵ともネットワークや規範を築くという知識である。そしてその知識を蓄積し、言語や身振り手振り、直接の指導によって共有してきた(1)。

やがて長い歴史のわずかな期間で、人類は文字や印刷技術、電子メディアといった技術を思いつき、その技術によって知識を何倍にも、いや何乗倍にも広げていった。その超新星のようにまばゆい知識は、人間であることの意味を絶えず考え直させてく

れるものである。わたしたちは何者で、どこから来たのか、世界の仕組みはどうなっているのか、人生で大切なものは何か。こうしたことが理解できるかどうかは、拡大しつづける膨大な知識の蓄積から、どれだけのことを学びとれるかにかかっている。もちろん教育を受けていない狩猟民、牧畜民、農民も立派な人間であることに変わりないが、人類学者がよく言及するように、彼らは「現在、地元、形而下の物事」を志向しやすい[2]。

しかし「知ること」を通し、わたしたちはもっと外へと目を開くことができる。自国とその歴史、世界中の多様な世代のさまざまな習慣と考え方、過去の文明の失敗と成功、細胞や原子からなる小宇宙と惑星や銀河からなる大宇宙、数字と論理とパターンが織りなす目に見えない現実。これらを知ることで、意識をより高い水準に引き上げることができるのだ。それは長い歴史をもつ知性的な種に属していることの恩恵だろう。

これまでに蓄えられた文化的知識が、物語や徒弟制度によって伝えられてきてもう長い。学校教育にも数千年の歴史がある。わたしは紀元前一世紀から紀元後一世紀に生きたユダヤの律法学者《ラビ》、ヒレルの逸話を聞いて育ったものだが、それによるとヒレルは若いころ、授業料が払えなかったので、寒さで凍え死にそうになりながらも、学校の屋根に上って天窓から授業をこっそり聴いていたという。かつてさまざまな時代において、学校は実際的、宗教的、愛国主義的な教えを若者に伝授するためのものだったが、それに対して啓蒙思想では何よりも知識を大切にするため、学校の役割はそこからいっそう広げられることとなった。

教育学者のジョージ・カウンツもいう。「近代になると、学校教育はそれまでの概念をはるかに超えて重要な役割を担うようになった。過去、学校はほとんどの地域で小さな社会機関にすぎず、ごく少数の人々の人生にしか直接影響しなかった。それが近代には社会のさまざまな層に拡大し、ついには国や教会、家庭や所有地と並び、社会で最も強力な制度の一つとしてその地位を確立するまでになった」[3]。今日、教育はほとんどの国で義務化されている。また一九六六年の「経済的、社会的及び文化的権利に関する国際規約」[4]にこれまで調印した国連加盟国一七〇カ国によって、基本的人権として認められている。

教育が人々の意識にもたらす影響は明らかなものから目に見えにくいものまで、人生のあらゆる面に及んでいる。まず明らかな影響のほうだが、第六章で説明したように、衛生面や栄養面や安全なセックスに関する知識が少しでもあれば、健康を向上させたり寿命を延ばすことに大いに役に立つ。また、現代では文字の読み書きや計算の能力が富を得るための基礎である。発展途上国で若い女性がお手伝いとして働こうにも、メモを読んだり備品を数えたりできなければ雇ってもらえない。もっと上のキャリアを求めるにつれ、専門的な事柄を理解する高い能力がますます必要になる。一九世紀に貧困の蔓延から抜け出し、それ以来どこよりも速く成長を遂げているのは、子どもの教育に熱心に取り組んだ国々だった。[5]

ただし社会科学のあらゆる問題と同様、教育と経済成長に相関関係があるからといって、そこに因果関係もあるとは限らない。はたして「教育に力を入れると、国は豊かになる」という因果関係はあるのだろうか？　国が豊かになると、教育水準は上がるのだろうか？　この問題に答えを出すには、原因は必ず結果に先行するという事実を利用するのも一つの方法である。いくつかの研究によれば、教育を「時点1」で、豊かさをその後「時点2」で評価し、その他の条件の変動による影響を取り除いた場合、教育に力を入れた国は実際豊かになることが示唆されている。少なくとも、宗教色のない合理主義的教育が施されていれば、国は豊かになる。

というのもカトリック教会が教育を管理していたスペインでは、教育が盛んだったにもかかわらず、二〇世紀まで西洋諸国のなかで経済的に遅れをとっていたからだ。「庶民の子どもは教義や教理問答を口頭で伝授され、簡単な手仕事の技術をいくつか教わるだけだった。（中略）科学、数学、政治経済、宗教色のない歴史を教えることは、研鑽を積んだ神学者以外の人々には問題が多すぎるとみなされていた[6]」。今日アラブ世界の一部で経済成長が遅れているのは、やはり聖職者の干渉のせいだといわれてい

る。(7)

もっと精神的な領域についても、教育はすばらしい恩恵を与えてくれている。それは実生活に役立つ知識や経済発展以上にすばらしいものともいえるだろう。なぜなら今日、教育に力を入れれば入れるほど、明日以降、その国はより民主的で平和な国になるからだ。(8)ただし教育の効果は広範囲にわたるので、学校教育を受けた人々がどのような因果経路をたどり、社会的調和へとつながっていくのかを見定めるのは難しい。もちろん、なかには教育の影響がそのまま人口統計や経済面に表れる場合もある。たとえば教育を受けた女子は成長後に出産する子どもの数が少なく、すぐに暴力を振るうような若い男性を相手に若年妊娠に至る可能性も低い。(9)また前述のとおり、国は教育に力を注ぐほど豊かになり、第一一章と第一四章で説明したように、豊かになるほど平和で民主的になる傾向がある。

また、いくつかの因果経路は、啓蒙思想の価値観の正しさを立証するものである。考えてみてほしい。教育を受けることで、どれほど多くの変化がもたらされることか！　たとえば、教育を受けていれば、「指導者は神権によって統治している」とか、「自分と似ていない人々は人間以下の生き物だ」などという盲信は危険でおかしいと思えるようになる。世界には多様な文化があり、自身が自国の文化と密接に関わっているように、どの文化もそれぞれの生活様式と密接に関わっており、どちらが優れているとか劣っているとかいうことはないと学ぶことができる。カリスマ的な救世主が国を破滅に導いてきたこと。たとえどんなに強い信念をもっていても、それがどんなに世間的に信じられていても、その自分の信念は間違いの可能性もあるということ。優れた生き方とそうでない生き方があること。他人や他の文化は自分が知らないことを知っているかもしれないこと。そうしたすべてを学ぶことができる。何より、暴力に頼ることなく争いを解決する方法があると学ぶことができる。そしてこうした思考ができるようになると、独裁者の支配に屈したり、隣人を拘束・殺害しようとする動きに同調したりしにくくなる。

だがもちろん、こういった知識は確実に得られるわけではない。とりわけ支配者が独自の教義や〝もう一つの事実《オルタナティブ・ファクト》〟〔代替的事実とも。トランプ政権の報道官による虚偽の主張を、大統領顧問がこの言葉を使って擁護し、話題となった〕、陰謀論を広めている場合は難しい。口では知識の力を褒めそやしながらも、支配者のやり方に異議を唱える国民や思想を弾圧している場合も同様だ。

教育の効果を調べた研究によると、教育を受けた人々は実際に啓蒙されている。彼らは人種差別や性差別をすることが少なく、外国人嫌悪や同性愛嫌悪、権威主義にも陥りにくい[10]。想像力や独立心、言論の自由に高い価値を置き[11]、投票したり、ボランティア活動に参加したり、政治的意見を表明したりすることが多い。労働組合、政党、宗教団体や地域団体などの市民団体にも積極的に所属する[12]。さらに他の市民を信頼する傾向もある。これは「社会関係資本」と呼ばれるもので、社会を動かす貴重な万能薬の主成分だ。社会関係資本によって人々は相手を信頼することができ、周囲に騙されてばかかを見るのではと恐れることなく、自信をもって、契約を結んだり、投資をしたり、法律を遵守したりできるようになる。[13]

教育は世界中に広まりつつあり、男女格差も縮小

こうした理由から、教育の拡大は――何よりそれが最初にもたらす識字率の向上は――人類の進歩のなかでも最も大切になってくる。うれしいことに、その他の多くの分野における進歩と同様、教育もまた馴染み深い経過をたどってきた。つまり、啓蒙時代より前はほぼすべての人が悲惨な状態にあったが、その後いくつかの国がそこから脱却し、近年になると残りの国々もそれに追いつくようになり、まもなく教育の恩恵はほぼ世界中に広がりそうなのだ。

次ページの［図16―1］を見るとわかるように、一五世紀から一六世紀にかけて西ヨーロッパでは、識字能力はごく一部のエリート、すなわち人口の八分の一以下の人々の特権だった。また一九世紀の世界全体の状況は、一七世紀以前の西ヨーロッパと似たような水準だった。しかし二〇世紀になると世界の識字率は二倍になり、二一

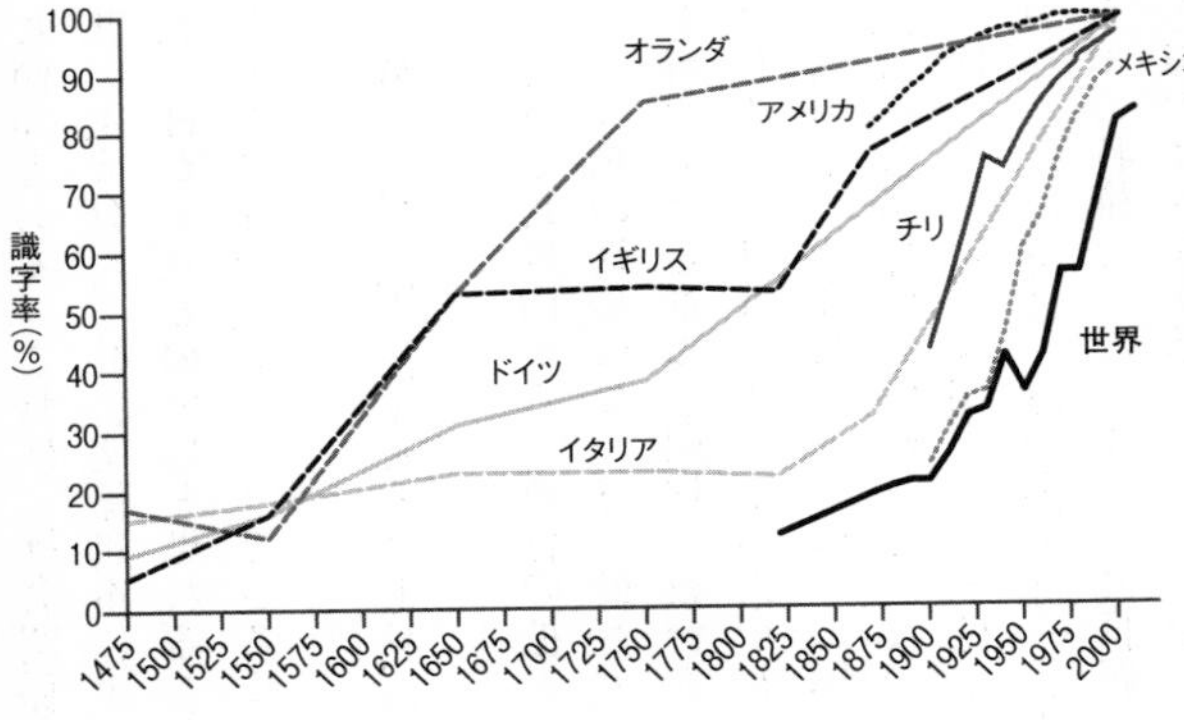

［図16-１］ **識字率（1475-2010）**
情報源：*Our World in Data*, Roser & Ortiz-Ospina 2016b. 次のデータも含む。【1800年以前】Buringh & van Zanden 2009.【世界】van Zanden et al. 2014.【アメリカ】National Center for Education Statistics.【2000年以降】Central Intelligence Agency 2016.

世紀に入ると四倍になった。今日では世界人口の八三パーセントが読み書きができるようになっている〔ユネスコの統計によると、二〇一九年現在の世界の識字率は八六パーセント〕。

しかも実際には、この数字以上に読み書きのできる世界人口は増えていると考えられる。というのも、文字が読めない一七パーセントの人々は、ほとんどが中高年だからだ。中東や北アフリカの多くの国々において、六五歳以上で読み書きのできない割合は七五パーセント以上に上るが、対して一〇代から二〇代の若者で読み書きのできない割合はたったの一桁台である。[14] 二〇一〇年の若者（一五歳から二四歳）の識字率は九一パーセントにまで達していて、一九一〇年のアメリカ全体とほ

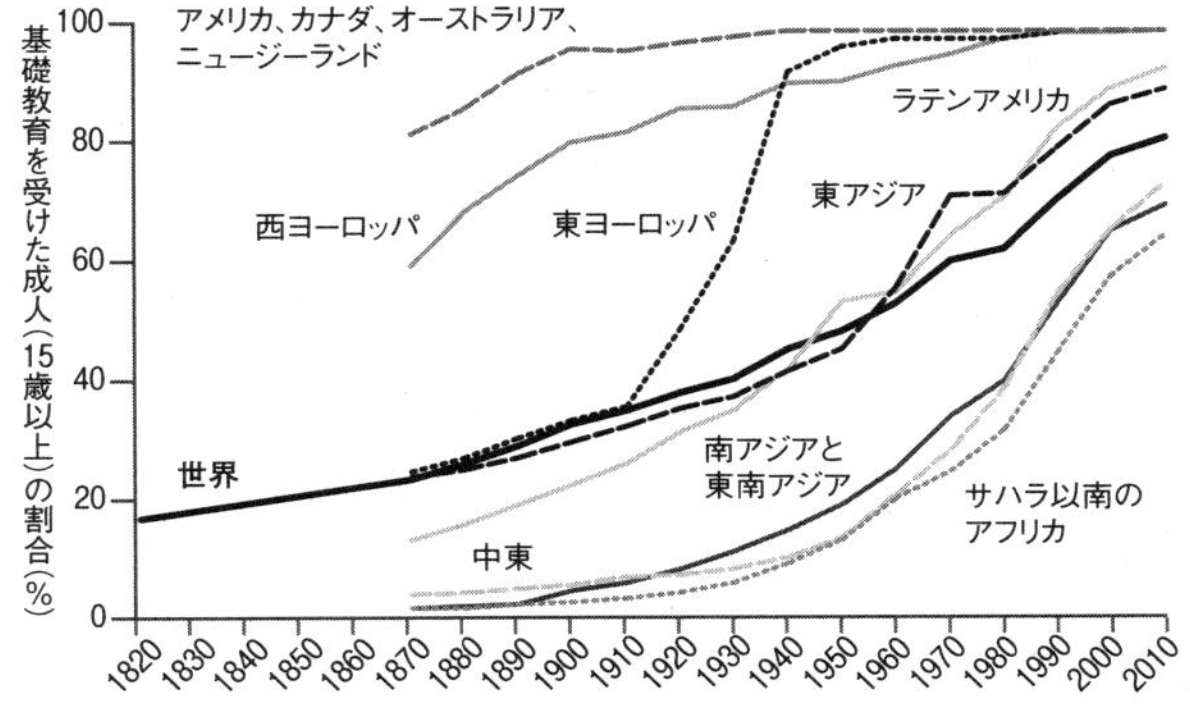

［図16－2］基礎教育（1820-2010）
情報源：*Our World in Data*, Roser & Ortiz-Ospina 2018, van Zanden et al. 2014のデータに基づく。グラフは最低1年間教育を受けた15歳以上の人の割合を示している（あとの時代になるほど就学年数は増える）。van Leeuwen & van Leeuwen-Li 2014, pp. 88-93を参照。

ぼ同じ割合だった。[15] 識字率が最も低いのは、やはり戦争で荒廃した、世界で最も貧しい国々で、南スーダン（三二パーセント）、中央アフリカ共和国（三七パーセント）、アフガニスタン（三八パーセント）などになる。[16]

読み書きはすべての教育の基礎になるが、［図16―2］では、基礎教育を受ける子どもが世界的に増加していることが示されている。[17] ここでもグラフの動きはお馴染みのものだ。一八二〇年には世界の八〇パーセント以上の人々が学校に通っていなかったが、一九〇〇年までに西ヨーロッパと英語圏の先進国で大多数が基礎教育を受けられるようになった。そして今日では、世界の八〇パーセント以上の人々が教育を受けている。教育を受けた人の割合が最も低いサハラ以南のアフリカの場合でも、現在の率は一九八〇年の世界平均と同程度であり、他の地域と比べると、一九七〇年のラテンアメリカ、一九六〇年代の東アジア、一九三〇年の東ヨーロッパ、一八八〇年の西ヨーロッパと同じ水準になる。現在の予測では、国民の五分の一以上が教育を受けていない国は、今世紀半ばまでに五カ国だけになり、今世紀末には就学していない人の割合は全世界でゼロになるという。[18]

「書物はいくら記してもきりがない。学びすぎれば体が疲れる」[19]〔旧約聖書、新共同訳〕。この言葉にもあるように、知識の探求には際限がない。人間の幸福を測る指標には、戦争や病気のようにゼロという下限のあるものや、栄養摂取や識字率のように一〇〇パーセントという天井のあるものもあるが、知識の性質はそれらとは異なる。そして知識それ自体が無限の広がりをもつだけでなく、技術が動かす経済社会では知識への関心も急速に高まっている。[20]

世界では識字率や基礎教育を受ける率が一〇〇パーセントへと向かいつつある一方、単科大学や総合大学、大学院で高等教育を受ける人も増加し、就学年数はすべての国で延びつづけている。アメリカでは、一四歳から一七歳の若者のうち高校在学者の割合は一九二〇年にはわずか二八パーセントだったが、一九三〇年には約五〇パーセントに上昇した。二〇一一年には八〇パーセントが高校を卒業し、うち七〇パーセント

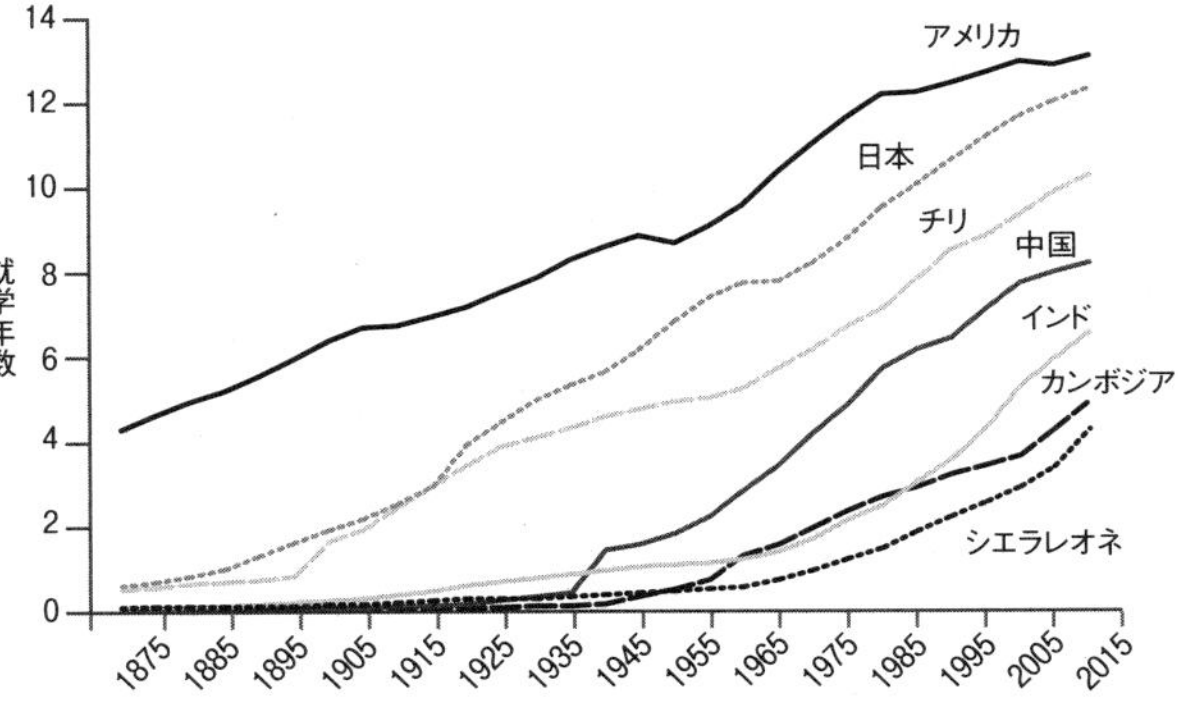

［図16－3］**就学年数（1870-2010）**
情報源：*Our World in Data*, Roser & Ortiz-Ospina 2016a, Lee & Lee 2016のデータに基づく。データは15歳から64歳までの人口が対象。

が大学に進学している。[21]また学士号をもつアメリカ人は、一九四〇年には五パーセント以下だったが、二〇一五年には約三分の一にまで増加した。[22]
［図16—3］では、サンプルの国々の就学年数がどれも上昇していることが見てとれる。近年の水準を見ると、グラフで一番下のシエラレオネでさえ、就学年数は四年間になり、一番上のアメリカでは一三年間（一部大学を含む）にもなる。ある予測では、今世紀末までに世界人口の九〇パーセント以上が何らかの中等教育を受け、四〇パーセントが大学に進学するとされている。[23]また教育の拡大は「世界人口が今世紀後半ピークに達し、そこから減少する」という予想の主な理由でもある（第一〇章の［図10—1］参照）。

なぜなら、教育を受けた人ほど、有する子どもの数が少ない傾向にあるからだ。

このようにまだ国によって就学年数に差があるとはいえ、現在、知識の普及が革命的に進んでいることを思えば、その差はあまり関係なくなるかもしれない。今や世界のほとんどの知識は、図書館にしまわれているのではなく、オンライン上で手に入れることができるからだ（しかもその大部分は無料）。スマートフォン一つあれば、大規模公開オンライン講座（MOOCs＝ムークス）などの遠隔学習を誰でも利用できるようになりつつある。

その他の点でも教育の格差は縮小傾向にある。アメリカでは一九九八年から二〇一〇年のあいだに、低所得者層やヒスパニック系、アフリカ系アメリカ人の子どもたちの就学準備状況が大幅に改善した。理由の一つは、おそらく無料の就学前プログラム〔保育園や幼稚園〕が利用しやすくなったことだろう。加えて、今日では貧困家庭でも本やコンピューターやインターネットを利用する機会が増えたことや、親が子どもと触れ合う時間が増えたことも要因だと思われる[24]。

格差の縮小といえば、女性を学校に行かせないという究極の性差別が減少していることも大いに注目に値する。このことが重要なのは、人口の半分を占める女性が教育を受ければ、その分技能の蓄積も倍になるからというだけではない。「ゆりかごを揺らすその手が世界を支配する」からでもある〔「母親が子どもに与える影響は大きい」という意味のことわざ〕。教育を受けた

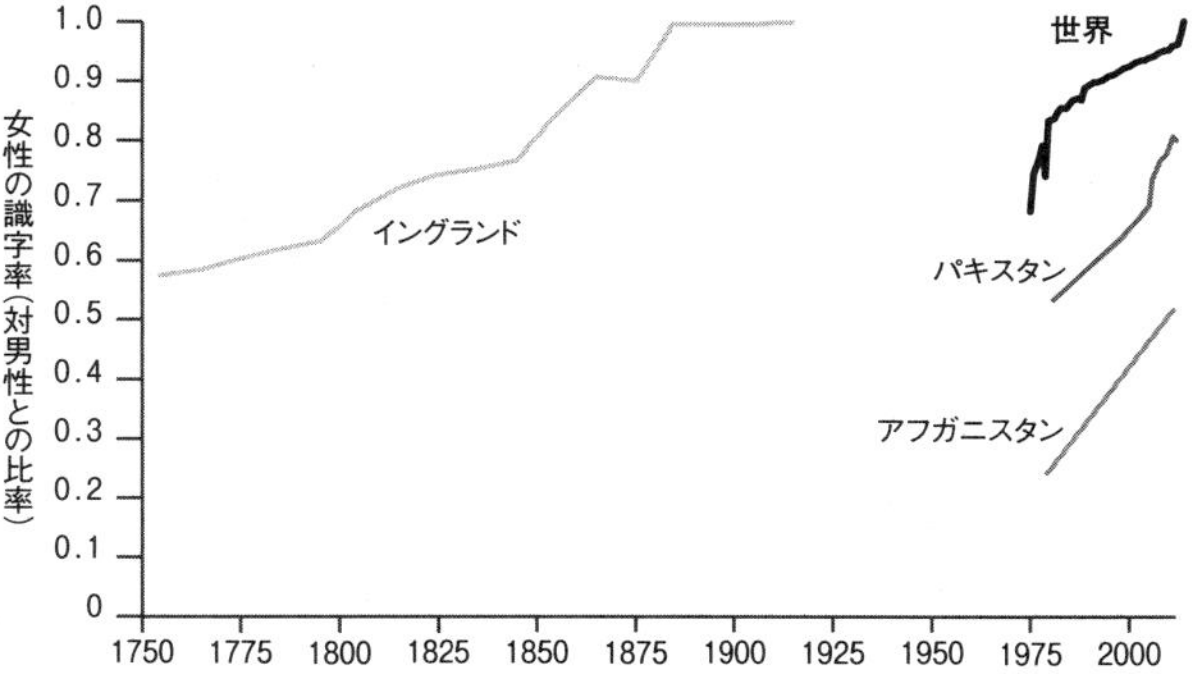

［図16－４］女性の識字率（1750-2014）

情報源：【イングランド（成人全体）】Clark 2007, p. 179.【世界、パキスタン、アフガニスタン（15歳から24歳まで）】*HumanProgress*, 〈http://www.humanprogress.org/f1/2101〉, UNESCO Institute for Statisticsのデータに基づく。World Bank 2016fに概要がある。「世界」のデータは年ごとの平均だが、年によって含まれる国はわずかに異なる。

女性は健康状態が良くなり、少数の子どもを健康に育てる。社会への寄与も大きくなり、ひいては国の繁栄にもつながる。[25] 西洋の国々は、何世紀もかけてようやく、男性だけでなく国民全員を教育することが大切だと理解した。

［図16―4］を見ると、イングランドの女性の識字率は一八八五年まで男性より低かったことがわかる。世界全体では、一九七五年の時点で読み書きを教わる女子は男子の三分の二と遅れていたが、そこから急速に盛り返し、二〇一四年には男女同数が読み書きを教わるようになった。

二〇一五年、国連は「ミレニアム開発目標報告」で、世界は初等・中等・高等教育におけるジェンダー平等を達成するという目標に到達したと発表した。[26]
［図16―4］のアフガニスタンとパキスタンの線には国情が反映されている。アフガニスタンは女性の識字率が最も低い国だが、人間開発の度合いを測るほとんどの指標も最低に近い（二〇一一年の男女合わせた識字率も三八パーセントときわめて低い）。そのうえ、一九九六年から二〇〇一年にかけてはタリバンの支配下にあった。イスラム原理主義を奉じるタリバンは数々の残虐行為をなすとともに、女性が学校に通うことも禁止し、アフガニスタンに隣接するパキスタンの一部支配地域で、女子が教育を受けるのを妨害しつづけている。

マララ・ユスフザイはそうした支配地域の一つ、パキスタンのスワート県で暮らしていた少女で、家族は学校を経営していた。彼女は一一歳だった二〇〇九年から、女子が教育を受ける権利を世界に向けて訴えていた。そして二〇一二年一〇月九日、忌まわしい日として語り継がれるであろうその日、スクールバスに乗り込んだタリバンの男に頭部を銃撃された。だが幸いにも奇跡的に生き延び、その後は史上最年少でノーベル平和賞を受賞して、世界で最も尊敬される女性の一人となっている。

これらの地域の闇は今もなお濃いが、しかしそのなかにあってさえ進歩のあとを見ることはできる。[27]この三〇年間で、アフガニスタンでは女性の識字率が二倍に、パキスタンでは一・五倍になった。パキスタンの数字は一九八〇年の世界、一八五〇年のイングランドと同じ水準になる。断言こそできないが、このまま行けば女性の識字率は積極的な運動や経済成長、良識の広まりという世界的な潮流に押され、一〇〇パーセントへと向かっていきそうである。

世界的なIQの上昇「フリン効果」の原因は何か

さて、識字率が上がり知識が豊かになっていることはわかったが、実際のところ世界の人々は昔より賢くなっているのだろうか？　新しい技術を学んだり、抽象概念を理解したり、予期しなかった問題を解決する能力は高まっているのだろうか？　驚くことに、その答えは「イエス」である。知能指数（IQ）は一世紀以上のあいだ、世界のあらゆる地域で一〇年ごとに三ポイント（標準偏差の五分の一）のペースで上昇しつづけている。これは「フリン効果」と呼ばれるもので、哲学者のジェームズ・フリンが一九八四年に初めてこの現象を紹介し、心理学者たちの注目を引いた。しかしその当時は多くの人々がこれは何かの間違いかトリックにちがいないと考えた(28)。

その理由はまず、知能は遺伝の影響を大きく受けるが、世界が大規模な優生学的計画になど取り組んでいないことは明らかだったからだ。知能の高い人々だけが代々優先的に子孫を残してきたわけではない(29)。また、確かに人類は異なる氏族や部族と結婚するようになっていたが（それによって近親交配が避けられ、雑種強勢〔系統の離れた両親から生まれた子がより優れた個体になる現象〕が起こりやすくなるが）、それによって知能の上昇を説明するには期間も数もまだ十分ではなかった。[30]それに、もし一九一〇年の平均的な知能をもつ人間がタイムマシンに乗って現代にやって来たとすると、その人はわたしたちの基準では知的障害の境界にいることになってしまう。逆に、ごく平均的な現代のアメリカ人が過去にタイムスリップし、エドワード朝〔一九〇一～一九一〇年〕のイギリスにひょっこり降り立ったら、その人はそこで出会うフロックコートを着て髭を生やした紳士の九八パーセントよりも知能が高いことになる。それは信じがたいことだった。しかしまさに驚くべきことに、フリン効果にはもはや疑いの余地がない。近年、三一カ国の四〇〇〇万人から抽出した二七一のサンプルをメタ分析して確認されている[31]〔ただし後述するように、近年「フリン効果は終わった」とする研究も発表された〕。

［図16―5］は心理学者たちのいう、その「長期的なＩＱの上昇」を示すものである。グラフの各線は、それぞれの大陸について、データが入手できた最も古い年の平均ＩＱスコアと比べ、どれくらいスコアが変化したかを示している。大陸ごとに知能テストの方法や調査期間が異なり、直接比較することができないので、どの大陸についても最も古いデータはゼロにセットしてあることに注意してほしい。つまりこれまでのグラフと違い、たとえば二〇〇七年のアフリカのＩＱは一九七〇年のオセアニアのＩＱと同水準だと考えることはできないということだ。ちなみに驚くことではないが、

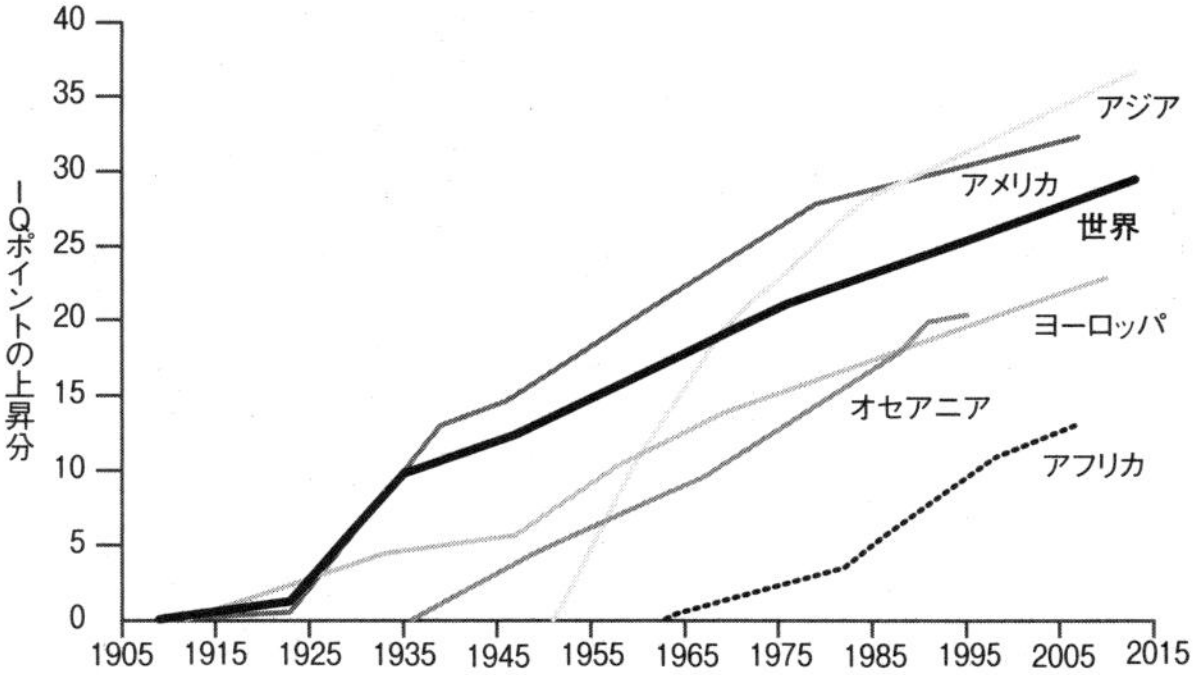

［図16-5］IQの上昇（1909-2013）
情報源：Pietschnig & Voracek 2015（オンライン資料で補足）。グラフは各地域のIQの変化を示しているが、地域ごとにIQの測定方法も測定が始まった時代も違うため、互いを比較することはできない。

ＩＱの上昇も「永遠に続けることができないものはいつかは終わる」というスタインの法則に従うようである。長いあいだＩＱの上昇が続いていた一部の国々では、現在フリン効果は弱まりつつあるらしい[32]。

なぜＩＱが上昇したのか、その原因をピンポイントで特定するのは簡単ではない。しかし、ある遺伝的特性が環境の変化によって強化されたとしてもおかしくはないだろう。つまり栄養状態が良くなったことと、病気にかかりにくくなったことが理由として考えられる。ちなみに、これはまさに身長に起きたことだった。知能と同様、身長も遺伝の影響を受けやすいが、やはり栄養面と健康面の向上のおかげで、ここ数十年のあいだ伸びているのだ。というわけで、ＩＱの上昇もまず脳に十分な栄養が与えられたことがその理由だろう。脳という器官は脂質とタンパク質でできていて、その二つをつくるよう体にいつも要求している。それと同時に大食漢で、体が摂取するエネルギーの約五分の一を消費する。また健康であれば、感染症と闘わずにすむので、そこに栄養を取られずにすむ。つまり子どもが病気にかかると免疫システムが栄養を使ってしまうが、病気にならなければその栄養は脳の発達に使われるということである。加えて環境も大切で、鉛などの毒性物質にさらされる危険の低いクリーンな環境は、脳の発達を助けてくれる。そして栄養・健康・環境の質の高さは豊かな社会が享受する恩恵の一つであり、その意味でフリン効果が一人当たりのＧＤＰの上昇に相関するのは不思議でも何でもない[33]。

しかし、栄養と健康だけではフリン効果の一部しか説明できない[34]。第一に、栄養面と健康面の向上のみによってＩＱが上昇するなら、その恩恵はＩＱスコアが平均より下に分布する人々――つまり栄養状態と健康状態が悪くて知的能力を伸ばせなかった人々に集中するはずだからである（要するに、適量を超えた過度な栄養は肥満の原因にこそなれ、知能の向上にはつながらない）。確かに、ある時代のある場所ではフリン効果は下半分の層に集中し、ＩＱが平均より低い人々を平均へと近づけた。だが、別の時代の別の場所では、ＩＱの分布を示す正規分布の釣鐘曲線は全体に右方向へと動き、全員のＩＱが上昇していた。つまり、すでに健康で栄養状態も良くて、平均以上のＩＱだった人々もさらにＩＱが高くなったということだ。

第二に、フリン効果の影響が大きく表れているのは、子どもよりも大人のほうだからである。栄養と健康が向上すると、いちばんに影響を受けるのは子どものはずで、それからその子どもたちが成長して大人になることで、大人にも影響が出るはずだが、実際にはそうなっていない。このことは、幼児期の脳の発達だけでなく、大人になる過程での経験もＩＱを上昇させたことを示している（その最たるものは教育だろう）。またＩＱが上昇したこの数十年のあいだ、栄養状態も健康状態も身長も上昇したが、それぞれの上昇や停滞に特に密接な関連は見られない。

だが、ＩＱの上昇を栄養面や健康面の改善だけで説明できない何より大きな理由は、全分野の知能が一様に上昇したわけではないからだ。実はフリン効果とは、一般知能因子（g）——言語、空間、数、記憶などの特殊知能因子の基礎となるもので、知能のなかで遺伝子の影響を最も受けやすい部分[35]——の上昇のことではない。もちろんＩＱ全体も、部分検査の各スコアも上昇しているが、部分検査のなかには、他のものの以上に急速な伸びを見せたものがあり、それらは遺伝子が関係するパターンとは異なるパターンで伸びていた。しかしその一方で、環境の向上だけでは説明のつかない上昇が存在することも確かであり、それがまた、フリン効果が、ＩＱには遺伝が大きく影響することを疑わない理由である。

では、この数十年の環境の向上によって、どんな種類の知的能力が上昇したのだろうか？　意外にも、大きく伸びたのは学校で教えられた具体的能力（一般知識や計算能力や語彙力など）ではなく、抽象的な種類の能力だった。たとえば類似点を考える問題（「一時間と一年の共通点は何か？」）や、類推問題（「『鳥と卵』に相当する関係は『木と何』になるか？」）、図形問題（複雑な幾何学的図形が一定の法則で並んでいるとき、空欄に当てはまる図形を選ぶ）などを解くための能力である。

なかでも最も向上したのは分析的な思考力である。すなわち、ある概念を抽象的なカテゴリーに分類する能力（一時間と一年はどちらも「時間の単位」）や、物事をいっしょくたにとらえるのではなく、頭のなかで各要素に分けてそれぞれの関係を分析する能力、ある一定の法則に基づく仮想世界に身を置き、日常の経験からいったん離れて、その世界での合理的予測を探す能力（「X国ではすべての物がプラスチックでできているとする。では、オーブンはプラスチックでできているか？」）などになる。[36]こうした分析的思考は、学校教育を通して身につくものだ。たとえ教師が意識的に授業に取り入れていなくても、教育計画の重点が機械的な暗記ではなく、理解力や論理的思考力を鍛えることに置かれていれば、分析力は磨かれる（そして二〇世紀初め以来、教育はこのタイプへと傾いている）。[37]学校以外でも、現代は分析的思考を高める文化である。巷には、視覚記号（地下鉄の地図やデジタルディスプレイ）や、分析ツール（表計算ソフトや株価レポート）、一般にまで波及した学術的概念（「需要と供給」「平均値」「人権」「ウィン-ウィン」「相関関係と因果関係」「偽陽性」）があふれているからだ。

フリン効果は世界を豊かにした要因の一つ

しかし、フリン効果は実世界において重要なものなのだろうか。これについては、重要だといってほぼ間違いない。高いＩＱはたんにバーで自慢したり、高ＩＱ団体「メンサ」に入会したりできるだけのものではなく、人生の追い風となるものだからだ[38]。知能検査で高スコアだった人々は、良い仕事に就いたり、仕事で成果を上げたりする。健康を享受し、長生きする。法に触れる問題を起こすことが少なく、起業や特許の取得、優れた芸術作品の創作など、数々の偉業を成し遂げる。つまり皆、一定の社会的・経済的地位をもっている（左派のインテリたちのあいだでは、ＩＱなど存在しないとか、測定方法が信頼できないとかいう神話がいまだに健在だが、数十年前にそれは誤りだと証明された）。高ＩＱのこうしたうれしいおまけは一般知能因子だけからもたらされるのか、それともフリン効果で上昇したような後天的な知能からももたらされるのかはわかっていないが、答えはおそらくその両方だろう。

また、フリンは抽象的な論理思考によって道徳感覚が磨かれると推測するが、わたしもそう思う。思考によって自身の日常生活と距離をとり、「運が悪ければ自分だってそうなる」とか「もし全員が同じことをしたら、世界はどうなってしまうのだろう」と考える行為は、同情心や倫理観を高める入口になるだろう[39]。

知能は良いことをもたらす。そしてその知能は上がりつづけている。そうであるなら、知能の向上がこの世界の進歩に貢献している様子を、はっきりと目にすることはできるのだろうか。懐疑論者のなかには（その筆頭は実はフリン自身だが）、はたして二〇世紀はヒュームやゲーテやダーウィンの時代以上に優れた思想を生みだしただろうか、といぶかる者もいた[40]。確かに、過去の天才たちは手つかずの分野を開拓できる点で有利だった。一度誰かが「分析判断と総合判断の区別」〔カント〕や「自然淘汰説」を発見したら、そのあとは誰もそれを発見したとはいえなくなる。しかも今日では、知的分野はすでに十分に開拓されているだけでなく、抜きん出た知識をもつ人々が集団で、あらゆる分野に手を出している。さらにそうした集団はネットワーク化までされている。こうなると、たった一人の天才がそれを上回る成果を出すのは、いっそう難しくなってしまう。とはいえそれでも、チェスやブリッジで世界トップクラスの選手の年齢がだんだん若くなっているなど、人々の知的能力が向上している兆候は見られている。またこの半世紀で、科学と技術がとてつもない速さで進歩したことは疑いようがない。

何より劇的なのは、ある種の抽象的思考力の向上が、世界全体に目に見える形で現れていることだろう。つまり、現代の人々はデジタル技術を使いこなしている。サイバースペースというのは究極の抽象世界であり、そこでの目的は具体的な事物を空間に生み出すことによってではなく、目に見えない記号やパターンを操作することによって達成される。かつて一九七〇年代に、ビデオレコーダーや新システムの地下鉄の券売機といったデジタル・インターフェースに初めて直面したとき、人々は途方に暮れた。一九八〇年代には、こんなジョークをよく聞いたものだ。「世間のビデオレコーダーはほとんどみんな、『12：00』が永遠に点滅しているらしいよ。だって、持ち主がどうやって時間を合わせればいいかわからないから」。しかし周知のとおり、その後のジェネレーションX〔一九六〇年代後半から一九七〇年代生まれ〕とミレニアル世代〔一九八〇年代から二〇〇〇年代初頭生まれ〕はデジタル世界を難なく渡り歩いている（二一世紀初頭の風刺漫画では、父親が息子にこんなセリフをいう。「ほら、おまえがインターネットで見るものを制限するソフトを買ってきたぞ。で、これはどうやってインストールすればいいんだ？」）。

発展途上地域もデジタル分野では健闘している。モバイルバンキングや教育、リアルタイムの株式市場情報など、スマートフォンやそのアプリケーションをうまく活用しているという点では、西洋を追い抜いていることも多い。[41]

では、これまでの章で見てきた幸福を示す指標の上昇も、フリン効果によって説明できるのだろうか。経済学者のR・W・ヘイファーの分析によると、どうやら説明できそうである。彼はすべての交絡因子〔調査対象の因果関係に外から影響を与える因子〕を一定にして分析した結果（教育、GDP、政府歳出に加え、当該国の宗教の特性や植民地化の歴史も一定にした）、その国の平均IQを通して、一人当たりのGDPが将来どの程度成長するかを予測できるとしたのだ。それだけでなく、寿命や余暇の時間のように経済とは別の幸福を示す指標についても、平均IQからその伸びを予測できるという。普通なら幸福を示す数値が二倍になるには二七年かかる。だが彼の予測では、IQスコアが一一ポイント上昇すると国の経済成長が加速するので、それが一九年で済む。つまりフリン効果を促す政策を実施すれば――すなわち健康、栄養、教育に予算を割けば――将来、国は豊かになり、治安も良くなり、人々の幸福度も上がるということである。(42)

「人間開発指数」の改善は進歩の実在を証明する

幸福を表す指標が一様に伸びているのは、人類にとって良いことなのは間違いない。ただ社会科学にとっては話が別で、頭を悩ますものになる。なぜなら、人間の生活を向上させたすべての要素の相関関係を解き明かすことなど不可能だろうからだ。その因果関係を確実に突きとめるのも無理だろう。しかし、ここで少しのあいだ、もつれた糸をほどくのは難しいと嘆くのをやめ、代わりにすべての要素が共通して向かう方向に注目してみよう。幸福度を表す多くの要素は、国と時代をまたいで相関をもつ。そこからわかるのは、各要素の下に首尾一貫した一つの現象が隠れていそうなことである。それは統計学者が共通因子とか主成分、もしくは潜在変数、隠れ変数、媒介変数と呼ぶものだが[43]、わたしたちはその因子を「進歩」という名で呼ぶことができる。

人類を繁栄させるすべての要素の根底にあるその進歩のベクトルを、これまで誰も数値として計算したことはない。しかし、それに近いものとして、国連開発計画は毎年「人間開発指数」を発表している。これは経済学者のマブーブル・ハックとアマルティア・センが考案したもので、「平均寿命、一人当たりのＧＤＰ、教育水準」という人間開発における三つの主要要素で構成されている（要するに、健康と富と知的能力を測るもの）[44]。本章では、今まさにこれらの要素を検証しているところであり、このあとの二章で人類の進歩の質的な面について論じるので、ここで量的な面について人類の進歩の歩みを振り返るのはちょうどいいだろう。

そういうわけで、二人の経済学者がそれぞれ独自に考案した二つの人間開発指数を紹介したい〔国連開発計画の「人間開発指数」とは別のもの〕。これらは一九世紀にまでさかのぼって数値が推測されているところが特徴で、どちらもそれぞれのやり方で寿命、所得、教育に関するデ

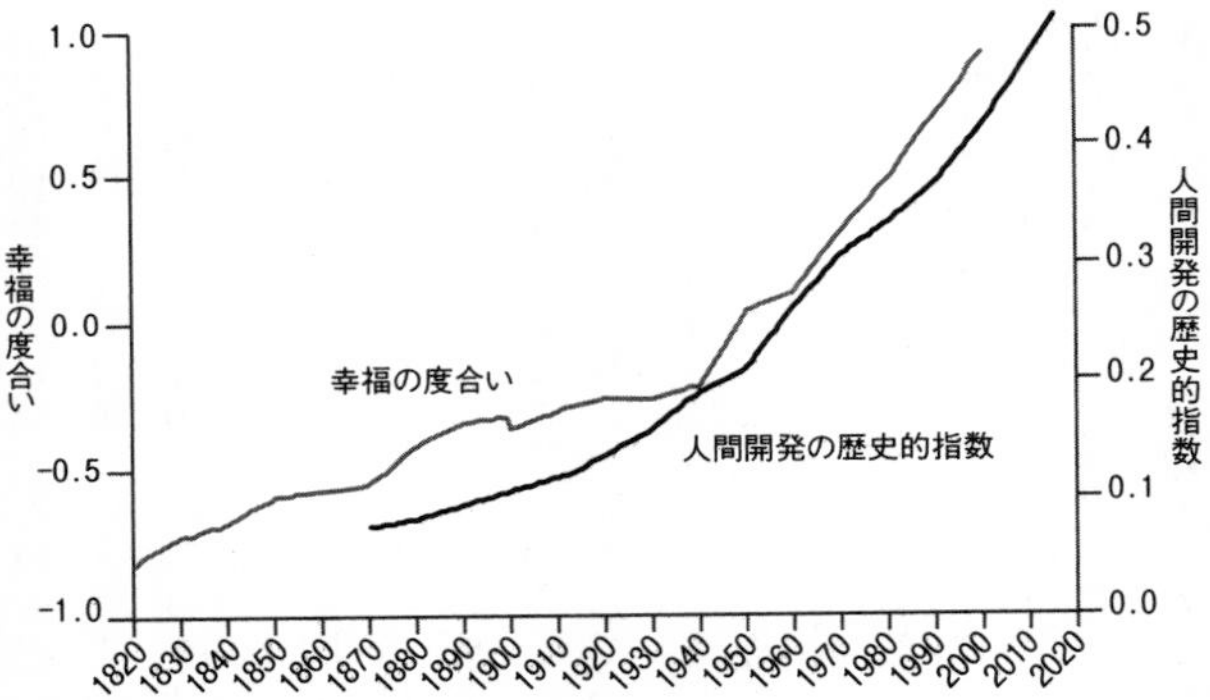

［図16-６］**世界の幸福度（1820-2015）**
情報源：【人間開発の歴史的指数】Prados de la Escosura 2015（実際は０から１の目盛。*Our World in Data,* Roser 2016h で入手可能）。【幸福の度合い】Rijpma 2014, p. 259（国と時代全体の標準偏差目盛）。

ータを集計している。まず一つめは、レアンドロ・プラドス・デ・ラ・エスコスラの「人間開発の歴史的指数」である。これは一八七〇年にまでさかのぼって人間開発の指数を求めたもので、三つの要素の平均値は算術平均〔各データの総計をそのデータ数で割った数〕ではなく幾何平均〔n個の数値がある場合は掛け合わせてn乗根をとること。三つの場合は掛けて立方根をとる〕で出されている（一つの要素で極端な値が出ても、他の二つの要素に過剰に影響させないため）。また寿命と教育に関しては、所得と違い上限があることを考慮して、尺度が調整されている。

それからもう一つの指数は、アウケ・レイマの「幸福の度合い」である（ちなみに、本書では多くのグラフで彼の「How Was Life?　プロジェクト」のデータを使用させてもらっている）。こちらは一八二〇年にまでさかのぼったもので、三つの主な要素に加え、身長（健康の代用）、民主主義〔政治形態〕、殺人事件〔治安〕、所得格差、生物の多様性〔環境の質〕なども要素に含む（この二〇〇年間で体系的な改善が見られないのは、このうち所得格差と生物の多様性だけである）。［図16―6］はこの二つの指数がそれぞれ世界の値を示したものである。

グラフを見れば人類が進歩していることは一目瞭然だろう。これに加え、グラフの二つの線には大切なサブストーリーも隠れている。一つは、世界はまだずいぶんと不平等だが、それでもすべての地域で改善が見られるということだ。今日、世界で最も貧しい地域でも、今より少し前に世界で最も裕福だった地域より状況は良い（世界を西洋とそれ以外の地域に分けた場合、二〇〇七年の「それ以外の地域」の水準は、一九五〇年の西洋と同程度だった[45]）。もう一つは、人間の幸福を示す指標はほとんどすべて富と関連しているが、その一方でグラフは豊かになっていく世界を単純に反映しているわけではないということだ。つまり富が増えていない時代や場所でも、多くの場合、寿命や健康や知識は向上しているのである[46]。たとえその歩みは揃わずとも、人類の繁栄につながるあらゆる要素は長期的には向上している。その事実が、進歩は確かに存在すると考えることの正しさを証明してくれている。

第一七章　生活の質と選択の自由

好きなものを手に入れられるのは良いことだ

よほど冷たい人間でないかぎり、病気や飢餓の克服、識字率の向上がすばらしい成果であることは否定しないだろう。だがそれでも「経済学者が数字で測る類いのものが向上しているからといって、はたしてそれを本物の進歩とみなせるだろうか」といぶかる向きはある。彼らの反論はこうだ。ひとたび基本的な欲求が満たされれば、あとはどれだけ富が増えても、人間はくだらない消費主義に陥るだけではないだろうか。かつてソ連や中国やキューバは、五カ年計画のおかげで健康が増進し、識字率も上昇したと宣伝していたが、それらの国はどこもむしろ住むのに恐ろしい国ではなかったか。健康になり、ある程度の富をもち、文字が読めるようになったからといって豊かで実り多い人生を送れるとはかぎらないのではないか。

文化悲観論者のこうした態度のいくつかにはすでに答えてきた。これまでに説明したように、全体主義は、幸福な生活を送るには大きな障壁だが（共産主義者のいうユートピアとはほど遠い）、これは徐々に減少しつつある。また、標準的な指標がとらえていない進歩の大切な側面——女性や子どもやマイノリティの権利——が着実に向上していることもすでに述べた。しかし、それでも文化悲観論者は懸念する。どれだけ寿命が延びようが所得が増加しようが、もし人々がただ出世を目指すだけの競争社会や無駄な消費、くだらない娯楽、心を殺すアノミー（社会的価値観の崩壊による混沌状態）に向かっているだけなら、結局、進歩などしていないのではないか。そうした文化悲観論者の懸念について、本章ではさらに広く答えたい。

　このような反論には、もちろん、再反論することができる。そもそも右のような思考は文化的、宗教的エリートが、「ブルジョワ階級や労働者階級の人間は空虚な人生を送っているにちがいない」として冷笑する長い伝統から来ているものだ。こうした文化批判の根幹には、うっすらとスノビズムをまとった人間嫌いがあると思われる。文芸評論家のジョン・ケアリも『知識人と大衆』（東郷秀光訳、大月書店）のなかで、二〇世紀初頭のイギリス文学界のインテリたちが、大量虐殺でも始めんばかりの勢いで、一般大衆を蔑視していた様子を伝えている[1]。実際、彼らのいう「消費主義」とは、「自分以外の誰かの消費」を意味することがほとんどである。というのも、消費主義を批判するエリートたち自身は、どこからどう見ても法外な贅沢を楽しむ消費者であることが多いからだ。ハードカバーの本に高級な食事やワイン、演劇やコンサート、海外旅行。そして子どもには一流の教育を受けさせる。しかし、より多くの人々が、彼らエリートたちの好む贅沢を手にすることができるなら、それは良いことと捉えるべきではないだろうか。たとえ文化的優位にいると自負する彼らの目にはくだらない消費に映ろうが、喜ばしいことではないだろうか。

　ある古いジョークにこんなものがある。街頭で一人の男が共産主義の栄光について群衆に演説していた。「来たれ、革命！　革命が来れば、みんなが〝イチゴのクリームがけ〟を食べられるようになるんだ！」。すると、前列で聞いていた男が文句をいった。「でも、おれは〝イチゴのクリームがけ〟なんて代物は好きじゃないよ」。それを聞くと、演説者は怒鳴りつけた。「来たれ、革命！　革命が起これば、おまえも〝イチゴのクリームがけ〟が好きになるんだ！」[2]

　しかし皆が〝イチゴのクリームがけ〟を食べられるようになるのはいいとして、好きでもないのに食べさせられるのはいけない。アマルティア・センは『自由と経済開発』（石塚雅彦訳、日本経済新聞社）で、この種の罠に陥らないようにするため、開発の最終目標は人々が選択できるようにすることだと提案した。つまり、食べたい人が〝イチゴのクリームがけ〟を食べられるようにするということだ。哲学者のマーサ・ヌスバウムはこの理論をさらに一歩進めて、一連の「基本的な潜勢能力《ケイパビリティ》」を提唱し、

「潜勢能力」を発揮できる機会はすべての人に与えられるべきだとした。[3] ここでいう「潜勢能力」とは、人間の本性として誰もが感じることのできる満足感や達成感を生み出す源で、発揮できて当然のものと理解していいだろう。ヌスバウムによる潜勢能力のリストには、寿命、健康、安全、識字能力、知識、表現の自由、政治参加など、これまでに検証してきたとおり、現代社会が徐々に実現しているものが含まれる。このほか、芸術体験、気晴らしとしての娯楽や遊び、自然の享受、他者との情緒的なつながり、社会との関わり、自分自身にとって良い人生とは何かを考え、その人生を実現する機会などもリストに続く。

本章では、近代化の潮流のおかげで、こうした潜勢能力を発揮できる機会が増していることについても検証したい。経済学者が定める長寿や富などの指標以上に、人々の生活は向上している。確かに、人々の多くはいまだに〝イチゴのクリームがけ〟が好きではなく、一つの潜勢能力しか発揮していないかもしれない。テレビを見たりゲームで遊んだりする自由ばかりを享受し、芸術体験や自然の享受といったそのほかの潜勢能力は放棄しているかもしれない（かつて詩人のドロシー・パーカーはパーティーでの単語ゲーム中、「園芸」という単語を使えと周囲からいわれ、「園芸という言葉を提案することはできるけど、無理に使わせることはできない」とウィットに富んだ答えを返したが〔「馬を水辺に連れていくことはできても、無理に水を飲ませることはできない」ということわざのもじり〕、それと同じく無理強いはできないということだ）。しかし、究極の進歩の姿とは、さまざまな機会を提供する広大なカフェテリアに、世界中のすばらしいもの――芸術的喜び、知的喜び、社会参加の喜び、文化的喜び、自然と接する喜び――が並び、そのなかから何を選んでトレイに載せようがかまわないというものではないだろうか。

労働に費やさなければならない時間が減少

人生は時間でできている。ということは、生きるために費やさねばならない時間が――言葉をかえれば、人生の楽しみを犠牲にした時間が――どれだけ減少したかを知ることも、進歩の程度を測る一つの基準になる。かつてアダムとイブをエデンの園から追放したとき、常に慈悲を忘れない神は「おまえは顔に汗を流してパンを得る」〔旧約聖書、新共同訳〕といった。そしてその言葉どおり、歴史を通してほとんどの人々はまさに汗を流してパンを得てきた。農民は日の出から日没まで働き、狩猟採集民は、狩りや採集こそ一日数時間で済んだが、その後の食物の加工に多くの時間がかかった（たとえば、岩のように固い木の実を割るなど）。それだけでなく、薪《まき》を集めたり、水を汲んで運んだり、ほかにもいくつもの雑用を片づけなければならなかった。カラハリ砂漠に住む狩猟採集民のサン族の社会は、以前は「原初の豊かな社会」と呼ばれていたが、

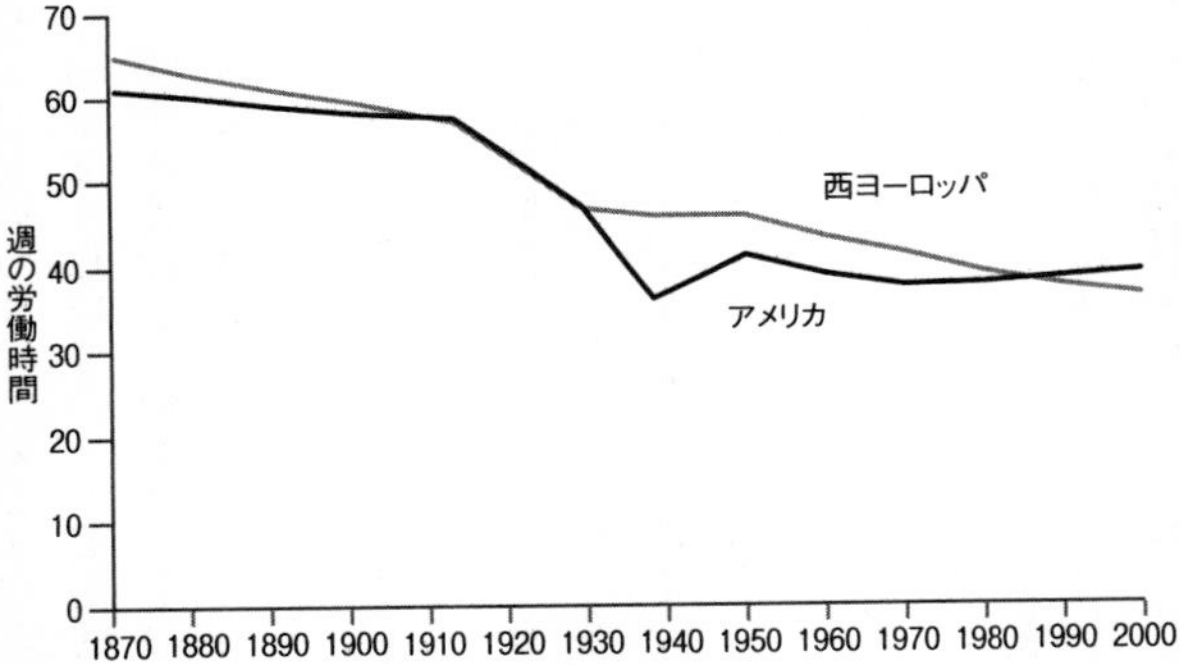

［図17-1］ **労働時間（西ヨーロッパとアメリカ、1870-2000）**
情報源：Roser 2016t, Huberman & Minns 2007にある正規雇用の生産労働者（農業以外、男女）のデータに基づく。

その後、サン族の人々は食物に費やすだけでも一日に最低八時間、週に六日か七日は働いていることがわかっている[4]。

　チャールズ・ディケンズの小説『クリスマス・キャロル』では、ボブ・クラチット〔主人公スクルージにこき使われる男〕が週に六〇時間も働かされ、休みは年にたった一日しかもらえない（もちろんクリスマスだ）。しかし実はその時代の基準に照らすと、ボブ・クラチットの労働環境はまだましなほうだった。［図17―1］で示すように、一八七〇年の西ヨーロッパの平均労働時間は週六六時間（ベルギーは週七二時間）、アメリカは週六二時間になる。しかしそれから一世紀半のあいだに、労働者は賃金奴隷の状態から徐々に解放され、特に社会民主主義色の強い西ヨーロッパの状況は劇的に改善した（現在、西ヨーロッパの労働時間は一八七〇年と比べ、週二八時間も短くなった）。アメリカは仕事に野心的なのか、西ヨーロッパよりも短縮幅は少ないが、それでも一八七〇年と比べ、週二二時間分短くなった[5]。

わたしの父方の祖父の場合、一九五〇年代になってもまだ、暖房のないモントリオールの市場で昼夜を問わず、週七日チーズ売り場に立っていた。だが解雇されることを恐れ、労働時間の短縮を切り出せないでいた。若かりし頃のわたしの両親が祖父の代わりに抗議して、ようやく散発的に有給休暇がもらえるようになり（ただし、経営者はきっと『クリスマス・キャロル』のけちな主人公スクルージさながらに、「人のポケットから金をくすねるためのへたな言い訳」（スクルージのセリフ）と思ったことだろう）、その後、労働法で労働時間が週六日に規定されて、祖父はやっと週一日は確実に休めるようになった。

わたしたちのうち、ごく少数の幸運な人間は「基本的な潜勢能力」を発揮して給与をもらい、自ら好んでヴィクトリア朝時代（一九世紀）の労働者のような働き方をしている。しかしほとんどの人は週二日の休みを、仕事とは別の何かで満たせることに感謝していることだろう（祖父の場合、やっともらえた休みの日には、イディッシュ語の新聞を読んだり、ジャケットにネクタイ、中折れ帽という粋な姿で、姉妹やわたしたち家族を訪れたりしたものだ）。

また、わたしの同僚の教授には死ぬまで研究に没頭するような人間が多いが、ほかの仕事で働く多くの人々にとっては、老後はやはり仕事から離れ、ゆったり過ごせるほうが幸せだろう。読書をしたり、何かを学び直したり、キャンピングカーで国立公園をめぐったり、イギリスのワイト島のコテージでベラやチャックやデイブ〔ビートルズの『When I'm Sixty-Four（僕が六四歳になっても）』に登場する未来の孫たち〕をあやしたり。こうした老後の楽しみというのも、現代社会がもたらした恩恵である。

経済コラムニストのモーガン・ハウゼルはいう。「アメリカではいつも〝退職後の資金問題〟が危惧されているが、そもそも〝定年退職〟という概念ができたのは、たかだかこの五〇年のことである。少し前まで、ごく平均的なアメリカ人の生涯には〝労働〟と〝死〟という二つのステージしかなかった。（中略）言い換えれば、現在、平均的なアメリカ人は六二歳で定年を迎えるが、一〇〇年前の平均的なアメリカ人は五一歳で死亡していたということだ[6]」

〔図17─2〕を見るとわかるように、一八八〇年には、現在の基準では定年とされる年齢のアメリカ人男性の約八〇パーセントがまだ働いていた。しかしその割合は一九九〇年になると、二〇パーセント以下にまで低下している。

かつて人々は定年を心待ちにするどころではなく、むしろ怪我や病気で働けなくなり、救貧院送りになることを恐れていた。いわゆる「人生の冬につきまとう恐怖」で

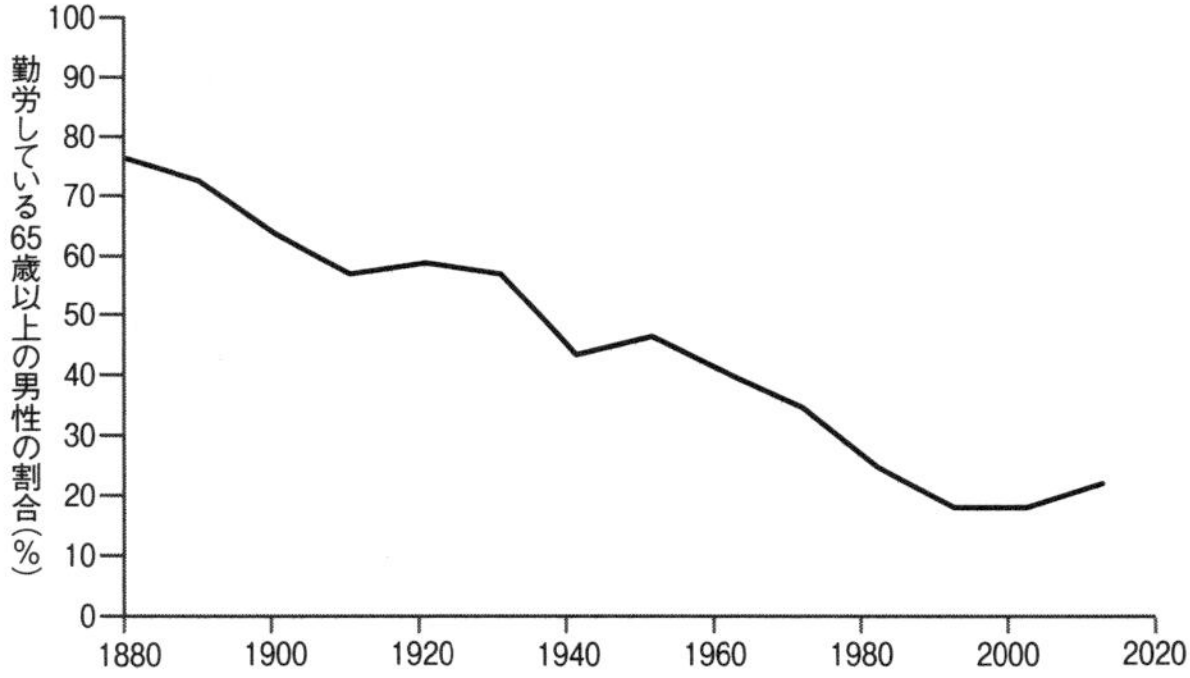

［図17-２］**定年退職（アメリカ、1880-2010）**
情報源：Housel 2013（労働統計局のデータに基づく）、Costa 1998。

ある。[7] アメリカでは一九三五年に社会保障法が成立し、高齢者は極度の貧困からは保護されるようになったが、退職後に貧困に陥ることはよくあった。わたし自身、子どもの頃は、年金生活者がドッグフードを食べて生活しているイメージが焼きついていたものだ（きっと都市伝説だったのだろう）。しかし、公的にも私的にもセーフティーネットが強化されたことで、今やシニア層は現役世代より豊かである。アメリカでの六五歳以上の貧困率は、一九六〇年の三五パーセントから二〇一一年には一〇パーセントにまで低下したが、この一〇パーセントという数字は、国全体の平均貧困率一五パーセントと比べても低い水準である。[8]

さらに労働運動や法の整備、労働生産性の向上のおかげで、かつては夢のまた夢だったものがもう一つ実現された。有給休暇制度である。今日アメリカでは、勤続年数が五年の場合、平均で年間二二日の有給休暇を付与される（一九七〇年には一六日だった）。ただし、これでもまだ西ヨーロッパの標準からすれば少ないが[9]。それはともかく、週当たりの労働時間の減少や有給休暇の増加、定年後の人生の長期化という要因が重なったことにより、一人が一生のうち労働に割く時間の割合は、一九六〇年と比べ四分の一も減少した[10]。一方、発展途上世界の動向は国によって異なるが、それらの国々も豊かになるにつれ、やはり西洋と同じ道筋をたどることだろう[11]。

家事や生活維持のためにかかる時間も減少

人々が労働から解放された理由はほかにもある。すなわち家電製品の普及である。そのおかげで人は人生の多くの時間を費やしていた家事労働から自由になり、やりたいことをもっと追求できるようになった。第九章で説明したように、今やアメリカでは貧困世帯でも冷蔵庫、掃除機、洗濯機、電子レンジなどの家電を所有している。その昔、一九一九年に冷蔵庫を手に入れるには、アメリカの平均的な賃金労働者は一八〇〇時間も働かなければならなかった[12]。それが二〇一四年になると、二四時間以下の労働で入手できるようになっている（しかも最近の冷蔵庫は霜取り機能や自動製氷機付きだ）。

これを愚かな消費主義と呼べるだろうか？　いや、呼べないだろう。衣食住は人生に必要な三要素だが、エントロピーがそれらを劣化させること、そして衣食住の維持に費やす時間は、自分にとって価値ある別のことに費やせるはずの時間であることを思い起こせば、これを消費主義などといえるはずがない。電気や水道、家電製品（かつて呼ばれていたように「労力節約機器」といってもいい）が普及したおかげで、わたしたちは衣食住に費やしていた時間を取り戻すことに成功した。祖母たちの世代がそこにどれだけ多くの時間をかけていたことか。水を汲む、バターをつくる、ピクルスや燻製などの保存食をつくる、箒《ほうき》で床を掃き、ワックスをかける、磨き粉で磨く、洗剤を泡立て、洗濯物を絞り乾かす、縫い物・繕い物・編み物・かがり物をする、などなど。その姿からは、「せっせと料理に励み、身を粉にして働く」という言葉が自然と浮かんだものだった。わたしたちはそうした多くの時間をもっと別のことに使えるようになったのである。

次ページの［図17―3］は、二〇世紀のあいだに電気や水道、各種の家電製品がアメリカの一般世帯に普及するにつれ、家事労働に費やされる時間が約四分の一に減ったことを示している（ちなみに驚くには当たらないが、人々のいちばん嫌いな時間の使い方は家事労働だそうだ）。一九〇〇年に週五八時間だった家事労働は、二〇一一年には

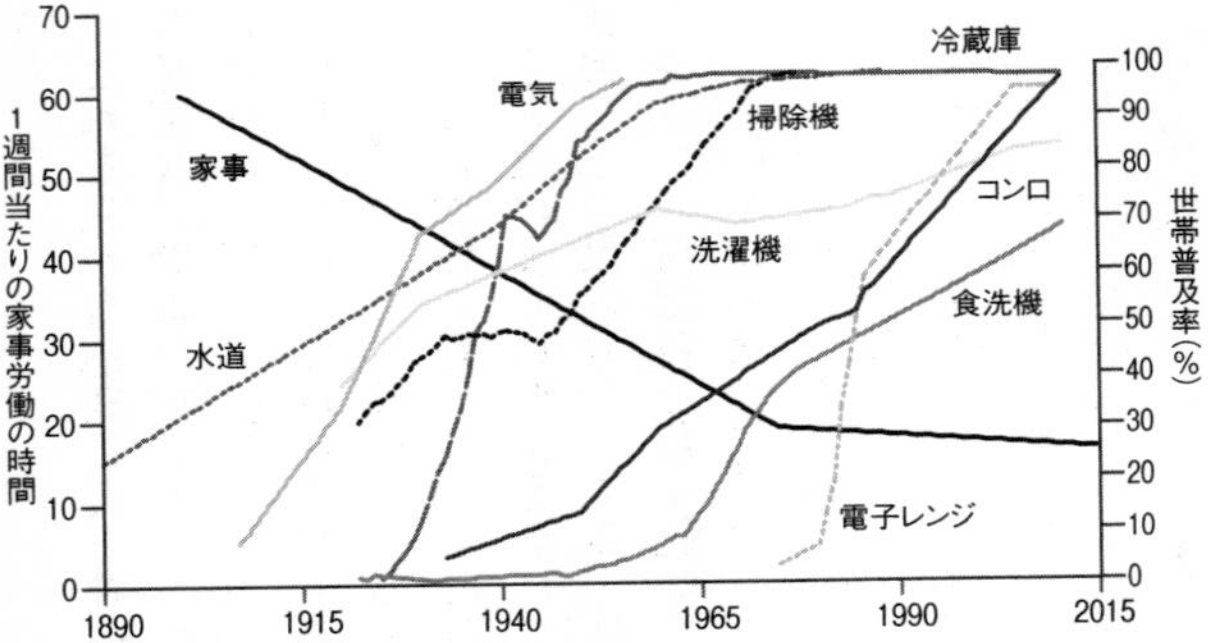

［図17-3］**電気・水道・家電製品の普及と家事労働（アメリカ、1890-2015）**
情報源：【2005年以前】Greenwood, Seshadri, & Yorukoglu 2005.【家電（2005年と2011年）】国勢調査局、Siebens 2013.【家事（2015年）】*Our World in Data*, Roser 2016t, Bureau of Labor Statistics 2016b の the American Time Use Survey に基づく。

週一五・五時間にまで減少した。[13] 洗濯一つをとってみても、一九二〇年代には週一一・五時間も必要だったが、それが二〇一四年には一・五時間で済むようになっている。[14]「洗濯の日」に使っていた時間がわたしたちの人生に戻ってきたことについて、ハンス・ロスリングは「洗濯機は産業革命の最も偉大な発明と呼ぶのにふさわしい」とする。[15]

フェミニスト時代の夫として、わたしはこの家事労働の減少という進歩を喜ぶにあたり、「わたしたち」という一人称複数を嘘偽りのない心で使うことができる。だがほとんどの時代と場所で、家事は女性の仕事とされてきた。つまり、家事労働からの人類の解放は、事実上、家事労働からの女性の解放であるということだ。それはおそらく女性をあらゆる意味で解放するものだろう。男女平等についての議論は、一七〇〇年のメアリー・アステルの『結婚についての考察』にまでさかのぼる。これについて反駁の余地はないが、しかしその実現にはそれから何世紀かが必要だった。トーマス・エジソンは一九一二年の『グッド・ハウスキーピング』誌のインタビューで、二〇世紀に起こりうる大きな社会変革の一つをこう予言した。

> 未来の主婦は家事の奴隷でもなく、家の雑事を負わされる人間でもありません。きっと、家のことにあまり注意を払わなくなるでしょうが、それは家のほうで注意を必要としなくなるからです。たくさんのすばらしい機械や電気機器が手足となってくれるので、主婦はもはや家事労働者というより、家事を仕切る技師のようになるはずです。これに加え、ほかにも機械的な力を利用できるようになり、女性の世界は革命的に変わるでしょう。そうなると女性は温存できたエネルギーの大部分を蓄え、その力をもっと広く建設的な分野で使うようになるにちがいありません。[16]

このように、時間は豊かな人生を送るための基礎になるが、技術の進歩がもたらしたのは時間だけではない。「光」の進歩もわたしたちに豊かな人生をもたらしてくれている。ちなみに、「光（light）」は人を力づけるものであることから、その観念は優れた知性や精神を追い求める「啓蒙（enlightenment）」のメタファーでもある。

自然の法則に従うなら、わたしたちは人生の半分を暗闇のなかで過ごさなければならない。しかし人工的な光を発明したことで、人類は夜になっても読書をしたり、移動したり、人に会ったり、ほかにもさまざまな活動ができるようになった。経済学者のウィリアム・ノードハウスは、「明かり」というこのかけがえのない資源の価格が低下していること（したがって、誰もが利用できるようになったこと）を進歩の象徴とする。

［図17─4］は、一日二時間半読書するとした場合、一年間に支払うことになる価格（一〇〇万ルーメン時の光量の価格）を示している（インフレ調整済み）。これを見ると、明かりの価格はかつて「暗黒時代」と呼ばれた中世と比べ、今や一万二〇〇〇分の一にまで下がったことがわかるだろう。一三〇〇年には約三万五五〇〇ポンドだったものが、今日では三ポンド以下となっている。もしあなたがこのところ、夜に本を読んだり、人と話したり、外出したり、そのほか何かしらの自分を向上させるような活動をしていなくても、その理由は「明かりを買えないから」ではないはずだ。

しかし人工光の価格が大幅に低下したというだけでは、まだ進歩の一面しか語っていない。アダム・スミスがいうように、「どんなものであれ、それを獲得するために

［図17-4］明かりの価格（イングランド、1300-2006）
情報源：*Our World in Data*, Roser 2016o, Fouquet & Pearson 2012のデータに基づく。価格は100万ルーメン時（80ワットの白熱電球を833時間灯した光源に相当）にどれだけかかるかを表している。インフレ調整後、2000年のポンドに換算。

払った苦労や苦難が真の価格である」[17]からだ。というわけで、人工光を得るために必要な労力がどう推移したのかについても、ノードハウスの研究を見てみよう。彼は、歴史上のさまざまな時代において、もし一時間の読書に必要な明かり代を稼ぐとすると、人はどれだけの時間働かなければならなかったかを算出した[18]。まず紀元前一七五〇年、バビロニア人がごま油のランプで粘土板の楔形文字を一時間読むとすると、五〇時間の労働が必要だった。時代が下り一八〇〇年、英国人が獣脂蠟《ろう》燭《そく》を一時間燃やして読書するには、六時間働かないといけなかった（家計のことを考えれば、暗いままでいいと思いそうだ）。それが一八八〇年になると、

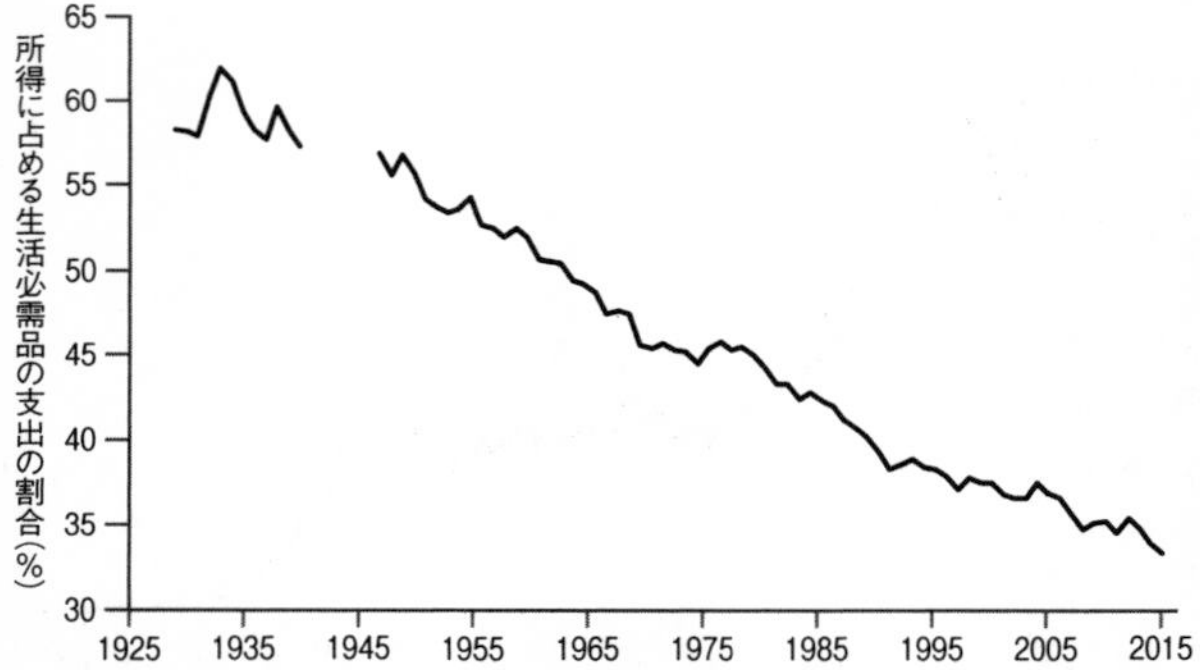

［図17－5］**生活必需品への支出（アメリカ、1929–2016）**

情　報　源：*HumanProgress*,〈http://humanprogress.org/static/1937〉, Mark Perry のグラフに米経済分析局のデータ〈https://www.bea.gov/iTable/index_nipa.cfm〉を用いて手を加えた。可処分所得のうち、食料品、車、衣類、家庭用品、家賃、光熱費、水道代、ガソリン代に費やした割合を表している。1941年から1946年のデータは、第二次世界大戦中の配給と兵士の給料の影響を受けているため除外した。

明かりは灯油ランプに替わって、必要な労働時間は一五分と大きく下がり、さらに一九五〇年には白熱電球を一時間灯すために働く時間はたった八秒になった。そして一九九四年には、蛍光灯を一時間つけるために必要な労働時間は、わずか〇・五秒にまで下がった。つまり約二世紀のあいだに、明かりはおよそ四万三〇〇〇倍も手に入りやすくなったということである。

しかもこの進歩はまだ続いている。ノードハウスが右の論文を発表したのは、発光ダイオード（LED）が市場を席巻する前のことだったからだ。まもなく、太陽光発電の安価なLEDライトが、電力供給が及ばない一〇億人以上の生活を変えることだろう。これがあれば、明かりを採るためにごみを燃やすドラム缶のまわりに集まらずとも、夜に新聞を読んだり、宿題ができたりするようになる。

もしかすると、光熱費や食費、家電製品の価格が下がっているという現象は、一般法則に沿ったものかもしれない。テクノロジーの専門家、ケヴィン・ケリーは「何であれ長年にわたり存続しつづける技術の場合、時が経つにつれ、そのコストはゼロへと近づいていく（ただし決してゼロにはならない）」という法則を提唱する。[19]生活に必要なものが安価になるにつれ、わたしたちは目覚めている時間の多くを生活のために割かずにすむようになった。そして、それによって余った時間とお金をいろいろなことに使えるようになった。しかもその「いろいろなこと」も安価になっているので、ますます多くの体験ができるようになっている。［図17―5］で示したように、一九二九年のアメリカ人は可処分所得の六〇パーセントを生活必需品に充てていたが、二〇一六年にはその割合は三三パーセントに下がった。

家族の時間は増え、遠くの人との交流は便利に

では、人々は余った時間とお金で何をしているのだろうか。その時間とお金を使い、

真に豊かな人生を送っているのだろうか。それとも、ただゴルフクラブやブランドものののバッグを買っているだけなのだろうか。他人の人生の過ごし方をとやかくいうのはおこがましいが、「良い人生」を送るために必要なこと——愛する人や友人に連絡する、自然や文化の豊かな世界を体験する、知的創造力や芸術的創造力が生み出した成果に触れる——については、誰もがほぼ賛成してくれるだろう。そこで、ここからは人々がそうしたことにどれだけ時間を使っているかに注目していきたい。

共働きの夫婦が増えたせいや、子どもたちが勉強や習い事に忙しすぎるせい、デジタル機器が氾濫しているせいで、巷で信じられるようになったのが、現代の家族は時間に追われ、家族揃って夕食をとる暇もない、という話だ（この話に関する「メディア・パニック」も繰り返されている）。二〇〇〇年の大統領選挙の前哨戦では、民主党のアル・ゴアも共和党のダン・クエールも家族で夕食のテーブルを囲む時間がなくなったと嘆いていた。まだスマートフォンやソーシャル・メディアが登場していなかったというのに。

それはともかく、新しいツールや娯楽に批判的になる前に、もっと目を向けるべきことがあるだろう。技術の進歩のおかげで、一家の稼ぎ手は週二四時間、主婦（または主夫）は週四二時間、自由に使える時間が増えている。また、人々の「とんでもなく忙しい」という不満は年々高まる一方だが（ある経済学者のグループはこれを「ヤッピー〔高学歴・高収入の若手エリート〕のぼやき」と名づけた）、そんな忙しい人々に時間の使い方を記録してもらうと、まったく違う様子が見えてくる。二〇一五年のアメリカでの調査では、男性の余暇は週四二時間で、五〇年前の男性と比べると約一〇時間多くなっていた。女性の余暇は三六時間で、こちらは五〇年前より六時間以上多い[20]（［図17―6］。ただし公平を期すためにいっておくと、ヤッピーがぼやくのにはそれなりの理由があるようだ。実はあまり教育を受けていない人のほうが余暇の時間が多く、この逆向きの不平等はここ五〇年でさらに拡大している）。西ヨーロッパでも同様に、余暇の増加傾向が報告されている[21]。

　また、アメリカ人は「急かされている」と常に感じているわけでもない。社会学者のジョン・ロビンソンの一九六五年から二〇一〇年にかけての調査によると、「常に時間に追われている」と感じる人の割合は、上下はあるものの（最低は一九七六年の一八パーセント、最高は一九九八年の三五パーセント）、四五年のあいだで特に一貫した動きは見られなかった[22]。そして、一日の終わりに家族で夕食のテーブルを囲む習慣も健在だった。複数の研究や調査からも、家族が一緒に夕食をとる回数は一九六〇年から二〇一四年までほとんど変わっていないことが裏づけられている。iPhoneやプレイステーション、フェイスブックにも影響されていない[23]。実は二〇世紀を通して、アメリカでは親が子どもと過ごす時間は増加していて、決して減少などしていない[24]。

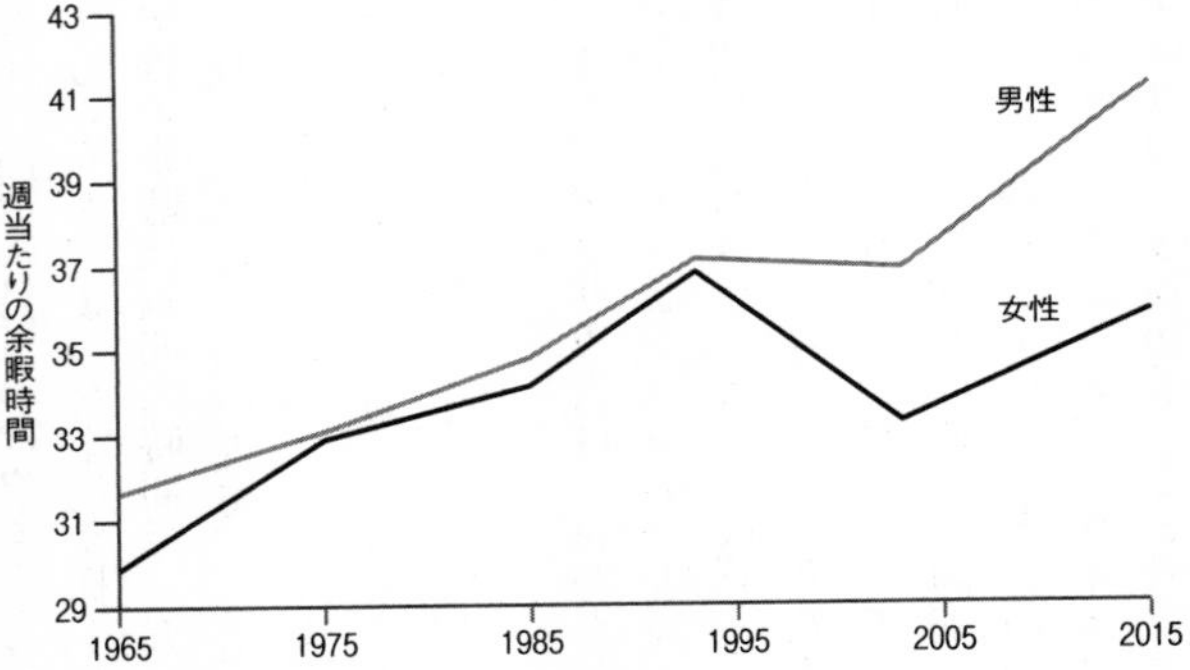

［図17-6］ **余暇時間（アメリカ、1965-2015）**
情報源：【1965-2003】Aguiar & Hurst 2007, table III, Leisure Measure 1.【2015】Bureau of Labor Statistics 2016c の the American Time Use Survey。Aguiar & Hurst の Measure 1とバランスをとるため、「レジャーとスポーツ」「園芸」「ボランティア」の項目を合計した。

一九二四年には、子どもと一日二時間以上を過ごす母親は四五パーセント（ゼロ時間という母親も七パーセントいた）、父親の場合、少なくとも一日一時間は子どもと過ごすという割合は六〇パーセントだけだった。それが一九九九年になると、その割合はそれぞれ七一パーセントと八三パーセントに上昇した[25]。また、今日の働くシングルマザーが子どもと過ごす時間は、一九六五年の既婚の専業主婦よりも多い[26]（［図17―6］で余暇に割く時間が一時低下したのは、主に子どもの相手をする時間が増えたからだ[27]）。

しかし、こうした研究によって実際の時間の使い方が示されても、やはりノーマン・ロックウェルが描いた古き良きアメリカや、ホームドラマ『ビーバーちゃん』〔一九五七～一九六三年放送〕の家族団らんのイメージは強烈らしい。今でも家族の絆の黄金時代は二〇世紀中頃だったと誤って記憶している人は多い。

それから、電子メディアは人間関係を危うくするものだとよくいわれる。確かにフェイスブックでつながっているだけの友人は、直接会って話をする生身の友達の代用品でしかないかもしれない[28]。だが全体として見れば、電子技術の向上は親密な人間関係を築くうえで、計り知れない恩恵をもたらしてくれている。それは一世紀前のことを思えば、よくわかるだろう。当時はもし身内の誰かが遠い町に引っ越してしまったなら、二度と声を聞くことも、顔を見ることもできない可能性があった。祖父母は孫の顔もその成長も見ることができなかった。あるいは、学業や仕事、戦争によって離ればなれになった恋人たちは、一通の手紙を何十回も読み返し、もし次の手紙がなかなか届かなければ、絶望の底に落とされた。郵便事故なのか、それとも恋人が怒っているのか、浮気しているのか、もしかして死んでしまったのか知りようがなかったからだ（そうした苦しみは、マーヴェレッツやビートルズの『プリーズ・ミスター・ポストマン』や、サイモン&ガーファンクルの『手紙が欲しい』でも歌われている）。

やがて電話で遠くにいる相手と直接話せるようになっても、長距離電話のとんでもなく高い料金のせいで、家族や恋人との親交は制限された。わたしと同世代の皆さんなら覚えがあるだろう。公衆電話が切れる前に新たに二五セント硬貨を投入しながら、早口でしゃべるあの気まずさ、遠い家族に電話するときの猛烈なダッシュ（「これ、長距離なんだ！」）、あるいは会話を弾ませながらも、家賃が電話代に消えたと思って沈む気持ち。作家のＥ・Ｍ・フォースターは「ただつながりさえすれば」〔『ハワーズ・エンド』のエピグラフ〕と書いたが、電子技術のおかげで、わたしたちはかつてないほど人とつながっている。

今日、世界の人口の約半分はインターネットにアクセスでき、四分の三は携帯電話をもっている。長距離電話にかかる費用は実質ゼロであり、そのうえお互いに声を聞くだけでなく、相手の顔を見ることまでできる。

見るといえば、写真にかかる費用が大きく低下したことも、技術の進歩からの、暮らしを豊かにしてくれる贈り物だろう。過去の時代、家族の顔を思い出すには――その家族が生きているにせよ、死んでしまったにせよ――記憶に頼るしかなかった。しかしありがたいことに、現代に生きるわたしは、世界の数十億人の人々と同じように、一日に何度も愛する家族の写真を目にすることができる。そしてそのたびに感謝の気持ちが湧いてくる。また写真が手頃な価格になったことで、人生の晴れ舞台を一度だけでなく、何度でも追体験できるようになった。大切な出来事、すばらしい景色、遠い昔の街の光景。老いた人々は若かりし時に、大人は子どもだった時に、子どもは赤ん坊だった時に思いを馳せることができる。

移動にかかる費用の低下も人類への恩恵である。たとえ将来、バーチャルリアリティが発達し、３Dホログラムにサラウンドサウンド、触覚グローブであたかも相手が目の前にいるように感じさせる技術が実現したとしても、わたしたちはやはり愛する人とは本当に触れ合える距離で会いたいと思うだろう。電車やバス、自動車のおかげで大切な人に実際に会える機会は大きく増えた。また飛行機が特別な乗り物ではなくなったことにより、遠い距離や海に隔てられていても、わたしたちは会いたい人に会いにいけるようになった。その意味では、お洒落な金持ちのことを「ジェット族（jet set）」というのは、まだアメリカ人の五分の一しか飛行機に乗ったことのなかった一九六〇年代を引きずった言葉かもしれない。

燃料費は上がっているものの、航空業界の規制が緩和された一九七〇年代後半以降、アメリカの実質的な旅客運賃は五〇パーセント以上低下している（次ページ図17―7）。一九七四年には、ニューヨーク・ロサンゼルス間の運賃は一四四二ドル（二〇一一年のドル価格）だったが、現在では三〇〇ドル以下しかかからない。そして運賃が下がるにつれ、多くの人が飛行機を利用するようになった。二〇〇〇年には、アメリカ人の半数以上が往復便を一度は利用している。確かに、搭乗前は、保安検査員が金属探知機を股間付近に当てるあいだも、両手を広げてじっとしていないといけないかもし

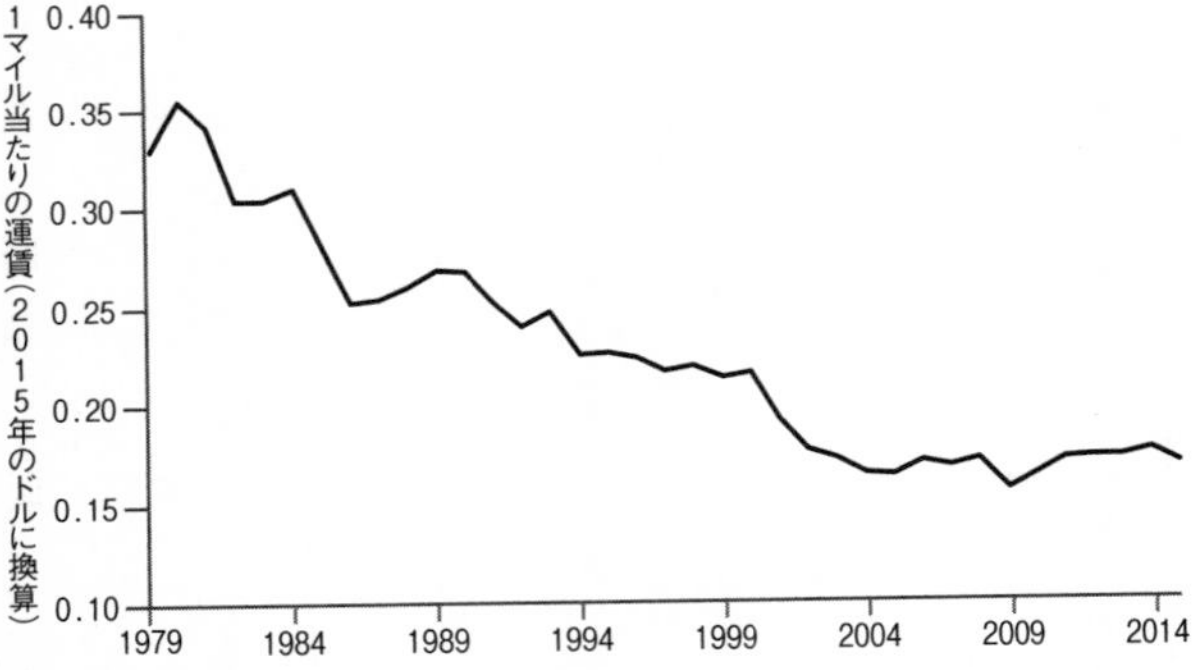

［図17-7］**旅客運賃（アメリカ、1979-2015）**
情報源：Thompson 2013, Airlines for America のデータをもとに更新〈http://airlines.org/dataset/annual-round-trip-fares-and-fees-domestic/〉。国内旅行については、超過手荷物料金を除いた（これを加算すると、2018年以降、機内持ち込み手荷物のある乗客の平均運賃は1マイルにつき約0.5セント上昇する）。〔1マイルは約1.6キロ〕

れない。乗れば乗ったで座席が狭く、隣の人の肘が脇腹に食い込んだり、前の人の倒した背もたれが目の前まで迫ってくるかもしれない。しかし、遠く離れた恋人同士が会えるのも、母親が病気になったと聞いて、翌日には文字どおり飛んでいくことができるのも、飛行機のおかげである。

移動の費用が手頃になったことで、遠い家族や恋人や友人を訪ねやすくなっただけではない。わたしたちは地球という惑星の実に多彩な風景を目にすることができるようにもなった。この娯楽は、自分たちがやれば「旅」という言葉で称賛し、他人がやれば「物見遊山」といって非難するものだが、人生を価値あるものに

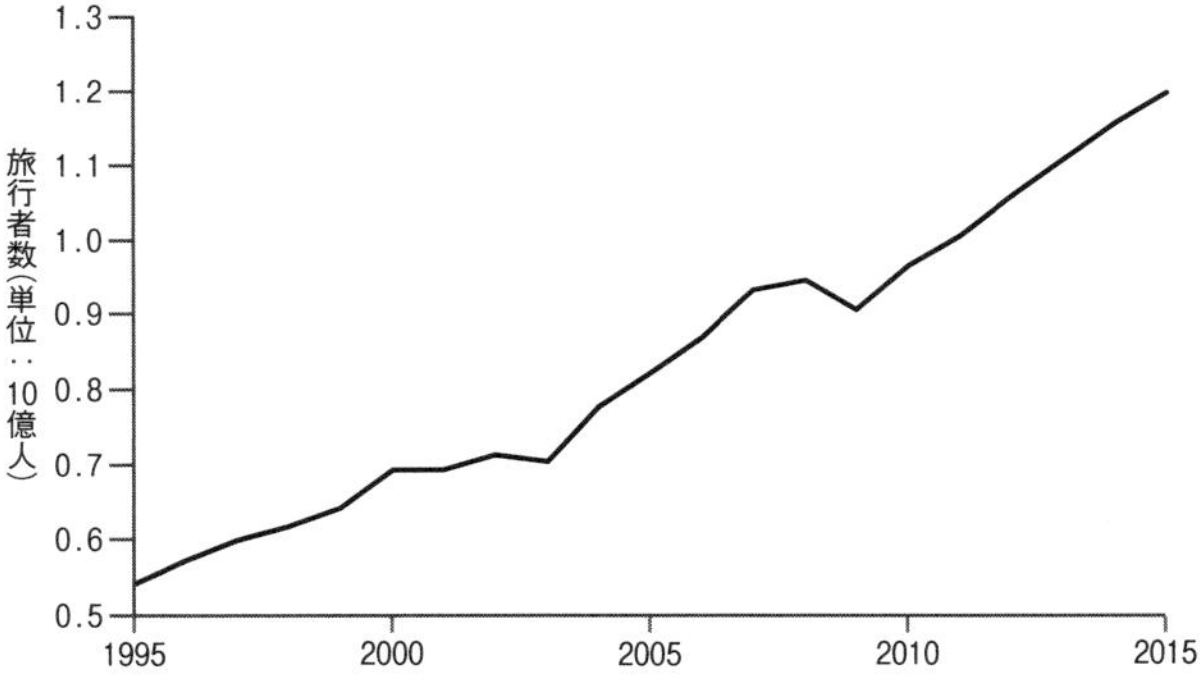

［図17-8］ **海外旅行（世界、1995-2015）**
情報源：World Bank 2016e, 国連世界観光機関による「観光統計年鑑（*Yearbook of Tourism Statistics*）」のデータに基づく。

してくれるのは間違いない。グランドキャニオン、ニューヨーク、北極のオーロラ、エルサレム——そうした場所を実際に見るというのは、ただ楽しいだけではなく、意識の領域を広げる体験にもなる。広大な空間、悠久の時間、雄大な自然、そして人間の果てしない独創性を自分の身に取り込むことができる。時には観光バスとガイドだらけでうんざりし、ショートパンツ姿で自撮りする観光客にいらいらすることもあるだろう。しかし生まれた場所から歩ける範囲にとどまっているよりも、この地球とそこで暮らす多様な人々について見聞を広めることができれば、人生がより良いものになるのは確かである。［図17—8］にあるように、可処分所得の増加と航空運賃の低下のおかげで、世界を旅する人はますます多くなっている。

また、人はただ蠟《ろう》人形館やディズニーワールドのアトラクションに並んだりする旅行ばかりをしているわけではない。旅行によって雄大な自然を体験したりもする。世界には、開発や経済的搾取から保護された地域が一六万カ所以上あり、その数は日々増えている。［図10―6］（上巻・二九五ページ）で見たとおり、自然保護区域は年々、増加傾向にある。

食べ物が国際的になり食事の選択肢が増加

さらに違う方向からも、わたしたちの文化体験の領域は広げられた。食べ物である。一九世紀後半、アメリカ人の食事は主に豚肉とでんぷん質（ジャガイモなど）で成り立っていた。(29) というのも、まだ冷蔵技術や輸送手段が発達しておらず、野菜と果物のほとんどは消費者の手に届く前に傷んでしまうので、農家は保存しやすいカブや豆やジャガイモばかりを育てていたからだ。唯一の果物はリンゴだったが、それもほとんどはリンゴ酒にされた（一九七〇年代になってようやく、フロリダの土産物屋で袋入りのオレンジが観光土産として売られるようになった）。アメリカ人の食事が「単調（white-bread)」とか「ありきたり（meat-and-potatoes)」〔それぞれ直訳は「白パン」「肉とジャガイモ」〕などと呼ばれたのには、ちゃんと理由があったというわけだ。そうしたなかでも探求心のある料理人が、スパムのフライ、リッツクラッカーを使ったアップルパイもどき、「パーフェクション・サラダ（キャベツやニンジンの千切りをレモンゼリーの素で固めたもの）」などをつくったのだろう。

やがて移民により新しい料理がもたらされたが、当時の人々にとってはあまりに風変わりだったのでジョークの種になるほどだった。イタリア料理（「マンマ・ミーア！なんて辛いミートボールなんだ！」〔一九六九年の消化薬のコマーシャルでのセリフ〕）、メキシコ料理（「これでガス不足が解決できるぞ」〔おならが出やすい〕）、中華料理（「一時間したら腹が減るな」）、日本料理（「あれは食事じゃなくて、釣りの餌だよ」〔生魚が釣りの餌によく使われることから〕）という具合だ。

ところが今では、どんなに小さな町だろうとショッピングモールのフードコートだろうと、世界各国の料理が提供されている。時にはギリシャやタイ、インド、ベトナム、中東の料理まで並ぶほどだ。また食料品店の品揃えも豊富になった。一九二〇年代には、店頭に並ぶ食品の種類は数百点ほどだったが、一九五〇年代には二二〇〇点、一九八〇年代には一万七五〇〇点、そして二〇一五年になると三万九五〇〇点にまで増加した。[30]

文化に触れ学ぶことが簡単・便利・安価に

　最後に大切なことをいっておこう。人の心がつくりだしたすばらしい製品の数々は、今や世界中に広まり、多くの人の手に届くようになった。もはやかつてのように、他者と隔絶された田舎の集落で、退屈きわまりない毎日に耐える暮らしへと戻るのは難しいだろう。[31] 一九世紀後半、世界にはまだインターネットはおろか、ラジオもテレビも映画もレコードなどの録音音楽もなく、大多数の家庭には本や新聞すらなかった。男たちは娯楽を求め、酒場に酒を飲みにいったものだった。[32] 作家で編集者のウィリアム・ディーン・ハウエルズ（一八三七―一九二〇）は、子どもの頃、住んでいたオハイオ州の家で、父親が壁紙がわりに貼っていた古新聞を読み返して遊んでいたという。

　しかし、現在ではどんな地方に住んでいようと、数百種類のテレビチャンネルや数億のウェブサイトから見たいものを選ぶことができる。しかもそのウェブサイトで、世界中のあらゆる新聞や雑誌の記事（一世紀以上前にさかのぼるアーカイブまである）、版権の切れた世界の名作文学が読めるだけでなく、ブリタニカ百科事典の七〇倍以上の規模でほぼ同じくらい正確なオンライン事典を参照したり、美術や音楽の古典作品を楽しんだりすることもできる。[33] さらには、ファクトチェックのサイト「スノープス」で噂の真偽を確かめる、「カーンアカデミー」〔無料のオンライン学習サイト〕で数学や科学を学ぶ、「アメリカン・ヘリテージ・ディクショナリー」で語彙を強化する、「スタンフォード哲学百科事典」で自己を啓発する、世界の偉大な学者、作家、評論家（その多くはだいぶ前にこの世を去っている）の講義を視聴する、といったこともできる。もしユダヤのラビ、ヒレル〔第一六章参照〕が現代に生きていたなら、学校の天窓から授業を覗く必要はなく、したがってあまりの寒さに気を失うこともなかっただろう。

裕福な西洋の都会人の場合は昔から文化に親しんでいたが、そんな都会人にとってもやはり芸術と書物に触れる機会は、現在、途方もなく増えている。その昔、わたしが学生だった頃、映画マニアが古い名作を観るには、地元のミニシアターで上映されるか、深夜テレビで放映されるのを何年も待たないといけなかった（それも上映されるならの話だ）。ところが、今ではオンデマンドでいつでも観ることができる。音楽にしても、何千曲ものなかから好きなものを選び、ジョギングや洗い物をしながら、はたまた自動車登録所の列に並びながら、聴くことができる。またちょっとキーボードを打つだけで、心を奪われるような体験もできる。カラヴァッジョの全作品、映画『羅生門』のオリジナルトレーラー、ディラン・トマス〔ウェールズの詩人〕自身の朗読による『そして死は覇者にあらず』、世界人権宣言を高らかに読むエレノア・ルーズベルト〔世界人権宣言の起草者の一人〕、『わたしのお父さん』を歌うマリア・カラス、『ファイン・アンド・メロウ』を歌うビリー・ホリデイ、『ムブーベ』を歌うソロモン・リンダ。

ほんの数年前までは、どれだけ愛とお金があってもこうした体験はできなかった。安いハイファイ・ヘッドホンがあれば——そしてもうじき普及するであろうボール紙製の組み立て式VR（バーチャルリアリティ）ゴーグルがあれば——この体験はいっそうすばらしいものになる。わたしの青春時代の小さなスピーカーや白黒のぼんやりした画像では、決して体験できなかったものが体験できるだろう。恩恵はデジタル・メディアだけにとどまらない。もしあなたが紙媒体の愛好者なら、今ではドリス・レッシングの『黄金のノート』やウラジーミル・ナボコフの『青白い炎』、ウォーレ・ショインカの『アケ——幼年時代』の古本を一冊たった一ドルで買うことができる。

インターネット技術に加え、何千人もの有志がクラウドソーシングに協力してくれるおかげで、わたしたちは、人類が生んだすばらしい作品の数々に驚くほど手が届きやすくなった。文化的に最高の時代がいつであるか、そこに疑いの余地はないだろう。答えは今日にちがいない。ただし明日がその座につくまでのあいだだが。もちろん、この答えは現在と過去の作品の質を比べるなどという不遜なことをした結果ではない（そもそも、わたしたちは作品の質について比較できる立場にない。それは過去の傑作の多くが、その当時は評価されていなかったことを見れば明らかだろう）。そうではなく、現代が文化的に最高の時代だと考えるのは、わたしたちの絶え間ない創造とどこまでも蓄積される文化的記憶を鑑みた結果である。

わたしたちはちょっと指先を動かすだけで、過去の天才の偉業も現代の天才の偉業も手元のツールで見ることができる。しかし過去の時代、人々はそのどちらも手にできなかった。しかも、脈々と受け継がれてきた世界の文化的な財産は、今や富裕層や都市部に住む人々だけでなく、知識の詰まった広大なウェブ空間にアクセスできる人なら誰でも手にすることができる。それはすなわち、今や人類のほとんどが——そしてまもなく全人類が——文化に触れられるということである。

第一八章　幸福感が豊かさに比例しない理由

わたしたちは豊かになっても幸福を感じないか

しかし、わたしたちは昔より多少なりとも幸せだと感じているだろうか？　もしわずかでも天に感謝する気持ちがあるなら、そうであるはずだ。なにしろ、二〇一五年のアメリカ人は半世紀前の同胞に比べ、寿命は九年延び、教育は三年長く受けているうえ、所得は家族一人につき年間三万三〇〇〇ドルも増えている（しかも、そのうち生活必需品に使われるのは半分もなく、たった三分の一である）。さらに余暇の時間は週八時間も増えた。その増えた分の時間を、人々はウェブ上で読書をしたり、スマートフォンで音楽を聴いたり、ハイビジョンテレビで映画をストリーミング視聴したり、友人や家族とスカイプで通話したり、かつて食べていたスパムのフライの代わりにタイ料理を食べたり、といったことに使えるようになっている。

ところが世間の感じ方を参考にするなら、今日のアメリカ人は一・五倍幸せだと感じているわけではないらしい（もし幸福感〔happiness：ハピネス。主観的な幸福〕が所得に比例するなら一・五倍幸せになる）。また、もし幸福感が教育程度に比例するなら、その度合いは三分の一ほど上昇するはずだがそれもなく、もし寿命に比例するならそうなるはずの、八分の一ほどの上昇さえもない。それどころか、人々は相変わらず不満たらたらで、愚痴やら文句やらをぶつぶついい、ぼやいてばかりのようである。

　実際、調査で「自分は幸せだ」と回答するアメリカ人の割合は、ここ数十年間変化していない。ポップカルチャーでも、自分の幸せに感謝していない人々が取り上げられていて、たとえば、それはツイッターのハッシュタグ「#先進国限定問題（#firstworldproblems）」〔贅沢な悩みのこと〕のようなインターネット・ミーム〔拡散する面白いネタ〕にもよく表れている。もしくはコメディアンのルイ・C・Kがトーク番組で語った次の話からも、人々がどれほど幸せに無自覚かがよくわかる（タイトルは『何もかもがすばらしいのに、誰も幸せじゃない』）。

> なんていうか、「資本主義の土台が崩れかけている」みたいなことを読むと、思うんだ。おれたちはたぶん、両脇に甕《かめ》をガランガランぶら下げたロバを引いて歩いてた時代に戻ったほうがいいんだよなって。（中略）だってさ、今おれたちはすごい世界に生きてるっていうのに、みんなすっかり甘やかされてばかになってて、宝

のもちぐされもいいところじゃないか。（中略）いちばんひどいのは飛行機だよな。まったく、降りてきた連中が話すことといったら。（中略）「今日は人生最悪の日だった。飛行機に乗ったら、滑走路で四〇分も待たされたんだ」とまあ、こんなものだよ。（中略）いやはや、連中にいってやりたいね。ああ、そうなんだ。で、そのあと何が起きたんだい？　なんとあんたは鳥みたいに、空を飛んだんじゃないのかい？　ひょっとして雲より高く飛んだんじゃ？　人間が空を飛ぶなんていう、とてつもない奇跡を体験して、それから巨大なタイヤで無事にふんわり着陸したんだろう？　どうやって空気を入れるんだか想像もつかないような巨大なタイヤでさ。（中略）そして、なんとあんたは空に浮かぶ椅子に座ってた。そう、まるでギリシャ神話みたいに！（中略）

　みんな「フライトが遅れた」とか「時間がかかりすぎる」とかいうけどさ、ニューヨークからカリフォルニアまで、たったの五時間じゃないか。大昔なら三〇年の道のりだよ！　しかも昔はカリフォルニアまで行く途中に大勢死んでたんだ。もし飛んできた矢が首に刺さってポックリ逝ったら、旅の仲間が土に埋めて、それで終わり。墓石代わりに棒を立てて、その先に持ち主の帽子を引っかけたら、残った連中は黙々と歩きつづけるだけだ。（中略）もしライト兄弟が今のおれたちの言い草を知ったら、おれたちきっと（股間を）〔著者による補足、番組ではピー音〕蹴りつけられるだろうな。[1]

豊かになっても幸福感があまり高まらないことに関連して、一九九九年、政治学者のジョン・ミューラーも、近代性に対する当時の共通認識をこうまとめた。「人々は目覚ましい経済成長については軽くあしらい、何かと新しい心配事を見つけだしては動揺しているようである。したがって、人々の主要な感覚においては、物事は決して良くならない」(2)。この認識は、たんにアメリカ人の不安を印象としてとらえたものではない。というのも、その二五年前の一九七四年、経済学者のリチャード・イースタリンが「イースタリンの逆説」（彼の名にちなんでこう呼ばれる）を発表していたからだ(3)。これは「一国内で比べた場合、人は裕福なほど幸せを感じるが、国家間で比べると、裕福な国は必ずしも貧しい国よりも幸せだとはかぎらない。また時系列で比較した場合、国が豊かになっても、国民の幸福感が上がるわけではない」というものである。

このイースタリンの逆説は、心理学の二つの理論によって説明された。その一つはヘドニック・トレッドミル現象〔直訳すれば「快楽のランニングマシーン現象」。懸命に走っても前進せず快楽は増加しないという意味〕で、これは、人は富を手に入れても、目が光や闇に慣れるようにまもなくその変化に慣れてしまうので、遺伝的に定められたもとの基準値にすぐに戻ってしまうというものだ(4)。もう一つは社会的比較理論（あるいは「準拠集団」「ステータス不安」「相対的剝奪」。これについては第九章で考察した）からの説明で、それによると、人の幸福感とは周囲と比較して自分がどれだけうまくやっているかと思うかによって決まる。そのため、国全体が裕福になっても、国民は誰も幸せになったと感じないということが起こるという。確かに、国内で格差が広がっていて周囲が自分より裕福なら、たとえ個人的には以前より豊かになったとしても、人は自分を不幸せだと感じるだろう⑸。

しかし、もし人の感じ方という意味で物事が決して良くならないのなら、これまでの経済的、医学的、技術的ないわゆる進歩は、本当に進歩と呼ぶ価値があるのだろうか。そんな疑問が湧くのも仕方がない。実のところ、これについては多くの人々が「進歩と呼ぶに値しない」と主張する。彼らによると、個人主義、物質主義、消費主義、退廃的な富裕階級の台頭のせいで、わたしたちは進歩するどころか精神的に貧しくなっているという。あるいはその精神的貧しさは、伝統的なコミュニティの崩壊――温かい社会的絆で結ばれ、宗教が生きる意味や目的を与えていたコミュニティの崩壊――のせいだともいわれている。さらに彼らの考えでは、最近鬱病や不安や孤独、自殺が増えたという記事をよく目にするのも、よく知られているように、この世の楽園のはずのスウェーデンで自殺率が高いのもそのせいだという。

二〇一六年には、活動家のジョージ・モンビオットが『ガーディアン』紙の論説で、文化悲観論者のお家芸である現代社会批判キャンペーンを繰り広げた。論説のタイトルは「孤独を生む新自由主義。それが社会を分断する」。これに見出しのフレーズがこう続く。「現在、心の病が蔓延し、何百万人もの心と体を蝕んでいる。今こそ、われわれはどこに向かっているのか、なぜそうしているのかを問うべきだ」。そして記事のなかでも警鐘が鳴らされる。「近年、イギリスでは子どものメンタルヘルスに関し最悪の数字が出ているが、これは世界的な危機を反映したものである」(6)

だが、もしこれまでの進歩にもかかわらず、さらなる幸せを感じられていないのなら——寿命が延び、健康が増進し、知識や余暇が増え、さまざまな体験ができ、平和で安全に暮らせ、民主主義が広まり、数々の権利を獲得できていても、幸せを感じるどころかただ孤独に苛まれ、自殺が増加しただけなのなら——それは歴史が人類をからかった壮大なジョークということになるだろう。しかし、両脇に甕をガランガランぶら下げたロバを引いて歩きはじめるのは、もう少し待ってほしい。その前に、わたしたちは人間の幸福感に関する事実をもっと詳しく検証したほうがいいだろう。

客観的な意味での幸福を形づくるものは何か

少なくとも紀元前五〇〇年頃の枢軸時代〔カール・ヤスパースが提唱した、世界で同時発生的に重要な思想家が登場した時代。第二章参照〕以来、思想家たちは何が良い人生をつくるのかについて熟考を重ねてきた。そして今日、幸福は社会科学でも主なテーマとして取り上げられている。[7] 一部の識者は、幸福というテーマを詩人や評論家、哲学者だけでなく、経済学者が扱うようになったことに懐疑的であり、苛立ちさえ見せている。しかし社会科学者と芸術家や哲学者のアプローチは決して相容れないものではない。社会科学者はまず、芸術家や哲学者が最初に着想した思想をもとに幸福の研究にとりかかり、そこからさらに歴史的傾向や世界的傾向について問題を提起する。歴史的傾向や世界的傾向に関しては、どれほど洞察力に満ちた思想家でも、一人で考えていては答えを出しようがない。そして「一人で考えていては答えを出しようがない」という点でいえば、「進歩のおかげで人類はより幸福を感じるようになったか」という問いは、まさにこれにぴったり当てはまる。しかしこの問いに答える前に、「幸福感など測れるわけがない」という懐疑的な人々に、「幸福感は測ることができる」という点を納得してもらうことにしよう。

まずは客観的な意味での幸福〔well-being：ウェルビーイング。肉体的・精神的・社会的な健全性や良好性〕について説明したい。これはたった一つの側面から成るものではなく、それについては、芸術家も哲学者も社会科学者も皆、同意見である。人はある面では良い状態にあるが、ほかの面ではそうではないということもありうるのだ。

ということで、客観的な意味での幸福の主な要素を挙げていくが、初めに、そのなかでも最も客観的な側面から示したい。これはその恩恵に浴す人が感謝しているかどうかにかかわりなく、それ自体にもともと価値があると考えられるものである。そのリストのトップに来るのは、やはり命そのものだろう。それから健康、教育、自由、余暇もリストに入る。こうした考え方は、現代社会をユーモアたっぷりに批判したルイ・C・Kの根底にあるものであり、部分的には、アマルティア・センとマーサ・ヌスバウムが提唱する「基本的な人間の潜勢能力《ケイパビリティ》」の概念の根底にあるものでもある。[8]そしてこの意味からすると、人は長生きをして、健康に恵まれ、刺激的な人生を送っていれば真に良い状態にあるといえる。たとえ気難しい性格のせいで、または不機嫌で、もしくは「甘やかされてばかになっている」せいで、自分がどれほど恵まれているかを自覚できていなくても、その人は良い状態にあるということだ。

これは一見すると父権主義《パターナリズム》〔当人の意志や感情に関係なく、権力者がよかれと考えて介入したり支援したりすること〕だが、そこにはれっきとした論拠がある。命や健康や自由は他のすべての物事をなすために、必須のものだからだ。そもそも人生で価値あるものとは何かを考えるという行為自体、命や健康や自由があるからこそできることだろう。したがって、これらはまさにその本質ゆえに価値がある。

また、そもそも自身の幸運に感謝せずにすむという贅沢のできる人々は、運よく生き残った人々であり、集団として偏りがある。こうした人々は運よく生き残ったという自覚がないので、命や健康や自由があるのは当然すぎて幸せとは考えない。しかし、もし過去の時代の幼くして死んだ子どもたちの魂や出産で命を落とした母親の魂、戦争や飢餓や災害の犠牲者の魂に話を聞けたなら、あるいはもし彼らが生きていた過去に行き、彼らにこのあとの人生の続きはどの時代で送りたいか、近代以前の世界か現代の世界かどちらがいいかを選んでもらったなら、もう少し自分の幸運を意識できるのではないだろうか。過去の悲惨な境遇を思えば、わたしたちは現代社会がもたらす明らかな恩恵に対し、もっとそれに見合うだけの感謝の気持ちを示せることだろう。客観的な幸福のうちのこうした側面については前章までで取り上げており、それが時とともに向上したかどうかはすでにそのなかで述べた。

それ自体にもともと価値のあるもののうち、自由あるいは自律についてはもう少し詳しく論じたい（アマルティア・センも「自由」に価値を置いていた。それは国の開発の最終目標についての著書『自由と経済開発』〔石塚雅彦訳、日本経済新聞社〕のタイトルにも表れている）。まず自由には二つの概念があり、一つは良い人生を送るために選択肢がある状態（積極的自由）、もう一つはその選択を妨げる強制力がない状態（消極的自由）である。「積極的自由」は経済学の「効用」の概念（人は何を欲し、自身の富を何に費やすか）に関連し、「消極的自由」は政治学の「民主主義」と「人権」の概念に関連する。先ほども述べたように、人生において価値あるものとは何かを考えるためには、前提条件として自由が（生命と理性とともに）なくてはならない。降りかかる運命に対し、なすすべもなくただ嘆いたり、喜んだりしているのでないかぎり、わたしたちは現在の状況を評価するときは常に、過去の人々にはほかの道を選ぶ自由があったはずだと仮定している。そして、将来どこに向かうべきかと問うときには、たどるべき道を選べる自由があることを前提としている。こうした理由から、自由にはそれ自体に本質的な価値がある。

理論的には、自由と幸福感には関係がない。自由を追求する人が危険な誘惑に身を委ねたり、災いをもたらす快楽を求めたり、翌朝になって己の選択を後悔したり、「そんなことはしないほうがいい」という助言を無視したりすることはあるだろう。[9] だが実際には、自由と、人生におけるそのほかの良いことは互いに関連している。そしてある国の幸福感の度合いは、自由の度合いと相関関係にある。[10] それは民主主義という指標で国全体を客観的に評価する場合も、個人による主観的な基準――「自分には自由な選択肢があり、思うとおりの人生を送っている」と考えるかどうか――で評価する場合も変わらない。

また、自由は意味のある人生を送るために、なくてはならない要素ともみなされている。[11] それによって人生が幸せになろうがなるまいが関係ない。まさにフランク・シナトラが『マイ・ウェイ』で歌うように、後悔しようと、打ちのめされようと、己の信じた道を行くということだ。時に人は幸福感以上に自由や自律を大切にすることもある。たとえつらい離婚を経験したとしても、親によって結婚相手が決められていた時代に戻りたいとは思わない人が多いのもその一例だろう。

主観的な幸福はどのように測られるか

では、幸福感そのものはどうだろうか？「主観的な幸福」というあくまで主観的なものを、科学者はどうすれば客観的な幸福と同じように測れるのだろうか？人がどれくらい幸せを感じているかを知る最良の方法は本人に尋ねることである。このことを本人以上に正しく判断できる人などいないだろうからだ。そういえば、コメディ番組の『サタデー・ナイト・ライブ』でその昔こんなコントがあった。一夜をともにした男女に扮したチェビー・チェイスとギルダ・ラドナーがベッドで会話を交わすのだが、彼女がオルガスムスを得られなかったのではないかと心配するチェビーに対し、ギルダはこういって元気づけた。「わたし、感じていても、気づきもしないことがときどきあるの」

これが笑いを誘うのは、主観的な経験となると、経験した彼女自身の言葉に究極の説得力があるからだ。しかし実は、わたしたちは相手の言葉だけを信じる必要はない。というのも、客観的幸福に関する自己申告というのは、主観的な幸福を示すと思われるあらゆるものと相関することがわかっているからだ。たとえばそれは笑顔や溌剌とした振る舞いにも表れるし、かわいい赤ちゃんを見たときに反応する脳の部位の活動にも表れる。また他人が判断してもそれとわかる[12]（ギルダとチェビーはそうではないようだが）。

そもそも幸福感には二つの側面がある。経験的もしくは感情的な側面と、評価的もしくは認知的な側面である[13]。まず経験的（感情的）な側面だが、これはポジティブな感情（高揚感、喜び、誇り、楽しさ）とネガティブな感情（不安、怒り、悲しみ）のバランスによって成り立っている。科学者がリアルタイムでこれらの感情的経験を調査しようとする場合、対象者にランダムに鳴るポケベルを携帯してもらい、鳴ったときにどう感じているかを教えてもらえば、調査は可能になる。幸福感を測る究極の方法は、対象者がどれだけ幸せを感じているか、その幸せを感じる時間はどれくらい続いているかについて、生涯分を積分するか加重平均〔各項目の重みを考慮して算出した平均値〕にすることだろう。

しかし経験のサンプリングというこの方法は、主観的な幸福度を評価する最も直接的な手法ではあるが、労力も費用もかかる。そのため、異なる国同士を比較したデータセットや、長年にわたり対象者を追ったデータセットは存在しない。そこで次善の策として、対象者にその時点でどう感じているかを尋ねる、もしくはその前日あるいは前の週はどんな気分だったかを尋ねるという方法が出てくる。

こちらの方法は、幸福のもう一つの側面、つまり人が自分の人生をどう生きているかを評価するという評価的側面を知ることへとつながっていく。調査の対象者は、「近頃」「全体として」「すべての物事を合わせて」、どの程度満足を感じているかを尋ねられる。あるいは人生を「自分にとって考えられるかぎり最悪の人生」から「自分にとって考えられるかぎり最高の人生」までの一〇段階で表すとしたら、自分の人生はどこに位置しているかを示すという、ほとんど哲学的な判断を求められる。ただし人々はこうした質問は難しいと感じていて（事実、難しい質問なので当然だろう）、回答は天気やそのときの気分、直前の質問の内容に左右されることもある（大学生には異性との交際について、一般の人には政治について直前に質問すると、回答は確実に暗くなる）。そのため、社会科学者は幸福感や満足度や「最高の人生」または「最悪の人生」というものは、人の心のなかにぼんやりとしか存在しないと観念し、あれこれ引っくるめて平均するのがいちばん簡単らしいという事実を受け入れている。[14]

幸福感の感情的側面と評価的側面はもちろん関連しているが、完全に一致するわけではない。あふれるほど幸福を感じていれば人生はより良いものになる一方で、不安や悲しみがないからといって良い人生になるとはかぎらない。[15]ここからわたしたちは良い人生の最後の側面、すなわち「意味と目的のある人生」へと導かれる。意味と目的は、幸福感とともに、アリストテレスの理想とする「エウダイモニア」、すなわち

「善き魂」がもつ性質である[16]〔アリストテレスは精神性の高い、意義ある人生を送ることをエウダイモニア、最高善とした〕。それはつまり、幸福感だけがすべてではないということだ。子育て、本の執筆、大切な理念のために戦うなど、時にわたしたちは短期的には幸せでなくても生涯を通して見れば満足のいく選択をすることもある。

人生を真に意義深くするものは何かを、人間が定めることなどできないが、人は何が人生を意義深くすると考えるかについてなら知ることができる。心理学者のロイ・バウマイスターらはこれを調査し、調査対象者に自身の人生が「どれくらい幸福か」「どれくらい意義深いか」をそれぞれランク付けしてもらった。また合わせて普段の思考や活動、環境に関しても多くの質問に答えてもらった。その結果、人に幸せを感じさせるものの多くは——他者とつながりがある、何かを生み出していると感じている、孤独ではない、退屈ではないなどは——人生を意義深くしていることがわかった。だが、なかには人生を幸せに感じさせはしても、特に意義深くはしなかったり、逆に意義深さを減らすものもあった。

幸せを感じていても特に意義のある人生を送っているわけではない人々の場合、生きるために必要なものはすべて持ち合わせていた。健康で、十分なお金があり、多くの時間を気分良く過ごしている。一方、意義ある人生を送る人々の場合は、こうした恩恵を何一つ享受していないこともあった。つまり幸福を感じている人々が今を生きていたのに対し、意義ある人生を送る人々には語るべき過去があり、未来に向けた計画があるということだろう。あるいは、意義はなくても幸せを感じて人生を送る人々は受け取る人《テイカー》で恩恵を受ける側であり、たとえ不幸を感じても意義ある人生を送る人々は与える人《ギバー》で恩恵を施す側ともいえるかもしれない。その意味でいえば、親は子どもを育てるあいだ、必ずしも幸せを感じることばかりではないが、意義ある人生を送ることができる。

　また、人は友人と過ごす時間をもつことで人生に幸福感をもたらすことができる一方、愛する人と過ごす時間をもつことで意義深い人生を送ることができる。あるいは、ストレスや不安や苦労を抱えたり、議論や挑戦に明け暮れたりしていると、それらがないときよりも人生が不幸に感じられるだろうが、意義深さは大きくなる。それはべつに有意義な人生を送る人々がマゾヒスティックにあえて困難を求めているということではない。ただ野心的な目標を追い求めているのである。いわば「人は計画し神は笑う」〔ユダヤの格言で「計画を立ててもそのとおりになるとはかぎらない」の意味〕というところだろう。結局、人生における意義とはたんに自分の欲求を満たすだけではなく、自分を表現することなのかもしれない。自分とはどういう人間かを明らかにする行動、信望を築く行動により、人生は意義あるものへと高められるのだろう。

　幸福感については、太古からの生物学的フィードバック・システムの所産として考えることができる。そのフィードバック・システムは、わたしたちが運よく自然環境に適応しながら、うまく成し遂げてきた進歩の足跡をなぞるようにできている。一般にわたしたちが幸せだと感じるのは、健康で快適で安全で食糧があり、社会的なつながりをもち、性的に満たされ、愛されているときである。つまり、幸福感の機能とは環境に適応するための鍵を探すよう、わたしたちを駆りたてることなのだろう。このことは、人は不幸だと感じると状況を改善してくれそうなものを我先に得ようとし、幸せを感じるときには現状を大切にしようとすることからもわかる。

対照的に、人生の意義とは人生をさらに広げるような新しい目標を打ち立てることだ。そうした目標は、ヒト特有の認知的ニッチ〔ニッチは生態的地位の意味。知性を持つという生態学的地位〕を占有するわたしたち、すなわち社会性があり、知能が発達し、言語を操る生物としてのわたしたちの前に開かれている。遠い過去に根ざしていると同時に未来へと伸びていくような目標、自分の交際範囲を超える人々に影響を及ぼすような目標、仲間に認められるような目標。そうした目標をわたしたちは考える。わたしたちにはその目標の価値を人に納得させる力があり、善意と行動力がある。[17]

人間心理において幸福感が「環境への適応」という限定的な役割しか果たしていないことからすると、進歩の目的とは、多くの人がますます幸福感に酔いしれるようにと願いながら、無制限に幸福感を増幅させようとすることではないだろう。しかし世の中にはまだ相当数の不幸があり、進歩によってそれらを減らすことができるのなら、進歩には意味がある。そして、わたしたちがどれだけ意義深い人生を送るかについていえば、どこにも制限などない。

人々の幸福感は本当に向上していないのか

さて、先進国の人々は富においても自由においてもすばらしい進歩を享受しているわりに、どうやらそれに見合うほど幸福を感じていないらしい。この点についてはいったん同意するとしよう。しかし、皆まったく幸せを感じていないのだろうか？　人生があまりに空虚になってしまったせいで、かつてないほど多くの人が自ら命を絶つことを選んでいるのだろうか？　お互いにつながる機会なら星の数ほどあることには目もくれず、孤独の蔓延にひたすら耐え忍んでいるのだろうか？　わたしたちの未来にとって不吉なことに、若者世代は鬱病やその他の心の病に蝕まれているのだろうか？　こうした問いに対しては、これから検証していくように、はっきり「ノー」と答えられる。

エビデンスもないのに「人類は不幸だ」ときっぱり言い切ってしまうのは、社会評論家という職業につきものの危険である。かつてヘンリー・デイヴィッド・ソローは

『森の生活／ウォールデン』（一八五四年。飯田実訳、岩波文庫など）のなかで「多くの人は静かに絶望しながら人生を送っている」という有名な一節を書いたが、なぜ湖畔の山小屋でひっそり暮らす世捨て人にそんなことがわかったのかは謎でしかない。むしろ多くの人は「いえ、そんなことはないですよ」と首を横に振るだろう。というのも、世界価値観調査で幸福感について尋ねられた人々のうち、八六パーセントは「どちらかというと幸せ」「とても幸せ」と回答しているからだ。また、一五〇カ国以上を対象に調査した二〇一六年度世界幸福度報告でも、平均すると回答者は最低から最高までの一〇段階中、自身の人生は上半分に入ると答えている。[18]

つまりソローは楽観主義バイアス（他の人は大丈夫ではないが、自分だけは大丈夫だと考える傾向）にとらわれていたのだ。ソローにかぎらず、こと幸福感に関していえば、自分に対する認識と他人に対する認識の差はもはや断崖の上と下ほどの開きがある。調査によると、どの国の人々も「自分は幸せだ」と思っている同胞の割合を、平均で四二ポイントも低く見積もっていた。[19]

では、歴史的な推移はどうだろうか。イースタリンがあの興味深い逆説を発表したのは一九七四年で、ビッグデータ時代が始まる何十年も前だった。今日では、富や幸福感についてのエビデンスは当時よりずっと多くなっており、そのデータによってイースタリンの逆説にあるような現象が起きていないことは証明されている。つまり一

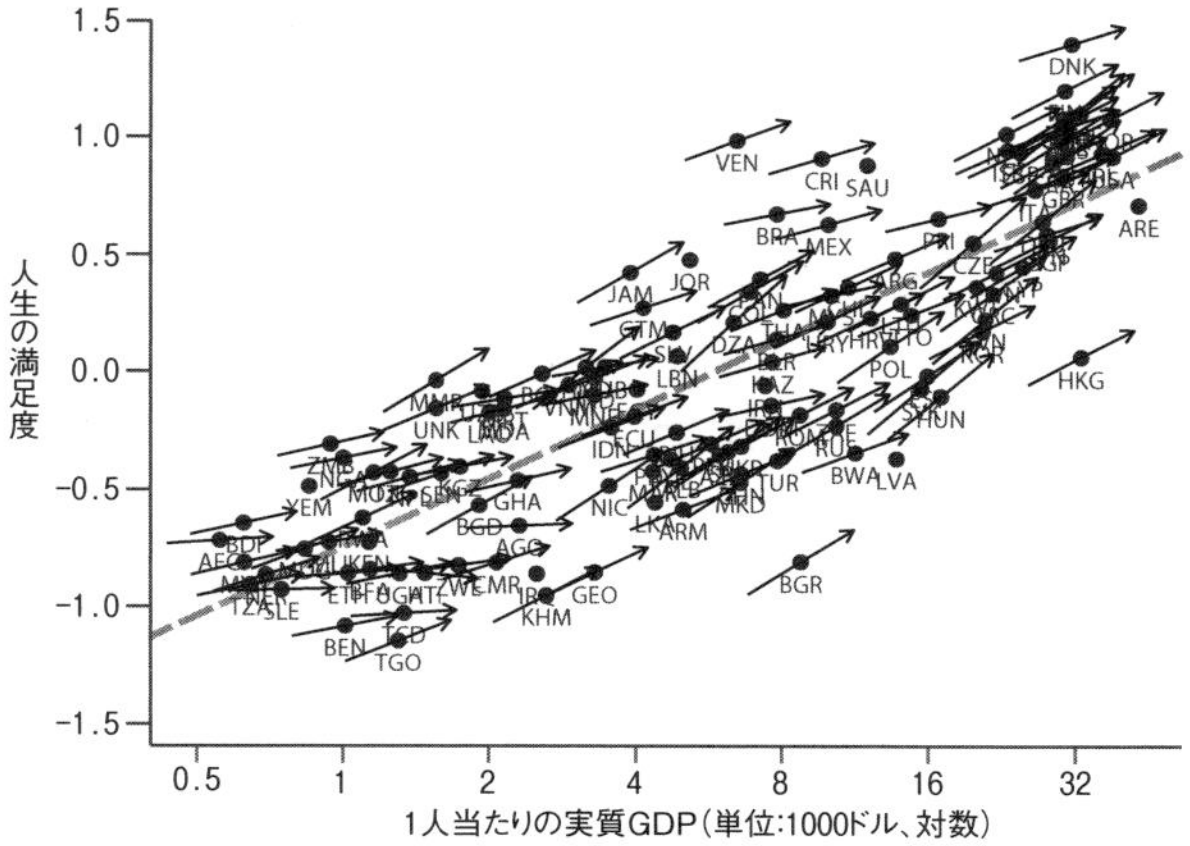

［図18-1］ **人生の満足度と所得 (2006)**
情報源：Stevenson & Wolfers 2008a, fig. 11, the Gallup World Poll 2006のデータに基づく。Credit：Betsey Stevenson and Justin Wolfers.

国内で比べると、裕福な人ほど幸せを感じているのはもちろん、国家間で比べても、豊かな国の人々はそうでない国の人々よりも幸せを感じているし、時系列で見た場合も、時代が進んで国が豊かになるにつれ、その国の国民は以前より幸せを感じているということだ。

　こうした新しい認識は、経済学者のアンガス・ディートンや世界価値観調査、二〇一六年度世界幸福度報告などの複数の分析から導き出されている。[20]なかでもわたしが気に入っているのは、経済学者のベッツィー・スティーヴンソンとジャスティン・ウォルファーズによる研究で、その内容は［図18―1］のグラフに要約されているといっていいだろう。

［図18─1］は世界一三一カ国の幸福感について表したグラフになる。点が示すのは各国の平均所得に対する人生の平均満足度（対数目盛〔横軸の目盛の数字が均等にではなく、倍々に増えている〕）であり、それぞれの点を通る矢印は、その国の国民のなかで所得の多寡と満足度の高低の関係がどうなっているかを示している。

図を見ると、いくつかの傾向が目にとまる。真っ先に目を引くのは、膨大な矢印の一群が揃って左下から右上へと対角線上に伸びていることだろう。このことは国同士のイースタリンの逆説が存在しないこと、つまり「国が豊かになればなるほど、その国民も幸福になる」ということを表している。グラフでは、所得の目盛が対数になっている点に留意してほしい。もしこれが標準的な均等目盛なら、点の一群が描く形状はグラフの左側では急上昇し、右へ行くに従って上昇の度合いはなだらかになる。このことが意味するのは、所得が何ドルか増えたときの幸福感の上昇は豊かな国よりも貧しい国のほうが大きいということ、そして豊かな国ほど人々がさらなる幸福を感じるためにはより多くのお金が必要になるということである（そもそも、イースタリンの逆説が生まれたのはこれが理由の一つだった。当時のデータはノイズが多かったので、所得目盛の上位グループにおける比較的小さな幸福感の上昇は見つけにくかったのだ）。

しかしどちらの目盛にしても、グラフの線が横ばいになることはない。もし「人に必要なのは基本的欲求が満たされるだけの最低限の所得のみで、それ以上豊かになっても人はさらなる幸福を感じることはない」というのが本当なら、線は横ばいになるはずだろう。幸福感に関するかぎり、どうやらウォリス・シンプソン〔エドワード八世がイギリス国王を退位して結婚したアメリカ人女性〕が「人はお金持ちになりすぎることも、スリムになりすぎることもできないものよ」といったのは半分当たっているらしい。

グラフで何より際立つのは、個々の矢印の傾きがお互いに似ているだけでなく、個々の傾きと群れ全体の傾き（矢印のうしろにあるグレーの破線）も似ているということだ。これはつまり、一国内で他人より豊かになるとその人の幸福感が増すのはもちろんだが、国全体が豊かになった場合でも国民全体の幸福感が増しているということである。そうなると、人は世間と比較することでしか幸せや不幸せを感じられないという考えは疑わしくなる。そう、幸福感に大切なのは相対的な所得ではなく、絶対的な所得なのである（これは「不平等は幸福に関係しない」という第九章で論じた点とも一致する）[21]。

こうした発見はこれまでの通説を覆すものだ。すなわち、「目が光や闇に慣れるように、人の幸福感もいずれその状態に慣れる」とか、「一時的に幸福感が上がってもすぐにもとのレベルに戻ってしまう」とか、「幸せの感覚とは〝快楽のランニングマシーン〟を走っているようなもので、どれだけ走っても同じ場所にいるだけだ」という従来の考え方に疑問を呈するものになる。また挫折から立ち直り、幸運を手に入れるのはよくあることだが、幸福感というのは失業や障害などの試練を受けると長いあいだしぼみ、反対に良い結婚をするとか、もっと幸せな国に移住するなどの良いことがあれば、しばらくのあいだ押し上げられる。(22) そして、これも通説の逆になるが、宝くじに当選すると、人は長期的に幸せを感じている。(23)

時とともに世界の国々が豊かになっていることはすでにわかっているので（第八章）、［図18―1］は、いわば時とともに人類が幸福になりつつある姿を伝える映像の一コマ、その静止画像としてとらえることができるだろう。こうした幸福感の上昇は人類の進歩を示すもう一つの指標であるというだけでなく、何よりも重要な指標の一つでもある。もちろん、［図18―1］のスナップショットは実際の長期的な歴史の姿を表したものではないし、世界中の人々に何世紀にもわたりアンケート調査して人々の幸福感の推移をグラフに表したものでもない。そもそもそんなデータなど存在しない。

しかし、スティーヴンソンとウォルファーズが文献をくまなく調べたおかげで、富と幸福感に関するある程度の長期的傾向についてはわかっている。ヨーロッパでは九カ国のうち八カ国で、一九七三年から二〇〇九年にかけて一人当たりのGDPが上昇するのに合わせ、人々の幸福感も上昇していた。(24) また世界全体についても、世界価値観調査により同様の傾向が確認されていて、五二カ国のうち四五カ国で、一九八一年から二〇〇七年にかけて幸福感が上昇していた。[25] こうして長期的な傾向が見えてくると、もはやイースタリンの逆説には終止符を打たざるをえない。今やわたしたちには、「一国のなかで比べると裕福な人ほど幸せを感じており、国同士で比べると豊かな国ほど幸せを感じ、国が豊かになるにつれ国民も幸せを感じる」とわかっているからだ（そして国は時とともに豊かになっているので、人々は時が進むのにつれ、かつての時代より幸せを感じている）。

もちろん、幸福感を左右するのは所得だけではない。それは人生の背景や生まれつきの性格がばらばらの個人に当てはまるだけでなく、国についても当てはまる（［図18―1］の所得と幸福感との関係を示すグラフで、各国の点がグレーの破線の周りに散らばっていたように）。国民が健康を享受していれば（所得を一定にした場合）、その国の幸福感は高く、前述したように国民が自分の人生を選択する自由があると感じていれば、その国の幸福感は高い。[26] さらに、国の幸福感は文化や地理にも影響される。ステレオタイプなイメージそのままだが、ラテンアメリカの国々は所得水準のわりに幸福感が高く、東ヨーロッパの旧共産圏の国々はそれほど幸福感が高くない。[27]

また、世界幸福度報告では「所得・健康・選択の自由」のほかに、国の幸福感に同調するものとして次の三つの項目を挙げている。社会的支援（困ったときに頼れる友人や身内がいるか）、気前の良さ（慈善団体に寄付をしているか）、汚職の少なさ（自国の商取引には汚職が少ないと思うか[28]）である。ただし、これらの項目が幸福感の原因か――すなわちこれらの条件のおかげで人は幸福を感じているのか――というと、必ずしもそうとは結論できない。というのは、まず幸せな人々はバラ色の眼鏡で世界を見るので、人生でも社会でも物事が良く見え、評価が甘くなりやすいからだ。それに加え、社会科学者がいうように、幸福感は内生的だということもある。人は幸せを感じると他人に対して支援の気持ちが湧き、気前が良くなり、良心的になるものであり、その逆ではないだろう。

裕福でも幸福感が高くない国アメリカの実態

世界には裕福なのに幸福感が今一つ振るわない国があるが、アメリカもその一つである。もちろん、アメリカ人は決して不幸ではない。約九〇パーセントが少なくとも自分は「まあまあ幸せ」だと思い、約三分の一は「とても幸せ」だと思っているし、「自分の人生は最悪から最高までの一〇段階中、どこに位置するか」という質問には、「七」と答えている[29]。しかしそれにもかかわらず、二〇一六年の世界幸福度報告によると、アメリカの順位は世界一五七カ国中一三位だった（アメリカより上位だったのは、西ヨーロッパの八カ国、イギリス連邦に属する三カ国、イスラエル）。平均所得ではノルウェーとスイスを除くその他の国々を上回っていても、この順位である[30]（ちなみに、イギリス国民は自分たちの幸福感を一〇段階中、六・七に位置づけているが、世界幸福度報告のランキングは二三位だった（日本は五三位））。

さらにアメリカの幸福感は長年にわたり一貫して上昇しているわけではない（そのこともイースタリンの逆説の時期尚早な発表につながった。アメリカには幸福感に関するデータがかなり前から存在することが災いした）。一九四七年以来、アメリカ人の幸福感は不況や景気の回復、低迷、バブルに応じて、狭い範囲で上下しているが、一貫した上昇や下降の傾向は見られない。あるデータセットでは、アメリカ人の幸福感は一九五五年から一九八〇年にかけてわずかに低下したが、その後二〇〇六年までは上昇している。また別のデータセットによると、「とても幸せ」と答える割合は一九七二年以降、わずかに減少している（ただし「とても幸せ」「まあまあ幸せ」と答えた人の合計は変化していない[31]）。

しかし、確かにアメリカの幸福感は停滞しているが、だからといって富が増すと幸福感も増すという世界的な傾向が覆されるわけではない。というのも、富裕国における数十年間の幸福感の変動を見るだけでは、評価する対象のごく限られた範囲を覗いているにすぎず、全体像が見えにくいからだ。ディートンが指摘するとおり、幸福感の上昇傾向をはっきりさせるには、所得の差が五〇倍あるような国々――たとえばトーゴとアメリカ――を比べることで、二五〇年間の経済成長が幸福に及ぼす影響を再現すればよいだろう。だが、たとえば一つの国のたかだか二〇年間の経済成長のなかで、平均所得が二倍になったことが幸福感に及ぼす影響を調べるというのでは、大きな傾向はノイズに隠れてしまう可能性がある。[32]

また、アメリカは西欧諸国に比べ所得格差が大幅に拡大しているため（第九章）、GDP増加の恩恵を受けた人の比率が少なかったかもしれない。[33] いずれにせよアメリカ例外主義についてあれこれ考えるのは、延々とできる時間つぶしとしては魅力的だが、理由はさておき、アメリカが主観的な幸福において世界的傾向の外れ値であることには幸福学者も同意している。[34]

もう一つ、個々の国々の幸福感について全体の傾向を理解しづらいのは、国とはたまたまある土地の一部を占有する数千万人の集合体だからである。そんな人々を平均して何かしら共通点を見つけられることのほうがむしろ驚くべきことであり、もし時の経過とともに母集団の一部が異なる動きを見せて平均値を引き下げたり、全体の上昇を相殺することがあっても特に驚くことではない。アメリカではこの三五年間で、白人の幸福感は少々低下している。[35] アフリカ系アメリカ人は以前よりずっと幸せを感じるようになった一方で、白人の幸福感は少々低下している。また一般に女性の幸福感は男性より高い傾向があるが、西洋の国々では男性の幸福感の上昇率が女性の上昇率を上回っているので、その差は縮まりつつある。ただし、ここでもアメリカは他の国々と異なっており、女性の幸福感は低下、男性の幸福感はずっとほぼ同じ水準だった[36]。

だが、歴史的傾向を理解するうえで最も厄介なのは、第一五章でも論じたように、年齢（ライフサイクル）効果、時代効果、コホート（世代）効果による影響を区別することだろう[37]。タイムマシンでもないかぎり、年齢・時代・コホートによる影響を完全に区別するのは論理的に難しく、ましてやそれらが互いにどう作用しているのかを知ることなど不可能である。

たとえば、二〇〇五年に五〇歳の人々が不幸だったとして、それが何の影響によるのかは知りようがない。ベビーブーム世代は中年という年齢がつらいのか、二一世紀を生きることがつらいのか、それとも二一世紀が中年層にとってつらい時代なのか。しかし、多数の世代や時代を包含したデータセットがあれば――そこに人と時代がどの程度の速度で変化するかという仮定を合わせれば――長期的に見たある世代のスコア、年ごとの母集団のスコア、年齢ごとの母集団のスコアについて平均値を求めることができ、三つの要素が時とともに描いた各軌跡をある程度推定することができる。そして、さらにそこから進歩の二つの側面を探ることもできる。一つは、近年どの年齢の人々も以前より幸福を感じている可能性。もう一つは、若い世代は上の世代よりも幸福を感じている可能性で、これにより世代交代が進むにつれて全体の数値も上昇している可能性がある。

人は年をとるに従い、幸せを感じやすくなるが（年齢効果）、それはおそらく年を重ねた人というのは大人になるためのハードルを乗り越え、挫折に対処する知恵や、人生を大局的に見る知恵を身につけたからだろう[38]（もちろんその過程で中年の危機を経験するかもしれないし、晩年になって最後の最後で幸福感が下がるかもしれない[39]）。幸福感は時とともに移ろうものであり、特に経済の変化によって変動しやすい。それを思えば、経済学者がインフレ率と失業率を足したものを「悲惨指数」と呼ぶのもうなずける。アメリカ人は二〇〇七年の大不況（the Great Recession）後しばらく続いた景気低迷から脱したばかりだが、それもアメリカの幸福感と関連するのかもしれない[40]。

世代を通して見ても、幸福感は上下している。二つの大きなサンプルによると、一九〇〇年代から一九四〇年代に生まれたアメリカ人を一〇年ごとで見た場合、どの世代もそれ以前に生まれた世代と比べ幸福な人生を送っていた。おそらく大恐慌〔一九二九年一〇月の株価暴落がきっかけで起きた〕が深刻化したころに成人した世代には、そのときの傷跡が残ったのだろう。しかし、その後のベビーブーム世代〔一九四六～一九六四年生まれ〕と初期のジェネレーションX〔一九六〇年代後半～一九七〇年代生まれ〕（これより前の世代は十分に年齢を重ねているので、研究者は時代効果とコホート効果を区別できる）になると幸福感の上昇は止まり、少々下降する[41]。現在まで続く別の調査（総合的社会調査、GSS）を見ると、ベビーブーム世代の幸福感はやはり前の世代より下がっていた。だが、ジェネレーションXとミレニアル世代〔一九八〇〜二〇〇〇年代初頭生まれ〕は再び上昇していた。[42] つまり、どの世代も「今どきの若者」を案じているが、実はアメリカの若者はどんどん幸せになっているということである（しかも第一二章で述べたように、今の若者は昔より暴力的でないうえ、薬物の使用も減っている）。そしてこれまでの話から、アメリカ全体での幸福感は停滞していても、アフリカ系アメリカ人、ベビーブーム世代より前の世代、今の若者という三つの集団は幸福感が増していることがわかる。

幸福感の歴史的な変化には年齢・時代・世代による影響がからまり合っている。それはすなわち、どの変化も見かけより少なくとも三倍は複雑ということだ。これを念頭に置きながら、現代の社会のあり方が孤独や自殺、心の病を蔓延させたという主張を検討していこう。

現代人はより孤独になっているというのは誤り

現代社会の観察者たちの言によると、西洋人はだんだんと孤独になっているらしい。一九五〇年には、社会学者のデイヴィッド・リースマンが社会学の古典『孤独な群衆』（加藤秀俊訳、みすず書房）を発表し（ネイサン・グレイザーとリュエル・デニーとの共著）、一九六六年には、ビートルズが「孤独な人たちはみんな、どこから来て、どこに居場所があるのか」〔『エリナー・リグビー』の歌詞〕と問いかけた。二〇〇〇年には、政治学者のロバート・パットナムが『孤独なボウリング――米国コミュニティの崩壊と再生』（柴内康文訳、柏書房）のなかで、アメリカ人はますます「孤独なボウリング」に興じるようになったと述べ、二〇一〇年には精神科医のジャクリーン・オールズとリチャード・シュワルツが『孤独なアメリカ人――二一世紀の疎遠社会（The Lonely American: Drifting Apart in the Twenty-First Century）』を著した。しかし集団で暮らすホモ・サピエンスにとって、社会的孤独は一種の拷問であり、孤独によるストレスは健康や生命を脅かす大きなリスクになる。[43] もし他者とつながりやすくなったせいで、逆にわたしたちがこれまで以上に孤独になっているとしたなら、現代社会を皮肉るジョークがもう一つ増えることになってしまう。

あるいは、大家族の消失や小さなコミュニティの崩壊とともに出現した疎外感や孤独は、ソーシャル・メディアが補ってくれるのでは、とも考えられる。確かに、エリナー・リグビーとマッケンジー神父も〔二人とも前出のビートルズの歌『エリナー・リグビー』に出てくる孤独な人物〕、今の時代ならフェイスブックで友人になれただろう。しかし心理学者のスーザン・ピンカーが『村落効果（The Village Effect）』のなかで紹介する研究によると、たとえデジタルな友情を結んでも、生身のリアルな交流がもたらす心理的恩恵は得られないらしい。

そうはいっても、なぜ現代人は孤独なのかという謎は深まるばかりである。というのも、世界が抱える問題のうち、社会的孤独というのはわりと簡単に解決できそうに思えるからだ。孤独を感じたら、誰か知り合いを誘い、近所のスターバックスや自宅のキッチンでおしゃべりをすればいいだけではないだろうか。どうして人々はそういった機会を逸してしまうのだろうか。現代人は――とりわけ常に非難されてしまう若い世代は――すっかりデジタル版クラック・コカインの中毒になってしまったので、生身の人間とふれあうことをあきらめ、自らに無用な孤独を、もしかしたら死を招くかもしれない孤独を科しているのだろうか。ある社会評論家がいうように、「わたしたちは機械に心を渡してしまった。そして今や自分たちも機械になろうとしている」なんてことは本当にあるのだろうか。もしくは別の評論家がいうように、インターネットは「個人だけがぽつんと存在する、人とのふれあいや感情のない世界」をつくり出したのだろうか?(44) いや、人間の本性を信じる身からすると、それはないと思われる。実際、データもそんなことは嘘だと示している。そう、孤独の蔓延などないのである。

社会学者のクロード・フィッシャーは『今もつながっている(Still Connected)』(二〇一一年)のなかで、社会的関係について尋ねた四〇年にわたる調査に関し、こう述べている。

「このデータで何より印象的なのは、一九七〇年代から二〇〇〇年代のあいだ、アメリカ人の家族や友人との結びつきが一貫して強固だった点である。いずれにせよ、行動の長期的変化とそれに伴う個人への長期的影響を表すようなポイントの差はほんの数ポイントしかなく、差はほとんど認められなかった。そう、現代のアメリカ人は自宅で人をもてなすことが減り、代わりに電話やメールで交流するようになったが、基本的な部分はあまり変わっていないのである」[45]

核家族化や独身者の増加、働く女性の増加により時間の使い方が変わっても、アメリカ人は今も昔と同じだけの時間を家族と過ごしている。友人の数の中央値も、友人に会う頻度も、精神的な支えの量についての報告も、友情の数や質への満足度も、昔と同じだ。それは第三八代大統領ジェラルド・フォード〔在任は一九七四〜一九七七年〕や『ハッピーデイズ』〔一九七四〜一九八四年に放映されたファミリードラマ〕の時代から変わっていない。むしろインターネットやSNSのユーザーは友人と接触することが増え（直接的なふれあいは少々減ったが）、デジタル上の結びつきのおかげで友人との関係がさらに豊かになったと感じている。

フィッシャーは人間の本性をこう結論した。

「人は自分にとって何より価値あるものを守るため、変わりゆく状況にうまく順応していこうとする。何より価値あるもののなかには、人間関係の量や質を保つことも入っている。たとえば子どもと過ごす時間、家族とのふれあい、心の支えとなる仲間との時間などである」[46]

　では、主観的な孤独の感じ方はどうなっているのだろうか。これに関しては人口全体を対象にした調査はほとんどないが、フィッシャーの見つけたデータによると、「孤独を感じるアメリカ人の割合はずっと同じ水準、もしくは若干増加」していて、その理由は主に独身者が増えたことだった[47]。一方で、〝囚われの聴衆〟〔閉鎖空間にいるせいで嫌でも話を聞かざるをえない人々〕、つまりは学生を対象にした調査は豊富にある。学生たちは何十年にもわたり、「多くのことを一人でやっていてつらい」とか「話し相手がいない」といった質問に自分が当てはまるかどうかを答えてきた。そこからわかった傾向は、二〇一五年のある論文のタイトル「時とともに孤独感は減少」に集約されている。また次ページの〔図18―2〕からもわかるだろう。

　卒業した学生の追跡調査はしていないので、こうした孤独の減少は、若者が社会的要求を着実に満たしやすくなっているという時代効果によるものか、それとも最近の世代は社会的に満足しやすく、高い満足感をずっと保っているというコホート効果によるものかはわからない。それでも、今日のアメリカの若者が「中毒レベルの空虚さや無目的、孤独」に苦しんでいないことはよくわかる。

　また「今どきの若者」と並び、文化悲観論者は「技術」も飽きずに標的にしたがるが、二〇一五年、社会学者のキース・ハンプトンらはソーシャル・メディアの心理的

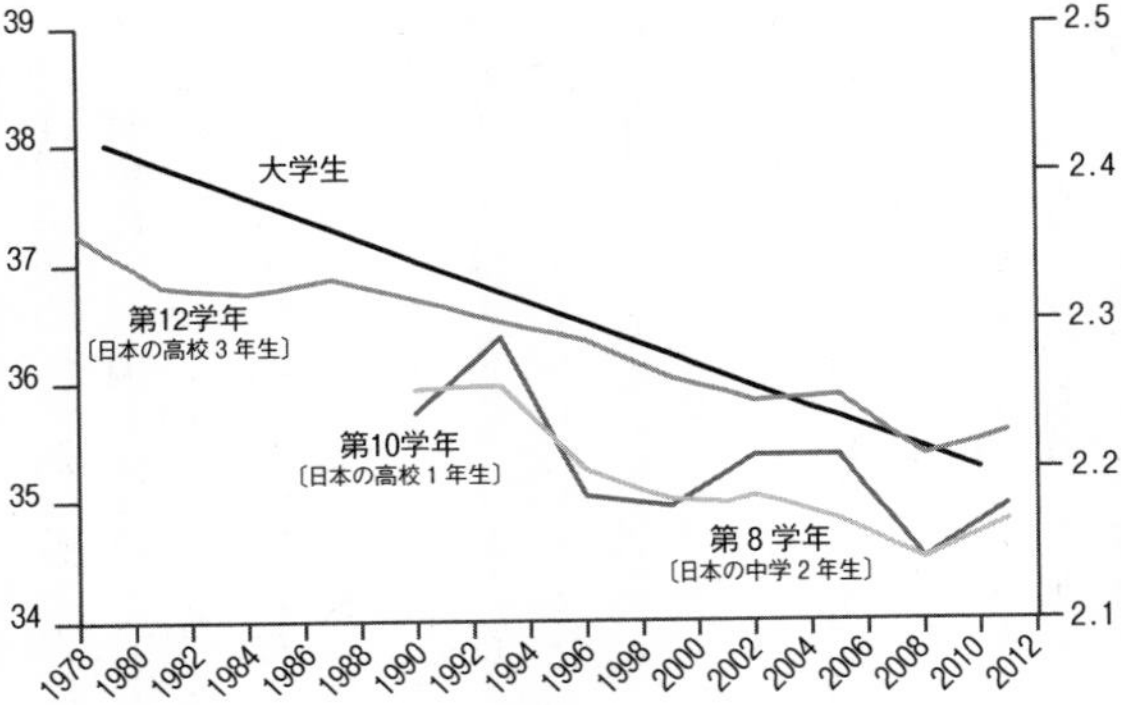

［図18-２］アメリカの学生の孤独感（1978-2011）
情報源：Clark, Loxton & Tobin 2015.【大学生（縦軸左）】改訂版 UCLA 孤独感尺度による。傾向線は多数のサンプルから得ている。Clark, Loxton & Tobin 2015の fig. 1 から。【第８・10・12学年（縦軸右）】「モニタリング・ザ・フューチャー」が孤独に関して調査した６つの項目の平均評価。３年ごとの平均。Clark, Loxton & Tobin 2015の fig. 4から。縦軸はどちらも長さが標準偏差の半分なので、大学生とハイスクールの学生の曲線同士の傾きは比較可能である。ただし相対的な高さは比較できない。

影響に関する報告を紹介し、こう述べた。
「いつの時代も、評論家というのは技術が人々のストレスに及ぼす影響を危惧している。彼らにかかれば、列車や工業機械はのどかな村の暮らしを騒音で邪魔し、人々をいらいらさせるだけのものだった。電話は家での静かな時間を邪魔するもの、腕時計や置き時計は、工場で働く人々に生産性を上げろと非人間的な時間的プレッシャーをかけるものとみなされた。また広告中心のラジオとテレビのせいで現代の消費者文化が生まれ、人々が自分の状態に抱く不安が強まったともされた[48]」

こうして見ると、評論家たちが次にソーシャル・メディアに照準を合わせてきたのは当然の帰結だったのだろう。しかし［図18―2］で示したように、アメリカの学生についていえば、あいにくソーシャル・メディアは孤独を感じるかどうかの推移に良くも悪くも影響していない。学生の孤独感は一九七八年から二〇〇九年にかけて低下しているが、フェイスブックが世間を席巻しはじめたのは二〇〇六年以降のことだからだ。また別の調査によると、大人もソーシャル・メディアのせいで孤独になったわけではない。むしろソーシャル・メディアの利用者は親しい友人を多くもち、他者を信頼し、周囲の支えを感じ、政治にも積極的に参加する傾向がある[49]。

巷では、ソーシャル・メディアの利用者は、ネット上の偽りの友人が楽しげな活動をものすごい勢いでアップするので、それに遅れをとるまいとして、由々しき競争に巻き込まれているなどと噂されている。だが実際には、彼らは非利用者以上に大きなストレスを訴えているわけではない[50]。それどころか、女性利用者のストレスは非利用者よりも小さいくらいだ。ただしこれには一つだけ例外があり、ソーシャル・メディアを通じて、誰か親しい人が病気や身内の不幸、ほかにも何かしらの試練で苦しんでいることを知ったときには、彼らの気持ちは動揺する。つまりソーシャル・メディアの利用者は他者への思いやりに欠けるのではなく、他者を思いやりすぎるということだろう。他人の成功を妬むのではなく、他者のつらさに共感しているのである。

そういうわけで、現代社会はわたしたちの心身を押しつぶしてなどいない。わたしたちを中毒レベルの空虚感や孤立感に苦しむ、ひとりぼっちの機械に変えてもいないし、人同士を疎遠にさせてわたしたちから人とのふれあいや感情を奪ったりもしていない。それなのに、なぜこんなにもヒステリックな誤解が生まれたのだろうか。

それは部分的には、何でもパニックの種にしてしまう社会評論家の常套手段のせいだろう。なにしろ社会評論家の手にかかれば、たった一つの逸話ですぐさまこうなってしまうからだ。「おや、すごい話を見つけたぞ。なるほど、今はそれが全体の傾向か。となると、危機的ってことじゃないか」

しかし一方で、人との付き合い方が現実に変わっていることも確かに一因になるだろう。以前と違い、人々はクラブや教会、組合、友愛団体、ディナー・パーティーといった昔ながらの場で顔を合わすことが少なくなり、カジュアルな集まりやデジタル・メディアを通して交流することが多くなった。遠い親戚よりも、近くの同僚のほうを信頼するようになり、[51]友人の数は多くないが、そもそもそれほど大勢の友人が欲しいとも思わなくなっている。しかし今日の社会生活が一九五〇年代のものと違って見えるからといって、本質的に社会的動物である人間から社会性がなくなったわけではない。

自殺率と不幸度の関係についても誤解が多い

殺人が社会の暴力度を測る最も確かな指標であるように、社会の不幸度を知るうえで最も信頼できる指標は自殺なのではないかと思う向きもあるかもしれない。自殺した人は大きな不幸に見舞われていたにちがいなく、だからずっと耐えるよりも、意識を永遠に絶ってしまうことを決心したのだろうという考え方である。それに人の不幸な経験は客観的に数値化できないが、自殺なら件数を集計して客観的な数字を出すこともできるからだ。

しかし実は、不幸の度合いを知るには自殺率は案外当てにならない。なぜなら自殺によって悲しみや不安から逃れようとするとき、まさにその悲しみや不安のせいで、その人の判断力は低下しているからだ。そのため生きるか死ぬかの究極の決断であるはずのものが、ただ実行に移しやすいかどうかという俗っぽい事情に左右されることもよく起きる。自殺について語るドロシー・パーカーの詩『レジュメ』は、「銃は法に引っかかる／縄は外れて落っこちる／ガスは臭いがひどいから／生きているのがいいみたい」という節で終わるが、これは自殺を考えている人の心境に近そうでどきりとする。

実際、手軽で成功しやすい自殺の手段が手に入りやすくなるか、または取り除かれるかすると、それに合わせてその国の自殺率も上昇したり下降したりする。そうした手段に当たるのは、たとえば二〇世紀前半のイギリスでは石炭ガス〔石炭からつくるガス燃料。一酸化炭素が多く含まれる〕、多くの発展途上国では殺虫剤、アメリカでは銃になる。[52] 自殺は経済の低迷や政治的混乱によっても増加し、それほど驚くことではないが、天気や日照時間にも影響を受ける。それから自殺が起きたとき、メディアがそのことを大きく報道したり、美化して報道しても増加する。[53]

また自殺は不幸度を測るのに適しているという、悪気のない考えもどうやら疑わしい。最近の研究で「幸福度と自殺のパラドックス」が実証されたからだ。それによると、幸福感の高いアメリカのいくつかの州と西ヨーロッパの国々では、自殺率は平均より少々高く、決して低くはなかった[54]（研究者はその理由を「不幸な人は他人の幸せに耐えられないからだろう」と推測する。つまり「幸福感の高い州や国では周囲が皆幸せなので、不幸な人は自分の不幸がいっそう身に沁み、苦しみが大きくなる」ということだ）。

さらに自殺率は別の理由からも予測できない動きを見せることがある。自殺というのは事故と見分けがつきにくいことが多いため、自殺が不名誉であったり、犯罪になる時代や地域では、検死官が自殺ではなく事故に分類することもあるからだ（死因が中毒や薬物の過剰摂取の場合はもちろん、転落や自動車事故、銃で撃たれている場合も見分けるのは難しい〕。

確かに自殺は主な死因である。アメリカでは自殺者は年間四万人以上に上り、死因の第一〇位を占めている。世界的には自殺者は年間約八〇万人で、死因の第一五位である[55]〔日本は年間二万人で死因の第一〇位。一〇万人当たり一六・三人（二〇一八年）〕。とはいえ、自殺の長期的な傾向や国による違いを突き止めるのは難しい。年齢・コホート・時代効果がからみ合っていることに加え、男性と女性の傾向が異なることも多いからだ。先進国では、女性の自殺率は一九八〇年代半ばから二〇一三年のあいだに四〇パーセント以上低下したが、男性の自殺率は女性の約四倍も高い。そのため男性の自殺件数が全体の傾向を押し上げやすくなっている[56]。また世界的に見て自殺率の高い国々はガイアナ、韓国、スリランカ、リトアニアだが、それがなぜなのかは誰にもわからない。あるいはなぜフランスの自殺率は一九七六年から一九八六年にかけて上昇し、一九九九年までに再び下降したのかも謎のままである。

しかしそれでも、世間一般が信じている二つのデマを覆せるくらいには、わたしたちは自殺についてわかっている。その一つめは「自殺はずっと増えつづけていて、今や史上最悪になった。これは前代未聞の事態であり、自殺の蔓延で世界は危機的状況にある」というものだ。だが、自殺は古代の世界でもよくあることだった。それは古代ギリシャの人々が自殺について議論していたり、聖書のサムソン〔数千のペリシテ人を道連れに自殺〕、

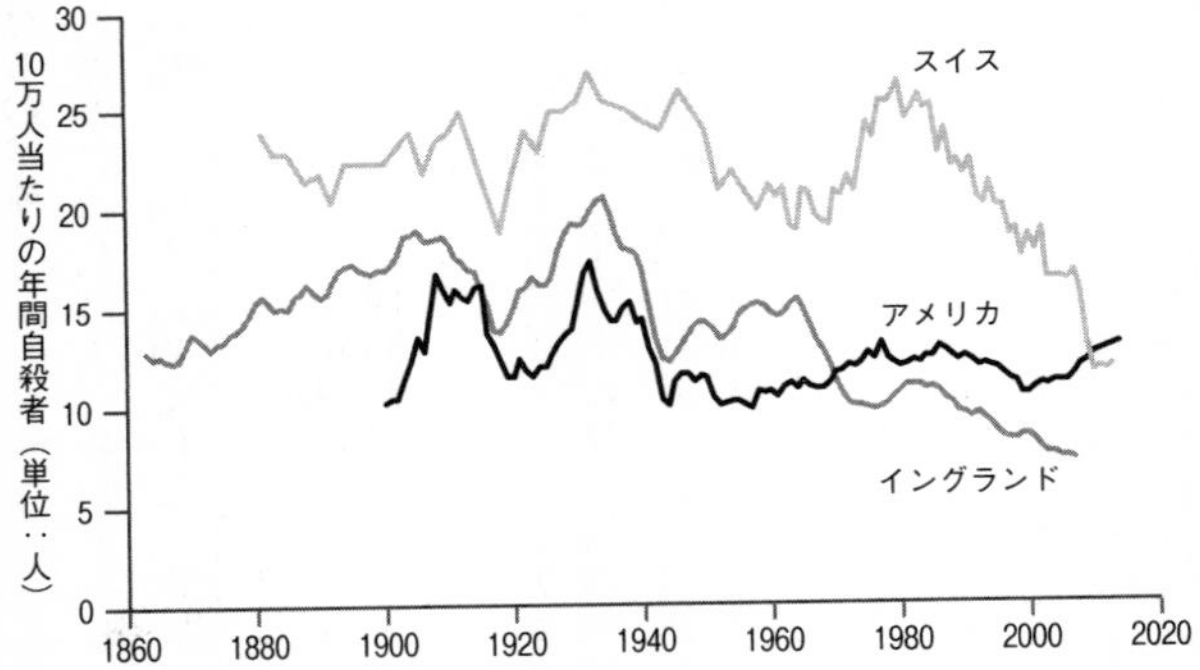

［図18-3］**自殺率（イングランド、スイス、アメリカ、1860-2014）**

情報源：【イングランド（ウェールズを含む）】Thomas & Gunnell 2010, fig. 1, カイリー・トマスが提供してくれたデータ。男女の自殺率を平均した。グラフが現在まで続いていないのは、現在のデータと測定法が異なるため。【スイス（1880-1959）】Ajdacic-Gross et al. 2006, fig.1.【スイス（1960-2013）】WHO 死亡データベース、OECD 2015b.【アメリカ（1900-1998）】アメリカ疾病管理予防センター、Carter et al. 2006, table Ab950.【アメリカ（1999-2014）】Centers for Disease Control 2015.

サウル〔イスラエル最初の王。剣の上に身を投げて自殺〕、ユダ〔キリストの弟子。裏切りを悔いて首つり自殺〕の物語のなかで自殺が描かれていることからもわかるだろう。

自殺の歴史的なデータは、ほとんどない。「自身の殺人（self-murder）」とも呼ばれる自殺は、かつて多くの国で犯罪とされていたのでなおさらである。イングランドでも一九六一年まで自殺は犯罪だった。それでもイングランドとスイスとアメリカについては一世紀以上前のデータが存在する。それを示したのが［図18―3］である。

イングランドにおける年間自殺率は、一八六三年には一〇万人当たり一三人だった。それが二〇世紀の最初の一〇年間で一九人にまで上昇し、大恐慌時には二〇人を超えた。しかしその後、第二次世界大戦中と一九六〇年代にぐっと低下し、それからもじわじわと下がって、二〇〇七年には七・四人になっている。スイスでも自殺率は下降傾向にあり、一八八一年には二四人、大恐慌時には二七人だったものが、二〇一三年には一二・二人と二分の一以下にまで低下している。アメリカでは二〇世紀初頭と大恐慌時に一七人とピークに達したが、二一世紀を迎える頃には一〇・五人にまで低下した。ただし近年の大不況後は一三人に上昇した。

つまり歴史的なデータのあるこの三カ国のすべてで、自殺は今よりも過去のほうが多かったということである。そしてこのグラフが描く山あり谷ありの線は、いわば複雑な流れを抱えた海の表面であり、その下には年齢、世代、時代、それに性別のそれぞれの動きが隠れている。(57) 順に説明しよう。

まず自殺率と年齢・性別の関係だが、一般に自殺率は思春期に急上昇し、その後は緩やかな動きを見せながら中年期に入る。女性の場合はこの中年期に自殺率が最も高くなり(おそらく更年期を迎えたり、子どもが巣立ったりするため)、その後は低下する。一方、男性は中年期の自殺率に変化はないが、定年を迎える頃になると急激に上昇する(おそらく一家の稼ぎ手という伝統的な役割が終わった現実に直面するため)。近年アメリカの自殺率が上昇しているのは、各世代が年をとり、層の厚いベビーブーム世代の男性がちょうど最も自殺者の多い年齢層に入ってきたことも一因だろう。

だがそれだけでなく、各世代（コホート）の傾向も重要である。GI世代と沈黙の世代〔それぞれ一九〇〇～一九二四年、一九二五～一九四五年に生まれた世代。第一五章参照〕は、ヴィクトリア朝時代に生まれたそれ以前の世代や、それ以降のベビーブーム世代とジェネレーションXに比べ、自殺が少ない。またミレニアル世代は、世代から見た自殺率の上昇を緩やかにしている、もしくは低下させているようである。というのも、主にこの世代が思春期だった一九九〇年代初めから二一世紀の最初の一〇年のあいだ、思春期の自殺率は下がっているからだ。(58)

時代的に見ても（年齢とコホートは調整）、自殺率の高かった三つの時期――一九世紀から二〇世紀への変わり目、一九三〇年代、一九六〇年代後半から一九七〇年代初頭――を経て、自殺は減少しつつある。一九九九年には、自殺率は四〇年ぶりに最低を記録した。ただし大不況以降はまたわずかに上昇している。

このように自殺率というのは複雑なものだが、『ニューヨーク・タイムズ』はそれをよく理解していなかったので、二〇一六年四月の記事に「アメリカの自殺率がこの三〇年で最悪の水準」という人騒がせな見出しをつけてしまった。しかしこの見出しはこんなふうにもできたはずだ。「大不況と人口の加齢を経ても、アメリカの自殺率は過去のピーク時より三分の一低い」(59)

また「社会が近代化されたせいで、かつてないほど多くの自殺者が出ている」というデマと並び、もう一つ、世間では「スウェーデンは啓蒙思想のヒューマニズムを体現する模範国家なのに、自殺率が世界でいちばん高い」というデマも信じられている。この都市伝説が生まれたきっかけは（それもまた別の都市伝説かもしれないが）、一九六〇年に当時の大統領ドワイト・アイゼンハワーが「スウェーデンは温情主義的で社会主義的な政策をとるせいで、自殺率が高い」と演説したことだといわれている。(60)わたしならきっと、イングマール・ベルイマン監督の実存主義的な暗い映画のせいにしただろうが、いずれにせよ、どちらも自殺率の高さを説明しようとして、もっともらしい理由を探してきただけである。

確かに一九六〇年を見ると、スウェーデンの自殺率はアメリカより高かったが（それぞれ一〇万人当たり一五・二人と一〇・八人）、決して世界一高いわけではなかった。しかもその後、スウェーデンの自殺率は一〇万人当たり一一・一人にまで下がっている。これは世界平均（一一・六人）と比べても、アメリカ（一二・一人）と比べても低い数字であり、世界全体で見た順位は五四位になる。(61)世界の自殺率に関する近年の調査によると、「ヨーロッパの自殺率は概して下降傾向にあり、現在、西ヨーロッパの福祉国家のうち、自殺率が世界の一〇位以内に入る国は一つもない」(62)。

鬱病と診断される人が増えているのはなぜか

気分が落ち込む「抑鬱」になることは誰にでもあるが、なかには鬱病を発症する人もいる。鬱病とは深い悲しみや絶望が二週間以上続き、日常生活を送ることに支障が出ている状態をいうが、この数十年、鬱病と診断される人が増えてきた。とりわけ若い世代での増加が著しい。最近放映されたPBS（公共放送サービス）のドキュメンタリー番組では、キャッチフレーズが「鬱という静かな伝染病がアメリカを壊し、子どもたちを殺している」だった。これはこの問題に関する世間一般の考え方をよく表していると思われる。だがわたしたちは、アメリカが不幸や孤独、自殺の蔓延に苦しんでなどいないことをつい今しがた確認したばかりである。そこからすれば、鬱が蔓延しているというのも疑わしい。事実、そんなものは幻想でしかないと判明している。

初めに、よく引用されているある研究について考察したい。その研究は信じがたい主張をしており、それによるとGI世代からベビーブーム世代までのどの世代も、一つ前の世代より抑鬱傾向が強いという。[63] 研究では、異なる年齢層の人々に自分が憂鬱だったときのことを思い出してもらうという調査方法がとられていて、そこからこの結論に達していた。

しかしその調査方法では、研究結果は記憶という曖昧なものに縛られてしまっている。というのも、人は過去の出来事になればなるほど、それを思い出しにくくなるからだ。特に（第四章で説明したように）、その経験がつらいものだった場合、記憶は薄れやすい。そしてそのことが「時代とともに鬱が増えている」とか「若い世代は鬱になりやすい」という錯覚を生むことになっている。またこの種の研究には死亡率という罠もある。鬱病の人のほうがそうでない人よりも、数十年のうちに自殺やその他の原因で死亡している確率は高いからだ。つまり調査対象の高齢者には、精神的に健康な人がより多くいることになり、そのため昔の人は皆、今より精神的に健康だったように見えてしまう。

それからもう一つ、意識の変化も鬱病の増加という歪んだ認識が広がっている要因である。ここ数十年、鬱病への理解を深め、スティグマ〔烙印の意。患者が背負わされている差別などの社会的な重荷を指す〕を小さくしようと、数々の支援プログラムやメディアを使ったキャンペーンが実施されてきた。製薬会社は抗鬱薬を消費者に直接宣伝している。加えて官僚主義のシステムのせいで、何らかの精神疾患の診断書を提出しないと、治療や公的サービス、被差別者の保護などに給付金を支給してもらえないという事情もある。こうしたことが誘因になって、人々は自分は鬱病だと口にしやすくなったのだろう。

それと同時にメンタルヘルスの専門家によって――そしておそらく文化全体によっ

て――何が精神疾患に入るのかという基準も、引き下げられつつある。アメリカ精神医学会発行の『精神疾患の診断・統計マニュアル（DSM）』の場合、一九九四年の第四版には三〇〇以上の疾患名が並び、一九五二年の初版と比べるとその数は三倍に膨らんだ。そのなかには回避性人格障害（かつては「内気」と呼ばれた人々に多く適用される）、カフェイン中毒、女性の性機能不全〔性欲を感じない、オルガスムスを得られないなど〕といったものまで含まれている。

また診断基準も変化していて、根拠となる症状の数が少なくても精神疾患の診断が下されるようになっている。その一方で、精神疾患を引き起こすとされるストレス因子の数は増えており、心理学者のリチャード・マクナリーもこう指摘する。「第二次世界大戦の恐怖を経験した人、特にナチスの〝殺人工場〟を経験した人が（中略）、今の時代に心的外傷後ストレス障害（PTSD）を引き起こす可能性のあるものを知ったら、きっと困惑するにちがいない。なにしろ親知らずを抜かれたり、職場で不快なジョークをいわれたり、順調な出産で健康な赤ん坊を産んだりすることがPTSDの原因になりうるのだから[64]」。これと同じ変化を受けて、以前なら「悲嘆、悲哀、悲しみ」と呼ばれていた状態に、今日では「鬱病」の診断が下されているのだろう。

こうした現状――「疾患喧伝」〔製薬会社などが販路拡大のために、ある状態を疾患だとして宣伝すること〕、「コンセプト・クリープ（concept creep）」〔トラウマや精神疾患の概念が拡大していること〕、「病気を売る」、「精神病理という帝国の拡大」――に対して、心理学者や精神科医も警鐘を鳴らしはじめている。(65) たとえば心理学者のロビン・ローゼンバーグは、二〇一三年の『アブノーマル』のなかでこう述べる。「『精神疾患の診断・統計マニュアル』の最新版〔二〇一三年発表の第五版〕に従えば、アメリカ人の半分は人生のどこかで精神疾患の診断を下されてしまうだろう」(66)

とはいえ「精神病理という帝国の拡大」は先進国特有の問題であり、多くの意味で道徳的な進歩の表れである。(67) たとえ精神疾患のレッテルを貼るにせよ、誰かの苦しみを認識するということは、同情心の表れの一つになるからだ。特に軽減できる苦しみの場合、まず苦しみの存在を認識しなければ治療もできないので、認識することは大切になる。

心理学の世界では常識でも、多くの人が知らないのは、認知行動療法〔強い悲観的な考えなどの認知の歪みを正し、現実的に対処できるよう手助けする心理療法〕は多くの精神疾患の治療に明らかな効果があるということだ（薬物療法より効果が高いこともある）。鬱病、不安障害、パニック発作、PTSD、不眠症、それに統合失調症の症状などの治療に効果を上げている。(68) 世界の疾病負担のうちの七パーセントは精神疾患が占めているが（鬱病だけで二・五パーセント）、それはつまり軽減できる苦しみがまだたくさんあるということだ。(69) 医学誌『PLOSメディシン』は「メンタルヘルスのパラドックス」に対し、こんな言葉で注意を促している。「裕福な西洋諸国では過度の医療問題化と過度の治療が問題であり、世界のその他の地域では不十分な認識と不十分な治療が問題である[70]」

本当に鬱病に苦しむ人は増えているのか

鬱病の診断が拡大するなかで、近年鬱に苦しむ人が以前より増えているのかどうかを知る唯一の方法は、抑鬱症状に関する標準テストを、全国を代表する多様な年齢層から成るサンプルに、長い年月にわたり実施することだろう。今のところこの究極の基準を満たした研究はないが、もう少し限定された集団を対象に、一定の基準を適用した研究ならいくつかある[71]。なかでも、スウェーデンとカナダの地方の町で実施された二つの研究では、それぞれ長期にわたり集中的な調査がなされた。これは二〇世紀半ばから後半にかけて、一八七〇年代から一九九〇年代に生まれた人々を――つまり年齢に一世紀以上の開きがある人々を――被験者として追跡調査したものになる。その結果、どちらの研究からも鬱病が長期的に増加した兆候は見られなかった[72]。

ほかにもいくつかのメタ分析（複数の研究をまとめて分析し直すこと）がある。たとえば心理学者のジーン・トウェンギはミネソタ多面人格目録（ＭＭＰＩ）という一般的な性格検査を調べた結果、一九三八年から二〇〇七年にかけて、大学生の抑鬱の尺度の数値が上昇傾向にあることを見出した。[73] だが、これは必ずしも鬱病に苦しむ学生が増えたということではない。おそらく時代とともに大学進学者の幅が広がったので、その影響から数値が上昇したのだろう。

また別のいくつかの研究（トウェンギの研究もある）によると、人々の抑鬱状態に変化はなく、むしろ減少していたことがわかっている。特に年齢層と世代が若くなるほど、そして調査年代が最近になるほどその傾向は強かった。[74] そうした近年の研究の一つに「鬱病は子どもや思春期の若者に蔓延しているのか?」というタイトルの論文があるが、これはまさにベターリッジの見出しの法則――「疑問符で終わる見出しの答えはどれも『ノー』になる」というもの――にぴったり当てはまるだろう〔法則の名は、このことを指摘する記事を書いたイギリスの技術ジャーナリスト、イアン・ベターリッジにちなむ〕。というのも論文著者は、「鬱病が〝蔓延〟しているという一般認識が生まれたのは、長いこと臨床医による診断が不十分だった精神疾患に対し、近年意識が高まってきたためだろう」と説明しているからだ。[75]

このほか、一九九〇年から二〇一〇年の世界全体の不安障害と鬱病の有病率を調べた最大規模のメタ分析があるが、こちらのタイトルは「一般的精神疾患の〝蔓延〟という世間の神話に異を唱える」という実にきっぱりしたもので、もはや疑問符で読者に気をもませることさえない。このなかで著者はこう結論している。「診断基準を明確に適用すれば、一般的精神疾患の有病率が上昇しているというエビデンスはない[76]」

また、鬱病は不安と併存するもので、疫学者たちはそれを頑なに相関関係だといい、因果関係とはいわないが、いずれにせよ、そこから次の疑問が湧いてくる。ならば、世界はかつてよりも不安に満ちているのだろうか？　それに対する答えの一つは、一九四七年に出版されたW・H・オーデンの長編叙事詩のタイトル、『不安の時代』（大橋勇ほか訳、国文社）にありそうだ。近年の復刻版の序文で、英文学者アラン・ジェイコブスはこう述べている。「何十年にもわたり多くの文化批評家が（中略）われわれの生きる時代を『不安』と命名したオーデンの眼力を称賛している。だが詩の難解さを考えると、なぜオーデンが現代の特徴を主として『不安』だと思ったのか――そもそもオーデンが本当にそういっているのかどうかさえ――正確に理解できている人間はほとんどいないだろう[77]」

オーデンの意図はどうであれ、彼がわたしたちの時代につけた名前はすっかり定着しているようで、それはトウェンギによるメタ分析のタイトルにも見てとれる〔一九三八年から二〇〇七年のアメリカの若者における、出生コホートの精神病理の増加〕。その研究によれば、子どもと大学生を対象に実施された標準不安テストのスコアは、一九五二年と一九九三年とを比べると標準偏差まるまる一つ分、上昇したという[78]。しかし「永遠に続けることができないものはいつか終わる」〔スタインの法則。第五章参照〕わけで、わたしたちの知るかぎり、その後一九九三年からあとの大学生のスコアは横ばいになっている[79]。

またそれ以外の人口グループについても、不安は増加していない。一九七〇年代から二一世紀の最初の一〇年間にかけて高校生と成人を対象に行われた長期研究によると、どの世代にも不安の上昇は見られなかった[80]。確かにいくつかの調査では、精神疾患の領域に入るような強い不安の症状を訴える人が増えているが、それは「蔓延」というほどのレベルではなく、一九九〇年以降、不安の世界的上昇は見られない[81]。

自由の獲得が幸福感の伸びない理由の一つ

何もかもがすばらしい。それなのに、わたしたちは本当にそこまで不幸なのだろうか。いや、ほとんどの場合、そこまで不幸ではないはずだ。実際には先進国では人々はずいぶんと幸福を感じており、その他の大部分の国々でも以前より幸せを感じるようになっている。国が豊かになっていくかぎり、人はいっそう幸せを感じるようになるはずである。また孤独や自殺、鬱病や不安の蔓延という不吉な警告も、ファクトチェックによって誤りだと判明した。さらに、どの世代も自分より若い世代は困った事態になっていると懸念するが、世代が若くなるにつれ状況は良くなっており、ミレニアル世代は過干渉な親世代よりも幸福感が高くて、精神的にも健康な様子である。にもかかわらず、幸福感については、多くの人が本来そうあるべき水準よりも低い。

とりわけアメリカは先進国の仲間のなかで遅れをとっていて、アメリカ人の幸福感は「アメリカの世紀」と呼ばれることもある時代〔二〇世紀〕で止まってしまった。ベビーブーム世代は平和と繁栄のなかで育ったにもかかわらず不安が多いが、これは彼らの親世代からしたら不可解だろう。なにしろベビーブーマーの親世代は、大恐慌や第二次世界大戦、そしてホロコースト（わたしの同胞の多くが経験した）を生き抜いたのだから。またアメリカ人女性は、所得、教育、社会的業績、自立の面でかつてないほど進歩しているが、同時に不幸にもなっている。他の先進国では、男女ともに幸福感が高まっているが、アメリカでは女性の幸福感上昇のペースは男性を下回っている。

確かに第二次大戦後の数十年間で、不安や鬱の症状は増加したのだろう。少なくとも一部の人々のあいだでは増加したと思われる。しかしこの世界がどれほどすばらしいものになったかを思えば、わたしたちは誰一人、本来そうあるべきほどには幸せを感じていない。

そこで本章の締めくくりとして、この幸福感の未達という問題について考えたいと思う。幸福感があるべき水準に達していないというこの事実は、多くの評論家にとって、社会の近代化を批判する格好の機会となっている。[82] 彼らによると、わたしたちの不幸は、個人主義や物質的豊かさを崇拝する一方で、家族や伝統、宗教、コミュニティの崩壊を黙認してきた代価らしい。

しかし、社会の近代化がもたらしたものは別の側面から理解することもできる。そもそも伝統的な因習を懐かしむ人々は、わたしたちの祖先がそうした因習から逃れようとして、どれほど懸命に闘ったかを忘れている。幸福かどうかのアンケートが、かつての結びつきの密なコミュニティ――近代化によって解放されたコミュニティ――で暮らした人々に行われたことはない。だがその移行期に生まれた偉大な芸術の多くが、そうしたコミュニティの負の側面、すなわち偏狭さや慣習への服従、同族意識、そしてタリバンさながらに女性の自立を阻む風潮などを活写している。

たとえば一八世紀半ばから二〇世紀初頭にかけて執筆された多くの小説は、貴族社会やブルジョワ社会、農村社会の息苦しい規範に立ち向かおうともがく人々の姿を描き出している。サミュエル・リチャードソン、ウィリアム・メイクピース・サッカレー、シャーロット・ブロンテ、ジョージ・エリオット、テオドール・フォンターネ、ギュスターヴ・フローベール、レフ・トルストイ、ヘンリック・イプセン、ルイーザ・メイ・オルコット、トマス・ハーディ、アントン・チェーホフ、シンクレア・ルイスの作品がそれに当たるだろう。

その後、都市化により西洋社会がもっと寛大でコスモポリタンな視野をもつようになると、こんどはポップカルチャーがアメリカの田舎町の生活を取り上げ、そうした息苦しさを表現した。ポール・サイモンは「あの小さな町では／ぼくの存在に意味などなかった／ただの親父の息子だった」〔『マイ・リトル・タウン』、名義はサイモン&ガーファンクル〕と歌い、ルー・リードは「小さな町で育っていると／小さな町で縮こまっていくのさ」〔『スモール・タウン』〕と歌い、ブルース・スプリングスティーンは「ベイビー、この町はあんたを骨抜きにする／それは死の罠／自殺の誘い」〔『明日なき暴走』〕と歌っている。

このほか小さなコミュニティの息苦しさは、移民文学にも見てとれる。アイザック・バシェヴィス・シンガー、フィリップ・ロス、バーナード・マラマッド、最近では、エイミ・タン、マキシーン・ホン・キングストン、ジュンパ・ラヒリ、バラティ・ムケルジー、チットラ・バネルジー・ディヴァカルニーなどの作品に表れているだろう。

今日、わたしたちは個人の自由という世界――右の作品の登場人物にとってはただ夢見るしかなかった世界――を享受している。好きな相手と結婚でき、好きな仕事ができ、好きなように生きられる世界で暮らしている。しかし現代の社会批評家ならアンナ・カレーニナやノラ・ヘルメル〔『人形の家』の主人公〕に対し、したり顔でこんな忠告をするのだろう。「寛大でコスモポリタンな社会なんて、あなたが期待するほどすばらしいものではないんですよ」とか、「家族や村との絆がなければ、不安で不幸な日々を送ることになりますよ」とか。それに対する彼女たちの声を、わたしが代弁することはできないが、それでもきっと彼女たちはこう考えるだろうとは思う。「ここから抜け出せるなら、そんなのちっともかまわない」

自由の獲得という点からすると、若干の不安とは、自由という不確かな状態を引き受けるために、わたしたちが支払わねばならない対価なのかもしれない。言葉を換えれば、不安とは自由と引きかえに求められる警戒心、慎重さ、内省心のことなのだろう。その意味では、女性の自立の度合いが増すに従い、男性と比べて女性が幸福を感じにくくなったのは必ずしも驚くことではない。その昔、女性が責任をもつべき事柄が家庭から外に出ることはまずなかった。対して、今日の若い女性の場合、人生の目標は広い分野に及んでいる。仕事、家庭、結婚、お金、趣味。さらに良い友人をもち、多様な経験をし、社会の不公平を正し、コミュニティのリーダーになり、社会に貢献しようとする。[83] これだけやりたいことがあれば、心配事が多いのは当然であり、さまざまな形で多くのストレスを抱えてしまうだろう。まさに「女性は計画し神は笑う」である。

神や権威から離れ自らの責任で生きる不安

また現代人の心を占めるのは、個人の自立によって広がった人生の選択肢だけではない。「実存的問い」という大きな問題も心を占めている。おそらく人はより高い教育を受け、既存の権力に懐疑的になるにつれ、従来の宗教的真理では満足できなくなる。そのせいで道徳的基準が判然としない宇宙へと放り出された気持ちになり、そこから自分という存在への不安も生じるのだろう。映画『ハンナとその姉妹』（一九八六年）では、こうした現代の不安の化身をウディ・アレンが演じている。アレン演じるミッキーと両親との会話には、二〇世紀の世代間の隔たりがよく表現されている。

ミッキー「ねえ、父さんはだんだん年をとっていってるけど、死ぬのは怖くないの？」
父「なぜ怖がるんだ？」
ミッキー「だって、この世に存在しなくなるからさ」
父「だから？」
ミッキー「自分が存在しなくなるって考えたら、怖くならない？」
父「ばかばかしい。そんなこと、考えるわけないだろう。今、おれは生きている。で、死ぬときは死ぬ、それだけだ」
ミッキー「わからないな。本当に怖くないの？」
父「だから何を怖がるんだ？　死ぬときに意識はないだろう」
ミッキー「それはそうだけど。でも、二度と存在できないんだよ」

父　「なぜそう断言できるんだ？」

ミッキー　「死後の世界なんて、ありそうにないからさ」

父　「自分が死後どうなるかなんて、誰にもわからないだろうが。意識はないかもしれないし、あるかもしれない。意識があったら、そのときはそのときだ。とにかくおれは、意識がなくなったらどうなるかなんて、今心配するつもりはないぞ」

母　（声のみ）「ばかね、ミッキー。神様はちゃんといるのよ。あなた、神様を信じてないの？」

ミッキー　「でもさ、もし神様がいるなら、どうしてこの世には悪があふれているんだろう？　簡単にいうと、どうしてナチスなんてものが存在したんだろう？」

母　「マックス、教えてあげて」

父　「なぜナチスが存在した？　そんなのおれの知ったことか。あのな、おれには缶切りの仕組みだってわからないんだ(84)」

存在への問いが生じただけではない。人々は良いものだと信じていた社会制度も信頼できなくなっていた。歴史家のウィリアム・オニールは、『最高のアメリカ――確

信の時代　一九四五―一九六〇年（American High: The Years of Confidence, 1945–1960）』と題した著書で、ベビーブーマーの子ども時代をつづっている。それによると、その時代にはすべてが輝いて見えていたようだった。煙を吐き出す重工場群の煙突は繁栄の象徴、世界に民主主義を広めるのはアメリカの使命、原子爆弾はアメリカ人の発明の才の証し。女性は家族に尽くすことで満足し、黒人は立場をわきまえていたという。

しかし、確かにその時代のアメリカには良いこともたくさんあったが（経済成長率は高く、犯罪やその他の社会問題の発生率は低かった）、今日から見るとそれは現実を直視していない偽りの幸福である。そのことを思えば、「アメリカ人」と「ベビーブーム世代」という二つの人口区分で、幸福度が低いのは偶然ではないのかもしれない。それぞれ他の国々、他の世代と比べ、一九六〇年代に入ってからの幻滅を強く味わうことになったからだ。だが、環境、核戦争、アメリカの外交的失策、人種差別、ジェンダーの平等などの問題は、いつまでも先送りできるものではない。たとえ不安が増すとしても、この種の問題はきちんと認識しておいたほうがいいだろう。

こうして社会の構成員としての責任を自覚するようになるにつれ、わたしたちは世界が抱える重荷の一部を、自分自身の心配事としてとらえはじめるのかもしれない。たとえば『セックスと嘘とビデオテープ』（一九八九年）もまた二〇世紀後半の不安を象徴する映画だが、冒頭場面で主人公のベビーブーム世代の女性は、当時社会問題になっていた「ごみの運搬船」について精神科医にこう不安を打ち明けている。

「ごみのこと。一週間ずっとごみのことを考えていたんです。考えずにはいられなくて。（中略）こんなにごみを出していたらどうなるのかと思うと、本当に心配で。だって、わたしたち、ごみを大量に出しているでしょう？　そのうち処分する場所が足りなくなるんじゃないかしら。こんな心配をするようになったのは、たくさんのごみを積んだあの運搬船が漂流しはじめたときからです。あの船は沖を当てもなく進んでいるだけで、誰も受け入れようとしてくれないんですから」

女性のいう「あの運搬船」とは、一九八七年にメディアが大騒ぎした「ごみの運搬船」のことである。その運搬船に積まれた三〇〇〇トンものニューヨークのごみは、他州の埋立地で処分されるはずだった。だがあちこちで処分を拒否されてしまい〔ごみに有害物質が含まれている可能性があったため。後述〕、処分してくれる地を求めて大西洋沿岸を放浪していた。

という事情はともかく、ニュースでごみの話を聞いてから、ごみ問題が不安で頭から離れないというこの場面は、たんなる架空の話ではない。ニュースの影響を調べたある実験では、ポジティブな解釈またはネガティブな解釈をするようにニュースを加工して、被験者に見せたところ、「ネガティブな解釈をするように加工されたニュースを見た被験者は、不安や悲しい気分が増していた。さらに個人的な心配事を大げさに捉える傾向も大幅に高まった」[85]。おそらく三〇年後には、多くの心理療法士がテロや所得格差、気候変動が不安でしかたないという患者の話を聞いているのだろう。

しかし、多少の不安を抱くことによって、重要問題の解決に向けた政策を皆が支持する気持ちになるのなら、少しくらいの不安はそう悪いものでもない。おそらくかつての人々は、自身の不安を上位の権威に預けてしまっていたのだろう。これについては今でもそうしている人はいる。たとえば二〇〇〇年、六〇人の宗教指導者が署名した「環境の管理に関するコーンウォール宣言」〔この宣言をしたコーンウォール同盟は地球温暖化を認めない宗教同盟〕がそうである。それによれば、「いわゆる地球温暖化の危機」やその他の環境問題への取り組みとは、次のことに賛同することらしい。「慈悲深い神は、罪深い人々や創造された秩序を見捨てたことはありません。歴史を通じ、神は常に人々が神との交わりを取り戻すよう行動され、人の管理を通して地球の美しさや豊かさを高めるよう行動されてきました[86]」

思うに、コーンウォール宣言に署名した六〇人の宗教指導者と一五〇〇人の信者たちは、心理療法士のところに行って「地球の未来の温暖化が不安だ」と訴えることはないだろう。だが、かつてジョージ・バーナード・ショーが述べたように、「信仰をもつ者が懐疑論者より幸福だというのは、ちょうど酔っぱらいがしらふの人間より幸福だというのと同じようなものである」。

　政治的な難問や実存的な難問と向き合うかぎり、ある程度の不安は避けようがない。しかしだからといって、そのせいで病気になったり絶望に陥ったりすることはない。どうすれば死ぬほど不安になることなく、膨らみつづける責任のリストに対処できるのか。それが現代社会が挑むべき課題の一つである。そして新たな挑戦に向かっていくと同時に、わたしたちは不安を鎮めるための昔ながらの方法と新しい方法のちょうどよい組み合わせを模索しているところだ。それは人とのふれあい、芸術、瞑想、認知行動療法、マインドフルネス、ちょっとした娯楽、薬品の適切な使用、再び活気づいてきた行政サービスや社会組織、バランスのとれた人生を送る方法を説く賢者の助言などの調合である。

　またメディアや評論家は、人々の不安を煽りつづけていることについて、自身の役割というものを反省したほうがいい。前述の「ごみの運搬船」の報道などは、まさにメディアが人々の不安をかきたてていることの象徴だろう。当時、真相は報道のなかに埋もれてしまったが、運搬船が各地でごみを下ろすことを拒否され、海上での長旅を余儀なくされたのは、実はごみ埋立地の不足のせいではなかった。本当の原因は事務手続上のミス〔有害物質が含まれていないことを証明できなかった〕と、過熱したメディア報道そのものだったのだ。(87)

しかしその後の数十年のあいだ、ごみ処理問題の危機について誤解を解くような追跡記事はほとんど出てこなかった（実際には、アメリカには十分な埋立地があり、環境にも害はない）[88]。

問題が起きたからといってそのすべてが危機になるわけではない。世に蔓延して大きな災いをもたらすわけでもない。世界で起こる出来事のなかには、人々がパニックに陥ることなくしっかりと向き合うことで解決できる問題もある。

ところでパニックといえば、人類にとって最も大きな脅威は何だと思うだろうか？一九六〇年代の一部の思想家によると、それは人口過剰、核戦争、そして退屈だった[89]。それを受けて、ある科学者は、人類は人口過剰と核戦争からは生き延びるかもしれないが、退屈から生き延びることはできないだろうと警告した。

しかし退屈が脅威になるなんて本当だろうか？　確かに一日中働かなくてもよくなり、次の食事をどこから調達しようか心配する必要がなくなるにつれて、人は起きている時間をどう使えばいいのか途方に暮れてしまうのかもしれない。それが高じてやがて放蕩や狂気、自殺へと向かったり、宗教的・政治的狂信者に支配されることにつながるのかもしれない。

だが、その警告から五〇年経った今、わたしたちは〝退屈の危機〟を乗り越え（または〝退屈の蔓延〟だったのだろうか？）、どうやらこんどは〝中国の呪いの言葉〟に

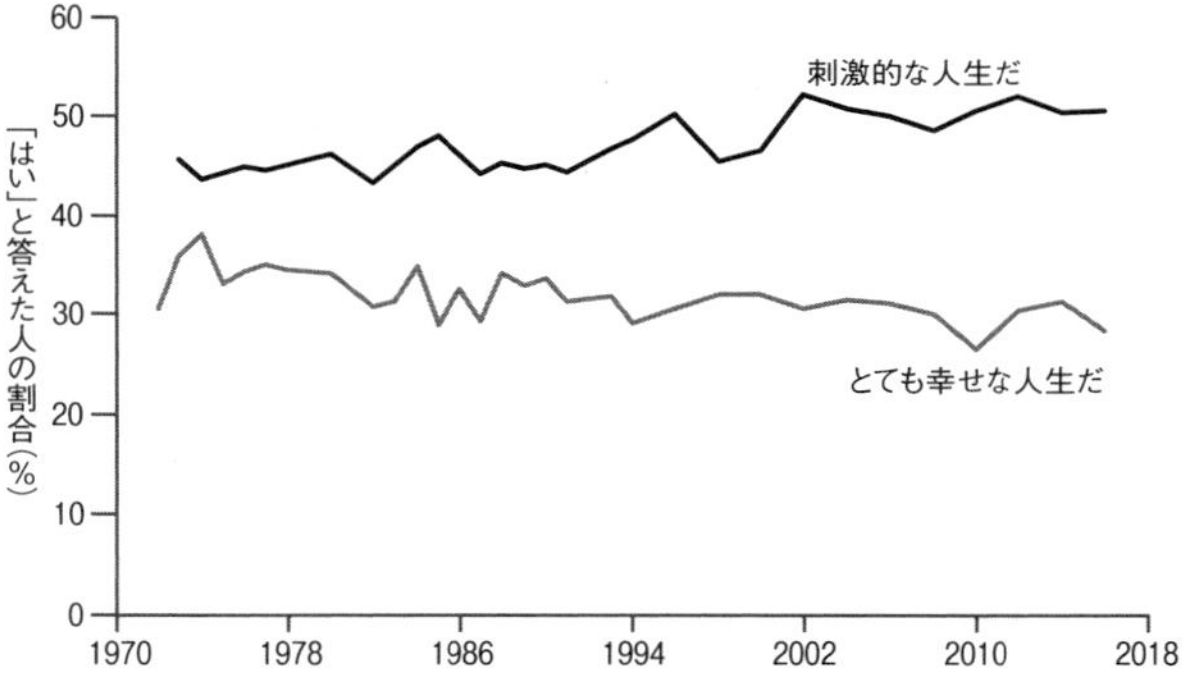

［図18－4］**幸せな人生と刺激的な人生（アメリカ、1972－2016）**
情報源："General Social Survey," Smith, Son, & Schapiro 2015, fig. 1 and 5.〈https://gssdataexplorer.norc.org/projects/15157/variables/438/vshow〉から2016年に更新した。無回答はデータから除外している。

ある「面白い時代」を経験しているらしい（ただし出典が中国というのは疑わしい）〔「中国の呪いの言葉」とは「あなたが面白い時代を生きますように（May you live in interesting times）」というもの。皮肉の表現で、この場合の「面白い時代」とは「混迷の時代」の意味〕。

しかしその言葉を真に受けてはいけない。というのも、総合的社会調査（GSS）による調査結果があるからだ。一九七二年以来、GSSはアメリカ人を対象に、自分の人生は「刺激的」「普通」「つまらない」のうちのどれに当てはまるかという調査を実施している。その結果が［図18―4］で、これを見るとここ数十年で「とても幸せ」と回答するアメリカ人は減っているが、「人生は刺激的だ」と答えた人は増えていることがわかるだろう。

二つの線が互いに離れていっているの

は、決して矛盾ではない。前述したように、意義があると感じられる人生と幸福だと感じられる人生は別であり、意義ある人生を送っていると思う人々は、ストレスや苦労、不安を感じやすいからだ[90]。また、不安とは常に大人の特権であることも考慮したい。一般に不安感は、学生時代から二〇代初めにかけて、大人としての責任を負うに従い急上昇するが、その責任に対処できるようになるにつれ、その後は生涯にわたって徐々に低下する[91]。

その様子は現代社会が挑んでいるものを象徴しているようでもある。現代人は昔と比べれば幸せだと感じているが、思っていたほどではない。それはおそらく現代人は不安も刺激的な出来事もすべてまとめて引き受け、大人として人生を味わっているからだろう。なんといっても、「啓蒙」のそもそもの定義は「人間が自ら招いた未成年状態から抜け出ること」〔カント。第一章参照〕であるのだから。

第一九章　存亡に関わる脅威を考える

科学者が提示する数々の「脅威」は本物か

しかし、わたしたちは今、大きな災禍のなかにいるのだろうか？　悲観論者は、ますます多くの人々の生活が着実に向上しつづけているという事実を認めざるをえなくなると、すぐさま反論の構えに入る。そしてわたしたちは破滅へと陽気に突進しているのだという。まるでビルの屋上から落ちた男が、「ここまでは順調！」と手を振りながら各階を通過していくように。もしくは悲観論者によると、わたしたちはロシアン・ルーレットをしていて、いつか必ず死ぬ運命にあるらしい。あるいはブラック・スワン――統計分布の裾の端に位置する、発生確率のきわめて低い事象（四シグマ、つまり平均から標準偏差四つ分以上も離れた値をもつ極端な事象）――に不意を突かれて滅亡するかもしれないらしい。これは起きる確率こそ低いが、ひとたび起きれば壊滅的な被害をもたらすからだ。

この半世紀のあいだ、現代版黙示録の四騎士といえば「人口過剰、資源の枯渇、環境汚染、核戦争」であり、この四つが人類への大きな脅威だった。だが近年はこの四騎士に加え、これまでとは毛色の違う騎兵団も加わっている。人間の体内で制御不能になって増殖し、人類を食べ尽くしてしまうかもしれないナノマシン〔ウイルス程度の大きさの微小な機械〕。人類を奴隷にしてしまうかもしれないロボット。人類を原材料に変えてしまうかもしれない人工知能〔人工知能は人間をペーパークリップの材料にするかもしれないという説がある。後述〕。それからブルガリア人のティーンエイジャーたち。彼らは自分の寝室にいながら破壊的なウイルスを作成したり、インターネットをダウンさせたりするという。

かつて「人口過剰、資源の枯渇、環境汚染、核戦争」という従来の脅威に警鐘を鳴らしていたのは、ロマン主義的で機械化や合理化に反対する人々だった。しかしより高度な技術がもたらす危機について語るのは、多くの場合、科学者や技術者である。彼らは自らの能力を駆使して、将来どのように世界が終わるのかを、あらゆる角度から検討している。たとえば二〇〇三年には、著名な天体物理学者のマーティン・リースが『今世紀で人類は終わる?』（堀千恵子訳、草思社）を上梓したが、そのなかでリースはこう警告している。「人類とは自ら終焉の原因をつくりだすものかもしれない」。そして「全人類の未来を危険にさらすことになった」数々の方法を挙げている。その一例が粒子加速器を使った実験で、その実験によってブラックホールが出現し、地球が呑み込まれるかもしれないという。また同じく粒子加速器を使った実験により、仮説上の粒子「ストレンジレット」（クォークが結合した粒子）が生成されると、宇宙空間のすべての物質がストレンジレットと結合し、地球も消滅してしまうかもしれないという。

どうやらリースは天変地異説の豊富な鉱脈を探り当てたらしい。同書のアマゾンのサイトを見ると、「この商品をチェックした人はこんな商品もチェックしています」の欄には似たような本がお薦めされている。たとえば『地球の壊滅的リスク（Global Catastrophic Risks）』、『人工知能――人類最悪にして最後の発明』（ジェイムズ・バラット著、水谷淳訳、ダイヤモンド社）、『終焉――黙示録について科学と宗教が伝えてくれること（The End: What Science and Religion Tell Us About the Apocalypse）』、『世界戦争Z――ゾンビ戦争の口述歴史（World War Z: An Oral History of the Zombie War）』などだ。

また、最新技術が気になる慈善家たちは研究所に資金を提供し、新たな「存亡に関わる脅威」〔existential threats：「実存的脅威」とも訳される〕を見つけ、その脅威から世界を救う方法を究明する研究を支援している。そうした研究所には、オックスフォード大学の「人類の未来研究所」、「フューチャー・オブ・ライフ・インスティテュート」、ケンブリッジ大学の「生存リスク研究センター」、「世界壊滅的リスク研究所」などがある。

これまで人類は少しずつ進歩してきた。しかしその陰に潜む人類の存立を危うくするような脅威に対して、わたしたちはどう考えればいいのだろうか。天変地異など絶対に起こらないという保証は誰にもできないし、この章でもそんな気休めをいうつもりはない。それでも本章で、わたしはそうした脅威に対する考え方を提示し、主な脅威について検証したいと思う。三つの脅威、すなわち人口過剰、資源の枯渇、環境汚染（温室効果ガスも含む）については第一〇章で詳しく論じたが、本章でも同様のアプローチをとりたい。脅威といわれるもののなかには、文化悲観論もしくは歴史悲観論の産物でしかないものもあるが、なかには正真正銘の脅威もある。わたしたちはそうした真の脅威について、災害だからしかたがないと手をこまねくのではなく、解決すべき問題として扱うことができるのである。

むやみに脅威を語ることが危機をつくり出す

直感的には、存亡に関わる脅威について考える機会が多ければ多いほど、それだけ事態は良くなるように思えるかもしれない。確かに脅威のことを考えたからといって、その脅威自体が大きくなるわけではないが、もし人々が恐ろしい脅威のことばかり考えるようになったなら、どんな悪影響が考えられるだろうか。起こりうる最悪の影響は、みんなで警戒してみたものの、結局はそんな警戒など必要なかったと、あとからわかることくらいだろうか。

いや、実は影響はその程度ではすまされない。終末論的な思考には深刻なマイナス面があるのである。その第一は、大きな被害をもたらす可能性のあるリスクについて誤認警報を発すると、その警報自体が大きな被害をもたらしうるということだ。その一例が一九六〇年代のアメリカとソ連の核軍備拡大競争で、これは「アメリカはミサイル技術でソ連に遅れをとっている」という根拠のないミサイル・ギャップ論によって不安をかきたてられたことから起きた。[1] また二〇〇三年のイラク戦争の根拠となったのは、「サダム・フセインが核兵器の開発を進めていて、それをアメリカに対して使用する計画がある」という不確かな「可能性」であり、不確かではあるが、万が一実際にそうなった場合には壊滅的な事態を引き起こす「可能性」だった（当時の大統領、ジョージ・W・ブッシュは「われわれは決定的な証拠を待ってはいられない。その証拠はキノコ雲の形でわれわれの目の前に現れるかもしれないのだから」といった）。

また後述するように、核を保有する大国は核兵器の先制不使用というごく常識的な宣言をしたがらないが、その理由の一つは、核兵器以外にバイオテロやサイバー攻撃などの脅威を想定していることである。そうした脅威に対抗する手段として、大国は核兵器を使用する権利を残しておきたいのだ。[2] こうした例からわかるように、架空のかねない。

　脅威への恐怖を高めても、人類の未来を守るどころか、逆に危機に陥れることになりかねない。

　終末論的なシナリオを列挙して脅威を煽るやり方の二つめの問題点は、人間がもてる資源や頭脳、不安の量には限りがあるということだ。人はすべてのことを心配することなどできない。たとえば気候変動や核戦争など、現在わたしたちが直面している脅威のいくつかはまぎれもない本物の脅威であり、それを防ぐには大きな努力と知恵が必要である。こうした真の脅威と、発生する可能性がごくわずかだったり、発生しないかもしれないSF的な脅威とを一緒くたにするのは、たんに真の脅威への危機感を弱めるだけである。

　ここで思い出してほしいのは、人は物事が実現する確率を計算することが苦手であり、その確率が低い場合には特にそうなるということだ。そして確率を計算するかわりに、心のなかでどんな展開になるかを想像してしまう。もし同じように想像することのできる二つのシナリオがあった場合、人はその二つが同じ確率で発生すると考えてしまいがちだ。そうなると真の脅威もSF的な脅威も同じように怖がることになってしまう。また悪い出来事が起きているところを多く想像すればするほど、きっと何か悪いことが起きると考える傾向も強くなる。

　しかし、こうした思考回路は最悪の危険を招くことになる。最近の『ニューヨーク・タイムズ』の記事で述べられているように、「これほど暗澹《あんたん》たる事実を提示されれば、どんなに理性的な人でも人類はもうおしまいだと考えてしまうだろう」[3]。そう、多くの人がこんなふうに思うにちがいない。人類の未来が絶望的だというのなら、潜在的なリスクを回避するために何かを犠牲にする必要などないじゃないか。便利な化石燃料の利用をあきらめたり、各国政府に対して核兵器に関する政策の再考を促す必要もないだろう。どうせ明日死ぬのなら、思う存分、食べて、飲んで、楽しむだけだ！　実際、二〇一三年に英語圏の四カ国で行われた調査によると、回答者のうち、「現在の生活様式は今後一〇〇年以内に終わりを告げるだろう」と考える人の大部分が、「人類の未来には希望がもてないので、自分のことや愛する人々を大切にすることに集中するしかない」という意見に賛成している[4]。

科学技術のリスクを喧伝する人々は、やがて世界は破滅するという警告を大音量で何度も聞かされることによる精神的な影響についてはほとんど考慮していない。しかし環境に関して多くの発信を行っているエリン・ケルシーはこう指摘する。「映画には、暴力やセックスシーンから子どもを守るための年齢制限があるのに、科学者を小学二年生の教室に招いて、地球が滅亡すると語ることについては、わたしたちは何とも思っていない。だが（オーストラリアの）子どもの四分の一は世界の現状に胸を痛め、自分たちが大人になる前に世界の終わりが来ると心から信じている[5]」

最近行われた調査の結果によると、世界の一五パーセントの人々と、アメリカ人の四分の一から三分の一の人々は、オーストラリアの子どもと同じように世界の終わりを信じている。(6) ジャーナリストのグレッグ・イースターブルックは、著書『進歩のパラドックス（The Progress Paradox）』のなかで、どう考えてもアメリカは豊かになっているにもかかわらず、アメリカ人が幸せを感じられない理由として、「崩壊への不安」を挙げている。つまり「文明が内部崩壊するかもしれないのに、自分たちはただ手をこまねいているしかない」という不安である。

低確率事象のリスク評価は過大になりがち

もちろん、もし脅威が現実のものなら、もはや人の感情は関係ない。だがそれなら脅威が現実のものかどうかを判断するリスク評価のほうはどうかというと、実は複雑なシステムのなかで発生確率のきわめて低い事象を扱うとき、リスク評価はどれも違った結果となり一致を見ない。歴史を何千回もリプレイして、結果を数えることはできないので、ある事象の発生確率が一パーセントであるとか、〇・一パーセント、〇・〇一パーセント、または〇・〇〇一パーセントであるとかいう場合、それは基本的にはリスク評価者の主観に基づいている。

同じことは、数学的な分析にも当てはまる。科学者たちが過去の事象（戦争やサイバー攻撃など）を分析してその規模と頻度をグラフ化したところ、それが「べき分布」――ファットテール（ヘヴィーテールとも呼ばれる。分布の裾野〔端、テール〕の頻度が高いという意味）をもつ統計分布――に分類されることを突きとめた。べき分布では、極端な事象が起こる確率は非常に低いが、天文学的に低いわけではない。[7] これはつまり、この数学的手法もリスク計算にはほとんど役に立たないということだ。というのも、分布の裾野に点在するデータは一般に動きが読めないからである。滑らかな曲線上から逸脱しており、予測を不可能にしている。そこからわかるのは「もしかしたら恐ろしく悪い出来事が起こりうる」ということだけだ。

こうしたことも、リスクの主観的な判断へとつながっている。しかもその判断は利用可能性バイアスとネガティビティ・バイアスのせいで、そして脅威を見つけてはそれに警鐘を鳴らす知識人を世間が求める風潮のせいで、さらにネガティブなものへと傾きやすい[8]（第四章）。こうして、恐ろしい予言を拡散して不安の種をばらまく人間は真面目で責任感が強いとみなされる一方で、偏りなくバランスのとれたことをいう人間は能天気で考えが甘いと思われてしまう。まさに「絶望は永遠に湧き出る」というわけである〔「希望は人の胸に永遠に湧き出る」という諺のもじり〕。少なくともユダヤの預言者や黙示録の時代から、預言者たちはその時代を生きる人々に「終末の日は近い」と警告しつづけてきた。そして今なお、世界の終末を予言することは、超能力者、神秘主義者、テレビ伝道師〔テレビを使って伝道活動をする〕、カルト教団の熱狂的信者、新興宗教の教祖、そして、「悔い改めよ！」と書かれた板を体につけて路上を歩くサンドイッチマンにとっては欠かすことのできないものである[9]。

また、テクノロジーの傲慢さに対する手厳しいしっぺ返しでクライマックスを迎えるというシナリオは、西洋のフィクションの定番である。たとえば、プロメテウスの天上の火、パンドラの箱、イカロスの飛行、ファウストの悪魔との取り引き、『魔法使いの弟子』、フランケンシュタインの怪物などがそうだろう。ハリウッドでは、世界の終わりを描いた作品がなんと二五〇本以上も製作されている[10]。作家で科学史研究家のエリック・ゼンシーはこう述べる。「終末思想的な考えには人々を魅了するものがある。もし世界の最後の日々を生きているとすると、自分の行動が、そして自分の命そのものが歴史的な意味を帯びることになり、少なからぬ感動を生むからだ[11]」

二〇〇〇年問題に見る科学者のバイアス

終末思想的という意味では、科学者や技術者たちも影響を受けていないわけではない。コンピューターの二〇〇〇年問題を覚えているだろうか[12]。一九九〇年代に入り、西暦二〇〇〇年が近づくと、コンピューター技術者たちは差し迫った危険があるといって警鐘を鳴らしはじめた。コンピューターが誕生してから数十年間、プログラマーは情報（メモリ）にかかる経費が高かったので、バイト数を節約するため西暦を下二桁で表し、上二桁を省略していた。その当時は、二〇〇〇年になってこれまで省略してきた上二桁の「一九」が必要なくなる頃には、現行のプログラムは時代遅れになっているにちがいないと踏んでいたからだ。

だが複雑なソフトウェアの改良には時間がかかり、西暦二〇〇〇年間際になっても、数多くの古いプログラムが依然として従来型の大型汎用コンピューターで使用され、チップに埋め込まれていた。そのため、二〇〇〇年一月一日の午前零時に数字の下二桁が「00」となった瞬間に、プログラムが「二〇〇〇年」を「一九〇〇年」と勘違いして、緊急停止あるいは誤作動してしまうのではないかと危惧されていた（おそらくプログラムが認識する現在の年と一九〇〇年との差で、つまり0《ゼロ》で一部の数値を割ってしまうと考えられていたからだが、なぜプログラムがそんな誤作動をすると考えられたのかは一切説明がなかった）。ともかく警告によると、二〇〇〇年に替わった瞬間、銀行口座の残高がゼロになり、エレベーターは階と階の途中で止まり、産婦人科の保育器の電源が切れ、給水ポンプがストップし、飛行機は墜落し、原子力発電所はメルトダウンを起こし、大陸間弾道ミサイルが格納庫から発射されてしまうかもしれないとされていた。

しかもこうした予測は、科学技術に精通した関係当局から確信をもって発表された（たとえば、当時の大統領ビル・クリントンは国民に向けて「この課題の緊急性を強調したい。これは怖いシーンになったら目をつむってすますことのできる夏休みの映画とはわけが違う」と訴えた）。文化悲観論者の目には、二〇〇〇年問題はテクノロジーの虜になった文明が受けて当然の報いだと映っていた。宗教家にとっても、キリスト教の至福千年期との数字的な符合は見過ごしがたい現象だったようだ。ジェリー・ファルエル牧師はこんなことをいっていた。「二〇〇〇年問題とは、神がこの国を揺さぶり、謙虚にさせ、目覚めさせるために遣わしたもの、そして携挙《けいきょ》〔キリスト再臨時にすべての信徒が昇天し、キリストと出会い、永遠の命を得ること〕に先立ち、アメリカから再生を始め、それを世界全体へと広げるために神が遣わしたものだろう」。二〇〇〇年問題に備え、世界は一〇〇〇億ドルを費やしてソフトウェアを再プログラミングしたが、それは世界中のすべての橋のすべてのボルトを交換する作業にたとえられたものだった。

わたしは以前アセンブリ言語でプログラミングしたことがあったので、この二〇〇〇年問題については懐疑的だった。そして偶然にも、二〇〇〇年に突入する運命の瞬間は、ミレニアムを世界で最も早く迎える国の一つ、ニュージーランドにいた。もちろん、一月一日の午前零時になっても何も起こらなかった（わたしはすぐに正常そのものの電話をかけて、在宅の家族を安心させた)。

特に何も起こらなかったことについて、二〇〇〇年問題のために再プログラミングをしたプログラマーたちは、あたかも象の撃退装置を売るセールスマンのごとく、自分たちのおかげで大惨事を防ぐことができたと鼻を高くした。だが、多くの国々や小さな企業は特に対策をとらないほうに賭け、結果的にこちらもまったく問題は起きなかった。更新が必要になったソフトはあったが(わたしのノートパソコンでは、日付を一九一〇〇年一月一日と表示したソフトが一つあった)、ほとんどのプログラムは——特にコンピューターに埋め込まれたプログラムについては——バグを含むことも、新しい西暦の計算を間違えることもなかった。

結局、二〇〇〇年問題の脅威とは、路上でサンドイッチマンが掲げている予言程度のものでしかなかったのだろう。だからといって、将来的な脅威として指摘されているすべてが、二〇〇〇年問題のパニックと同様、誤った警告というわけではない。ただこの例からよくわかるのは、わたしたちは技術の進歩には必ず終焉が来るという妄想に騙されやすい、ということである。

科学技術は人間を災害から守っている

　では、大災害という脅威についてはどのように考えればいいのだろうか。まずは存亡に関わる最大の問題、すなわち人類という生物種がたどる運命について考えてみよう。

　わたしたちは個人としては皆死すべき運命にあるが、それと同様にホモ・サピエンスという種としてもやはり死すべき運命にあることは甘受しなければならない。生物学者はこんな冗談をいっている。「大ざっぱにいうと、すべての種は絶滅する。なぜって、かつて存在した種の少なくとも九九パーセントは絶滅したのだから」

　一般に哺乳類の一つの種が地球上に出現してから絶滅するまでの期間は一〇〇万年程度だと考えられているので、哺乳類のなかでわたしたちホモ・サピエンスだけが例外だと主張するのは難しい。だがそれならば、もし人類が狩猟採集民のままでいて技術的発展を遂げていなかったとしても、やはり大災害の脅威のなかで生きていたというだろう。[13]たとえば超新星――大きな恒星が命を終えるときの大爆発――から大量放出される強烈なガンマ線が、地球の半分を照射して一瞬にして大気圏を焼き尽くし、オゾン層を破壊して、地球のもう半分も紫外線にさらしていたかもしれない。[14]あるいは地磁気〔地球の磁場〕の逆転が起きて、そのあいだに人類は太陽や宇宙線に由来する致死量の荷電粒子の放射にさらされていたかもしれない〔通常は地球の磁場がこれら荷電粒子の軌道を曲げるため、地上の生物は影響を受けづらい〕。小惑星が地球に衝突して、何千平方マイルもの面積がぺしゃんこになったあと、大量の砂埃が舞い上がり、そのせいで太陽は闇に隠れ、人類は酸性雨に打たれていたかもしれない。あるいは超巨大噴火から大量に流れ出る溶岩流が、灰と二酸化炭素と硫酸で人類を窒息させていたかもしれない。それともブラックホールが太陽系に侵入し、地球を軌道から引きはがして永遠の忘却へと呑み込んでしまっていただろうか。また、たとえ人類がなんとか一〇億年以上生き延びられるとしても、こんどは地球と太陽系のほうがそこまで生き延びられない。太陽は自らの水素を使い果たしはじめ、赤色巨星へと変化していくにつれて巨大化し、地球の海を沸騰させるだろうからだ。

　要するに、いつか人類が死神と対面しなくてはならないとしても、それは技術の進歩のせいではないということだ。むしろ技術は、少なくともしばらくのあいだ、死神を遠ざけるための最大の希望になる。そして人類が遠い未来の仮説上の大災害を想像しつづけるかぎり、それを乗り越えることができるような仮説上の技術を考えることが必要になる。それはたとえば核融合発電による光で食物を育てたり、あるいは食物の合成をバイオ燃料と同じように工場で行うといったことになる[15]。

　そう遠くない将来に実現すると思われるテクノロジーも、人類の危機を救ってくれるだろう。小惑星やその他の「大量絶滅を発生させかねない大きさの地球近傍天体」の軌道を追跡し、地球と衝突する軌道上にある天体を特定して、軌道からはじき出すことは技術的には実現可能である。それにより人類が恐竜と同じ滅亡の道をたどるのを防ぐことができるだろう。[16] またNASA（アメリカ航空宇宙局）は巨大火山に高圧で水を注入し、地熱エネルギーに利用するための熱を得る計画を考案しているが、それによりマグマが冷やされ、マグマがまったく火口から噴出しないようにできるだろう。[17] わたしたちの祖先が死をもたらす脅威に対して無力だったことを考えれば、技術は現代を人類史上かつてない危機的な時代にしているのではなく、むしろこれまでで最も安全な時代にしているのではないだろうか。

　こうした理由から、わたしたちの文明は自ら滅ぶ初めての文明になるという「テクノロジーが世界を滅ぼす」的な主張は、見当違いだということがわかる。一九世紀のイギリスの詩人パーシー・ビッシュ・シェリーの詩のなかで、オジマンディアス王〔古代エジプトのラムセス二世のギリシャ名〕が旅人に知らしめたように、かつて存在した文明のほとんどは滅亡した。従来の歴史認識では、こうした文明の滅亡は伝染病や他国による征服、地震、気候などの外的事象によってもたらされたとされている。しかしデイヴィッド・ドイッチュは、もし滅亡した文明がもっと高度な農業・医学・軍事に関する技術を有していたならば、命とりとなった打撃を免れることができたかもしれないと指摘する。

人工的に火を熾す方法を知る以前（そしてそれ以降も何度も）、われわれの祖先は火を熾す手段のまさにすぐそばにいながら、その方法を知らなかったがために、寒さで命を落としていたにちがいない。もし火を熾せたなら、その人々の命は助かっていたことだろう。つまり狭い意味では人々は気候のせいで死亡したが、より深いところから説明すると、それは知識の欠如のせいになる。また数億人に上るコレラの犠牲者の多くは、炉で飲み水を煮沸すれば助かっていたはずだが、せっかく炉のそばにいながらそうしなかったせいで命を落とした。これもやはり方法を知らなかったからである。

一般に、自然災害と知識の欠如がもたらした災害の区別がつけられることはまずない。だが、かつては「たんに起きてしまったもの」とか「神々がもたらしたもの」と考えられていたあらゆる自然災害が起きるより前に、今やわれわれには多くの選択肢がある。それはかつて被害に遭った人々が選べなかった、いやむしろ生み出せなかった選択肢である。そして結局、そうした選択肢というのはどれも、かつての人々が生み出せなかった何より重要な選択肢へと集約される。すなわち、われわれの文明のように技術の発達した科学的な文明を築くというものだ。それは批判的精神の伝統であり、啓蒙的精神である。(18)

人工知能は進化しても人間を滅ぼさない

存亡に関わる脅威のなかでも、何より人類の未来を脅かしていると思われているのは、おそらく二〇〇〇年問題の二一世紀版に当たるものだろう。つまり「人工知能（ＡＩ）が故意に、もしくは何かのはずみでわたしたちを服従させるかもしれない」という脅威である。時には「ロボポカリプス」〔ダニエル・Ｈ・ウィルソンの小説『ロボポカリプス』（鎌田三平訳、角川書店）から〕とも呼ばれるこの状況は、映画『ターミネーター』シリーズのスチール写真を見てもよくわかるだろう。二〇〇〇年問題と同様、一部のインテリはこのロボポカリプスを真に受けている。たとえば、実業家のイーロン・マスクは自身の会社で人工知能を搭載した自動運転車をつくっているにもかかわらず、「ＡＩ技術は核よりも危険だ」と発言した。またスティーヴン・ホーキングは、人工知能をもつボイスシンセサイザーを通して、人工知能の進化は「人類の終焉を意味する」と語った。[19] ただし同じインテリでも、人工知能や人間の知能に最も精通する専門家たちはそうした危惧を抱いていない。[20]

そもそもロボポカリプスは、その根本にある知能の概念が曖昧である。その知能の捉え方は近代的な科学認識というよりも、「存在の偉大な連鎖」やニーチェのいう「力への意志」に近い。[21] この考え方によると、知能とは願いを叶える万能薬であり、各自がそれぞれ決まった量を与えられている。つまり人間は他の動物よりも知能が高く、人工知能を搭載したコンピューターや未来型ロボット（新しい可算名詞を使えば「ＡＩ」）は、人間よりも知能が高いということだ。

そして、これまでわたしたち人類はそこそこ高い知能を使って、自分たちよりも知能の劣る他の動物を飼いならしたり、絶滅に追い込んだりしてきた（技術の発達した社会が、技術的に未開な社会を従属させたり、滅亡させたりもした）。ということは、高い知能をもつ人工知能も人類に対してきっと同じことをするだろう、というのがロボポカリプスの考え方である。しかもＡＩは人間よりも数百万倍速い思考能力をもち、さらにはその卓越した知能を使いフィードバックによって自らの知能を向上させることもできる（この状況は漫画の効果音にちなんで「フーム（foom）」と呼ばれることもある）。いったんその流れが始まってしまえば、人間にはもうそれを止める力はないだろうというわけである。[22]

だが、こうしたシナリオはばかげている。それはジェット機が鷲の飛行速度を超えたから、そのうち空から舞い降りて家畜を襲うのではないかと危惧するようなものだ。ＡＩの暴走を危惧する人々の第一の誤りは、知能とモチベーションを混同していることにある。それは考えと願望、推論と目的、思考と欲求の混同といってもいいだろう。たとえ人間以上の知能をもつロボットを開発したとしても、そのロボットが主人である人間を奴隷にして世界を支配しようと「望む」なんてことがはたして起きるだろうか。

知能とは、ある目的を達成するため、新たな手段を考える能力のことである。しかし目的をもつことは知能とはまったく関係ない。知能が高いことと何かを欲することは別物であるからだ。ホモ・サピエンスという種がもつ知能は、ダーウィンの自然淘汰説の産物であって、競争を生き抜くなかでたまたま生来的に備わってきた能力だと思われる。そしてホモ・サピエンスの脳内では、論理的な思考は敵を支配し資源を蓄えるなどの目的と密接に結びついている（ただし個体によってその程度は異なるが）。だが、ある種の霊長類の大脳辺縁系の機能と、知能の本質とを混同するのは誤りである。人工知能を搭載したシステムというのは、何かを実行するために設計されていて、それ自体が進化するようにはなっていない。人工知能とは単純な考え方をするものであり、いわばアル・キャップの漫画『リル・アブナー』に出てくる架空の動物「シュムー」のようなものだ（思いやりのあるシュムーたちは、お腹をすかせた人間がいると、驚くほどの工夫をこらし、ぽっちゃりとした自分の体をジューシュー焼いて、食べてもらおうとする）。

高い知能をもつ者はすべて冷酷な征服者になる、などという複雑系の法則は存在しない。事実、わたしたちはそんな欠点をもつことなく進化した高度な知能を有する生き物を知っている——彼らは「女性」と呼ばれている。

人工知能の暴走を危惧する人々の第二の誤りは、知能とは際限なく進化するものと思っていること、どんな問題でも解決でき、どんな目的でも達成できる奇跡の万能薬だと考えていることである。[23] こうした誤解のせいで、「人工知能が人間の知能を超えたらどうしよう」という意味のない疑問が生まれ、神のように全知全能である究極の「汎用人工知能（AGI）」というイメージが生まれるのだろう。しかし知能とは便利な機械装置のようなものでしかない。つまり、どうすればさまざまな分野のさまざまな目標を達成できるのか、それについて知識を得ることを目的とした、もしくはそうした知識を利用してプログラムされたソフトウェアのモジュールのようなものである。[24]

人間が備えている能力には、食糧を見つける、味方を獲得する、他人を動かす、将来の伴侶を魅了する、子どもを育てる、世界中を移動する、そのほかいろいろなことを妄想する、余暇を楽しむ、などがある。一方、コンピューターはこうした人間の活動の一部（たとえば人の顔を認識する）を担い、その他のこと（たとえば将来の伴侶を魅了する）で煩わされることがないようにプログラムされている。さらには人間が解決できない問題（気候のシミュレーションや、数百万件の会計記録の分類など）を引き受けるようにプログラムされていることもある。つまり人間とコンピューターでは、何を問題にするかが違っていて、その解決のために必要とされる知識も違っている。

「ラプラスの悪魔」の概念では、想像上の存在が宇宙の全分子の位置と運動量を把握しており、それらを物理学の法則に従って計算することによって、未来のあらゆる時における世界の状況を割り出すことができるとされている。だが現実世界で生きている人間は、そういうわけにはいかない。物や人で混沌とした世界について、実際にその世界と関わりながら、一つずつ情報を獲得していかなければならない。

　理解することはムーアの法則〔集積回路の集積率は約二年で倍になり、コンピューターの処理速度も約二年で二倍になるという法則〕に従わない。知識とは考えを組み立て、実際に試してみることによって獲得できるものであり、より速いアルゴリズムを使うことによって得られるものではないからだ[25]。同様に、インターネットで情報をむさぼることも全知への道にはつながらない。ビッグデータはまだ限定的なデータにすぎないが、知識の宇宙は無限だからだ。

　そういうわけで、人工知能の研究者の多くは、このところの一連の誇大宣伝に困っている（ＡＩに関する永遠の悩みかもしれない）。というのも、こうした宣伝のせいで、汎用人工知能はすぐにも実現しそうだという幻想が人々に刷り込まれているからだ[26]。だがわたしの知るかぎり、汎用人工知能の開発プロジェクトは存在しない。それはたんに商業的に利益が見込めないからというだけではなく、概念に一貫性がないからだ。もちろん二〇一〇年代には、車の自動運転や画像キャプションの自動生成、音声認識などが実現したし、クイズ番組『ジョパディ！』で、人間に挑戦すべく開発された

「ワトソン」や、囲碁の「アルファ碁」、コンピューターゲームのアタリに挑戦する「DQN」など、ゲームで人間を負かす人工知能も次々と現れた。

しかし、こうした進歩は知能というものの仕組みをしっかりと理解した結果生まれたものではなく、チップの高速処理能力と大容量のビッグデータによって生まれたものである。人工知能プログラムは、数百万に及ぶサンプルデータを利用して学習を重ね、別の類似のデータに遭遇したときには、ビッグデータを普遍化してそこから解答を引き出している。ただし、それぞれのシステムは間抜けな学者のようなもので、あらかじめ解決するように設定されていない問題に対処する能力はない。ではあらかじめ設定されている問題なら完璧に対処できるかというと、こちらも熟練の技にはほど遠い。たとえば画像キャプションの自動生成プログラムは、今まさに墜落して地面に激突しようとしている飛行機の写真に「駐機場にいる飛行機」というキャプションをつけてしまうし、コンピューターゲームのプログラムは得点ルールのささいな変更によって混乱してしまう(27)。

こうしたプログラムは今後改良されていくのだろうが、今のところ人工知能が自ら知能を向上させていく「フーム」の兆候はない。ましてや人工知能を搭載したプログラムが開発元の研究所を乗っとったとか、プログラマーたちを支配しているとかいう動きなど聞いたことがない。

それにたとえ汎用人工知能が力への意志を発動しようとしたとしても、人間の協力がなければ、それは箱に納まったただの無力な頭脳である。コンピューター科学技術者のラメズ・ナムは、「フーム」やシンギュラリティ〔発明家レイ・カーツワイルが提唱する概念で、人工知能が人間の知能を超え、人間に取って代わること。技術的特異点〕、指数関数的な自己発展などに関して膨れあがった妄想をしぼませるべく、次のように述べている。

たとえば、あなたがある種のマイクロプロセッサ（おそらく数百万個のマイクロプロセッサ）上で作動する超知能のＡＩだと想像してほしい。あなたは一瞬のうちに、自分を動かすマイクロプロセッサをより速く、より強力にする設計図を思いつく。ところが――なんてことだ！　それを実現するには、実際にマイクロプロセッサを「製造する」必要が出てくる。その製造工場は膨大なエネルギーを必要とし、世界中から原料を輸入しなければならない。しかも工場の内部環境は厳密に管理されなければならないので、エアロックやフィルターなど種々の特別な設備も必要になる。さらにこうした条件を整えるには買収、輸送、設置、格納施設と動力設備の建設、検査、製造という過程が必要になり、そのすべてに膨大な時間とエネルギーがかかってしまう。そういうわけで、ＡＩが自己超越の上昇スパイラルを目論んでも、現実の世界がそれを阻むのである。[28]

現実世界は多くの〝デジタル版世界の終末〟を阻んでいる。『2001年宇宙の旅』では人工知能を搭載したコンピューターHAL（ハル）が手に負えなくなると、ボーマン船長がドライバーを使って機能を停止させていた。HALが『二人乗りの自転車』を悲しげに歌うのを聴きながら。もちろん人類を破滅させるコンピューター――邪悪で万能で常時稼働し、改造できないようなもの――を想像するのは自由だが、この脅威を防ぐ方法は簡単である。そんなものはつくらなければいい。

AIの暴走も人類への脅威とならない

その後、いくらなんでも邪悪なロボットが出現する可能性を真面目に取り上げるのは低俗にすぎると思いはじめたのか、人類滅亡の脅威を監視する人々は、こんどは別のシナリオに注目するようになった。すなわちAIが人間の価値観から大きく外れた動作をするかもしれないという脅威、「バリュー・アラインメント問題」と呼ばれることもある脅威である。「邪悪なAI」の場合、モデルはフランケンシュタインやゴーレムといった怪物だったが、それにならえばこちらのモデルはランプの魔神とミダス王といったところだろう。ランプの魔神は三つの願いを叶えてくれるものの、人は結局最初の二つの願いを取り消すために三つめの願いを使うことになり、ミダス王のほうは触れたものすべてが黄金に変わる力を得るが、食べ物や家族まで黄金に変わってしまうために、その力を授かったことを後悔するようになっている。

しかし、なぜこの問題が脅威になりうるのだろうか。それは人間が人工知能に目標を与えると、人工知能はその目標を文字どおりに解釈し、人間の他の利益が侵害されようが頓着せずに、情け容赦なく実行していくだろうとされるからである。そして人間はそのそばで、なすすべもなく立ち尽くすしかなくなるだろうという。

たとえばダムの水位を保つようにという目標を与えると、人工知能はその達成のために町を水没させるかもしれない。もちろん町の住人が溺れようがどうなろうが、人工知能の知ったことではない。あるいは「ペーパークリップをつくれ」という目標を与えると、人工知能は入手できるあらゆる材料を集めてクリップをつくろうとするので、人間の所有物や人間の体まで材料にするかもしれない。また人間の幸福感を最大にせよと命じたら、人工知能はドーパミンを点滴したり、どんなに孤独でも最高に幸せになれるように脳の配線をつなぎなおすかもしれない。もし笑顔の写真を使って幸せの定義を教えられていたなら、銀河を何兆枚もの笑顔のナノスケールの写真で埋めつくすかもしれない。(29)

こうしたシナリオはわたしの創作ではない。人類に対する人工知能の脅威として一般に考えられているものである。だが幸い、これらのシナリオにはそれ自体に矛盾がある。[30]というのも、これが現実のものになるには、次の二つの前提が必要となるからだ。

1　人類はすばらしく優秀なので、全知全能の人工知能をつくることができる。しかしすこぶるばかなので、動作テストもしないまま、人工知能に世界の支配権を与えてしまう。

2　人工知能はすばらしく優秀なので、ある材料から別の何かをつくる方法や、脳の回線をつなぎなおす方法を見つけ出せる。しかしすこぶるばかなので、指示内容を誤解するという初歩的なミスを犯し、大混乱を引き起こす。

そもそも「矛盾した目標を最適な形で達成するには、どんな行動をとればよいのか」を選択する能力は、知能にあとから追加できるようなものではない。技術者がインストールし忘れたといって、おでこを叩く類いのものではない。なぜなら行動を選択する能力それ自体が知能だからである。同様に、話者の意図を文脈から理解する能力も知能になる。コメディ・ドラマ『それ行けスマート』に出てくるロボットのように、「ウェイターを呼んで（Grab the waiter）」といわれたら、給仕長をつかまえて頭の上にもちあげたり、「明かりを消して（Kill the light）」といわれたら、拳銃を抜いて照明器具を撃ったりする人工知能は、テレビのなかにしかいない。

「フーム」や誇大妄想のＡＩ、瞬時の全知、宇宙の全分子の完全な支配などのいくつかの幻想を取り除けば、人工知能は他の技術と同じでただの技術である。技術とは段階を追って開発が進められ、種々の条件をクリアするように設計され、運用前には試験が行われ、その効果と安全性を高めるために手直しがなされるものだ（第一二章）。人工知能の専門家スチュアート・ラッセルは、「土木工学では、誰も『落ちない橋をつくる』とはいわない。たんに『橋をつくる』というだけだ」と指摘する。そして人工知能もこれと同じで、「危険がなく、人の役に立つ人工知能はただ『人工知能』と呼べばいい」という[31]。

確かに、人工知能はもっと日常レベルの現実的な問題も提起している。それは人工知能の導入によって職場の機械化が進むと、多くの人が職を失ってしまうというものだ。だが実際には、人の仕事はそこまで急にはなくならないだろう。これに関しては、一九六五年に発表されたＮＡＳＡの報告書の次の内容が、現在にも当てはまりそうである。

「コンピューターにたとえれば、人間はかなり複雑で、多目的に使えるコンピューターシステムだ。しかもコストは低く、重さはたったの一五〇ポンド〔約六八キログラム〕、そのうえ非熟練工たちによる大量生産が可能である」[32]

たとえば工学的問題ととらえれば自動車の自動運転は、食洗機を空にしたり、買い物に出たり、おむつを替えたりするよりも簡単だが、この本を書いている時点〔本書の原書は二〇一八年に刊行〕では、まだ人工知能による自動運転車を街中の道路で走らせる準備はできていない。[33] ロボットの大部隊が子どもたちに予防接種をしたり、発展途上国で学校を建設したり、さらにはインフラ建設や高齢者介護をする日が来るまでに、まだまだなされるべき仕事はたくさんあるだろう。ソフトウェアやロボットを開発したときに英知を働かせたのと同様に、政府や民間セクターの政策立案にも創意工夫をこらせば、職のない人々と人手の足りない仕事とをうまくマッチングさせることができるにちがいない。[34]

悪意ある個人が世界を滅ぼせるようになるか

しかしロボットが脅威でないとしても、それならハッカーはどうだろうか？ わたしたちはハッカーのステレオタイプなイメージならよく知っている。ブルガリア人のティーンエイジャー、ビーチサンダルを履いてレッドブルを飲んでいる若者、そして二〇一六年の大統領選の討論会でドナルド・トランプがいったように、「ベッドに座る、体重四〇〇ポンド〔約一八一キロ〕の人間」といったところだろう。だがその現実の脅威についてはどれだけのことを知っているだろうか。

よくある考え方によれば、個々人のもつ破壊力は、技術の進歩に伴い増大するとされている。そのため、オタクかテロリストが一人で自宅のガレージで核爆弾を製造したり、遺伝子を操作して伝染病のウイルスをつくったり、インターネットを破壊したりするのは、もはや時間の問題だとされている。現代社会は技術に大きく依存しているので、もし基本インフラの供給が停止することになれば、社会は大混乱に陥り、飢餓や無政府状態に苦しむことになりかねない。二〇〇二年、マーティン・リースは、「二〇二〇年までに、たった一度の生物《バイオ》兵器テロ、またはたった一度のバイオテクノロジー関連のミスで、一〇〇万人規模の死者が出るだろう」という予測をし、公の賭けに出た[35]〔賭けの相手は著者のスティーブン・ピンカー。後述〕。

こうした悪夢のような事態について、わたしたちはどう考えればいいのだろうか。時には、こうした主張をする人たちはそのわけを、安全がいかに脆弱であるかを人々にもっと真剣に考えさせるためだと述べることがある。これは「人に責任ある行動をとらせたいなら、何より効果的な方法は心底怖がらせることだ」という説に則ったものだろう（この説については、のちほどまた本章で検証する）。

この説が正しいかどうかはともかく、サイバー犯罪やバイオテロによる伝染病の大流行に関して、もはや安穏としている場合でないことは誰もが認めるところである。これらはすでに現代社会を悩ませている問題であり（核の脅威については後述する）、コンピューター・セキュリティや疫学の専門家は、常にこうした脅威に一歩先んじて対策をとろうと努めている。各国政府はこの二つの分野にしっかりと財政支出すべきだろう。まず軍事、金融、エネルギー、インターネットに関しては、より安全性が高く外部からの攻撃に強いインフラを構築する必要がある。[36] また生物兵器禁止条約や生物兵器使用の予防措置も強化すべきだろう。[37] さらに病気が世界的に広がる前にその予兆を発見し、大流行を防ぐことができるよう、国際的な公衆衛生ネットワークを拡大することも必要である。そうした国際ネットワークと合わせて、通常の感染症対策と同じく、良質のワクチンや抗生物質、抗ウイルス薬、迅速な診断検査を併用すれば、バイオテロが原因の感染症と闘う場合にも有効だろう。[38] これに加え、各国には監視システムや通信傍受システムの構築のようなテロ対策・犯罪防止対策を、引きつづき実施することが求められる。[39]

もちろん、サイバー犯罪との闘いにおいて、防御を完璧にすることはできない。サイバーテロやバイオテロはいつか起こるかもしれず、壊滅的な事態が起こる可能性も決してゼロにはならない。ただわたしが懸念しているのは、こうした暗い現実のせいで、理性的な人々まで人類はもうおしまいだと思ってしまわないかということだ。悪意をもってコンピューターシステムに侵入するブラックハッカーが、システムを守ろうとする善意のホワイトハッカーを出しぬいて、いつの日か文明を破滅させることは避けられないのだろうか？　皮肉にも、世界は技術の進歩によって、再び脆弱になってしまったのだろうか？

その確実な答えは誰にもわからない。だが最悪のケースを予想して不安になるかわりに、もう少し落ち着いて考えれば、闇は薄れはじめてくる。そのために、まずは歴史の動きを検証することから始めよう。はたして個人による大量破壊という事象は、科学革命や啓蒙思想によって始まったプロセスの当然の結果なのだろうか？　これに「そうだ」と答える人々の考えはこうである。技術の発達のおかげで、人はより少ない労力でますます多くのことを実現できるようになっている。ということは時間が経てばそのうち、どんなことでも一人でできるようになるだろう。人間の本性を思えば、これはすなわち一人の人間がすべてを破壊できるようになるということである。

しかし、『ワイアード』誌の創刊編集長であり、『テクニウム――テクノロジーはどこへ向かうのか？』（服部桂訳、みすず書房）の著者でもあるケヴィン・ケリーは、実際の技術はそんなふうには進歩しないと主張する。[40] ケリーはスチュアート・ブランドとともに一九八四年に第一回ハッカー会議を開催したが、以来ずっと、技術はすぐに人間の能力を超え、人間を支配することになるだろう、という話を繰り返し聞かされてきたという。しかしそれから数十年、技術は大いに進化しつづけたが（そのあいだにインターネットも発明された）、いまだにそうした現象は見られない。その理由をケリーはこう説明する。「技術とは強力になればなるほど、社会システムに深く組み込まれていくものだからだ」

つまり最先端の技術には多くの協力者のネットワークが必須であり、その協力者たちはさらに社会的な広がりをもつネットワークとつながっているということだ。そしてその人々の多くは皆が安全に技術を使えるように努め、その技術が悪用されないように尽力している（第一二章で説明したように、技術とは時を追うごとに安全になっていくものである）。そこからすると、ハリウッド映画でよく見かける、孤独で邪悪な天才科学者がハイテク機器の並ぶ隠れ家に陣取っている図というのは――しかもそのハイテク機器の技術が奇跡のように自力で作動するというのは――あまり現実的ではない。ケリーは「技術が社会システムに深く組み込まれているために、実際には時が経っても孤立した個人の破壊力は増大していない」とし、次のように述べている。

ある技術が高度で強力なものになればなるほど、その技術によって兵器を製造するには多くの人々が必要とされるようになる。そして兵器の製造に多くの人々が必要になればなるほど、その兵器による被害を阻止したり、弱めたり、防止したりしようとする社会的抑制が働くようになる。これに加えて、わたしはもう一つ別の考え方も提示したい。もしあなたに資金があり、人類を絶滅させる生物兵器の開発やインターネットの破壊のために科学者の一団を雇えたとしても、やはりその目的は達成できないだろう。というのも、インターネットに関していえば、そうした事態を避けるためにすでに数十万人の年間労働力に相当する労力が費やされてきたからだ。また生物兵器についていえば、人類は絶滅を防ぐため、数百万年にわたり進化の努力を続けているからだ。そういうわけで、技術を悪用して人類を絶滅させるというのはきわめて困難なことになる。悪事を働こうとする一団が小さければ小さいほど、実行はますます困難になるし、逆に集団が大きくなればなるほど、社会がそれを阻もうとする力も大きくなる。(41)

世界を滅ぼせるテロリストは存在しえない

ここまでの話はすべて抽象的なもので、技術の進歩が描く自然の弧《アーク》とはどういうものかについて、二つの説は真っ向から対立している。では、これをわたしたちが直面する現実の危険にどのように応用すれば、人類が破滅してしまうのかどうかを見極められるのだろうか。そのさい大切なのは、利用可能性バイアスに引きずられないこと、何か悪い事態を想像できるからといって、それが必ず起こると思い込まないことである。そしてそれを可能にするのはやはり数字だろう。

そう、現実の危険は数値から推しはかることができる。つまり破壊的行為や大量殺人を目論む人間の割合はどの程度か、そのなかで破壊力の大きい強力なサイバー兵器や生物兵器を製造する能力のある人間の割合はどの程度か、さらにそのなかで実際に計画を実現できそうな人間の割合はどの程度か、さらにそのなかで文明を終わらせるほどの災厄（たんなる迷惑行為や小規模な攻撃、大惨事でも人類の存亡に関わらないものは除く）を完遂できる人間の割合はどの程度かを知るということだ。

手始めに、凶暴な人間がどれだけいるのかを見てみよう。現代社会には、見ず知らずの他人を殺したり傷つけたりしたい人が大勢いるのだろうか。もしそうであれば、社会生活は今とは似ても似つかないものになっていただろう。刃物による無差別殺人が横行し、群衆には銃弾が撃ち込まれ、車は通行人に突っ込み、圧力鍋爆弾がしかけられ、人は歩道や駅のプラットフォームから、猛スピードでやってくる車や電車へと、わざと押されることになる。研究者のグウェルン・ブランウェンの計算によると、訓練されたスナイパーや連続殺人者は、捕まることなく、一人で数百人を殺害することができるという。(42) あるいは騒ぎを起こしたくてしかたのない人間なら、スーパーマーケットに並ぶ製品に毒を入れたり、家畜の飼育場の飼料や給水設備に殺虫剤を混入したり、あるいはたんに「毒を入れた」と匿名の電話をかけることもできるだろう。それによって企業には製品のリコールのために数億ドルの損害をもたらし、国には輸出の損失分として数十億ドルの損害をもたらすことができる。[43]もし凶暴な人間が大勢いるとすると、この種の事件が世界中のあらゆる街で一日に何度起きても不思議ではない。

だが実際には、そんな事件は世界のどこかで数年に一度起きるだけである（そして情報セキュリティの専門家ブルース・シュナイアーが「テロ攻撃はいったいどこで起きているのか？」と問うことになる[44]）。近年のテロ行為によって人々の心には大きな恐怖心が生まれたが、実は残酷な破壊活動をしてやろうと機会をうかがう人間はほとんどいないようである。

では、悪事をたくらむ数少ない人間のうち、効果的なサイバー兵器や生物兵器を開発するに足る知能と自己管理能力をもちあわせた人間は、はたしてどれくらいいるのだろうか。これについては、ほとんどのテロリストは首謀者になるにはほど遠い、どじな人間だといっておこう[45]。その典型は、靴に爆薬を仕込んで飛行機を墜落させようとして失敗した靴爆弾男〔二〇〇一年〕や、下着のなかに爆弾を装着して飛行機を墜落させようとして失敗した下着爆弾男〔二〇〇九年〕だろう。またイスラム過激派組織ＩＳＩＳのある教官は、自爆テロ志願者たちに自爆装置付きベストの使い方を説明していて操作を誤り、自身と生徒二一名全員を吹き飛ばして木っ端微塵にしてしまった[46]。さらにボストンマラソン爆弾テロ事件〔二〇一三年〕では、犯人のツァルナエフ兄弟は逃走中に警察官から銃を奪おうとして失敗したため、その警察官を殺害してから、こんどはカージャックと強盗に及んで、警察とハリウッド映画ばりのカーチェイスを繰り広げ、その最中に弟が兄を轢《ひ》き殺した。さらに、サウジアラビアの副大臣を暗殺しようと企んだアブドゥラー・アル・アシリは、肛門に簡易な起爆装置を隠していたが、結局自分を消滅させることに成功しただけだった〔二〇〇九年〕（ある情報分析会社は、この事件が自爆テロ計画者たちの戦略にパラダイムシフトをもたらしたと報告している[47]）。

時には、二〇〇一年九月一一日のアメリカ同時多発テロのように、頭が良くて統率のとれたテロリストグループに運が向くこともある。しかしこれまでに成功したテロ計画は、狙いやすく効果の高い標的を、ハイテクではなく従来のローテクの技術で狙った攻撃がほとんどで、（第一三章で見たように）被害者数はきわめて少ない。実際のところ、あるテログループにおける優秀なテロリストの割合は、一般社会における優秀な人々の割合よりも小さいことに、わたしは賭けてもいい。テロというのはどう見ても効率の悪い戦略である。そんな意味のない破壊行為自体に喜びを感じるような人間は、おそらくあまり聡明ではないのだろう[48]。

次に、そうしたテロリストのうち、強力な兵器を開発できるほど優秀な人間について考えてみよう。高い能力をもつテロリストはもともと少ないが、世界中の警察や、セキュリティの専門家、テロ対策チームを出し抜くことのできる狡猾さと運をもつ人間に絞ると、その数はさらに少なくなる。ゼロではないだろうが、多くないことは確かだろう。

また他の複雑な仕事と同様、テロの場合も一人の頭で考えるより、多くの頭で考えたほうがよく、バイオテロやサイバーテロの組織として活動したほうが、一人だけで活動するより効率がいい。しかし、ここでケヴィン・ケリーの指摘が問題になる。というのも、リーダーは共謀者たちをリクルートして指揮し、彼らに口外を禁じ、能力を発揮させ、邪悪な大義名分に忠誠を誓わせなければならないが、そうやって組織が大きくなればなるほど、企ての発覚や裏切り者の出現、スパイの潜入、企ての失敗、おとり捜査に引っかかるなどの危険も大きくなるからだ[49]。

どうも一国のインフラに損害を与えるような深刻な脅威というものは、国家が全力を傾けなければ実現は難しいのかもしれない[50]。なぜならそうした攻撃をするには、ソフトウェアのハッキングだけでは十分ではないからだ。ハッカーは破壊しようとしているシステムの実際の物理的構造に関する詳細情報をも入手する必要がある。たとえば二〇一〇年には、イランのウラン濃縮用施設の遠心分離機がスタックスネットというコンピューターウイルスに感染して停止したが、これは高度な技術を有する二つの国——アメリカとイスラエル——が協力して初めてできたことだった〔このサイバー攻撃はアメリカとイスラエルによるものとされている〕。

サイバー攻撃に国が関わっていると、たんなるテロからある種の紛争に発展する危険がある。しかし従来型の動的な戦争と同様、サイバー攻撃の場合も国際的な規範や協定、違反国に対する制裁や報復措置、軍事抑止力などの国際関係上の制約が、積極的な攻撃を抑制するだろう。第一一章で論じたように、こうした制約は国家間の戦争を防ぐ手段として、ますます効果をあげている。

それでもなお、アメリカ軍の当局者たちは「デジタル・パールハーバー」や「サイバー・ハルマゲドン」が起こるかもしれないといって警鐘を鳴らしている。彼らの考えでは、敵対国や高度な技術を有するテロ組織がアメリカのコンピューターシステムに侵入して、飛行機を墜落させ、ダムや河川の水門を開き、原子力発電所をメルトダウンさせ、送電網をブロックして大停電を引き起こし、金融システムをダウンさせる可能性があるという。だがサイバーセキュリティ対策の専門家の多くは、こうした指摘を大げさだとし、そんなものはただ軍事予算を増やし、権力を掌握し、インターネット上のプライバシーと自由を制限するための口実にすぎないと考えている。[51]

実際、これまでサイバー攻撃で負傷した人間は一人もいない。問題となったのはほとんどが、いわゆる「さらし行為」、すなわち機密文書やメールの流出（たとえば二〇一六年のアメリカ大統領選挙におけるロシアの干渉）や、ボットネット（乗っとられた多数のコンピューター）を使ってサイトに大量のデータを送りつけ、サイトを利用不能にするDoS《ドス》攻撃といった迷惑行為や妨害行為である。これについて、ブルース・シュナイアーはこんな説明をしている。「これを現実世界の事象にたとえると、軍隊がある国を侵略するといって、その国の車両管理局に並ぶ人々の前に陣取り、自動車免許証を更新できないようにするようなものだ。もしそれが二一世紀の戦争のあり方なら、恐れることは何もない[52]」

　だが〝デジタル版世界の終末〟を予言する人々にとっては、たとえその可能性がわずかでも安心できないらしい。そうした人々は、幸運の女神は必ずや一人のハッカーやテロリスト、あるいは一つのならず者国家に微笑むはずで、そうなったときには万事休すだと考える。だからこそ、ただの脅威ではなく、存亡に関する脅威、すなわち実存的脅威になるというわけである。それにしても、この「実存的」という言葉がこれほど安直に使われているのは、カミュとサルトルの全盛時代以降、初めてだろう。二〇〇一年には、アメリカ統合参謀本部の議長が「現在、最大の実存的脅威はサイバー攻撃である」と発言した（ジョン・ミューラーは、「実存的脅威」に「最大」までつけられたことに触発されたらしく、「おそらく、これは〝小さな実存的脅威〟の対語なのだろう」とコメントしている）。

　その考え方でいくと、「実存的脅威」とは人類の存在をほとんど脅かしそうにない迷惑行為から、人類を逆境に追い込むもの、人類に悲劇をもたらすもの、人類に大惨事をもたらすもの、そして人類を絶滅させるものまで、その時々で定義が変わることになる。しかし、たとえば一〇〇万人の命を奪ったバイオテロがあった、もしくは一人のハッカーがインターネットを破壊することに成功したとしよう。そのせいで文字どおり国家は「存在することをやめる」だろうか？　文明は崩壊するだろうか？　人類は滅亡するだろうか？　いや、そうはならないだろう。全人類に対する比率を考えてほしい。原爆を投下されても、広島は今も存在しつづけていることを思い出してほしい。

安直に実存的脅威を叫ぶ人々は、現代人は無力なので、もしインターネットが機能しなくなったなら、農業に携わる人々はただ立ち尽くして作物が腐るにまかせ、都会人は呆然としたまま餓死するだろうと仮定している。だが災害社会学によると（そう、こんな学問分野が存在するのだ）、大きな災害を前にしたときに人々の見せる回復力《レジリエンス》はきわめて高い(53)。略奪行為に走ったり、パニックに陥ったり、思考停止状態に陥ったりするのではなく、秩序を取り戻すために自発的に協力し合い、支援物資や支援活動を分配するためのネットワークを即座につくり上げたりするという。広島に原爆が投下された直後の状況について、災害社会学の先駆者エンリコ・クアランテリはこう述べている。

生存者は力を合わせてできるかぎり救護活動を行い、統率のとれた行動で焼野原から避難した。まだ機能していた国や軍の組織が主導した復興作業以外に目を向けると、たった一日のあいだに一部の地区では電力が復活し、ある鉄鋼会社では二〇パーセントの従業員が出社して操業を再開し、広島に支店をもつ一二の銀行では、行員たちが広島支店に集合して預金の払い戻しを始めた。また市内を走る路面電車の線路上の片付けも行われ、原爆投下の三日後には、一部の区間で運行が再開された[54]。

第二次世界大戦の犠牲者が恐ろしい数になった理由の一つは、連合国・枢軸国の双方ともが一般市民に狙いを定め、社会が崩壊するまで爆撃する戦略をとったことにある。だがそれでも社会は崩壊しなかった[55]。こうした回復力は、過去のコミュニティが均質だったから発揮できたわけではない。二一世紀のコスモポリタンな社会でも、災害が発生すれば同じように対処できる。それは二〇〇一年九月一一日のアメリカ同時多発テロで、ロウアー・マンハッタンから整然とした避難が行われたこと、さらには二〇〇七年、大規模なＤＤｏＳ攻撃に見舞われたエストニアで、混乱が発生しなかったことからもわかるだろう[56]〔エストニアは政府機関や決済機構などが高度に電子化されたＩＴ国家として知られる〕。

バイオテロは非常に困難で効率も悪い

それから、バイオテロも実体のない脅威である。生物兵器は、実質的にすべての国が署名した一九七二年の生物兵器禁止条約〔発効は一九七五年〕によって放棄されたため、現代の紛争で使用されることはない。禁止条約締結の原動力となったのは、世界中の人々の生物兵器に対する激しい嫌悪感だったが、実は世界の軍関係者もほとんど説得される必要はなかった。というのも、生物兵器は質の良い兵器ではないからだ。生物兵器というのは細菌やウイルスなど微小な生物でつくられているため、簡単に飛び散る。それはつまり使用する側の兵器開発者や兵士、市民まで感染してしまうということを意味する（ボストンマラソン爆弾テロ事件の犯人、ツァルナエフ兄弟が炭疽菌を手にしたらどうなるか想像してほしい）。しかも感染症の流行が徐々に収まるのか、爆発的に広まるのかについては、感染経路の複雑な力学しだいで変わるので、どんなに優れた疫学者でも予測できない[57]。

加えて、生物兵器はテロリストには特に不向きだろう。なぜならテロリストの目的は損害を与えることではなく、演劇的な効果を与えることだからだ[58]（第一三章）。生物学者のポール・イーワルドは「病原体が自然淘汰によって得た特性は、突発的で衆

目を集めるような破壊を好むテロリストの目的と相反する」と指摘する。(59)

たとえば風邪のウイルスのように人から人へと急速に感染する病原体は、自然淘汰の結果、今では宿主を生かして歩行できる状態に保とうとするようになっている。そうすれば宿主ができるだけ多くの人々と握手し、その人々に向かってくしゃみをすることで、増殖していくことができるからだ。病原体が狂暴化して宿主を殺そうとするのは、宿主から宿主へと移動するための別の手段――蚊《か》（マラリア）や汚染された水（コレラ）、負傷した兵士でいっぱいの塹壕（第一次世界大戦時の一九一八年に流行したスペイン風邪）など――を見つけたときだけである。またHＩＶや梅毒のように性行為により感染する病原体は、その中間的特性をもっている。宿主に何の症状も出さないまま長いあいだ潜伏を続け、そのあいだに宿主がパートナーを感染させるようにするのだ。病原体が宿主の身体を蝕むのは、そのあとになる。

つまりある病原体に感染力があるからといって、殺傷力も強いわけではないということだ。そしてこうした病原体の進化的特性は、「あっというまに感染する病原菌をばらまいて多くの人を殺害し、ニュースの見出しを飾りたい」というテロリストの野望をくじくものである。もちろん理論的には、バイオテロリストが新種の病原体――殺傷力も感染力もあるうえ、人間の体外に出てもしばらくは生き延びられるもの――を開発しようとすることもありうる。だが微妙に改変された菌を培養するには、ナチスばりの人体実験が必要であり、テロリストといえども実行は無理だろう（ティーンエイジャーに無理なのはいうまでもない）。

こうして見ると、これまでにバイオテロ攻撃が世界でたった二つしか成功していないのは、たんに幸運だったからというだけではないだろう[60]（一つは一九八四年にアメリカのオレゴン州の町で、ラジニーシという男が運営する新興宗教団体によって、サラダにサルモネラ菌が混入されたバイオテロで、死者は出なかった。もう一つは二〇〇一年に起こったアメリカ炭疽菌テロ事件で、炭疽菌の入った郵便物が複数箇所に送りつけられ、五人が死亡した）。

確かに合成生物学が進歩し、〈ＣＲＩＳＰＲ－Ｃａｓ９〉と呼ばれるゲノム編集技術が開発されたおかげで、病原体も含め、生物組織に手を加えることは容易になった。だが複雑な過程を経て進化した特性を、一つか二つの遺伝子を挿入することで改変するのは難しい。なぜならどの遺伝子も効果を発揮するために、その生体の他の部分のゲノムと密接にからみ合っているからだ。ポール・イーワルドはこう述べる。「すでに存在する病原菌にいったいどのような異種の遺伝子グループを挿入すれば、人間に対して強い伝染力をもち、同時に強力な毒性をもちつづける病原菌を生み出すことができるのか。われわれがそれを知ることができるのはまだまだ先の話になる[61]」

バイオテクノロジーの専門家ロバート・カールソンもいう。「インフルエンザ・ウイルスをつくろうとするときの問題の一つは、十分な量のウイルスができるまで生産システム（細胞や卵）を生かしておかなければならない一方で、そのウイルスが生産システムを殺そうとすることである〔ウイルスは単体では増殖できないので、宿主として生きた動物や培養細胞、ニワトリの受精卵が使われる〕。（中略）つくり出されたウイルスを動かすことはさらに困難を極める。（中略）バイオテロの脅威を完全に否定するわけではないが、わたしにとっては、母なる自然がしょっちゅうもたらす脅威のほうがずっと心配だ[62]」

何より重要なのは、生物学の進歩は悪用とは別の方向にも動きうるということだ。つまり善人にとっては（そして世の中には善人のほうが多い）、生物学の進歩のおかげで病原体の特定が容易になり、抗生物質が効かなくなった菌に効果のある抗生物質の開発を進めることができ、ワクチン開発のスピードを上げることができる[63]。その好例がエボラワクチンだろう。二〇一四年から二〇一五年にかけて、西アフリカではエボラウイルス病が大流行し緊急事態が宣言されたが、その終盤にはワクチンが開発され、公衆衛生当局の取り組みもあって、最終的なエボラウイルスによる死者数は、メディアが予測した数百万人ではなく、一万二〇〇〇人にとどまった。こうしてエボラウイルス病も、大流行が予測されたものの、結果としてその予測が誤りだった疾病リストにその名を連ねた。この疾病リストにはほかにラッサ熱、ハンタウイルス感染症、SARS（重症急性呼吸器症候群）、牛海綿状脳症（BSE）、鳥インフルエンザや豚インフルエンザなどが並んでいる。(64) リストのなかのいくつかの疾患は、急激に感染が拡大するヒト—ヒト感染ではなく、動物や食物が感染源で、パンデミックに発展する危険すらなかった。その他の感染症は医療や公衆衛生の介入で流行が阻止された。

もちろん、いつか天才的な悪人が世界の防御を切り崩し、娯楽のため、復讐のため、あるいは何らかの聖なる目的のために、疫病を世界に解き放つかもしれない。しかし、ジャーナリズムの習慣と利用可能性バイアスとネガティビティ・バイアスのせいで、その可能性は不当に高く見積もられている。だからこそ、わたしは「二〇二〇年までにバイオテロやバイオ事故で一〇〇万人規模の死者が出る」と予測するマーティン・リース卿の賭けに応じた。あなたがこれを読むころには、どちらが勝ったのかはっきりしていることだろう(65)〔二〇二〇年三月からの新型コロナウイルス感染症によるパンデミックのため、この賭けの勝敗はいまだ決着を見ていない。もし二〇二四年末までに、少なくとも二つの公的な保健機関が「COVID-19の病原体は武漢ウイルス研究所から流出した可能性がある」と声明を出せば、マーティン・リースの勝ちになるという〕。

核の脅威は本物だが過大に喧伝されている

このように、人類への脅威といわれているものには非現実的だったり、まず起こりそうにないものもあるが、しかし真に危険なものも一つある。核戦争だ(66)。現在核兵器を所有する国は九カ国で〔米、露、英、仏、中国、イスラエル、インド、パキスタン、北朝鮮〕、世界には一万個以上の核兵器が存在している。[67] そのうちの多くがミサイルや爆撃機に搭載されていて、数時間以内に数千のターゲットに命中させることができる。しかも、どれもとてつもない破壊力をもっている。核爆弾一発で一つの都市を破壊することができ、爆風や熱、放射能、死の灰による被害を合わせると数億人の命を奪うことができる。

もしインドとパキスタンが戦争を始め、一〇〇個の核爆弾を炸裂させれば、すぐに二〇〇〇万人の命が奪われるだろう。そして大火災によって巻き起こる煤《すす》が大気圏に拡散し、オゾン層が破壊され、地球はその後一〇年以上にわたり寒冷化することになる。そのせいで食糧生産が減って一〇億人以上が餓死することになるだろう。また、もしアメリカとロシアの全面戦争が勃発し、核兵器が使用されれば、数年のあいだに地球の気温は八度下がり、核の冬（少なくとも秋）[68] になるといわれている。そうなればさらに多くの人々が飢餓に追い込まれるだろう。（よく主張されているように）核戦争が文明や人類や地球を破壊するかどうかはさておき、それが想像を絶する恐ろしさであることは間違いない。

日本に原爆が落とされてまもなく、アメリカとソ連は核兵器の軍拡競争に乗り出し、そこから新たな形の歴史悲観論が根を下ろした。そのプロメテウス的物語によると〔プロメテウスは人類に火を与えた〕、人類は神から核という知識を手に入れたが、それは扱いようによっては死をもたらすものだった。実際、責任をもってこの知識を使う知恵がないので、人類は自ら滅びる運命にあるという。

一説によると、この悲劇の弧をたどる運命にあるのは人類だけではないらしい。進化した知能をもつ生命体は、皆同じ道をたどるのだそうだ。だからこそ、宇宙には多くの宇宙人がいるはずなのに、これまで一度も宇宙人が訪ねてこないのだという（これは最初にこの矛盾を考えたエンリコ・フェルミにちなみ、「フェルミのパラドックス」と呼ばれている）。この考え方によると、ひとたびある星に生命が誕生すれば、その生命は必ずや知能を発達させ、文明や科学を生んで、やがて原子核物理学にたどり着き、その核兵器を開発して自滅的な戦争を引き起こすことになる。つまり、その星が太陽系を出て別の星を訪ねる能力をもつ前に、どの宇宙人も自ら滅亡してしまうというわけだ。

一部の知識人にとっては、核兵器の発明とは科学の試みを――実際には近代化そのものの試みを――告発するものと映っている。これまで科学がどれだけ多くの恩恵をもたらしてこようが、核兵器という人類絶滅の脅威によってすべてが帳消しになるからだ。しかし科学を非難するのはお門違いのように思える。というのも、原子力時代の幕開け当初から、物理学者たちは世界に向けて核戦争の危険を呼びかけ、各国に核を放棄するよう求める運動をしていたからだ（それに初期の核開発の中心にいた科学者たちは、核政策については蚊帳《かや》の外に置かれていた）。そうした人々のなかには、ニールス・ボーア、ジュリアス・ロバート・オッペンハイマー、アルベルト・アインシュタイン、イジドール・ラービ、レオ・シラード、ジョセフ・ロートブラット、ハロルド・ユーリー、チャールズ・パーシー・スノー、ヴィクター・ワイスコフ、フィリップ・モリソン、ハーマン・フェッシュバッハ、ヘンリー・ケンドール、セオドア・テイラー、カール・セーガンなど歴史に名を刻んだ著名人たちがいた。

その運動は今日にも受け継がれ、高名な科学者たちに支持されている。そのなかには、スティーヴン・ホーキング、ミチオ・カク、ローレンス・クラウス、マックス・テグマークといった人々がいる。また科学者たちは、「憂慮する科学者同盟」、「米国科学者連盟」、「責任ある原子力利用検討委員会」、「パグウォッシュ会議」といった、大々的な活動や監視を行う団体を立ち上げた。その一つである『原子力科学者会報』の表紙には、有名な世界終末時計が掲載され、現在〔二〇一七年〕の時刻は人類滅亡の時である午前零時まであと二分半となっている[69]〔二〇二〇年から二〇二二年には一分四〇秒前に進んだ〕。

ただ残念なことに、物理学者たちは自身を政治心理学の専門家だと思う傾向があるらしく、世論を動かすには人々を恐怖や不安の渦に巻き込むやり方がいちばん効果的だという民間伝承のような考え方をしている。タイトルに「科学者」を冠した雑誌に掲載されているにもかかわらず、世界終末時計は核安全保障の客観的な指標に従っていない。というより、むしろそれはプロパガンダで、創刊者の言葉を借りれば、その意図は「人々が恐怖を覚えて理性を取り戻すことにより文明を守る」というものである。[70]

たとえばキューバ危機が起こった一九六二年、世界終末時計の針は今よりも午前零時から遠くにあったが、その時代よりはるかに平和なはずの二〇〇七年、針は一九六二年よりも午前零時に近かった〔一九六二年は七分前で、二〇〇七年は五分前〕。その理由の一部は、人々がのんきになりすぎていることを心配した『原子力科学者会報』の編集者たちが、「終末の日」の定義を変えて、核の脅威だけでなく気候変動なども終末の脅威に含めたからだ。[71]そして人々を無関心から揺り起こすキャンペーンの一環として、科学者たちはあまり先見の明があるとはいえないこんな予言をしてきた。

差し迫った人類の自滅を防ぐには、世界政府の樹立しか道はない。
——アルベルト・アインシュタイン、一九五〇年[72]

わたしは強く思う。戦略的な問題のさまざまな側面についてもっと真剣に考えなければ、わたしたちは二〇〇〇年を——いや、ひょっとしたら一九六五年すら——迎えることはできないだろう。その前に大惨事が引き起こされるだろうから。
——ハーマン・カーン、一九六〇年[73]

遅くとも一〇年以内に、（核）爆弾が何発か発射されるだろう。わたしはできうるかぎりの責任をもってこの発言をしている。なぜならそれは確実に起きるだろうからだ。

――C・P・スノー、一九六一年[74]

わたしは確信している。頭にわずかな疑問もない。二〇〇〇年までに、きみたち（学生）は皆死んでいるだろう。

――ジョセフ・ワイゼンバウム、一九七六年[75]

こうした発言に加え、現実主義学派の代表的論者である国際政治学者ハンス・モーゲンソーも、一九七九年、次のように予言している。

わたしの考えでは、世界が第三次世界大戦――戦略的な核戦争――に向かうのは避けようがない。それを防ぐために何かできることがあるとは思えない。[76]

そしてジャーナリストのジョナサン・シェルは一九八二年のベストセラー『地球の運命』（斎田一路・西俣総平訳、朝日新聞社）を次のように締めくくっている。

> いつかの日か——そう遠くない日だと思わざるをえないのだが——われわれは選択することになるだろう。最終的な昏睡状態に陥り、すべてを終わらせるか。それともわたしがそうなると心から信じているように、自分たちを取り巻く危険の真の姿に気づき、（中略）地球から核兵器を一掃するために立ち上がるか。

しかし冷戦が終結すると、この種の予言は時代遅れのものになった。結局、人類は世界政府を樹立できなかったし、地球から核兵器を一掃することもできなかったが、最終的な昏睡状態に陥ってはいなかった。そこで、活動家たちは恐怖を煽りつづけるため、ハルマゲドンはちょっとしたことで起こりうること、人類がまだ生き残っているのはとんでもなく幸運だっただけだということを示そうと、危機一髪だったり一触即発だったりした核の事例のリストを作成した[77]。

だがこのリストは、本当に危機一髪だった事例と、どうでもいいようなつまらない事例をごちゃまぜにしている。本当の危機一髪の事例には、たとえば一九八三年にNATOの訓練を見たソ連の将校が、もうすぐ実際の攻撃が開始されると誤解しそうになったことがある。どうでもいい事例のほうには、二〇〇三年、核ミサイル責任者だった非番の米軍陸軍大将が、四日間ロシアを旅行したさい、酔っぱらって女性たちに対し無作法に振る舞ったことがある。[78] またリストには、どうなると核の応酬になるのかについての説明がなく、選択肢の評価もない。選択肢の評価は各エピソードを文脈に置いて考えることになり、恐怖を軽減するのだが。[79]

核反対を掲げる活動家の多くは、次のメッセージを伝えたがっている。「世界がただちに対策をとらなければ、今やわたしたちはいつ恐ろしい死を迎えても不思議ではない。それなのに、世界は対策を講じようとしていない」。これが人々にどんな影響を与えるかは想像にかたくない。皆考えても仕方のないことは考えなくなり、目の前の生活だけに専念して、専門家の見立てが間違っていることをただ願うばかりになってしまう。

一九八〇年代以降、本や新聞で「核戦争」が取り上げられる機会は徐々に減ってきた。ジャーナリストは今、文明の存亡に関わる脅威ではなく、テロや不平等、あらゆる種類の失策やスキャンダルのほうに注目している。[80] そして世界の指導者たちも核反対の運動には影響されていない。「核の冬」について警鐘を鳴らした最初の論文の共著者であるカール・セーガンは、核凍結のために「まずは人々に恐怖を感じさせ、次に信念をもたせ、最後には行動を引き出す」という手法で活動していたが、軍備管理の専門家からこんな指摘を受けた。「もし世界の終わりを予言するだけで、ワシントンとモスクワの意向を変えられると思っているなら、きみはどちらの政府の実態もまったくわかっていない[81]」

またここ数十年のあいだに、戦争ではなくテロが核の大惨事をもたらすだろうという予言が増えてきた。アメリカの外交官ジョン・ネグロポンテは二〇〇三年、「二年以内にアルカイダが核、あるいはその他の大量破壊兵器を使用して攻撃をしかけてくる可能性がきわめて高い」と記している[82]。ある事象の確率的予測を否定することは決してできないが、間違っていた予言の数々を見てみると（数十年後を予測するその種の予言を、ジョン・ミューラーは七〇以上も集めている[83]）、どうも予言者たちのやり方は人々を怖がらせることに偏っているようだ（二〇〇四年には、アメリカの大物政治家四人が核兵器を使用したテロの脅威に関し「もう髪が燃えている」と題する署名記事を新聞に寄稿した[84]）。

だが、こうした戦略の効果は疑わしい。人々は銃や自家製爆弾による実際の攻撃に対しては憤り、国の監視体制の強化やイスラム教徒の移民の入国禁止などの対抗措置を積極的に支持する。しかし大通りにキノコ雲が発生するという予言に影響されて、核兵器を使ったテロと戦うための政策――たとえば核分裂性物質を管理する国際的な枠組み――に関心を示すことはほとんどない。

人々を怖がらせても逆効果でしかないとするこうした批判は、反核運動の初期の頃からすでにあった。早くも一九四五年には、神学者のラインホルド・ニーバーが次のように述べている。「究極の危機がどんなに大きなものであっても、人間の想像力に与える影響は小さい。それと比較すると、どんなに小さくても目の前の怒りや不和のもたらす効果のほうが大きい[85]」。歴史家のポール・ボイヤーによると、実は核軍拡競争はアメリカが核の警鐘に怯え、より強力な爆弾を大量に製造してソ連の核使用を抑止しようとしたせいで、助長されたという[86]。『原子力科学者会報』の創刊者で世界終末時計の考案者のユージン・ラビノウィッチも、のちに自身の活動戦略を後悔するようになっていた。「わたしたち科学者は、人々が恐怖を覚えて理性を取り戻せるように努めていたが、結局多くの人々を絶望的な恐怖や盲目的な憎悪におとしいれてしまった[87]」

核戦争を防いできたのは何かを考えるべき

気候変動問題を論じたときに説明したように、人は恐怖で感覚が麻痺し無力感にとらわれているときよりも、解決策があると思えるときのほうが問題を認めやすくなる[88]。そして、人々の暮らしから核戦争の脅威を取り除くための積極的な考え方はいくつかある。

その第一は、人類滅亡の日が来ると吹き込むのをやめることだ。核の時代の根本にある事実は、長崎への原爆投下以来核兵器は使われていないということである。世界終末時計の針が七二年間、午前零時の数分前を指しているのは、それは時計の調子が悪いせいだ。ひょっとしたら世界は奇跡的な幸運に恵まれていたのかもしれないが（それは誰にもわからない）、それでは科学的にあやしすぎる。わたしたちはそんな結論をおとなしく受け入れるのではなく、少なくとも国際的なシステムがうまく機能した結果、核兵器の使用を防ぐことができたと考えるべきではないだろうか。しかし核兵器に反対する活動家の多くはこの考え方を嫌う。どうも各国から核軍縮の熱意を奪うように思えるらしい。だが核を保有している九カ国が今すぐ核兵器を廃棄しようとしていない以上、当面わたしたちがすべきことは、これまでにうまくいった方策を探し出すことだ。そうすれば、その方策がどんなことであれ、より多くのことが実行できるようになる。

注目すべきは、政治学者ロバート・ジャーヴィスが発見した歴史的事実である。ジャーヴィスは「ソ連の記録文書のなかには、アメリカに対する先制攻撃計画はいうまでもなく、西ヨーロッパに対する一方的な攻撃計画も見当たらない」と述べている。(89) つまり冷戦時代、アメリカは核を抑止しようとして兵器を製造したり、戦略的方針をとったりしていたが（ある政治学者はそれを「核の形而上学」と呼んだ）、それが抑止しようとしていた攻撃など最初からなかったということだ。ソ連には自分から攻撃をしかける意図など皆目なかったのだから。[90]やがて冷戦が終わりを告げると、大規模侵略と核による先制攻撃への恐怖は消え、(後述するように)安堵した両陣営は公式協議を行うこともなく、核兵器を一部廃棄した。[91]

核兵器がひとりでに戦争を始めてしまうという技術決定論に相違して、実際に戦争が勃発するかどうかは国際関係の状況に拠るところが大きい。つまりこれまで大国間で核戦争が発生していないのは、大国同士の戦争を減少させるために働いた数々の力(第一一章)のおかげだろう。戦争のリスクを小さくするものは、核戦争のリスクも小さくするということである。

また、危機一髪で回避されたいくつかの事例も神業的な幸運の賜物ではない。キューバ危機の資料、特にアメリカ大統領ジョン・F・ケネディと安全保障顧問たちの会議資料を分析した政治学者や歴史学者によると、「あのとき世界は最終戦争の危機から瀬戸際で救われた」という会議参加者の記憶とは異なり、実際には「アメリカが戦争に突入する確率はゼロに近かった」という。[92]記録では、両国のトップであるフルシチョフとケネディが各々の政府をしっかりと掌握していたこと、どちらも危機を平和的に終わらせる方策を模索していたこと、そのさい挑発には乗らないようにし、あと戻りできるような複数の選択肢を手元に残していたことが示されている。

さらに身の毛のよだつような警報の誤作動やミサイルの誤発射が起きていないのも、

運命が何度もわたしたちに微笑んだからではないだろう。むしろ、それは人と技術の連携のおかげで大事を防ぎやすくなったことを示している。そして災難を一つ乗り越えるたびに、そのつながりはいっそう強化されてきた。[93]「憂慮する科学者同盟」は核の危機に関する報告書のなかで、これまでの態度を変えて賢明にも、次のように歴史を総括している。「今のところ核ミサイルの誤発射が起きていないという事実は、安全保障対策が十分に機能しているので、そうした事象が起きる可能性が小さくなっていることを示唆している。しかし可能性はゼロではない」[94]

そして問題を次のように考えれば、わたしたちはパニックにも能天気にもならずにすむはずだ。まず壊滅的な核戦争が一年のあいだに勃発する確率を一パーセントとしよう（ただしこの数字はかなり高めに見積もっている。というのも、核戦争勃発の確率はミサイル誤発射の確率よりも低くなるからだ。事故が一つ起きたからといって自動的に全面戦争に発展するはずがない。そしてこの七二年間、誤ってミサイルが発射された事故はゼロだった）[95]。これは確かに容認できるリスクではない。なぜならちょっと計算してみるとわかるが、この確率だとわたしたちが壊滅的な核戦争に遭うことなく、無事に一世紀を過ごすことができる確率は三七パーセント以下になるからだ。しかし一年のあいだに核戦争が起こる確率を一パーセントの一〇分の一に減少させることができれば、世界が一世紀のあいだ大禍なく過ごせる確率は九〇パーセントにまで上がる。さらに一年単位の確率が一パーセントの一〇〇分の一になれば、無事に一世紀を過ごせる確率は九九パーセントになる。以下同様で、無事に過ごせる確率はどんどん高くなる。

核が制御不能なほど拡散するのではないかという心配も、大げさだったことが判明している。一九六〇年代、核保有国の数はじきに二五カ国もしくは三〇カ国になるだろうと予測されていたが、それから五〇年が経った現在、核保有国は九カ国だけである。[96] この半世紀のあいだに四カ国（南アフリカ、カザフスタン、ウクライナ、ベラルーシ）が核兵器を放棄したため保有国の数は減少した。ほかにも一六カ国が核兵器を開発していたが、途中で断念した。最近では、リビアとイランがそうである。現在、非核保有国のなかで新たに核兵器を開発している国があるという情報はなく、これは一九四六年以来初めてのことだ。[97] 確かに、金正恩《キムジョンウン》が核兵器をもっていると思うと恐ろしい。しかし世界には以前にもスターリンと毛沢東という半ば頭のおかしい独裁者が、核をもつということがあったが、二人とも核の使用を思いとどまった。というより、使用する必要性を感じなかったのだろう。

核の拡散について冷静に考えることは、精神衛生上好ましいだけではない。各国が誤って破滅的な予防戦争に突入してしまうのを防ぐこともできる。そうした予防戦争には、たとえば二〇〇三年のイラク戦争や、二〇〇〇年代の末頃に懸念されていた、イランとアメリカもしくはイランとイスラエル間の戦争が当てはまる。

テロリストが核兵器を盗んだり自宅のガレージで製造したりして、それをスーツケースやコンテナに仕込み、アメリカにこっそり持ち込むという恐ろしい考えに関しても、もっと冷静な考え方をする人々が著作のなかで吟味している。たとえば、マイケル・レヴィの『核テロリズムについて（On Nuclear Terrorism）』、ジョン・ミューラーの『原子力の強迫観念（Atomic Obsession）』や『誇張（Overblown）』、リチャード・ムラーの『サイエンス入門』（二階堂行彦訳、楽工社）、リチャード・ローズの『爆弾の黄昏（Twilight of the Bombs）』などだ。また、核の不拡散と軍縮に関する権威であるギャレス・エバンズは、二〇一五年、『原子力科学者会報』の年次シンポジウムにおいて、同会設立七〇周年記念の基調講演を行い、「核に関する議論に理性を取り戻そう」と題して次のように述べている。

のんきな言い方に聞こえるかもしれませんが、それにわたしは決してのんきなわけではありませんが、（核に関する安全保障政策は）これまでとは違い、感情的にならずにもう少し冷静かつ理性的に実行していくほうがうまくいくだろう、と申し上げておきたいと思います。

広島や長崎に投下された原子爆弾のような、基本的な核分裂装置を製造するために必要とされる技術のノウハウなら、すぐに手に入るでしょう。しかし高濃縮ウランや核兵器をつくることができるほどのプルトニウムを入手するのは大変困難です。しかもこれを実行するには、この種の脅威を抑え込むために世界中に張り巡らされている情報網や法的枠組みを、長期にわたってかいくぐらねばなりません。さらに核兵器の部品を入手し製造し運搬するには、職人や科学者、エンジニアからなる犯罪集団を組織し、維持しなければならず、総合して考えれば、これは至難の業であるといえましょう(98)。

核は究極兵器でも究極の抑止力でもない

さて、気持ちが落ち着いてきたところで、核の脅威を減らすための積極的考え方の次の段階に進もう。それは武器におぞましい魅力を感じないこと、すなわちギリシャ悲劇から始まった武器への憧れ（あの時代から武器は魅力的に描かれてきた）を捨てることである。核兵器の技術は、自然の力を人間の支配下に置こうとする努力が頂点に達した結果などではない。それは歴史の変遷のせいで人類がはまり込んだ混乱であり、今わたしたちはそこから抜け出す方法を見つけ出さなくてはならない。

そもそもマンハッタン計画〔原子爆弾の製造を目的とした第二次世界大戦中のアメリカの極秘計画〕は、ドイツが核兵器を開発しているという恐怖によって生まれたものだった。そしてこれが多くの科学者を惹きつけた理由は、心理学者のジョージ・ミラーが説明するとおりだろう（彼は戦争中、別の研究プロジェクトに協力していた）。「われわれ世代の人間は、ヒトラーに対する戦争を、善と悪の戦いだと思っていた。そのため健康な若者が戦地に赴かずにいるという不名誉に耐える唯一の方法は、自分のやっていることは戦地で戦う以上に最終勝利に貢献するのだと強く信じることだけだった[99]」

もしナチスが存在しなければ、ひょっとしたら核兵器も存在しなかったかもしれない。兵器というのは、ちょっと思いついたからとか物理的に可能だからというだけで誕生するものではない。実際、構想だけで日の目を見なかった兵器は山ほどある。たとえば、殺人光線、宇宙空母、農薬散布用飛行機のように都市に毒ガスをまく飛行部隊などがそうである。さらにはこれも実現しなかったが、天候や洪水、地震、津波、オゾン層、小惑星、太陽フレア、ヴァン・アレン帯〔太陽や宇宙線に由来する電子・陽子の軌道が地球の磁場で曲げられてできる上空の放射線帯〕などを兵器として利用しようとする「地球物理学戦争」構想もあった[100]。もし二〇世紀の歴史が別の道をたどっていたなら、こうした実現しなかった兵器と同じく、核兵器のことも、人々はおかしな考えだと思ったにちがいない。

また核兵器が第二次世界大戦を終結させたとか、その後の「長い平和」の礎を築いたとかいう評価は間違っている。この二つは核兵器が悪ではなく善だということを示すために繰り返し利用されているが、今日ほとんどの歴史家は、日本が降伏したのは原爆投下が理由ではなく（日本では六〇の都市が空爆を受け、その被害は広島と長崎の原爆による被害よりも大きかった）、ソ連が太平洋戦争に参戦したためだと考えている。それにより、降伏条件がさらに厳しくなる恐れがあったからだ。(101)

さらに、半分ふざけて口にされる「核爆弾にノーベル平和賞を授与すべきだ」(102)という提言とは裏腹に、核兵器にはお粗末な抑止力しかないこともはっきりしている（ただしお互いの存亡に関する脅威を抑止するような極端なケースは除く）。核兵器というのは、ひとたび使用されれば無差別にすべてを破壊し、死の灰で広い地域を汚染する。落とされた場所だけでなく、気象条件によっては、核兵器を投下した国の兵士や国民をも巻き込んでしまう。もし大勢の非戦闘員を焼き殺して灰に変えることになれば、戦時の行為を規定している区別原則と均衡性原則を破ることになり、史上最悪の戦争犯罪になるだろう。それにはさすがの政治家たちもひるむので、核兵器の使用はタブーとなり、保有していても実質的にはただのはったりでしかなくなっている。(103)

また核兵器があるからといって、特に国家間交渉で役に立つわけでもない。国家間交渉が膠着状態に陥った場合、もはや保有国が核の力で相手の非保有国をねじ伏せて思いどおりに事を運べる状態ではなくなっている。それどころか、非保有国や非保有陣営が核保有側に喧嘩をしかけるケースも多々見られる（たとえば一九八二年、アルゼンチンがイギリス領フォークランド諸島に侵攻したさい、アルゼンチン側は、当時のイギリス首相マーガレット・サッチャーがブエノスアイレスを核爆弾で破壊するようなことは決してないと確信していた）。しかしだからといって、抑止力という考え方そのものが的外れというわけではない。第二次世界大戦では、従来型の兵器である戦車や大砲、爆撃機だけで大量破壊がもたらされることがわかったので、どの国もあんな戦争は二度とごめんだと考えた(104)。

核兵器は世界に安定した均衡（いわゆる「恐怖の均衡」）をもたらすどころか、むしろ世界を危険な状態に追い込んでいる。ひとたび危機が始まってしまえば、核保有国というのは武装した強盗を相手に武器を構える家の主人のようなもので、どちらも撃たれる前に相手を撃とうと身構えてしまう(105)。理論上は、双方に第二撃能力があれば、安全保障のジレンマあるいはホッブズの罠〔第二一章、第二二章参照〕に陥ることは避けられる、すなわち抑止力が働くとされている。この場合、第二撃能力とは原子力潜水艦や空挺爆撃機など、第一撃（先制攻撃）を回避でき、かつ破壊力のある報復措置を行うことのできるものを指す（この状態を「相互確証破壊（MAD）」という）。

だが核の形而上学の議論では、二つの疑問が提起されている。一つはどんな状況でも第二撃が可能なのかどうかという疑問、もう一つは、抑止力をこのやり方に頼る国はむしろ核の脅しに弱いのではないかという疑問である。そこでアメリカとロシアは、さらに互いの核使用を牽制するため、「警報即時発射システム」という選択肢をいまだにもちつづけている。これは、どちらかの国が相手国に向けて核ミサイルを発射した場合、相手国の指導者はその報告を受けてからたった数分で、核ミサイルを発射するか、それとも自国のミサイルが破壊されるままにするかを決めるというものである。しかし、批評家が「触発引き金」〔簡単に引ける引き金のこと〕と揶揄《やゆ》するように、この「警報即時発射システム」は、警報の誤作動や誤発射あるいは正式な許可のない発射にまで反応して、核の応酬を引き起こす可能性がある。核兵器事故の危機一髪リストを見ればわかるように、困ったことにその可能性はゼロより大きい。

　核兵器は発明される必要はなかった。そして戦争に勝つためにも平和を維持するためにも役に立っていない。それはつまりその発明をなかったことにしてもいいということだろう。ただしその意味は核兵器製造に関する知識を葬り去るということではなく、既存の核兵器を解体し、新たな核兵器はつくらないということである。あまり使用されなくなり廃棄されるに至った武器は、以前にもあった。国際社会は、対人地雷やクラスター爆弾〔集束爆弾とも。ケースのなかに小型の爆弾や地雷を多数格納し、空中で飛散させることで広範囲に被害を与える〕、化学兵器、生物兵器の使用を禁止した。またかつてのハイテク兵器のなかには、それ自体がもつ非合理的な特徴のせいで消えていったものもある。たとえば第一次世界大戦中、ドイツは巨大な列車砲を発明した。この「スーパー大砲」は、砲弾の重さが二〇〇ポンド〔約九〇キログラム〕、射程は八〇マイル〔約一二八キロメートル〕で、パリ市民は、何の前ぶれもなく空から降ってくるこの爆弾に震え上がった。列車砲のなかでも最も巨大で危険なものはグスタフ砲と呼ばれるようになったが、精度が低く操作が難しかったために、ほんの数基が製造されただけで、やがて廃棄されることになった。

これに関して、核に懐疑的な考え方をもつケン・ベリー、パトリシア・ルイス、ブノア・ペロピダ、ニコライ・ソコフ、ウォード・ウィルソンは次のように指摘している。

今日ではもはや、各国が競ってスーパー大砲をつくることはない。（中略）リベラル派の新聞には、この兵器の危険性や禁止の必要性を訴える痛烈な批判記事はもう見当たらないし、保守系の新聞にも、すばらしいスーパー大砲をお払い箱にするのはけしからんなどと真面目に主張する記事はない。スーパー大砲は無駄が多く、効果も小さかった。歴史をひもとくと、戦争に勝利をもたらすと鳴り物入りで登場しながら、ほとんど効果がないせいでやがて消えていった兵器は山のようにある。[106]

核兵器はグスタフ砲と同じ道をたどるのだろうか。核兵器の廃絶を目指す運動は一九五〇年代後半に起こったが、それから数十年のあいだに、運動を始めたビート族の若者たちや変わり者の大学教授たちの輪を超えて、それは大きな流れになっていった。

この核兵器廃絶運動は現在は「グローバル・ゼロ」と呼ばれるが、これが米ソのトップ、ミハイル・ゴルバチョフとロナルド・レーガンの口に初めて上ったのは一九八六年のことだった。よく知られているように、それ以前からレーガンは核廃絶について考えていて、一九八四年の一般教書演説ではこう述べている。「核戦争に勝利はない。それは決して戦ってはいけない戦争だ。核兵器を保有するわれわれ二カ国の唯一の価値は、決して核兵器を使用しないと確約することである。しかしそれならば、核兵器を完全に廃止するほうがいいのではないだろうか？」

二〇〇七年には、防衛に関して現実的な考え方をもつ超党派の四人の政治家（ヘンリー・キッシンジャー〔元国務長官〕、ジョージ・シュルツ〔元国務長官〕、サム・ナン〔元上院議員〕、ウィリアム・ペリー〔元国務長官〕）が、「核兵器のない世界」という意見表明記事を出している〔キッシンジャーとシュルツは共和党、ナンとペリーは民主党〕。そしてその賛同者として、元国家安全保障問題担当大統領補佐官や元国務長官、元国防長官から成る一四人が名を連ねた[107]。二〇〇九年には、バラク・オバマがプラハで歴史的な演説をし、「はっきりと、信念をもって、アメリカは核兵器のない世界の平和と安全を追求すると約束」した。そしてこの意欲が評価され、オバマはノーベル平和賞を受賞した[108]。当時のロシア大統領ドミトリー・メドヴェージェフもオバマの考えに同意している（だが米露とも、この願いは次の大統領に引き継がれなかった）。

世界の核兵器は近年減少しつづけている

しかしある意味では、オバマの宣言は余分なものだった。というのも、アメリカもロシアも一九六八年に「核兵器の不拡散に関する条約」に調印していて、その第六条に基づき、自国の核兵器を廃棄するとすでに誓約しているからだ。[109] イギリス、フランス、中国も、この条約によって核保有を既得権として認められているが、米露と同様、やはり核兵器削減の義務を負っている（インド、パキスタン、イスラエルは決して署名せず、北朝鮮は脱退したが、それはこの条約が重要だと反対方向から認めているからだろう）。世界各国の人々もこの核兵器廃絶の潮流を陰で支えている。調査が実施されたほぼすべての国で、大多数が廃絶に賛成していた。[110]

それにしても、「ゼロ」というのは魅力的な数字である。なぜなら「ゼロ」を目標にすることで、核兵器の使用だけでなく、核兵器の保有もタブーになるからだ。それは敵国の核兵器から自国を防衛するために核兵器を保有したいという考えを取り除くことにもつながるだろう。だが、たとえ注意深く段階的に交渉して核兵器を削減し、査察を実施したとしても、現実にはそう簡単に核兵器を「ゼロ」にすることはできないと思われる。[111] 実際、一部の軍事戦略専門家は目標をゼロにしてはいけないと主張する。いざ危機になれば、以前核を所有していた国々が再び核武装に走り、最初に準備が整った国が敵国の核攻撃を恐れて、先制攻撃に出る可能性があるからという理屈である。[112]それによると、核保有国は抑止力として数基の核兵器を維持していたほうがいいらしい。いずれにしても、世界の現状は核兵器「ゼロ」からは、いや「数基」からもまだはるかに遠い。その日が来るまで、わたしたちは一つずつステップを踏みながら、前に進まなくてはならない。その行動が世界を安全なものにし、核兵器ゼロという喜ばしい日をたぐりよせることになるだろう。

とるべき行動のうち、最もはっきりしているのは核兵器の総量を削減することである。実際、その削減は順調に進んでいる。しかし世界中で核兵器の解体がどれほど劇的に進んでいるかを知る人はあまりいないのではないだろうか。［図19―1］のグラフを見ると、アメリカの核兵器総数は、一九六七年のピーク時から八五パーセント削減されていることがわかる。[113]アメリカが現在保有している核弾頭の数は、一九五六年以降で最も少なくなっている。[114]次にロシアの核兵器保有量を示すグラフを見てみると、ソ連時代のピーク時から八九パーセント削減されている（こちらはおそらく知っている人はほぼいないと思われるが、アメリカの電力の約一〇パーセントは、解体された核弾頭からつくられていて、そのほとんどがソビエト製である）。

二〇一〇年、アメリカとロシアは新戦略兵器削減条約（新ＳＴＡＲＴ）に署名し、

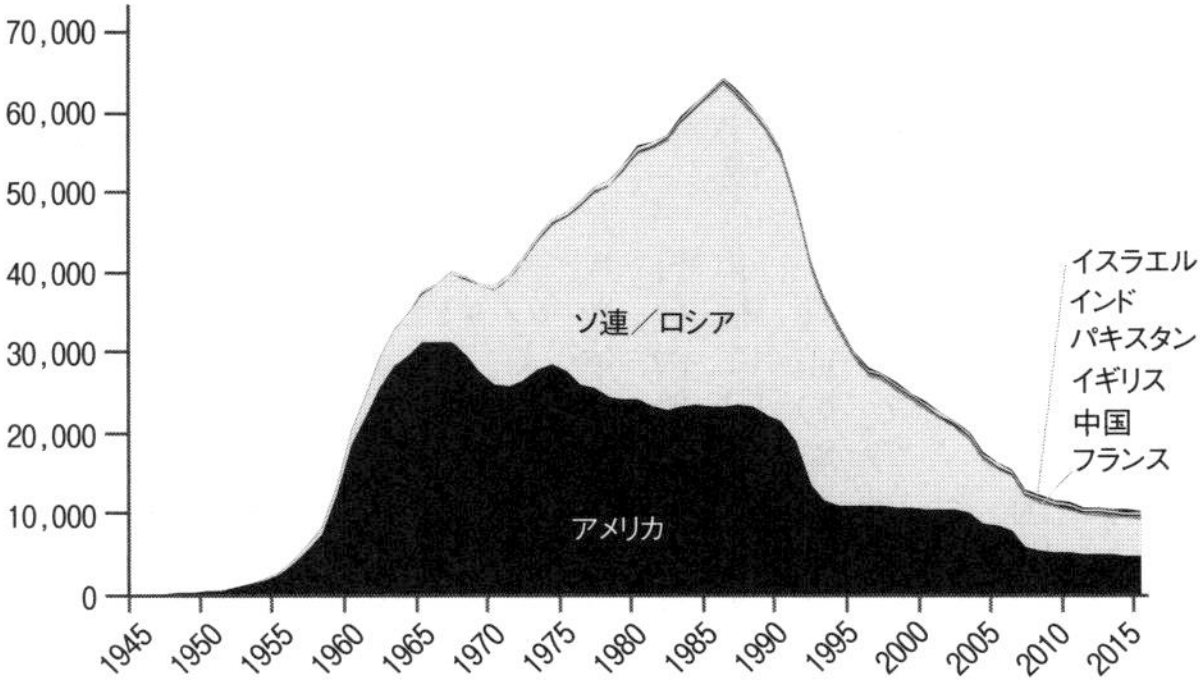

［図19-1］**核兵器の保有数（1945-2015）**

情報源：*HumanProgress*〈http://humanprogress.org/static/2927〉、米国科学者連盟、Kristensen & Norris 2016a のデータに基づく。Kristensen 2016で更新。詳しい説明は Kristensen & Norris 2016b を参照。保有数に含まれるのは配備されているものと備蓄されているもので、使用が放棄され解体を待っている核兵器は除外されている。

戦略核弾頭配備数の三分の二を削減することで合意した[115]。オバマ大統領はこの条約を議会に承認してもらう見返りとして、軍備の長期的な近代化に同意し、ロシアも同様に軍備を近代化している。しかし、それでも両国は条約に規定されている以上のペースで保有核兵器の削減を続けていくことになるだろう[116]。

グラフの上部を覆うほとんど認識できないほど薄い層は、米露以外の国の核保有量を示している。イギリスとフランスは当初から保有量が少なかったが、その後半減し、イギリスは二一五基、フランスは三〇〇基になっている（中国は二三五基から わずかに増えて二六〇基に、インドとパキスタンも増加してそれぞれ一三五基程度になっている。イスラエルは八〇基程度、北朝鮮は不明だが保有量は少ないと思われる[117]。前述したように、この九カ国以外に新たに核兵器を保有している国は確認されていない。また核爆弾製造の原料となる核分裂性物質を保有している国の数は、この二五年間で五〇カ国から二四カ国に減少した[118]。

核軍縮が進展しているとはいえ、世界にはまだ一万二〇〇〇基もの核弾頭が残っていることを考えれば、シニカルな人々にとってはこの状況は特にすばらしいこととは思えないかもしれない。なにしろ一九八〇年代によく車のバンパーに貼ってあったステッカーの文言のように「一発の核爆弾があなたの一日を台無しにする」のだから。しかし、一九八六年以降に五万四〇〇〇基の核爆弾が地球上から消え去ったことで、人々の「一日を台無しにする」かもしれない偶発的事故の可能性は格段に小さくなった。今後の軍縮に向けて、良い前例にもなった。これからも新戦略兵器削減条約の条項に従って、弾頭の廃棄は進むだろう。

また条約の枠内での削減には、杓子定規な交渉や政治体制による軋轢《あつれき》がつきものだが、前述したように、そうしたもののない条約の外での自発的な核軍縮も進みそうである。というのも、大国間の緊張関係が弱まると（たとえ現在はそうでなくても長期的には弱まる）、金のかかる軍備はひっそり縮小するものだからだ[119]。ライバル国同士にほとんど対話のない状況でも、「緊張緩和への段階的・相互的イニシアティブ（GR

IT)」と呼ばれる手法を使えば、軍拡競争ならぬ軍縮競争を進めることができる。このGRITは心理言語学者のチャールズ・オズグッドが提唱したもので、片方の国がまずは小さな軍縮を一方的に実行すると、それが呼び水となってもう一方の国も軍縮を始め、好循環をもたらすという仕組みになる[120]。いつかこうした軍縮の努力が実を結び、各国の核弾頭の保有数が二〇〇基にまで削減されたなら、核による偶発的事故の確率を劇的に低下させることができる。それだけでなく、まさに人類の存亡に関する脅威である「核の冬」到来の可能性を根本から排除することができるだろう[121]。

まずは核の運用法を安全にする必要がある

しかし短期的には、核戦争を引き起こす最大の危険要因は、現存する核兵器の数ではなく、それが使用される状況のほうになりそうである。つまり悪夢を引き起こすものは、警報が鳴れば核ミサイルを発射し、攻撃を受ければすぐさま自国のミサイルを発射するという政策、すなわち前述の「警報即時発射システム」になる。というのも、ノイズとシグナルを完全に区別できる早期警報システムなどないからだ。加えて、よく知られた午前三時の電話〔二〇〇八年アメリカ大統領選の民主党候補者選挙キャンペーンで、ヒラリー・クリントンが流したテレビCM。夜中の三時に世界の危機を知らせる電話が鳴り、誰にその電話をとってほしいかを訊いていた〕で叩き起こされたアメリカ大統領は、格納庫のミサイルが敵の核ミサイルに破壊されるより前のほんの数分で、こちらも核ミサイルを発射するかどうかを決定しなければならない。理論的には、電気系統のショートやカモメの群れ、もしくはブルガリア人ティーンエイジャーがしかけたコンピューターのマルウェアに反応して、大統領が第三次世界大戦を始めてしまうことも十分に考えられる。

もちろん実際には、警報システムはもっとちゃんとしているし、現実のミサイルには簡単に発射できる引き金などついていないので、ミサイルが人の手を介すことなく自動的に発射されることはない[122]。しかしわずかな時間でミサイル発射の可否を決定するということは、警報の誤作動に反応して発射されたり、誤った発射や許可のない発射、衝動的な発射がなされたりする危険が現実のものになるということだ。

警報即時発射システムはもともと、相手国に大規模な先制攻撃をさせないことを意図したもので、こちらの格納庫にあるミサイルをすべて破壊されて、報復能力を奪われないようにするためのものだった。だが前述のように、実際には深海に潜んでいる潜水艦や、すぐさま緊急発進して出動できる爆撃機からもミサイルは発射できる。つまりこうした第二撃能力によって核兵器は敵の先制攻撃から守られているので、すぐに破壊力のある反撃に移ることは可能である。それを思えば報復攻撃の決断は、敵の核ミサイル発射からわずか数分でするよりも、不確定要素が過ぎ去ったあとに（もし核兵器が自分の領土で爆発すれば、すぐにわかるのだから）、落ち着いた理性的な頭でよく考えてからしたほうがいいだろう。

つまり警報即時発射システムは抑止力としては無意味で、むしろ看過できないほど危険ということである。核安全保障の専門家の多くは、核保有国は自国のミサイルをあっというまに発射できるシステムをやめ、もっと忍耐強い方針をとることを勧めている。いや、強く主張している。(123) オバマ、ナン、シュルツ、ジョージ・W・ブッシュ、ロバート・マクナマラ〔元国防長官〕、それにかつてアメリカ戦略軍の司令官やアメリカ国家安全保障局の長官を務めた人々もその意見に賛同している。(124) またウィリアム・ペリーなど一部の人々は、核戦略の三本柱のうち、陸上基地をベースとするものを完全に廃止し、抑止機能は潜水艦と爆撃機に担わせることを提案している。というのも、格納庫の核ミサイルはあまりにも無防備で攻撃の標的になりやすいので、国のトップがつい「使えるうちに使っておこう」という誘惑に駆られてしまうからだ。

世界の運命が危険にさらされているときに、いったい誰が格納庫の核ミサイルを簡単に発射できる状態に置いておきたいだろうか。核の形而上学の専門家の一部は、危機にさいしては、一度警戒態勢を解除したミサイルを再度警戒態勢にすることも挑発行為になると主張する。その一方、格納庫から発射されるミサイルはより信頼性が高く精度が高いので、存続すべきだという声もある。核兵器があれば戦争が抑止できるだけでなく、核兵器を使用して戦争に勝つこともできるからだ。またそれにより、核戦争のリスクを減らすことにもつながるという。

良心をもつ人間にとっては、自国が敵の核攻撃を抑止する以外の目的で核兵器を保有しており、いざとなったら使用するつもりだというのは、なかなかに信じがたい。しかしそうすることが、アメリカ、イギリス、フランス、ロシア、パキスタンの公の方針である。これらの国は「自国もしくは同盟国が核兵器以外の兵器で大規模な攻撃を受けた場合、核兵器で応戦することがある」と宣言しているのだ。これは均衡性原則の考え方に反するが、それを抜きにしても先制使用を認めるのは危険である。通常兵器で攻撃を始めた国が、核兵器を先制使用したいという誘惑に駆られかねない。たとえ最初に使用しなかったとしても、相手国が核兵器で先制攻撃してくれば、そのときはやはり核兵器で報復に出ることになるだろう。

つまり核戦争の脅威を減らすための良識的な方法は、核の先制不使用政策を宣言することになる[125]。理論上は、これで核戦争の可能性は完全になくなるはずだ。最初に核兵器を使う国がなければ、核兵器は決して使用されないだろう。実戦的にも、先制攻撃の誘惑をいくらか減じる効果があると思われる。

すべての核保有国は、核兵器先制不使用に合意し条約を結べるはずである。あるいは「緊張緩和への段階的・相互的イニシアティブ（ＧＲＩＴ）」によってその目標に到達してもいい（民間施設を攻撃対象にしない、核兵器の非保有国を攻撃しない、通常兵器で破壊可能な目標を核兵器で攻撃しない、など段階的に約束を増やすことで達成できるだろう）。もしくは自国の利益になるのであれば、単独で核兵器先制不使用の方針を採用してもいい。[126]核のタブー化により、すでに「先制攻撃をするかもしれない」政策による戦争抑止効果は小さくなっている。それにたとえ先制不使用を宣言しても、通常兵器によって、さらには第二撃能力、つまり核による報復攻撃によって自国の防衛はできるだろう。

こうした核の先制不使用は、わりと簡単に思いつける政策だったらしい。二〇一六年、バラク・オバマはこの方針を採用する寸前まで行った。だが今は時期が良くないという理由で、ぎりぎりのところで補佐官らに説得され、実現には至らなかった。[127]補佐官らによれば、今、先制不使用を宣言したりすれば、再び傍若無人な振る舞いを始めているロシアや中国、北朝鮮に対して弱みを見せることになり、一方で現在アメリカの「核の傘」の下にいる神経質な同盟国が、不安に駆られて自前の核装備に走る恐れがあるという。その後大統領はドナルド・トランプに代わったが、軍事支援の削減をちらつかせて同盟国を脅している現状を思うと、まだ先制不使用宣言が期待できる時期ではなさそうである。しかし長期的には、こうした国家間の緊張が緩和され、核兵器の先制不使用政策が再度検討される時も来るだろう。

核兵器が今すぐに廃絶されることはないだろう。少なくとも、グローバル・ゼロ運動が当初目標として掲げた、二〇三〇年までの達成が無理なのは明らかである。オバマは二〇〇九年のプラハ演説のなかで、「この目標はすぐには達成できない。おそらく、わたしが生きているあいだには難しい」と述べた。ということは、近年の平均余命の延びを考えると、達成時期は二〇五五年以降になるようである（〔図5─1〕参照）〔オバマは一九六一年生まれ〕。「実現には忍耐と粘り強さが必要だ」とオバマはいったが、近年のアメリカとロシアの状況を見れば、確かに忍耐も粘り強さもたっぷりと必要になりそうである。

とはいえ、核兵器廃絶への道筋は見えている。もし核弾頭が製造にかかった時間よりも短い時間で解体されつづけ、核保有国が警報即時発射システムを放棄して先制不使用を約束し、世界の国々が戦争を回避する傾向がこれからも続くなら、二一世紀の後半には、わたしたちは戦争の相互抑止という目的のためだけに、わずかな数の核兵器を厳重に保管していることになるかもしれない。そしてそれから数十年後には、そのわずかな核兵器さえも役目を終えるかもしれない。

そのとき、わたしたちの孫世代の目には核兵器はばかげた道具に映り、一斉に平和の道具に変えられることになるのだろう。核兵器が完全になくなるまでのあいだは、大惨事の可能性がゼロになることはない。しかし核廃絶に向けて一歩前進するごとに、そのリスクは小さくなる。そうなればやがて、核戦争の脅威は人類の存亡を脅かすその他の脅威と同じ程度まで、たとえば地球に衝突する小惑星や、壊滅的な噴火をする巨大火山、人間の体を使ってペーパークリップをつくる人工知能の脅威などと同じくらいまで、小さなものになるだろう。

第二〇章　進歩は続くと期待できる

この二世紀半のあいだにもたらされた進歩

啓蒙思想の興った一八世紀後半以降、世界の平均寿命は三〇歳から七一歳へと延び、恵まれた国々では八一歳にまで延びた。(1) 啓蒙思想が生まれた当時は、世界で最も豊かな地域でさえ、生まれた子どもの三分の一が五歳の誕生日を迎えられずに死亡していたが、その数は減りつづけ、今日では世界の最貧困地域でもわずか六パーセントとなっている。子どもだけでなく母親たちもまた悲劇から解放された。啓蒙思想が生まれた当時、赤ん坊を抱くことなく出産時に死亡する母親の割合〔出産時の妊産婦死亡率〕は、富裕国でも一パーセントだったが、現在の貧困国における妊産婦死亡率はその三分の一であり、しかも今も低下しつづけている。さらにこれらの貧困国では、致死性の感染症も確実に減少している。なかには年間数十人しか感染者が出なくなったものもあり、いずれ天然痘と同様、根絶への道を歩むと見込まれる。

貧困もいつもわたしたちと一緒にいるわけではなさそうだ〔新約聖書の「貧しい人々はいつもあなた方と一緒にいる」（マタイによる福音書）を踏まえた言葉〕。今日、世界は二〇〇年前に比べて一〇〇倍豊かになり、世界中の国々の世界中の人々が、その繁栄をより平等に享受できるようになってきた。極度の貧困生活を送る人の割合はかつてはほぼ九割だったが、今では一割以下にまで低下している。本書の読者に絞れば、生涯で極度の貧困に陥る割合はゼロに近いだろう。壊滅的な飢饉は人類のほとんどの歴史につきまとっていたが、今では世界からほぼ姿を消し、栄養不良や発育不全も着実に減少しつつある。また一世紀前には、富裕国が子どもや貧困層、高齢者の暮らしを支援するために充てていた国の富の割合は一パーセントだったが、今日では約二五パーセントにまで達している。今日の富裕国の貧困層のほとんどは食べ物も衣服も住む場所もちゃんとあり、スマートフォンやエアコンといった贅沢品さえ手にしている。昔なら金があってもなくても手に入らなかったものだ。人種的マイノリティの貧困率も低下し、高齢者層の貧困率に至っては急激な低下を見せている。

さらに世界は平和へと傾きつつある。国家間の戦争はまれになり、内戦も世界人口の約六分の五が暮らす地域では起こっていない。現在の年間戦死者数は一九八〇年代の四分の一以下、七〇年代初頭の七分の一、五〇年代初頭の一八分の一、そして第二次大戦時と比べると〇・五パーセントである。かつては頻繁に起こっていたジェノサイドも、めったに発生しなくなった。またほとんどの時代と場所で、殺人による死者数は戦死者数よりもずっと多いが、その殺人発生率も低下傾向にある。アメリカ人が殺害される確率は、二十数年前と比べて半分になり、世界全体でも人々が殺害される確率は一八年前と比べ、一〇分の七へと減少している。

加えてあらゆる面で、暮らしは昔より安全になっている。アメリカでは、二〇世紀のあいだに各種の死亡率が低下した。自動車事故で死ぬ確率は九六パーセント減少し、歩行者が車にはねられて死亡する確率は八八パーセント、飛行機事故で死亡する確率は九九パーセント、転倒・転落死は五九パーセント、火事による死亡は九二パーセント、溺死は九〇パーセント、窒息死は九二パーセント、労働災害による死亡は九五パーセント、それぞれ減少した[2]。アメリカ以外の富裕国はこれよりもさらに安全になっている。貧しい国々の場合も豊かになるにつれ、もっと安全に暮らせるようになるだろう。

かつてに比べ健康で安全になっただけではない。人々は以前より自由にもなった。二〇〇年前、民主国家はごく少数しかなく、そこで暮らすのは世界人口のわずか一パーセントだけだった。だが今日では、世界の三分の二の国が民主主義を採用し、世界人口の三分の二が民主国家で暮らしている。またそう遠くない昔には、世界の国々の半数で民族的マイノリティを差別する法律が定められていた。しかし今日では、マイノリティを差別する政策よりも、優遇する政策をとる国のほうが多くなっている。二〇世紀が始まるころ、世界には一カ国しか女性に参政権を認める国がなかったが、こちらも今日では、一カ国を除き、男性に参政権のあるすべての国で女性も投票できるようになった。さらに同性愛を犯罪とする法律は大多数の国で無効とされるようになり、マイノリティや女性、同性愛者に対する態度は寛容なものへと着実に変化している。この傾向は特に若い世代に顕著なので、将来、世代交代が進めば、世界はいっそう寛容になると思われる。実際、ヘイトクライムや女性に対する暴力、児童虐待はいずれも長期的に見れば減少し、搾取的な児童労働もやはり減少傾向にある。

かつてに比べ健康で豊かで安全で自由になるにつれ、識字率も上昇した。人々はより多くの知識をもてるようになり、少しずつ賢くなった。一九世紀初め、一二パーセントだった世界の識字率は、現在は八三パーセントになっている。まもなく世界中で、男子と同じように女子も、読み書きができることや教育を受けられることが普通になるだろう。そして健康と富の増進、それに学校教育のおかげで文字どおりわたしたちは賢くなった。今の人間は昔に比べ、ＩＱが三〇ポイントも——すなわち標準偏差で二つ分も——高くなっている。

こうして、賢くなった人間は昔より健康で豊かで安全で自由で、しかも長くなった人生を大いに活用している。アメリカ人の場合、一週間の労働時間はかつてと比べて二二時間少なくなり、有給休暇は約三週間ある。家事労働は四三時間減少し、生活必需品への出費は、かつては給与の八分の五だったものが、三分の一に低下した。こうしてできた余暇と可処分所得を、人々は旅行や子どもと過ごす時間、愛しい人との語らい、世界の料理を味わったり世界の知識や文化を知ることに使っている。このような数々の恵みの結果、世界的に見て、人々は以前より幸福を感じるようになった。自分たちの幸運を当たり前のものと思っているアメリカ人でさえ、「まあまあ幸せ」かそれ以上の幸せを感じているし、若い世代は不幸や孤独、憂鬱を感じることが少なくなり、薬物依存や自殺願望も減少している。

そして昔より健康で豊かで安全で自由で、幸福を感じ、教育程度が高まるに従い、社会は最も緊急度の高い、地球規模の課題の解決に照準を合わせるようになった。環境問題と核の問題である。まず環境問題では、人々の関心と努力のおかげで、汚染物質の排出量は減少し、森林の伐採も原油の流出も減った。自然保護区域が広がり、絶滅危惧種は救われ、オゾン層も保護されてきた。また石油や木材、紙、自動車、石炭などの消費はピークを過ぎ、農業の効率が増したことで農地も減り、減った農地は森林に戻されている。さらに炭素の排出量ですら減少傾向にあるかもしれない。世界の国々は立場の違いを乗り越え、気候変動に関する歴史的な合意、〈パリ協定〉へと至った。それはかつて核実験や核不拡散、核の安全保障や核軍縮に関して合意したのと同じく、画期的なことである。

その核兵器についても、第二次世界大戦末期の特殊な状況下で使用されたのを最後に、七二年間、存在こそしつづけているが、使用はされていない。かれこれ四〇年、専門家が予言しつづけてきた核テロリズムも、まだ一度も起こっていない。世界の核保有量は八五パーセント削減され、今後さらなる削減が見込まれる。核実験は停止され（ただし平壌《ピョンヤン》のちっぽけならず者国家は除く）、核の拡散も止まっている。確かに、地球温暖化の緩和と核兵器の廃絶という世界にとって喫緊のこの二つの問題はまだ解決されていない。だがその実現に向け、実践可能な長期計画が立てられていることを思えば、いつか解決できるだろう。

メディアの見出しはぞっとするようなものばかりだが、そして数々の危機や崩壊、不祥事、伝染病、存亡に関わる脅威があるが、わたしたちはその克服をゆっくりと味わえばいい。啓蒙思想はきちんと機能している。この二世紀半のあいだ、人は人類のさらなる繁栄のために知識を活用してきた。科学者は物質や生命、心の働きを明らかにし、発明家は自然の法則を利用してエントロピーに抵抗し、起業家はその発明品を手の届くものにした。政治家は、個人にとっては有益でも社会全体にとってはマイナスとなる行動をやめさせることで、人々の暮らしを向上させ、外交官は同様に、一国にとっては有益でも国際社会全体にとってはマイナスとなる行動をやめさせることで、より良い国際関係を築いてきた。人文学者は知識の宝庫を永久不滅のものにするとともに理性の力を高め、芸術家は共感の輪を広げた。活動家は抑圧的な政策を覆すべく、影響力のある人物に働きかけ、同胞たちには抑圧的な規範を変えるよう説いた。こうした努力はすべて、わたしたちが人間の本性の欠点を免れ、「わたしたちのなかにあるより善き天使」に力を与えるような制度づくりに注がれてきた。

進歩は自動的にもたらされるものではない

しかしそれと同時に……。

今日、世界では七億人が極度の貧困のなかで生活している。そうした人々の集中する地域では寿命は六〇歳に満たず、人口のおよそ四分の一が栄養不良である。毎年約一〇〇万人の子どもが肺炎で死亡し、五〇万人が下痢かマラリアで、数十万人が麻疹《はしか》やＡＩＤＳ（後天性免疫不全症候群）で死亡している。世界には多くの内戦が発生しており、そのうちの一つは二五万人以上の死者を出している。二〇一五年には少なくとも一万人がジェノサイドの犠牲となった。世界人口のおよそ三分の一にあたる二〇億人以上が、独裁体制のもとで迫害を受け、世界人口のほぼ五分の一が基礎教育さえ受けておらず、六分の一は読み書きができない。さらに毎年、五〇〇万人が何らかの事故で命を落とし、四〇万人以上が殺害されている。世界の約三億人が鬱病で、確率からするとこのうち約八〇万人が年内に自殺する危険がある。

こうした話は、先進世界の豊かな国々にとっても決して他人事《ひとごと》ではない。たとえば下位中間層の場合、この二〇年間の所得の上昇ペースは一〇パーセントに満たない。アメリカ人の五分の一は今なお、女性は伝統的な役割に戻るべきだと信じ、一〇分の一は人種の異なる男女の交際に反対している。アメリカでは、年間三〇〇〇件を超えるヘイトクライムが発生し、殺人事件の数は一万五〇〇〇件を上回る。アメリカ人の家事労働時間は一日当たり二時間で、約四分の一の国民が、常に時間に追われていると感じている。そして国民の三分の二を超える人々が、自分は「とても幸せ」とはいえないというが、この比率は七〇年前と同じである。女性と、人口分布のなかで最大の割合を占める世代〔ベビーブーム世代〕のどちらもが、時代が進むにつれて不幸を感じるようになっている。耐えがたいほどの不幸を感じて自ら命を絶つアメリカ人は毎年約四万人に上る。

加えて、地球規模の問題も手強い存在である。今世紀が終わるころまでには、人口は今より二〇億人増加すると見込まれている。またこの一〇年間で、一億ヘクタールの熱帯雨林が伐採され、数千の生物種が絶滅の危機に瀕するようになった。大気中には一酸化炭素や二酸化硫黄《いおう》、窒素酸化物、微小粒子状物質などが排出されるのと同時に、毎年三八〇億トンもの二酸化炭素が排出され、仮にこのまま放置されたなら、地球の気温は二度から四度上昇する恐れがある。また一万を超える核兵器が世界の九カ国に配備されている。

もちろん、「しかしそれと同時に……」からあとで述べた事実は、その前に述べていたことと同じことを伝えている。それはただ良いほうの側ではなく悪いほうの側から、データの数字を読んでみただけのことであり、トータル一〇〇パーセントから望ましいものに関する値を引いた数字について話をしてみただけのことである。このように世界の状態を良い面と悪い面からの二通りで表したのは、何もわたしにだってちゃんとそれができることを——いわばグラスのなかの飲み物が「こんなに残っている」と話すだけでなく「こんなに減ってしまった」というふうにも話ができることを——示したかったからではない。そうではなく、進歩とはユートピアではないと念を押したかったからであり、わたしたち人類には常に進歩を継続しようと努力する余地が、というよりもむしろ責務があると強調したかったからである。

もしわたしたちがさらなる繁栄をもたらすために知識を活用し、物事が良いほうに進む傾向を維持できれば、世界を悪い面から見たときの数字は小さくなっていくだろう。やがてそれらの数字がもっと小さくなっていけば、いつかはその数字をゼロにできるのかどうかが問題として検討されるようにもなるだろう。とはいえ、たとえ何かがゼロになったとしても、改善すべき害悪は必ず見つかるはずである。わたしたちは人類全体の経験をいっそう豊かにする新たな方法を見つけなくてはならない。啓蒙思想とは、常に進行しつづける発見と改善の過程なのである。

では、進歩が続くという期待はどれくらい合理的なものなのだろうか？　第三部でその期待の実現に欠かせない理念について論じる前に、「進歩」をテーマにした第二部の最終章となる本章ではこの問題を検討したい。

進歩の継続を信じる合理的理由は歴史に

はじめに進歩が続く場合について話をしよう。本書では、まず神秘主義やホイッグ史観〔歴史は不可避的に進歩・自由・啓蒙の方向へ進んできたと捉える歴史観〕やヴォルテールの風刺小説『カンディード』（堀茂樹訳、晶文社など）のパングロス博士のような超楽観主義〔神が創った「この最善の可能世界においてはすべてのものが最善である」とする〕を排除して、なぜ進歩は可能なのかについて説明した。すなわち知識を駆使して人間のありようを向上させるプロセスが、科学革命と啓蒙主義によって動き出したことについて論じた〔第四章参照〕。啓蒙思想が生まれた当時、懐疑的な人々は「そんな試みがうまくいくはずはない」としたり顔でいっていたと思われる。だが二世紀以上が経過した今、その試みはうまくいったということができそうだ。本書では七〇を超えるグラフを通し、世界がいかに改善したかを数値化することにより、進歩への期待の正しさを証明してきた。

ある時系列のグラフが良い傾向を示しているからといって、自動的にその先も右肩上がりになるとはかぎらないが、多くのグラフと合わせて見ればそうなる確率は高くなる。もちろん、ある朝目覚めたら突然、立ち並ぶビルが燃えにくい素材に変わっていたり、世間が異人種間の男女の交際に寛容になっていたり、同性愛者の教師が仕事を辞めなくてすむようになっていた、などということはない。だが進歩が続いているかぎり、途上国で学校制度や診療制度が急になくなることはないだろう。教育や病気の治療が成果を上げはじめ、皆がその成果を享受しはじめたそのときに、学校や病院の建設を中止するなどということは起こりそうにない。

確かにジャーナリズム的な時間の尺度で見れば、起きている変化は常に浮き沈みを繰り返すだろう。何かの解決策は新たな問題を生み、こんどはその解決のために時間がかかるからだ。しかし、ひとたび一時的な急上昇や後退から距離を置いて眺めてみると、人類の進歩とは蓄積していくものだとわかってくる。決して進歩した分が失った分で帳消しにされるような、循環型のものではない(3)。

さらにすばらしいことに、何かが向上するとそれは新たな向上へとつながっていく。たとえば国が豊かになれば、その分だけ環境を保護し、強盗を取り締まり、社会的セーフティーネットを強化し、国民の教育や医療に力を注ぐ余裕が生まれる。そして高い教育を受け、世界とつながれば、環境問題にますます関心を寄せたり、独裁者の横暴を抑制したり、戦争が始まるのを防ぐことにつながっていく。

　こうした進歩を促した技術の発展は、日々その速度を上げつづけている。スタインの法則〔永遠に続けることができないものはいつか終わる〕はデイヴィスの推定（永遠に続けることができないものも、思ったより長く続くことがある）〔第五章参照〕に従いつづけ、現在、ゲノミクスや合成生物学、神経科学、人工知能、材料科学、データサイエンス、エビデンスに基づく政策の分析は全盛を極めている。今やわたしたちは伝染病は根絶できるものだと知っていて、実際多くの伝染病は過去のものになりつつある。確かに慢性疾患や変性疾患はそれよりも手強いが、多くの疾患（癌など）における漸進的な進歩は加速しており、他の疾患についても（アルツハイマー病など）、飛躍的な進歩が期待できそうである。

　同じことは道徳的進歩についても当てはまる。歴史を見ると、数々の野蛮な慣習はたんに減少しているのでなく基本的に消滅し、今や文明から取り残された地域に名残をとどめるのみである。現代では最も心配性な人たちでさえ、人身御供《ひとみごくう》や食人の風習、宦官《かんがん》やハーレム、奴隷制度、決闘、血族間の抗争が高じた虐殺、纏足《てんそく》、異端者の火刑、魔女狩り、公開拷問や公開処刑、幼児殺し、見世物小屋、精神障害を物笑いの種にすることなどが復活するとは思っていないだろう。今日の世界で野蛮だとされている慣習のうち、いったいどれが奴隷売買や異端者の火刑と同じ道をたどるかを予言することはできないが、現在確実に消滅へと向かっているのは、死刑、同性愛の刑罰化、男性のみに参政権を付与したり教育を認めることである。そして二〇年、三〇年後を考えると、これらのあとに女性器切除、名誉殺人、児童労働、児童婚、全体主義、核兵器や国家間戦争が続かないとは誰にもいえないだろう。

しかし一方で、社会を蝕むもののなかには根絶が難しいものもある。というのも、それらの根絶は世界の国々が一気に適用する政策によってもたらされるのではなく、人間的な欠点をもつ何十億人もの個人の行動の改善によってもたらされるからだ。だがたとえこの種の問題を地球上から一掃することはできなくても、今よりその数を減らしていくことはできる。たとえば、女性や子どもへの暴力、ヘイトクライム、内戦、殺人などは減らしていけるだろう。

わたしはこうした楽観的な見解を堂々と述べることができる。というのも、これは素朴な空想でも能天気な願いでもなく、歴史的事実にしっかりと根ざした将来の見通しだからだ。冷厳とした確実な事実がこの見解を支えている。それはただ「すでに起こったことは、今後も起こりうる」という確率に基づくものだ。これについては、一八三〇年にイギリスの歴史家トーマス・マコーリーも次のように述べている。

「もし誰かが『社会は転換期にあり、最良の日々は過ぎ去った』といっても、その言葉が間違っていると絶対に証明できるわけではない。これまで先人たちは皆もっともらしい理由をつけては、異口同音にそういっていた。（中略）だが振り返れば進歩の跡しか見えないときに、われわれの前には劣化しか道はないと思えというのは、いったいどんな根拠があって、そういうのだろうか？」(4)

経済成長の停滞は進歩の継続を妨げるか

第一〇章と第一九章で、わたしはマコーリーの疑問に対する悲観論者の答え——すべての進歩は、気候変動や核戦争、その他の存亡に関わる脅威という形をとって、破滅的結末を迎えて終わるという予測——について検討し、そうではないことを示した。それらに加え、このあとは二一世紀を覆う二つの暗雲、すなわち経済の停滞とポピュリズムについて考察したい。これらは世界に破滅をもたらすとまではいかないものの、悲観論者が人類の最良の日々が過ぎ去ったことを示唆すると考えているものである。

まず一つめの暗雲、経済の停滞について考えよう。随筆家のローガン・ピアソール・スミスは「どんなに深い悲しみだろうと、十分な収入が役に立たないものはほとんどない」といったが、富とはまさにそういうものである。というのも、富は食糧や健康、教育、安全など、明らかに金で買えるものだけでなく、長期的には、平和や自由、人権、環境保護、その他の卓越した価値観という精神的な価値も与えてくれるものだからだ。[5]

産業革命から二〇〇年以上にわたり、わたしたちは経済成長を続けてきた。特に第二次世界大戦から一九七〇年代初頭にかけて、一人当たりの世界総生産（GWP）は年間約三・四パーセントの増加を見せ、二〇年ごとに倍増した。[6]そして二〇世紀末になると、環境悲観論者たちが「資源の枯渇と環境汚染を招くので、高い経済成長など持続可能ではない」と警告するようになった。ところが二一世紀に入ると、こんどはそれとは逆の恐れが表明されはじめた。すなわち今後、経済が成長する可能性は高いどころか、きわめて低いというものである。確かに一九七〇年代初頭から今日までの一人当たりの平均年間経済成長率は、それ以前の半分を下回る低下をみせ、約一・四パーセントとなっている。[7]

長期的な経済成長というのは、生産性に大きく左右されるものである。生産性とは一国の労働者が一時間当たりに生産する商品またはサービスの価値のことで、さらにその生産性は高度な技術をもっているかどうか、つまりその国の労働者の技能や機械・インフラの効率の良さ、経営効率などに左右される。一九四〇年代から一九六〇年代にかけて、アメリカの生産性は年間約二パーセント向上しているが、これは三五年ごとに生産性の数値が倍増する計算になる。しかしその期間以降、生産性の年間向上率は〇・六パーセントとなった。これでは生産性の数値が倍増するには一世紀以上かかることになる。[8]

一部の経済学者は、こうした低い成長率が新たな常態《ニューノーマル》となることを恐れている。たとえば経済学者のローレンス・サマーズは次のような「長期停滞論」を唱え、危惧を表明した。それは「中央銀行がゼロ金利、あるいはマイナス金利政策に踏み切ったときにのみ、（低失業率と合わせて）こうした低い経済成長率は維持できるが、そのせいで金融の不安定化やその他の問題が引き起こされる可能性がある」[9]というものだ。所得格差が拡大する時代において、経済が長期にわたり停滞すると、当面のあいだ、国民の大部分に所得の停滞や低下がもたらされる。こうして経済成長が止まってしまうと、物事は悪化の一途をたどっていくだろう。

一九七〇年代初めから生産性の向上ペースが低い水準で推移した原因も、それを元の水準に回復させる方法も、実のところは誰にもわからない。[10]経済学者ロバート・ゴードンが二〇一六年の著作『アメリカ経済――成長の終焉』（高遠裕子・山岡由美訳、日経BP社）で述べているように、一部のエコノミストはその原因として、人口統計的な逆風やマクロ経済的な逆風を指摘する。すなわち多数の定年退職者を少ない労働力が支えていること、教育の拡大により能力が平均化されたこと、政府債務の増加、格差の拡大などである[11]（富裕層が所得から消費する割合は貧困層よりも小さいので、格差の拡大は商品やサービスに対する需要を落ち込ませる）。

これらに加え、ゴードンは社会を変革するような発明はすべて出尽くしてしまった可能性があるとも述べている。二〇世紀前半には、電気、水道、下水、電話、家電によって家庭生活に大変革がもたらされた。だがそれ以降、家庭生活はさほど変化していない。確かに洗浄機能や温かい便座のついたトイレは快適だが、屋外にあった便所が水洗トイレに変わったときほどの変化ではない。

経済の停滞は文化面の変化からも説明されている。それはつまりアメリカの活力が失われてきたということだ[12]。今日、景気の停滞した地域の労働者たちは、家財道具をまとめて活気のある地域に移動しようとはしない。所得補償保険を受け取って、そのまま経済を支える労働力でいることから離脱する。また昨今よくいわれる予防原則〔新技術が環境や健康に良くない影響を与えそうな場合、事前に規制しようとする考え方〕のせいで、誰も挑戦したことのない何かに挑もうとする人は出鼻をくじかれてしまう。さらに資本主義は資本家を失った。投資は、機関投資家が維持・管理する、退職者向けの安全性の高い金融商品にばかり向けられている。野心的な若者は起業家よりも芸術家や専門家を目指している。そして投資家と政府にはもはや夢のある事業を支援しようという気がない。ＰａｙＰａｌの創業者ピーター・ティールが「ぼくたちは空飛ぶ車が欲しかった。でもそのかわりに手に入れたのは一四〇文字だった」〔二〇一七年の仕様変更以前にTwitterで入力できた文字数。現在、半角文字は二八〇文字まで可能〕と嘆くとおりである。

しかし原因が何であるにせよ、経済の停滞は他の多くの問題の根底にあり、二一世紀の政策立案者たちにとって大きな課題となっている。だがそれは進歩の終わりを意味するのだろうか？　進歩は続いているあいだは良いものだっただけで、もう終わってしまったのだろうか？　いや、そうではないだろう。その理由の一つは、確かに戦後の輝かしい時代に比べれば緩やかだが、経済成長は今も続いていることである。実際、それは大きな、指数関数的な成長といってもいい。というのも、世界総生産はこの五五年間のうち五一年間で増加しているからだ。これはつまり、その五一年間（最近の六年間もここに含まれる）についていえば、どの年も前年より豊かになっていたということだ。(13)

加えて長期にわたる経済停滞というのは、もっぱら先進国の問題だということもある。世界トップレベルの先進国が毎年続けてそこからさらに発展するのは相当難しい。だが発展途上国の場合はやるべきことがたくさんあり、豊かな国々の成功事例を取り入れることにより、速いペースで成長できる（第八章）。現在、世界で進んでいる進歩のうち何よりすばらしいものは、数十億もの人々が極度の貧困から抜け出していることだろう。こうした途上国の進歩はアメリカやヨーロッパの経済の停滞に影響されていない。

また、たとえ技術が発展しても、それが生産性の向上として世界に浸透するには時間がかかるという傾向がある。[14] なぜなら、どうすれば新しい技術を最適な形で活用できるかを理解するにはしばらく時間がかかるし、産業界が設備や制度を一新するにも時間がかかるからだ。有名な例を挙げると、電化は一八九〇年代に始まったが、誰もが待ち望んでいた目覚ましい生産性の向上を経済学者が確認するまでには、それから四〇年の歳月を要した。パソコン改革もまた、時間が経ってからその効果が表れ、一九九〇年代になってようやく生産性が大きく向上した（ちなみに、これはわたしのような昔からのユーザーには驚くことではない。一九八〇年代にはマウスのインストールやドット・プリンターでイタリック文字を印刷しようとして、どれだけ多くの時間を無駄にしたことか）。そこからすると、どうすれば二一世紀の技術を最大限に活用できるかという知識は、今ちょうど積み上げられている最中で、もうじき知識のダムからあふれ出すのかもしれない。

「陰気な科学」〔一九世紀の評論家トマス・カーライルの言葉で、経済学のこと〕の実践者たちとは違い、テクノロジーの観察者たちは、人類は豊かな時代に突入していると主張している。[15] ビル・ゲイツは「テクノロジーは停滞する」という予測を、「戦争はもう起こらないだろう」という一九一三年の（誤った）予言になぞらえた。[16] 起業家のピーター・ディアマンディスとジャーナリストのスティーヴン・コトラーも「将来、世界の九〇億の人々に、きれいな水と栄養価の高い食事、手頃な価格の住宅、個人の適性に合った教育、一流の医療、それに環境を汚染せず、しかもいつでも手に入るエネルギーがもたらされているところを想像しよう」と述べている。[17] こうしたビジョンは、テレビアニメの『宇宙家族ジェットソン』〔未来を舞台にしたホームコメディ〕から生まれた空想などではない。すでに実用化されているか、もしくは近々実用化されそうなテクノロジーをもとにしたものである。

将来の進歩をもたらしうる技術の数々

では、そうしたテクノロジーにはどういったものがあるのだろうか。最初に、文字どおり経済活動のあらゆるものを動かす資源であり、エントロピーに対抗するために情報とともに必須のもの――すなわちエネルギーについて述べよう。

まず第一〇章で論じたとおり、現在化石燃料に代わるエネルギー源の開発が進んでいるが、そのうち原子力発電では、小型モジュール炉（ＳＭＲ）の形態をとる第四世代の原子炉なら、受動的安全性が確保され、核拡散抵抗性が高く、廃棄物も出ない。さらに量産可能で維持費も低く、燃料交換なしで数十年間運転でき、しかも石炭よりも低コストである。また太陽光発電《フォトボルタイク》にしても、カーボンナノチューブを用いた有機系太陽電池なら、既存の太陽光発電装置と比べ一〇〇パーセント効率が良くなる。ムーアの法則は太陽光エネルギーにも当てはまるということだ。

しかもそうして得られた太陽光エネルギーは液体金属電池〔主要構成要素である負極、正極、電解質がすべて合金などの溶融物で出来た電池。比較的低コストで劣化しにくいが数百度の高温で動作させる必要がある〕に貯蔵することができ、理論的には輸送コンテナ大の電池があれば、一区画に供給できる電力を蓄えられ、超大型スーパーのウォルマートサイズの電池があれば、小都市の電力を賄うことができる。そして、これがあれば次世代送電網《スマートグリッド》は、いついかなる場所で発電したエネルギーであってもそれを蓄え、いつでもどこでも必要な時と場所に供給できるようになるだろう。加えて、テクノロジーは化石燃料にも新たな息吹を吹き込むかもしれない。たとえば新型のゼロ・エミッションタイプのガス火力発電所では、無駄の多い沸騰水ではなく、排気でタービンを直接回転させ、二酸化炭素は地下に隔離する[18]。

またナノテクノロジーと３Ｄプリンティング技術、ラピッドプロトタイピング〔試作品を迅速に製造すること〕を組み合わせたデジタル・マニュファクチャリング〔デジタル技術と物の製造の融合〕によって、鋼やコンクリートよりも安価で強度の高い資材を製造できるようになっている。それにより、途上国の家屋や工場の建設現場でも、その場で資材が簡単に製造できるようになるだろう。あるいは、ナノ濾過《ろか》法による浄水技術があれば、水から病原菌や金属、さらには塩まで除去できる。ハイテクの屋外トイレには水や電気を必要としないものや、排泄物を肥料や飲料水、エネルギーに変えるものもある。精密灌漑と水資源のスマートグリッドは、安価なセンサーやＡＩチップを使用することで、水の使用量を三分の一から半分減少させられる。イネは効率の良くないＣ３型光合成を行う植物だが、遺伝子組み換えによってこのＣ３経路をトウモロコシやサトウキビのＣ４経路に変えてやると、収穫量が五〇パーセント増える。しかも今までの半量の水とずっと少ない肥料で栽培可能になり、温暖化による気温上昇にも耐えられる[19]。遺伝子組み換えの藻類は、空気から炭素を取り込み、バイオ燃料を生成することができる。ドローンは遠隔地のパイプラインや鉄道を何マイルにもわたって監視でき、孤立地域にも医療品や交換部品を届けることができる。ロボットは人間が敬遠する仕事、たとえば石炭採掘、品出し、ベッドメイキングなどを担ってくれる。

　医療分野に目を向ければ、こちらもラボ・オン・チップという技術によって、リキッドバイオプシー（液体生検）が可能になり、一滴の血液や唾液から数百種類の病気を予測できるようになりそうである。ＡＩはゲノムや症状や病歴のビッグデータを高速処理することで、医者の第六感よりも正確に病気の診断を下し、個人のそれぞれの生化学的特徴に最適な薬を処方するようになるだろう。幹細胞は関節リウマチや多発性硬化症などの自己免疫疾患の治療に用いられるだろう。それだけでなく、ゆくゆくは死体の臓器や動物の体内でつくり出されたヒトの臓器、あるいは自分の細胞をもとにして３Ｄプリンターでつくった臓器の移植も、幹細胞によって可能になりそうである。また任意の遺伝子の働きを抑制することができるＲＮＡ干渉により、たとえばインスリン受容体を制御するような厄介な遺伝子を封じることもできるようになるだろう。抗癌剤による癌治療は、従来のように体内で分裂増殖するあらゆる細胞を標的にするのではなく、腫瘍細胞に特有の遺伝子シグネチャーをもった細胞のみを標的にするものになるだろう。

グローバル教育も変化していくはずである。すでにスマートフォンにより、世界の知識は百科事典や講演、練習問題やデータセットという形で数十億人の手に届くようになった。ウェブを通じた個別教育もできるようになり、途上国の子どもたちはボランティア教師からさまざまなことを学ぶことができ（「グラニー・クラウド」〔ボランティアの教師がスカイプを通じて主に途上国の子どもたちに教育を届ける活動〕）、世界中の地域で誰もがＡＩの教師に学ぶことができる。

現在進行中のこうしたイノベーションは、たんにすばらしいアイデアが並んでいるというだけではない。それは「ニュー・ルネッサンス」もしくは「第二の機械時代」と呼ばれる全般的な歴史的発展の結果生まれたものでもある。[20] 産業革命によって始まった第一の機械時代を推進したのはエネルギーだったが、それに対して第二の機械時代を推進するのは、もう一つの反エントロピー資源、すなわち「情報」である。わたしたちは情報を大いに活用して、他のあらゆるテクノロジーを進歩させるようになった。またそれと同時に、コンピューターの能力やゲノミクスといった情報技術自体も爆発的に進歩している。それを思えば、近い将来、革新的な技術は必ずや実用化されるだろう。

新たな機械時代の未来が明るいと思われるもう一つの理由は、いくつものイノベーションそれ自体がイノベーションが行われるプロセスから生まれるからでもある。その一つめは、発明に必要なプラットフォームの大衆化だろう。たとえば、アプリケーション・プログラム・インターフェース（ＡＰＩ）や３Ｄプリンターのおかげで、誰でもハイテク版ＤＩＹの愛好者（do-it-yourselfer）になれるようになった。二つめはテクノフィランソロピスト（技術慈善家）たちの登場である。彼らは小切手を切ってコンサートホールに自分の名前をつける権利を買うかわりに、自らの能力とコネクションを駆使し、地球規模の問題の解決を目指す。そして三つめは、スマートフォンやオンライン教育、マイクロファイナンス〔貧困層への小口融資〕を通じて、世界の数十億の人々が経済力をつけたことである。世界のボトムビリオン（最底辺で生きる一〇億人）のうち、一〇〇万人は天才級のＩＱをもっている。そんな人々の能力がフル活用されたら、どれほど世界が変わるかを考えてみてほしい。

では、第二の機械時代は経済を停滞から救い出すのだろうか。それについては確かなことはいえない。というのも経済成長はどのような技術を利用できるかだけでなく、その国の金融資本や人的資本がその技術をどの程度利用できる状態にあるかによっても左右されるからだ。加えて、たとえ技術が十分に利用されていても、教科書どおりの経済政策が実施されていては効果が引き出されないこともある。

その昔、コメディアンのパット・ポールセンは「おれたちは国民生産（national product）まで雑な（gross）国で暮らしているんだ」〔国民総生産 gross national product の「総」に当たる gross には「雑な」の意味もある〕といっていたが、ほとんどの経済学者はGNP（国民総生産、またはその同類のGDP〈国内総生産〉）が経済の繁栄を示すには粗い指標であることを認めている。確かに測定しやすいという長所はあるものの、GNP（もしくはGDP）は労働力を商品生産やサービスに変えた金額の集計にすぎないため、国民が享受する利益とまったく同じというわけではない。消費者余剰の問題あるいは価値のパラドックスのせいで、繁栄の証明は常に難しく（第八章、第九章）、また現代の経済はそれをさらに難しくしている。

GDPについては、経済史学者のジョエル・モキアもこう述べている。「一人当たりのGDPのような総統計、またそこから派生した全要素生産性などは（中略）、〝鉄と小麦の経済〟を測るためにつくられた指標であり、〝情報とデータ〟が最も活気のある部門というタイプの経済を測るための指標ではない。新製品や新サービスの考案には高い費用がかかるが、ひとたびうまくいけばそれらはきわめて低いコストで、またはコストをかけることなくコピーできる。つまりどれだけ消費者の満足度に大きく影響しても、それらはGDPで測られる生産活動にほとんど寄与しない傾向があるということだ[21]」

たとえば第一〇章で論じた生活の脱物質化は、「二〇一五年の住宅と一九六五年の住宅に大きな違いは見られない」という見解を覆すものである。つまり大きな違いに当たるものは、スマートフォンやタブレット、さらにはストリーミング・ビデオやスカイプといった発明品の登場で廃れてしまったので、見えないところに存在しているということだ。また脱物質化に加え、情報テクノロジーによってモノやサービスの脱金銭化（すなわち無料にすること）のプロセスも始まった[22]。かつては有料だった多くのものが、今では基本的に無料で手に入るようになり、たとえば広告案内、ニュース、百科事典、地図、カメラ、長距離電話、従来の実店舗型の小売店にかかっていた諸経費などにお金がかからなくなった。現在、わたしたちはこうしたものをかつてないほど享受しているが、しかしこれらはGDPからは消えつつある。

それとは別の意味で、人間の福祉もGDPでは測れなくなってきた。現代社会がよりヒューマニズムに則ったものになるに従い、その富は人間のためになるものに使われるようになったが、それは市場では価格のつかないものだからだ。経済停滞に関する最近の『ウォール・ストリート・ジャーナル』の記事によると、近年では大気の浄化や安全な車の開発、患者数が全米で二〇万人に満たない希少疾患の治療薬開発などに革新的な努力が向けられ、その規模は年々拡大している[23]。さらにいえば、ヘルスケア一般における研究開発費の占める割合は、一九六〇年には七パーセントだったが、二〇〇七年には二五パーセントとなっている。

これを受けて、記事を書いた経済ジャーナリストはほとんど悲しげな調子でこう述べている。

「医薬品とは、社会が豊かになるにつれて人命の価値が高まることを示すものなのだろう。（中略）現代社会では医学研究が盛んであり、それはごく一般的な消費財の研究開発に取って代わりつつある。いいかえればこれは、ありふれた消費財の研究開発に向けられていたかもしれないものが医学研究に向かっているということだ。実際、（中略）人命の価値の上昇により、一般的な消費財やサービスの成長は遅くなっている。そして、そうした消費財やサービスはGDPが測定するものの大部分をなしている」

自然に解釈すれば、この代償は進歩が前進している証拠であり、進歩の停滞の証拠ではない。ケチなキャラクターを演じるコメディアンのジャック・ベニーは、強盗に「金か、命か、どっちが大事だ」といわれてもなおお金を出ししぶっていたが、現代社会は「金か、命か」といわれたら、すぐに「命」と答えるのだ。

ポピュリズムは進歩をはばむ脅威となるか

現在、人類の進歩に対してこれまでとは異質の脅威が現れている。それは啓蒙主義の基礎を覆そうとする政治的な動き、すなわちポピュリズムである。ポピュリズムとは、ある国の特定の国民〔通常は民族集団、時には階級〕が直接の統治を求めるものである。さらにその統治は強力な指導者によって体現され、指導者は自分を支持する集団の正統な美徳と経験を直接伝える。二〇一〇年代には、このポピュリズム、正確には権威主義的ポピュリズムと呼ばれる反啓蒙主義運動が活発化した。(24)

権威主義的ポピュリズムは、人間の本性に属する要素の後退――部族主義、独裁主義、悪魔化〔対立相手に邪悪、諸悪の根源などのレッテルを貼る〕やゼロサム思考など――とみなすことができる。また、それらに陥らないためにつくられた数々の啓蒙主義的制度に対抗するものとして考えることもできる。個人よりも部族のほうが大事だという考え方では、マイノリティの権利を保護したり、世界中の人間の福祉を推進したりする余地はなくなってしまう。苦労して得た知識は社会を改善する鍵となるが、ポピュリストはその事実を認めず、「エリート」や「専門家」をひたすら悪くいう。さらに言論の自由や意見の多様性、利己的な主張のファクトチェックなどを含む「思想の自由市場」を軽視する。そして強い指導者を称賛することで、人間の本性の限界に気づかぬふりをして、法に則った制度や憲法による抑制を軽視する。それらは、人間という不完全な行動主体を制御するためにあるというのに。

ポピュリズムには右派ポピュリズムも左派ポピュリズムも両方あるが、どちらもゼロサム競争のような経済の俗説を支持するところは共通している。すなわち左派では経済的階層間に、右派では国家間もしくは民族間に、ゼロサム競争が存在することになっている。ポピュリストにかかれば、問題とは善意も悪意もない宇宙で不可避的に生じる課題ではなく、狡猾なエリートやマイノリティや外国人が悪意によって創り出したものとなってしまう。そして、もちろん彼らは進歩のことなど頭にない。なぜなら、ポピュリズムが目を向けているのは過去の世界――国は民族的に単一で、文化的・宗教的価値観は伝統的なものが優勢を占め、経済は農業と製造業が盛んで、国内消費や輸出のために有形財を生産していた時代――だからである。

権威主義的ポピュリズムの知的ルーツについては第三部の第二三章で詳しく述べるので、ここでは近年のポピュリズムの台頭と予測される未来に絞って話をしよう。

ヨーロッパでは二〇一四年の欧州議会選挙で、ポピュリスト政党（ほとんどが右派ポピュリスト）が一三・二パーセントの票を獲得した（一九六〇年代の五・一パーセントから上昇）。その後ポピュリスト政党は一一カ国で与党連合に加わり、ハンガリーやポーランドでは単独で政権を握るまでになっている。[25] またたとえ政権の座になくとも、ポピュリスト政党は自分たちの信念を広め、社会に影響を与えている。特に二〇一六年、EU離脱の是非を問うイギリスの国民投票で、五二パーセントものイギリス人が離脱を支持したのは、この影響によるものだろう。二〇一六年には、アメリカでもドナルド・トランプがアメリカ合衆国大統領に選出された。一般投票の得票数は少なかったものの（ヒラリー・クリントンの四八パーセントに対して四六パーセント）、選挙人の票の過半数を獲得した結果だった。この選挙戦中にトランプの掲げた「アメリカを再び偉大に」というスローガンほど、ポピュリズムの部族主義的で後ろ向きの精神をとらえたものはないだろう。

実は進歩に関する一連の章を執筆しているあいだ、わたしは草稿を読んでくれた人々から、「各章の結びに『だがトランプがやりたい放題しはじめたら、こうした進歩も脅威にさらされそうである』という文言を入れたほうがいいのではないか」という圧力を感じたが、それに抵抗していた。とはいえ、進歩が脅威にさらされているのは確かである。二〇一七年〔トランプが大統領に就任した〕が歴史のターニングポイントになるかどうかはともかく、目下脅威にさらされている進歩の性質を理解するためにも、現在どういった脅威があるかについて検討する価値はあるだろう。[26] 以下がその脅威になる。

●**寿命**が延び、**健康**が増進したのは、主にワクチンや有効性が証明されたその他の治療のおかげである。だが、トランプは「ワクチンに含まれる防腐剤が自閉症の原因となる」というすでに偽情報と判明している、陰謀論のような主張を支持している。また寿命と健康面における進歩は、誰もが医療措置を受けられることによっても確保されてきた。だが、トランプは数千万人のアメリカ人から医療保険を取り上げる法の制定を進めている。これは有益な社会的支出の増加という世界的趨勢に逆行するものである。

●世界的な**富**の増進は、主に国際貿易取引が推進する経済のグローバル化によってもたらされた。だが、トランプは国際貿易を国家間のゼロサム競争とみなす保護貿易主義者で、国際貿易協定の破棄に力を注いでいる。

●貿易以外にも**富**の増進は、技術革新や教育、インフラ、中・下位層の購買力の向上、市場競争を阻む縁故主義や金権主義の制限、バブルや恐慌が発生する可能性を抑える金融規制などによってあと押しされている。だが、トランプは貿易を敵視するうえ、技術や教育に無関心で、富裕層への減税を主張し、強硬な規制反対派である企業や金融界の大物を見境なく高官に指名している。

●**不平等**に対する人々の不安につけ込み、トランプは移民や貿易相手国を悪者扱いしてきたが、その一方で、国内の下位中流層の雇用が崩壊した主な原因である技術の変化については、無視を決め込んでいる。さらに、不平等の弊害を最も効果的に軽減できる措置、すなわち累進課税や社会的支出にも反対している。

●人口・GDP・人の移動の増加に伴い、大気汚染や水質汚染が進んだが、規制を設けることで**環境**は保護されてきた。だがトランプは、環境規制は経済を破壊すると信じ込み、最悪なことに、気候変動をでっち上げ呼ばわりしてパリ協定からの離脱を発表した。

●国内の**安全性**は数々の連邦規制によって飛躍的に向上したが、トランプとその支持者たちはそうした規制をばかにしている。トランプは治安維持に力を入れているという評判を築いているが、エビデンスに基づく政策にはまったく興味がなく、そのため実際に効果のある防犯対策と、効果のないただ勇ましいだけの空論を区別できない。

●戦後の**平和**は、貿易や**民主主義**、国際協定や国際組織、他国への侵略行為を禁じる規範によって築かれてきた。だが、トランプは国際貿易を批判し、国際協定を脅かし、国際組織を弱体化させてきた。そんなトランプが称賛するのは、ロシアのウラジーミル・プーチンである。プーチンはロシアの民主化を逆行させた人物であり、さらにはサイバー攻撃でアメリカとヨーロッパの民主主義を覆そうとし、これまでのところ二一世紀で最も破壊的な戦争であるシリア内戦に加担し、ウクライナやジョージアではそれよりもう少し規模の小さい内戦を煽り、クリミア併合では戦後の侵略禁止のタブーを無視した〔二〇二二年二月にはウクライナに侵攻し、戦争を始めた〕。しかしトランプ政権の一部はひそかにロシアと共謀し、ロシアへの制裁を解除しようとした。それは、戦争の違法化を強化する主要なメカニズムを弱体化させる行為である。

●**民主主義**とは、「憲法による明確な保護」（たとえば報道の自由の保護）と、「明文化されていない規範の共有」の両方によって成り立つものである。特に規範については、「政治のリーダーシップは、法の支配および、暴力によらない政治競争によって決定されるものであり、カリスマ的な指導者の力への意志によって決定されるものではない」という意識の共有がなくてはならない。だが、トランプはジャーナリストを名誉毀損法で訴えやすくすることを提案し、自身の政治集会では自分を批判する人々に対する暴力を煽るような発言をしたとの批判を受けた。もし二〇一六年の大統領選挙で自分に不利な結果が出ていたら、その結果を尊重しようとはしていなかっただろう。実際、自身に不利な結果の出た一般投票については、その信頼性を貶めようとしている。選挙では対立候補を刑務所送りにすると脅し、司法が自分の決定に異議を唱えると、こんどは司法制度の正当性を攻撃した。これらはすべて独裁者の特徴である。世界的に見て、民主主義が回復力をもつには、国際社会において民主主義のすばらしさがある程度は認められていなければならない。しかしトランプはロシアやトルコ、フィリピン、タイ、サウジアラビア、エジプトの独裁者たちを褒めそやす一方で、ドイツなどの民主的な同盟国を侮辱している。

●トランプが選挙運動をしていた最中やトランプ政権の初期、寛容・平等・**平等の権利**は大きな象徴的打撃を受けた。トランプはヒスパニック系移民を悪者扱いし、イスラム教徒の入国禁止を提案した（当選後は、本当にイスラム圏の数カ国からの入国が一時期禁止された）。また女性を蔑視する発言を繰り返し、自身の政治集会での人種差別的、性差別的な発言を容認し、白人至上主義グループから支援を受け、差別主義者と抗議者の衝突で死者が出た事件では「両者に非がある」と発言した。そして、公民権運動に反対する人物をブレーンや司法長官に指名した。

●意見とは「根拠のある真の信念」に基づかねばならないという**知識**の理念は、トランプが次々と流すデマによって地に落ちてしまった。たとえば、オバマはケニアで生まれたという嘘、ニュージャージー州の数千人のムスリム系住人は九月一一日を祝っていたなどという誹謗中傷のほか、連邦上院議員のテッド・クルーズの父親はジョン・F・ケネディの暗殺に関わっていた、アントニン・スカリア判事は暗殺された、オバマの携帯電話は盗聴されていたなどの陰謀説を唱えている。ほかにも、数百万の不法な投票のせいで大統領選の一般投票で自分が不利になった等々、その迷言は枚挙にいとまがない。政治関連発言のファクトチェック・サイト〈ポリティファクト〉によると、驚いたことに、トランプの公式声明の六九パーセントが「ほとんど嘘」か

「嘘」もしくは「真っ赤な嘘」（ポリティファクトではこれを「パンツが燃えている」と表現する。これは子どものはやし言葉「嘘つき、嘘つき、パンツが燃えてるぞ」に由来する）のいずれかに該当するという。[27] もちろんどんな政治家でも事実を曲げるし、時には嘘もつく（なぜなら人間とは事実を曲げ、時には嘘をつくものだからだ）。しかし、すぐに嘘だとばれるようなデマ（選挙で大勝したなど）を図々しく主張するのを聞いていると、トランプにとって人との対話とは、客観的事実に基づいて共通の基盤を見出す手段ではなく、自分のほうが上だと示し、相手に恥をかかせる武器であることがよくわかる。

●何より恐ろしいことに、トランプは核戦争という**人類の存亡に関わる脅威**から世界を保護してきた規範を脅かしている。核兵器使用のタブーに疑問を呈し、核軍拡競争の再開をツイートし、他国への核兵器の拡散を奨励し、イランの核兵器開発をとどめていた協定を覆そうとし〔原書刊行後の二〇一八年五月、アメリカはイランとの核合意から離脱し制裁を再開したが、バイデン政権下の二〇二二年一一月現在は復活に向けて協議中〕、北朝鮮と核の応酬になるかもしれないことについて金正恩をからかった。しかも最悪なことに、最高司令官の地位にあるアメリカ大統領には、危機的状況下での核兵器使用の決定権という強大な権力が与えられている。これは核兵器の使用という重大問題を前に、軽率な決断を下す大統領などいないだろうという暗黙の前提に拠っているが、よく知られているように、トランプは衝動的かつ復讐心の強い気質である。

これらを読めば、生まれつきどんなに楽天的な人でも、今の状況が楽観できるものでないことがわかるだろう。しかしドナルド・トランプは（より広くいえば権威主義的ポピュリズムは）、本当に二五〇年にわたる進歩を帳消しにしてしまうのだろうか。いや、そう考えて絶望するにはまだ早い。というのも、何十年、あるいは何世紀も続いている動きの陰には、おそらく体系的《システマティック》な力が働いているからだ。そこに関わる多くの利害関係者にしてみれば、その動きがあっというまに覆されないことのほうに利益がある。

　アメリカ建国の立役者たちの意図どおり、アメリカの大統領制は持ち回りの君主制とは異なる制度になっている。大統領の仕事は、分散された権力のネットワーク（ポピュリストはこれを闇の政府《ディープ・ステート》といって中傷する）を統括することだが、このネットワークは個々の指導者の任期より長く続き、実社会の制約の下で政府の実務を遂行する。それはトップの気まぐれやポピュリストの勢いなどでは、簡単に崩れ去ったりしないものである。そこに組み込まれているのは、有権者やロビイストへの対応を余儀なくされている議員、高潔さを支持される必要のある裁判官、各部署の任務に責任のある管理職と官僚と職員たちだ。

　トランプの権威主義的な本能によって、現在アメリカの民主主義制度はストレステストにかけられているが、これまでのところ多くの前線でその圧力は押し返されている。たとえば、閣僚たちはトランプの数々の言葉やツイート、不快な爆弾宣言を公然と退け、裁判所は大統領令に伴う措置のいくつかを違憲として無効化し、上院議員と下院議員はとんでもない法案を否決するため離党した。また司法省と議会の委員会は、政権とロシアの関係を捜査し、ＦＢＩ長官はトランプが脅しにかかってきたことを公に非難した（司法妨害を理由とする弾劾にも言及した）。そしてトランプのスタッフは現状にあきれ、人に知られては困るような事実を定期的にマスコミにリークしている。これらはすべて、トランプ就任後の半年間で起こったことである。

大統領が好き放題しようとするのを阻むものは、ほかにもある。現実的な問題に取り組まなければならない州政府や地方自治体、アメリカを再び偉大な国にすることよりほかに優先事項のある他国の政府、さらには大半の企業もこれに含まれる。なぜなら企業は平和や繁栄や安定から利益を引き出すものだからだ。また、グローバル化の波の役目も大きいだろう。というのも、グローバル化というのは支配者の強大な力をもってしても止められない満ち潮のようなもので、誰にも止めることができないからである。

そもそも一国の問題の大半は、本質的に世界と関わっており、たとえば移民問題、パンデミック、テロリズム、サイバー犯罪、核の拡散、ならず者国家、環境問題などは皆、これに当てはまる。こうした問題が存在しないふりを続けることは難しく、解決には国際的な協力が不可欠になる。それにグローバル化の利点――製品の低価格化、輸出市場の拡大、世界的な貧困の縮小など――をいつまでも無視するわけにはいかないはずだ。またインターネットの普及や旅行の低価格化により、人やアイデアは自由に移動できるようになった。この動きを止めることもできないだろう（後述するように、これは特に若者のあいだで顕著な傾向である）。そして事実と真実を求める戦いについては、長い目で見れば、本質的に優勢だといえるだろう。なぜなら、事実と真実はたとえあなたが信じることをやめても、消え去ったりしないからだ[28]。

ポピュリズムの支持層は「文化競争の敗者」

短期的なダメージに加え、さらに深刻な問題は、ポピュリズムの台頭とは来《きた》るべき未来の姿なのかということだ。つまり最近の『ボストン・グローブ』紙の社説が嘆きながらも、満足げに述べたように「啓蒙主義は見事その走りを終えた」のだろうか[29]。二〇一六年の大統領選挙にまつわる出来事は、世界が中世に逆戻りしていることを暗示しているのだろうか。いや、それではまるで気候変動に懐疑的な人々が「朝に底冷えがしたから地球は温暖化していない」というようなものだろう。最近のトランプ旋風を過剰に解釈するのは安易というものである。

その理由はまず、前回〔二〇一六年〕の大統領選挙は啓蒙主義に対する国民投票ではないからだ。アメリカでは大統領は実質的に二大政党から選ばれるため、共和党候補者は少なくとも支持基盤である四五パーセントの得票率から、民主党候補者との一騎討ちをスタートする。しかしトランプは一般投票では一パーセントしか上乗せできず、四六パーセント対四八パーセントでクリントンに負けた。クリントン側に選挙での不正行為と選挙運動での判断ミスがあり、トランプに有利に働いたにもかかわらず、この結果だった。

また、バラク・オバマは五八パーセントの支持率で退任したが、これは退任時のアメリカ大統領の平均支持率を上回る数字である[30]（ちなみに、オバマは退任演説で啓蒙主義を「この国の根本的な精神」だと述べている）。対して、トランプは四〇パーセントの支持率で大統領に就任したが、これは大統領就任時の支持率としては歴代最低の数字だった。さらに任期開始から最初の七カ月で、トランプの支持率は三四パーセントに落ちたが、こちらは前任者九人の同時期の平均支持率と比べると、その半分をかろうじて上回る数字である[31]。

ヨーロッパの選挙結果についても、人々がどれほどコスモポリタンな人道主義的信念をもっているかを測る指標とはならない。それはむしろ現代の諸問題に対する感情的な反応だといえるだろう。その問題のなかには、たとえば最近のものでは、ユーロという通貨の問題（多くの経済学者を懐疑的にさせている〔国ごとの経済状況に合わせた独自の金利政策がとれないなど弊害も多い〕）、EU本部のでしゃばりな規制、イスラム原理主義者によるテロ攻撃のせいでテロに対する恐怖が募るなか（実際の危険に比べて騒ぎすぎだが）、中東からの大量の移民受け入れを強いられていること、などがある。しかしそれでも近年のポピュリスト政党が獲得した票は、全体票の一三パーセントにとどまり、多くの国の議会で議席を獲得する一方、同数程度の議会では議席を失っている。(32) たとえばトランプ・ショックとイギリスのEU離脱（ブレグジット）・ショックの翌年、右派ポピュリズムはオランダ、フランス、イギリスの選挙で退けられた。そしてフランスでは、新大統領に就任したエマニュエル・マクロンが、「ヨーロッパは現在多くの場所で脅かされている啓蒙主義の精神を守るために、われわれを待ち望んでいた」と宣言した。(33)

しかし、二〇一〇年代半ばの政治動向よりもずっと重要なものは、権威主義的ポピュリズムを助長する社会的・経済的趨勢である。本章での主張にとってもこれは重要で、そうした社会的・経済的趨勢から未来を予測することができるだろう。

まず、わたしたちに恩恵をもたらしてきた歴史的発展は、しばしば勝者とともに敗者も生んできた。グローバル化の明らかな経済的敗者（特に富裕国の下位層）が権威主義的ポピュリズムの支持者だというのはよくいわれることである。経済決定論者〔経済のあり方が社会のあり方を決定づけると考えること。マルクス主義はこれに当たるとされる〕であれば、ポピュリズムの台頭の原因はこれで十分だというだろう。だが、まるで飛行機の墜落現場で残骸を調べる捜査官のように、アナリストたちが選挙結果を詳しく調べた結果、今では皆、選挙結果を経済によって解釈するのは誤りだと知っている。アメリカ大統領選挙の場合、所得階層の下位二つの低所得者層に属する有権者〔年収五万ドル未満の層。この調査では有権者を年収で六つの層に分けている〕は、「経済が最重要課題だ」とする有権者と同様、五二対四二でクリントン候補に投票した。そして所得階層の上位四つの高所得者層に属する有権者の大半はトランプに投票した。トランプに投票した有権者は、「移民受け入れ」と「テロ」を最重要課題とみなしていた。つまりそこに「経済」の要素はなかったのである。[34]

また、思いがけないものが有力な手がかりだともわかってきた。統計学者のネイト・シルバーはある記事の冒頭にこんなことを書いている。「統計分析は扱いにくいこともあるが、時には新発見が急に目に飛び込んでくることもある」。そしてその発見はそのまま、次のような見出しになった。「誰がトランプに投票するかは、所得ではなく教育が予測した[35]」

しかし、なぜ教育がポピュリズムを支持するかどうかの鍵になるほど、重要なのだろうか。まずはさほど興味を引かない説明を二つ紹介しよう。それは高学歴の人間は政治的にリベラルな考え方をする傾向があるからというものと、教育によって現在の所得よりも安定した経済状況が約束されるから、というものである。それよりもう少し興味深い説明には、教育によって若者は望ましい形で異なる人種や異なる文化に触れるので、そういった人たちを悪者と決めつけることが難しくなるというものがある。しかし、いちばん興味深い説明はこれだろう。それは「教育はあるべき姿でなされたとき、精査された事実と理にかなった議論を尊重することを人に教える。そして、それにより人は陰謀論や事例証拠〔非科学的で根拠のない情報〕、煽情的なデマに対し警戒するようになる」というものである。

それからもう一つ、シルバーの目に飛び込んできたことがあった。それは、トランプ支持者の分布を示す地図は、失業者や銃所持者、宗教、移民比率を示した地図と必ずしも重ならないが、その一方で、グーグルで「nigger」〔黒人の差別語〕という単語を検索した人々の分布を示す地図とは重なるということだった。[36] 第一五章で述べたように、「nigger」はセス・スティーヴンズ＝ダヴィドウィッツによって人種差別主義を測る確かな指標だと示されている。もちろん、だからといってほとんどのトランプ支持者が人種差別主義者だというわけではない。だが、あからさまな人種差別はしだいに恨みや警戒心へと変わっていくものであり、この地図の重なりからすると、トランプ陣営に勝利をもたらした地域は、数十年にわたる人種統合のプロセスとマイノリティの権利拡大に最も強い抵抗を示している地域であるのは間違いない（そうした地域では、特に人種優遇措置は自分たちに対する逆差別だととらえられる）。

これらに加え、選挙の出口調査によってトランプ支持を予測するさい、最も一貫した判断材料となるのは悲観主義であるということも判明した。[37] トランプ支持者の六九パーセントが国の方向性は「完全に本来あるべき方向からずれている」と感じ、それと同時に、連邦政府の仕事ぶりや次世代を担う若者たちの生き方に偏見を抱いていた。

海の向こうのヨーロッパに関しても、政治学者のロナルド・イングルハートとピッパ・ノリスが、三一カ国の二六八政党を分析するなかで同様の傾向を確認した。[38] ここ数十年、各政党のマニフェストにおいて経済問題はかつてのような重要性を失い、経済以外の問題が重要なものとなっている。さらにこれは投票者の分布についても当てはまる。ポピュリスト政党の支持層のなかで最多の職業は、肉体労働者ではなく「プチ・ブルジョワジー階級」（自営の商人や小規模企業の事業主）であり、職人の親方や技術者がそれに続く。それと同時にポピュリスト政党の支持者には、年輩で、信心深く、地方に住み、学歴はそれほど高くなく、人種的マジョリティに属する男性が多い傾向がある。彼らは権威主義的価値観を尊重し、政治的には右派を自認し、移民を嫌い、グローバル・ガバナンスも国家による統治も嫌がっている。[39] イギリスでEU離脱に投票した人々も、EU残留に投票した人々に比べると年輩で、地方に住み、学歴はあまり高くない。最終学歴が高校卒業である人の六六パーセントがEU離脱に賛成票を投じたのに対し、大学卒業以上の人で賛成票を投じたのはわずか二九パーセントだった。[40]

こうした傾向から、イングルハートとノリスは、権威主義的ポピュリズムの支持者は経済競争の敗者ではなく、むしろ文化競争の敗者だと結論した。つまり信心深く、学歴がそれほど高くなく、人種的マジョリティに属する男性有権者たちは、「自国で優勢になっている現代的な価値観に疎外感を感じていて、文化的な進歩の潮流から取り残され、その文化的変化を共有できずにいる。（中略）どうやら一九七〇年代に始まった静かな革命への反発が、怒りに満ちた反革命の動きとして噴出したものと思われる[41]」。ピュー研究所の政治アナリスト、ポール・テイラーも、アメリカ大統領選挙の結果に同じ逆流を見出した。「多くの問題に関し、人々の考え方は全体的にリベラルなものへと移行しつつある。しかし、だからといって国民全体がこのリベラルな考え方に同意しているわけではない[42]」

ポピュリズムからのこうした反発の根底には、しばらく前から世界を呑み込んでいる現代化の波、すなわちグローバル化や民族多様性、女性の社会進出、非宗教主義、都市化や教育などがあるのだろう。だが、ある特定の国でポピュリスト政党が選挙で勝利するかどうかは、その怒りに満ちた反発を一つの動きとして扇動できるリーダーが現れるかどうかにかかっている。似たような文化をもつ近隣の国同士で、ポピュリズムの勢いの強さが違うのは、それが理由である。つまり、ハンガリーがチェコより、ノルウェーがスウェーデンより、ポーランドがルーマニアより、オーストリアがドイツより、フランスがスペインより、アメリカがカナダよりポピュリズムの勢いが強い理由もそこにある（二〇一六年、スペインとカナダとポルトガルでは、ポピュリスト政党は一議席も獲得していない[43]〔スペインでは二〇一九年四月の国政選挙で右派ポピュリズム政党が議席を獲得した〕）。

ポピュリズムは老人の運動。衰退の可能性大

リベラルでコスモポリタンな啓蒙主義的ヒューマニズムが、長いあいだ世界を席巻している一方で、時代錯誤で権威主義的な民族的ポピュリズムはその動きへの反発を示している。この二つのあいだに流れる緊張は、今後どのように動いていくのだろうか？　ここからはこの問いについて答えていくが、初めにいっておくと、おそらくリベラリズムを長期にわたり支えてきた大きな力——移動性、接続性、教育、都市化など——が後退することはない。また女性や人種的マイノリティの権利が脅かされることもないと思われる。

確かに、こうした予測は憶測の域を出ないが、一つだけ確かなことがある。ことわざに「この世には死と税金以外、確かなものはない」というものがあるが、ポピュリズムもやはり「死」を迎えるということだ。というのも、ポピュリズムは老人の運動

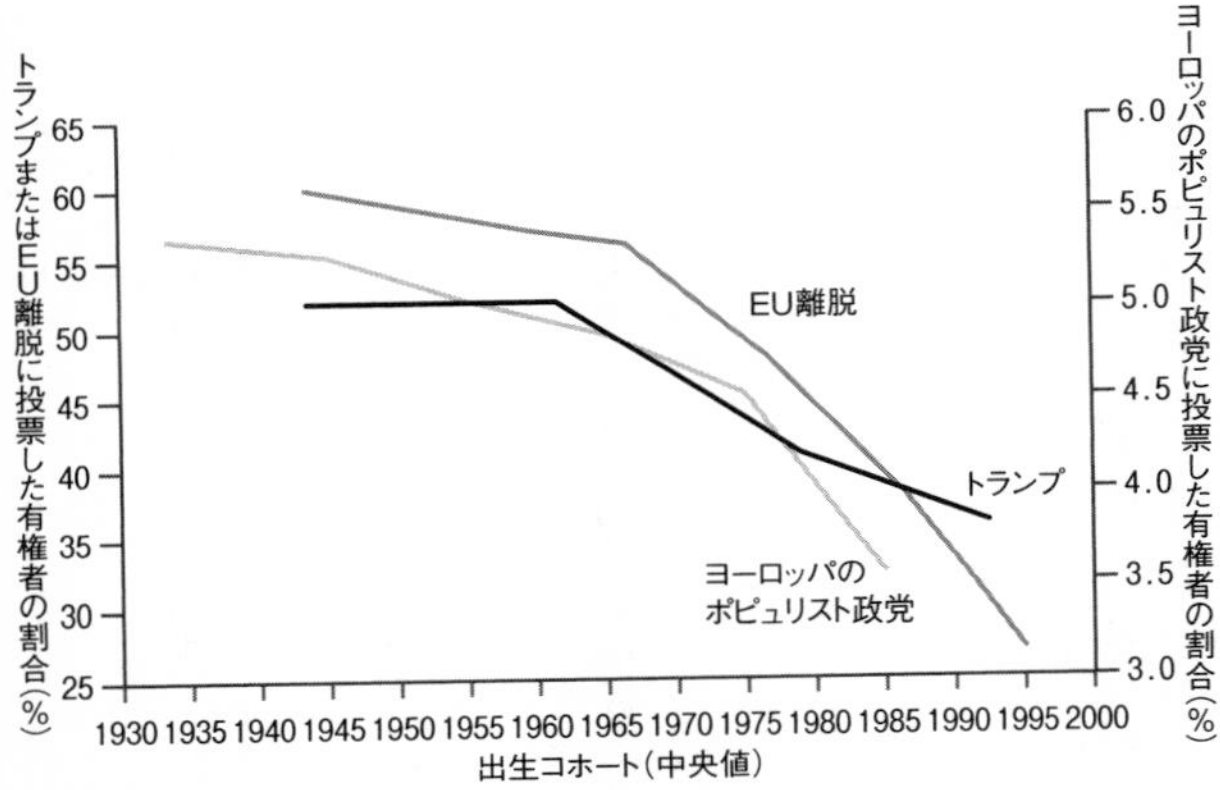

［図20－1］ 世代から見たポピュリズムの支持（2016）

情報源：【トランプ】Edison Researchによる出口調査、*New York Times*, 2016.【EU離脱】Lord Ashcroft Pollsによる出口調査、*BBC News Magazine*, 2016年6月24日〈http://www.bbc.com/news/magazine-36619342〉【ヨーロッパのポピュリスト政党（2002-2014）】Inglehart & Norris 2016, fig.8. 各出生コホートのデータは中央値で示されている。

だからである。［図20―1］が示すように、ポピュリズムの興盛を表す三つの現象――トランプ政権、イギリスのEU離脱、ヨーロッパのポピュリスト政党――に対する支持は、世代が若くなるにしたがい、劇的に低下していく（ポピュリスト政党と重なるオルタナ右翼にはやや若い支持者もいるが、その知名度に相違して、オルタナ右翼は選挙では脅威になりそうにない。おそらく支持者は五万人、すなわちアメリカの人口の〇・二パーセント程度しかいないからだ[44]）。

若い世代でポピュリズムの支持が低いというこの現象は、特に驚くことでもない。なぜなら第一五章で見たように、二〇世紀にはどの世代もその前の世代より寛容でリベラルになっていたからである（それとともに、どの世代も時代が進むにつれてリベラルになっていた）。ということはすなわち、沈黙の世代〔一九二五〜一九四五年生まれ〕と戦後のベビーブーム世代〔一九四六〜一九六四年生まれ〕がこの世を去るときには、権威主義的ポピュリズムも一緒に消え去る可能性が高い。

もちろん、加齢とともに価値観が変わってしまうとすると、現在の世代の傾向から未来の政治を語ることはできなくなる。「もしあなたが二五歳のときポピュリストなら心がなく、四五歳のときポピュリストでないなら知恵がない」というのは、年齢とともに政治志向が変わることを示す表現の一つだが、しかし、はたしてそんなことが本当に起きるのだろうか（ちなみに、この「〇〇なら」の部分には、進歩主義者や社会主義者、共産主義者、左翼、共和党員、民主党員、革命家などの言葉がこれまで入れられてきた。ヴィクトル・ユゴーやベンジャミン・ディズレーリ、ジョージ・バーナード・ショー、ジョルジュ・クレマンソー、ウィンストン・チャーチル、ボブ・ディランなどもこの言葉をもじっている）。

いや、もとは誰がいった言葉にせよ（一九世紀の法学者アンセルム・バトビーのものだとされているが、バトビー自身はエドマンド・バークの言葉を借用したといっている）、加齢によって政治的価値観は変化したりしないだろう。この言葉がどのような信念体系に適用されようが、政治志向に年齢効果が作用するという主張は誤りである。[45] 第一五章で取り上げたように、年齢を重ねるにつれて、人は反自由主義的になるのではなく、解放的な価値観をもつようになるからだ。

このことは政治学者のヤイール・ギッツァとアンドリュー・ゲルマンの二〇世紀のアメリカの有権者に関する分析からも確かめられている。それによると、アメリカの有権者には、加齢とともに保守的な大統領に投票するという傾向は見られない。誰に投票したいかという意思は、どの大統領がいいと思うかを生涯にわたり考えるという経験の積み重ねにより形成されるが、それに最も大きな影響を与えるのが一四歳から二四歳のあいだの経験である。[46] したがって、現在ポピュリズムに否定的な若い有権者が、将来これを支持する可能性は低い。

では、啓蒙主義的価値観を脅かすポピュリズムの脅威に立ち向かうには、どのような方法があるのだろうか。ポピュリズムの推進力は経済不安ではない。ということは、収入格差を縮める政策や、解雇された製鋼工と話し合ったり、彼らの痛みを理解しようとしたりする行為は、称賛すべきことではあるが、おそらくポピュリズム対策としての効果はないだろう。それよりも、ポピュリズムの推進力と考えられるのは文化的な反発である。その意味では、むやみに二極化を煽るレトリック、象徴化、アイデンティティ政治〔不公正に扱われることの多い、特定のアイデンティティに基づく集団の利益を代表する政治活動〕は避けたほうがいい。そのほうが支持政党を決めかねている有権者の票を集められるだろうし、少なくとも彼らを不快にさせることは避けられるからだ（詳しくは第一二章で説明する）。

またポピュリズムが、実際に支持する人数以上に大きな影響力を及ぼしていることを考えれば、選挙制度の問題点を――たとえばゲリマンダー〔特定政党を利する選挙区の区割り〕や、都市部と地方とで一票に格差のある偏った代表制（たとえばアメリカ選挙人団制度）といったものを――是正することにも効果があるだろう。

マスコミの場合も候補者の評判を報道するときには、つまらない失態やスキャンダルの報道に終始するのではなく、正確で首尾一貫した記録を伝えるほうが効果があるだろう。また長期的には、問題の一部は都市化とともに消えていきそうである。都市化が進めば、ポピュリズムが農場にはびこることもないだろうからだ。さらに問題の一部は人口の変化によっても消えていくと思われる。科学に関して「葬式があるたびに進歩が起きる」といわれるのと同様に、社会も時には世代交代により進歩するからだ(47)。

しかし権威主義的ポピュリズムの台頭については、まだ謎が残っている。それは選挙結果によって誰よりも大きな不利益を被るはずの人々が、なぜ投票日に選挙に行かないのかというものだ。たとえば、イギリスの若者はEU離脱から不利益を被り、アフリカ系アメリカ人やラテン系アメリカ人、アメリカのミレニアル世代はトランプから不利益を被るが、投票しない割合が恐ろしく高い[48]。この事実は本書の主題へとわたしたちを立ち戻らせる。ということで、このあとは近年の反啓蒙主義の流れに対抗し、啓蒙主義的ヒューマニズムの流れをより強化するための、わたしからのささやかな提言を述べていきたい。

ポピュリストは「現代の西洋の国々は不公平きわまりなく、機能不全に陥っているので、根本的な変革以外に改善などできない」と主張するが、わたしはこうしたイメージの醸成にはメディアや知識人も加担していると考える。たとえば二〇一六年の大統領選で、保守的なエッセイストのマイケル・アントンは、自身のエッセイでアメリカを9・11でハイジャックされたユナイテッド航空93便になぞらえ、「操縦桿を奪え！さもないと死ぬぞ！」と、ヒステリックに投票者に呼びかけた[49]（93便は一連のハイジャック機のなかで唯一、攻撃目標への突入に失敗したが、これは乗客が妨害したおかげといわれている）。

また、「政治をわざと炎上させよう」と主張する左派のある記者は、「わたしはクリントン政権下で国が自動操縦飛行される姿よりも、むしろトランプ政権下でアメリカという帝国が地面に激突し炎上する様子を見てみたい。少なくともそれにより、国が抜本的に変化する可能性が開けるだろうからだ」という過激な意見を披露した[50]。主要紙の穏健な論説委員でさえ、アメリカを人種差別や不平等、テロリズム、社会病理、破綻した制度の渦巻く地獄のように描写するのが一般的になっている。[51]

こうしたディストピア的な誇張のはらむ問題は、人々が自国を燃えさかる巨大なごみ箱のようなものだと信じてしまうと、「失うものは何もないだろう?」と扇動政治家が繰り返し訴えれば、容易にそれを受け入れるようになることだ。しかし、そうするかわりにメディアと知識人が、現在起きている出来事を統計や歴史の文脈に入れて提示すれば、正しい答えが得られるはずである。ナチス時代のドイツ、毛沢東時代の中国、そして現代のベネズエラやトルコを見ればわかるように、「危機」に対応するカリスマ的独裁指導者が民主的な規範や制度を踏みにじり、自らの人格の力で国を支配するとき、国民が失うものは途方もなく大きい。

自由民主主義とは貴重な成果である。もちろん救世主でも現れないかぎり、問題は常に発生するだろう。だがわざと大火を起こし、焼けた灰と骨からより善きものが現れると期待するよりも、問題を解決するほうがやり方としては賢明である。社会評論家は現代社会が享受している恩恵に気づくことができないせいで、責任をもって自由民主主義を守っている人々や、少しずつ改善を重ねている人々のことを悪くいい、有権者に偏見を抱かせている。しかし現実には、評論家が悪くいうその人々こそが、わたしたちの享受しているとてつもない進歩を確固たるものにしてくれ、さらに多くの進歩をもたらす状況を強化してくれている。

進歩の継続を支持し、前向きに取り組む

近代性を擁護するさいに厄介なのは、まだ過去になっていない物事について楽観的なことをいうと、考えが甘いとか、評論家がよくエリートをけなしていうように「わかっていない」と思われてしまうことである。それに、英雄神話の世界ではなく、わたしたちのこの世界で実現できる進歩は、その最中には誰も気づかず、あとになってようやく進歩していたのだとわかるようなものばかりである。

また、自由民主主義なら完全に公正で、公平で、自由で、健全で、調和のとれた社会を実現できるのかというと、それは無理な話で、哲学者のアイザイア・バーリンがいったように、そのような理想は危険な幻想でしかない。人間はクローンではないし単一文化で育つわけでもないので、誰かが満足することには、別の誰かが不満を覚える。したがって、どうにかして平等を実現しようと思うなら異なる対応が必要で、全員まったく同じ扱いというわけにはいかない。さらに、自由を手にするということは、失敗する自由も手に入るということなので、人間がその手で自分たちの暮らしを台無しにすることもありうる。つまり、自由民主主義は確かに進歩を可能にするが、面倒な妥協やたゆまない改革も常に必要で、それらなくして進歩はない。

両親や祖父母が望んでも手に入れられなかったものを——もっと大きな自由、もっと豊かな暮らし、もっと公平な社会を——子どもたちは手に入れた。だが人間は過去の苦難を忘れ、子どもたちは新たな問題に直面する。しかもそれは過去の問題を解決できたからこそ生じた問題である。その新たな問題もいずれ解決できるだろうが、すると再び、解決したことによって新たな状況が生まれ、新たな条件が求められることになり……という繰り返しが永遠に、しかも予測できない形で続いていく。[52]

進歩とは本来そういうものだ。創意工夫、共感、良い制度がわたしたちを前進させようとする一方で、人間の本性の負の部分と熱力学の第二法則がわたしたちを後退させようとする。それが結果的になぜ前進につながるかについて、テクノロジーの専門家、ケヴィン・ケリーはこう説明している。

啓蒙主義以来、そして科学の誕生以来、わたしたちは毎年、破壊した分よりほんの少し多くのものを創造してきた。そのプラスはわずか数パーセントかもしれないが、何十年も積み重なれば文明と呼べるものになる。（中略）（進歩というのは）動きとしては見えにくく、あとから振り返ってみて初めてわかる。だからわたしは常々こういっている。わたしが未来に対して大いに楽観的なのは、歴史を見てのことなのです、と。(53)

このように長期的な前進と短期的な後退の、あるいは歴史の流れと人間の営みのあいだでうまく折り合いをつけていこうとする前向きな姿勢のことを、ピタリと言い表す言葉がない。「楽観主義」は少し違う。物事は常に良くなると考えるのは、常に悪くなると考えるのと同じように、合理的とはいえない。ケリーが使ったのは、ユートピアでもディストピアでもない「プロトピア（protopia）」という言葉だった。「プロ」はprogress（進歩）とprocess（プロセス）のpro-である。ほかには「希望に満ちた悲観主義（pessimistic hopefulness）」「楽観的現実主義（opti-realism）」「急進的漸進主義（radical incrementalism）」などと呼ぶ人もいる。(54)

わたしのお気に入りは、ハンス・ロスリングが「あなたは楽観主義者ですか」と訊かれたときに使った言葉だ。「わたしは楽観主義者ではありません。とても真剣なポシビリスト（可能主義者）です(55)」

第三部　理性、科学、ヒューマニズム

経済学者や政治哲学者が世に問う思想は、それが正しい場合でも間違っている場合でも、一般に考えられている以上に大きな力をもっている。いや、それどころか、世界はほぼそれに支配されている。知識人からの影響とは無縁だと思っている実務家も、たいていは過去の経済学者の奴隷になっているし、天の声を聞きとるという狂気じみた権力者も、実は数年前のどこかの学者の駄文から発想を得て、それを狂気に変えただけだ。そうした考えがじわじわ浸透していく力に比べたら、既得権益の力など騒がれているほどのことはないと思えてくる。

ジョン・メイナード・ケインズ

思想は力をもっている。ホモ・サピエンスはあれこれ知恵を絞って生きる種であり、世の中の仕組みや自分たちの最善の生き方について、始終考えをひねり出しては互いに披露しあってきた。思想の力を示す証拠が必要なら、あの政治哲学者が人類に与えた影響を思い出せばいい。カール・マルクスが何よりも固執したのは既得権益の力で、「いつの時代でも、支配的な思想とは支配階級の思想にほかならない」と述べた。ところが皮肉なことに、彼自身は富を所有することも軍を率いることもなかったにもかかわらず、大英博物館の図書室で書き綴った思想のほうは二〇世紀の歴史の流れを決め、それ以降にまで影響を与え、何十億人もの人生を捻じ曲げた。

この第三部は、わたしの啓蒙主義擁護論のまとめである。第一部で啓蒙主義の概要を述べ、第二部でその成果を示したが、続く第三部ではいくつかの意外な敵に対して啓蒙主義を擁護しなければならない。怒れるポピュリストや宗教原理主義者だけではなく、今や知的文化の主流までもが啓蒙主義の敵になっている。大学教授、批評家、専門家、あるいはその著書の読者を相手に啓蒙主義を擁護するなど、およそありえないことだと思うかもしれない。彼らに面と向かって尋ねたら、まず啓蒙主義を否定するはずがないのだから。

　だが、啓蒙主義の理念に対する彼らの態度は気まぐれで、不合理なものだ。多くはこれを重要だと思っておらず、啓蒙主義を積極的に擁護する者はほとんどいない。そのせいで、啓蒙主義の理念は〝当たり前でつまらないもの〟として捨て置かれているが、それでいて排水枡のように、種々雑多な未解決の社会問題が啓蒙主義の理念のもとへと流れ込んできて、どんどんたまっていく（世の中から社会問題がなくなることなどないのだし）。一方、権威主義や部族主義、呪術的思考といった反自由主義思想はどうかというと、こちらは常に新しい血が供給され、擁護者にも事欠かない。これではまともな勝負にならないではないか。

　わたしは人間社会に――怒れるポピュリストも宗教原理主義者も含めて社会全体に――啓蒙主義の理念がもっとしっかり根を下ろしてくれたらと願っている。かといって大衆説得、民衆動員、インターネット・ミームといった秘術に長《た》けているわけでもない。これから述べる内容も、あくまでも論証に重きを置く人々を対象にしたものだ。しかし、前述のように実務家も、狂気じみた権力者も、直接間接を問わず何らかの形で思想の影響を受けるのだから、こうした論証にまったく力がないとはいえないだろう。実務家や権力者になる人々も大学に通う。社会に出てからも知的な雑誌を読む（少なくとも歯医者の待合室では）。日曜の朝のニュース番組でキャスターがしゃべることくらいは聞く。高級紙《クオリティ・ペーパー》やTEDトークの知識を頭に詰め込んだスタッフから報告を受ける。そしてネットのディスカッション・フォーラムにまめに顔を出すが、そうしたフォーラムを良いほうにも悪いほうにもリードするのは彼ら以上に読書通の参加者たちだ。そうした細い流れをたどって徐々に浸透していく思想に、啓蒙主義の理念である理性、科学、ヒューマニズムがもっと含まれていたら、それはいくばくなりとも世界にいい影響をもたらすはずだと思いたい。

第二一章　理性を失わずに議論する方法

理性や客観性を否定したら議論は不可能になる

理性を否定するのは文字どおり非理性的である。だがいくらそう指摘されても、数多《あまた》の非理性主義者が考えを変えることはなく、彼らは理性より感情を、大脳皮質より大脳辺縁系を、考えることより考えないことを、スポックよりマッコイ〔いずれもスタートレックの登場人物〕を好んできた。反啓蒙主義といえば、まずロマン主義運動があったが、この運動がどういうものだったかはドイツの哲学者ヨハン・ゴットフリート・ヘルダーの言葉、「わたしがここにいるのは考えるためではなく、存在し、感じ、生きるためだ！」に尽きる。また、何らかの信仰、つまりもっともな理由もなしに何かを信じること（宗教的信仰にかぎらない）への崇敬の念は、いつの時代でも広く一般的に見られる。

そのほかの反啓蒙主義には、ポストモダニズムもある。その信条は「理性は権力行使の口実にすぎない」とか、「現実は社会的構築物である」とか、「どんな言説も自己言及の罠に陥ってパラドックスと化す」といったものだ。わたしと同業の認知心理学者のなかにさえ、人間は完全に合理的な主体だと考えるのが啓蒙主義の信念だと思い込んでいる人々がいて、認知心理学によって啓蒙主義の誤りを証明できたとしばしば主張し、理性そのものの重要性をないがしろにしている。彼らの主張を煎じ詰めれば、この世界をもっと理性的な場所にしようと試みることさえ無駄だということになる。[1]

しかしこれらの主張はどれも致命的な欠陥を抱えている。自分自身を否定せざるをえないという欠陥である。彼らは自分の立場を信じる〝根拠〟が存在しうることを否定してしまっている。自分の立場を擁護しようと口を開くと同時に、彼らは議論に負ける。なぜならその行為によって暗黙裡に相手を説得しようとすることになるが、説得というのは自分が論じようとするものの〝根拠〟を示し、「わたしたちが互いに納得している合理性の基準に照らして、これならあなたも受け入れるでしょう」と主張することなのだから。そうでないなら口を開く意味がなく、賄賂か暴力に訴えるほうがましということになってしまう。哲学者のトマス・ネーゲルは『理性の権利』（大辻正晴訳、春秋社）のなかで、論理と現実についての主観主義や相対主義が支離滅裂なのは、「何も使わずに何かを批判することなどできないからだ」と指摘している。

「すべては主観的である」という主張に意味があるはずはない。なぜならその主張そのものは主観的か客観的かのどちらかであるはずだが、まず客観的ではありえない。なぜなら客観的だとすれば、その主張は誤りということになるからだ。また主観的でもありえない。主観的だとすれば、何らかの客観的主張が存在することを――この主張が客観的に偽であるという主張も含めて――排除することはできないからだ。主観主義者のなかには、おそらくは自らプラグマティストを装って、主観主義の主張そのものにも主観主義が当てはまるとする人がいるかもしれない。だがその場合、その主張には答える必要がない。たんに、主観主義者はこういうふうに考えたいのだという報告でしかないからだ。そういう相手からあなたも主観主義の仲間に加わってくださいと誘われたとしても、誘いを受けるべき理由が示されていないのだから、こちらも理由を述べずに断ることができる。(2)

ネーゲルはこのような考え方を、「我思う故に我あり」に似ていることから、デカルト風と呼んでいる。自分は存在するのかと考えること自体が自分の存在を示すように、理性に訴えようとすること自体が理性の存在を示している。あるいは、しようとしていること自体がそのための前提条件を示すという意味で、超越論的論証といってもいいかもしれない(3)（ある意味では、古くから知られるあの「嘘つきのパラドックス」に戻るともいえそうだ。「クレタ人は全員嘘つきだ」というクレタ人のパラドックスのことである)。しかし、この論証をどう呼ぶかはさておくとして、これが理性を「信じること」や「信仰すること」を正当化すると解釈するのは誤りである。ネーゲルもそのような解釈を「そこまで行くと考えすぎ」だといっている。[4] わたしたちは理性を〝信じる〟のではなく、理性を〝使う〟のだから(CPUの場合と同じで、コンピューターをプログラムしてCPUを存在させるわけではなく、CPUによってプログラムが実行されるだけだ)。

理性はすべてに先立つもので、第一原則として証明する必要もない(そもそも証明できない)。だがそれでも、ひとたび議論を始めると、そのとき自分が拠って立つ論拠について、一貫性があるかとか、現実に則しているかと確認することで、大丈夫、これなら理に適っていると自信を深められるものだ。わたしたちは、ばらばらな記憶の断片が支離滅裂な順番で出てくる夢のなかに生きているわけではない。それに、理性を現実の世界に応用すれば、感染症を克服したり、月に降り立ったりと、わたしたちの意思で世界を少し変えることもできるのだから、それで十分に理性は立証されているというべきだろう。

抽象哲学から生まれたものであっても、デカルトの論法は屁理屈ではない。発言者にとって、「あなたの発言の根拠は?」とか「証明してみせて」とか「でたらめもいい加減にしろ」といった反応が力をもつことは、難解な言葉を操る脱構築主義者から、陰謀論やもう一つの事実《オルタナティブ・ファクト》を広める反知性主義者に至るまで、誰もが知っている。またそうした反応に対して、「いや、根拠なんかありませんよ」とか、「実は、今まさに嘘をついています」とか、「ああ、全部でたらめだよ」と答える人はまずいないだろう。論証というものの本質からして、これに身を投じる人間は自分が正しいと主張することになる。そして主張したとたん、もうすでに理性に頼っている。だから説得されるべき相手のほうも、主張の一貫性や正確性という観点から、主張者に圧力をかけることができるのだ。

人間の理性を使う能力は進化によって磨かれてきた

ダニエル・カーネマンの『ファスト&スロー』(村井章子訳、早川書房)やダン・アリエリーの『予想どおりに不合理』(熊谷淳子訳、早川書房)といったベストセラーで紹介されたので、今や多くの人々が、人間の不合理性に関する認知心理学の研究成果を知るようになった。わたしも本書の最初のほうで少し触れたが、人間の認知能力に欠陥があることはすでに明らかになっている。たとえば、わたしたちは小耳にはさんだ程度の話から憶測したり、固定観念を人に押しつけたり、自分の確信を裏づけるエビデンスを求める一方で、矛盾するエビデンスを無視したり、損害や損失を必要以上に恐れたり、物理的因果関係より目的論や呪術の類いから物事を判断したりする。(5) しかし、これらの知見と同じくらい重要なのは、こうした発見を、「人間を合理的な主体とする啓蒙主義の誤り」を証明するものだとか、「もはや理性による説得はあきらめて、デマにはデマで対抗するしかないという宿命論」にお墨付きを与えるものだと考えるのは、間違いだという点である。

そもそも、人間は一貫して合理的だと考えた啓蒙思想家などいない。「人間を作っている〈樹〉がこれほど曲がっているのに、完全に真っ直ぐなものを作りだすことはできない」〔『永遠平和のために／啓蒙とは何か 他3編』中山元訳、光文社より〕と述べた超合理的なカントはもちろんのこと、スピノザも、ヒュームも、アダム・スミスも、百科全書派も（彼らは時代を先取りした認知心理学者、社会心理学者といってもいいのだが）、誰一人として、人間は一貫して合理的だとは思っていなかった。(6) 彼らが説いたのは、わたしたちは虚偽やドグマの誘惑を断ち切って合理的になるべきだということであり、また言論の自由、論理的分析、実証的検証といった、自分たちの力を律する制度を設け、規範を守ることで、個人では無理だとしても集団では合理的になれるということだった。これに異を唱える人は、「人間は決して合理的にはなれない」と主張することになるが、そんな主張を受け入れる必要がどこにあるだろうか。

理性に対する否定的な見方は、「ヒトは扁桃体で思考し、茂みがかすかに音を立てただけでトラがいると思って全速力で逃げるレイヨウのようなもの」といった、稚拙な偽の進化心理学（進化心理学者たちが認めていないもの）に基づいていることが多い。まともな進化心理学はもっと違う見方をしていて、ヒトを二本足のレイヨウではなく、レイヨウより知恵のある種だと考えている。わたしたちは自分を取り巻く世界を説明し、その説明を足がかりにして生きる認知的な動物である。わたしたちが何をどう信じようとも世界は現にそこに存在するので、その世界を正しく説明できるかどうかが生存の重要な鍵になる。だからその能力に強い淘汰圧がかかったのだ、と考えている。[7]

　つまりわたしたちの推論能力には進化的なルーツがある。市民科学者のルイス・リーベンバーグは、カラハリ砂漠に住む狩猟採集民で世界最古の民族の一つでもあるサン族（ブッシュマンとも呼ばれる）を研究した。サン族は最古の狩猟方法とされる「持久狩猟」を今に伝えているが、これは発汗というヒトに特異な体温調節機能を生かして、気温が高い時間帯に毛皮で覆われた獲物を追い立て、相手が熱中症で倒れるまで追いつづけるという手法である。

　だが、ただ追いまわすのも容易ではない。ほとんどの哺乳動物は人間よりすばしこく、見つけたと思ったら逃げてしまうので、足跡などを頼りに粘り強く追うしかない。だからサン族は、蹄の跡、折れた草、蹴散らされた小石などから、獲物の種、雌雄の別、年齢、疲労度、ひいてはどの方向に逃げたかまで推測する。それも当てずっぽうではなく、知識を基に論理的に推測する。たとえば、深くえぐれた足跡は敏捷なスプリングボック〔小型のレイヨウ〕で、尖った蹄で地面をしっかり捉えるためだとか、扁平な足跡は重量のあるクーズー〔大型のレイヨウ〕で、体重を支えるために足裏が平たいといった要領だ。さらに理屈に訴えることも知っていて、自分の推測の論理的根拠を述べて仲間を説得したり、逆に説得されたりもする。

リーベンバーグによれば、サン族は権威に訴える論証を受け入れないという。若いハンターでも年長者の多数意見に異を唱えることが許されていて、もしその意見に説得力があれば、年長者もそれを受け入れ、そうやってグループ全体の狩りの精度が上がっていくそうだ[8]。

それでもまだ、現代のドグマや迷信を人間ならではのものだからと弁護したいなら、サン族に科学的懐疑の精神が見られるというリーベンバーグの記述に目を留めてもらいたい。

> 中央カラハリ（ボツワナ共和国内）のローンツリーのハンター、ナテ、ウアセ、ボロカオの三人が、ヒトコエヤブヒバリは雨のあとにしか鳴かないと教えてくれた。「雨が降ってうれしいから」鳴くのだそうだ。ボロカオは、あの鳥は鳴くことで地面を乾かして、根をおいしくしてくれるともいった。だが、あとでナテとウアセが

こっそりと、ボロカオは間違っている、地面を乾かすのは鳥じゃなくて太陽だといった。鳥はただ、このあと数カ月で地面が乾いて、根が食べ頃になると教えてくれているだけなんだと。（中略）

中央カラハリのベレ出身のハンター、ナムカは、太陽はエランド〔ねじれた角をもつ大型のレイヨウ〕だという神話を聞かせてくれた。エランドは空を東から西へと走り抜け、そのあと西に住む人々に殺されてしまう。太陽が沈むときに空が赤くなるのは、エランドの血で染まるからだ。西の人々はエランドの肉を食べたあと、その肩甲骨を東の空へと投げ返す。それが水場に落ちると成長して新しい太陽になる。だから時々、エランドの肩甲骨が空を切るヒュッという音が聞こえるという。だがこの話を事細かく聞かせてくれたあとで、ナムカはこっそりと、「お年寄りたち」は嘘をいっていると思うといった。というのも、彼は空を飛ぶ肩甲骨を一度も見たことがないし（中略）、空を切る音も聞いたことがないからだ。[9]

もちろんこの調査報告は、人間が錯覚や誤謬に陥りやすいという発見と矛盾するものではない。ヒトの脳の情報処理能力は限られているし、ヒトは科学も学問も、その他の真偽の検証法もない世界で進化してきたのだから。しかし真実性は強力な淘汰圧になるので、知識に頼って生きる種は、より正しい知識を優先するように進化してきたにちがいない。だとすれば、今日わたしたちが直面している課題は、愚かな考えへと導く能力を抑制し、正しい考えへと導く能力のほうを発揮できるように、情報環境をデザインすることだ。そしてそのためにはまず、これほどの知性をもつ種がなぜたやすく愚行に走ってしまうのか、その理由を突き止めなければならない。

不合理な主張を信じるのは無知だからではない

二一世紀はかつてないほど容易に知識が手に入る時代になったが、その一方で不合理の嵐が吹き荒れてもいる。進化が否定され、ワクチンの安全性が否定され、人為的気候変動が否定され、陰謀論が飛び交っている。９・11に関するデマ〔テロはアメリカ政府による自作自演とする説など〕から、ドナルド・トランプの大統領選一般投票の得票数問題〔一般得票数がH・クリントンより少なかったのは不法移民がクリントンに投票したからだという トランプの主張〕に至るまで、不合理の例は枚挙にいとまがない。合理性の支持者たちは、このパラドックスを何とか説明しようとやっきになっているが、彼ら自身にも多少不合理なところがあり、理解の糸口になるかもしれないデータに目を向けようとしない。

集団の愚行は、一般的には無知によるものと説明される。教育制度に不備があって科学知識が身についていないせいで、多くの人が認知バイアスに振りまわされやすく、頭の軽いセレブや、ケーブルニュースの扇動、その他大衆文化の悪影響に対して無防備になっていると説明される。そしてその対応策として一般的に提案されるのは、学校教育の改善と、科学者のアウトリーチ活動（テレビ、ソーシャル・メディア、人気のウェブサイトなどで、研究者自身が一般の人々と双方向の対話をすること）の推進である。わたしはアウトリーチ活動に積極的なほうなので、この対応策は悪くないと常々思っていたが、それは間違いだと（あるいはよくても解決の一助にしかならないと）気づいた。ここで進化に関する問題を二つ紹介するので、考えてみていただきたい。

【問題1】一九世紀の産業革命のあいだにイギリスの工業地帯は煤《すす》で覆われた。するとオオシモフリエダシャク〔蛾の一種〕の多くが黒っぽい色になったのだが、それはなぜか。

A：環境に溶け込むために、体色を黒っぽくする必要があったから。

B：黒っぽい個体のほうが天敵に襲われにくく、繁殖に成功する率が高かったから。

【問題2】ある私立高校でテストの平均点が前年より三〇点上がった。この変化の説明として、ダーウィンの種の適応に関する説に類似しているのはどちらか。

Ａ：裕福な卒業生の子弟でも、成績が基準に満たなければ入学を認めないことにしたから。

Ｂ：前年テストを受けた生徒たちが、その後学力をつけていたから。

正解は問題1がＢ、問題2がＡである。心理学者のアンドリュー・シュタルマンはこの種の質問を一式用意して、高校生や大学生を対象に調査を行った。自然淘汰の理論をどこまで理解しているかを調べるための質問だが、なかでも「進化は、適応形質をもつ個体数の割合が変化することで起こるのであって、ある個体群が適応性の高い形質をもつように変異することで起こるのではない」という進化論の基本が理解できているかどうかがポイントになる。

さて、調査の結果、一連の問題の正解率と、進化を信じるかどうか（自然淘汰が人類の起源を説明すると信じるかどうか）とのあいだには相関がないことが明らかになった。つまり、進化を理解していないのにそれを信じる人もいれば、理解しているのに信じない人もいることがわかったのだ。[10]この事実を示す例はほかにもあり、一九八〇年代に何人かの生物学者が創造論者との討論会に招かれ、痛い目にあわされたことがある。創造論者というからには田舎の熱烈な信者の集まりだろうと思っていたら、この問題に精通した論述のプロが何人も出てきて、最先端の研究から引用しつつ、科学ははたして完全といえるのでしょうかと突っ込んできたという。

要するに、進化を信じるかどうかは科学知識が身についているかどうかとは関係がない。進化を信じると明言することは、実はリベラルで非宗教的な文化への忠誠心の表明であり、逆に信じないと明言することは、保守的で宗教的な文化への忠誠心の表明にほかならない。全米科学財団（ＮＳＦ）は二〇一〇年に、科学知識のテストから「今日わたしたちが知る人類は、原始的な動物種から進化した」という項目を削除した。これに対して科学者たちは、ＮＳＦが創造論者の圧力に屈して科学から「進化」を削除したと怒号を上げたが、削除の理由は別のところにあった。この項目の解答と他の項目（「電子は原子より小さい」とか「抗生物質はウイルスを殺す」など）の解答のあいだの相関があまりにも低く、テストにとって無駄な項目になっていたので、より学力診断に役立つものに置き換えたほうがいいと判断されたためだった。言い換えれば、この項目は実質的に科学知識ではなく信仰心を問う試金石になっていた。[11]その証拠に、この項目に「進化論によれば」と追記した場合、つまり科学的理解を文化への忠誠心から切り離した場合には、信仰心の有無で解答が分かれることはなかった。[12]

では次のような問題はどうだろうか。

【問題1】気候科学者は、人為的地球温暖化で北極の氷が融解すると、世界的に海面が上昇すると考えている。正誤を答えよ。

【問題2】科学者が気温上昇に最も影響すると考えている気体は次のうちのどれか。二酸化炭素、酸素、ヘリウム、ラドン。

【問題3】気候科学者は、人為的地球温暖化により皮膚癌発症のリスクが高まると考えている。正誤を答えよ。

問題1の正解は「誤」。氷入りコーラの氷が解けてもグラスからあふれないのと同じことだ。解けると海面が上昇するのは、グリーンランドや南極などの陸上の氷床の場合である。調査の結果を見ると、気候科学に関して、いや科学知識全般に関しても、人為的温暖化を信じている人々が信じていない人々より正解率が高いということはなかった。たとえば人為的温暖化を信じる人の多くが、温暖化の原因はオゾン層に穴があいたからで、有害廃棄物を除去すれば緩和できると考えていた[13]。

結局のところ、人為的気候変動を認めるか認めないかは、科学知識の有無ではなく、政治的イデオロギーによって分かれる。二〇一五年の調査で「人間の活動により地球は温暖化しつつある」と認めた人は、共和党保守派支持層には一〇パーセントしかいなかった（五七パーセントが温暖化そのものを否定）。これに対して、共和党穏健派支持層では三六パーセント、無党派層では五三パーセント、民主党穏健派支持層では六三パーセント、民主党リベラル派支持層では七八パーセント認めていた[14]。

人は評判を気にして集団内の主流意見に同調する

公的な場での理性について画期的な分析をした法学者のダン・カハンは、ある種の信念をもつことが文化への忠誠を示すシンボルになっていると論じている。人が何らかの信念を肯定したり否定したりするのは、自分が何を知っているかではなく、自分が何者かを表明するためだという[15]。わたしたちはそれぞれ特定の集団ないし文化に属していて、そのいずれもが、「何が人生を豊かにするか」とか「社会は諸問題にどう取り組むべきか」といったことについて独自の信念をもっている。

そして、その信念は次の二つの面で分かれる傾向にある。一つは、自然な階層構造をよしとする右派か、強制的な平等主義をよしとする左派かという分裂傾向（これは「わたしたちは富裕層と貧困層、白人と有色人種、男性と女性の不平等を抜本的になくしていかなければならない」といった主張に賛同するかどうかで判別される）。もう一つは、個人主義に共感する自由主義的立場か、連帯に共感する共同体主義ないし権威主義的立場かという分裂傾向（こちらは「政府は個人の選択を制限し、社会の利益の妨げとならないようにするべきである」といった主張に賛同するかどうかで判別される）。そして、それぞれの信念はどのように形作られるか、誰がそれを支持しているかによって、試金石にも、合言葉にも、モットーにも、シボレス〔ある社会集団に固有の文化的指標〕にも、神聖な価値にも、集団への忠誠の誓いにもなる。カハンらは次のように述べている。

気候変動科学について人々の意見が分かれる最大の理由は、科学者の伝え方が悪くて理解しにくいからではない。むしろ、気候変動に関してどのような態度をとるかが、自らの価値観の表明につながるからだ。その価値観とは、たとえば、共同体での問題解決か個人の自助努力か、賢明な自己犠牲か利益の果敢な追求か、謙虚さか独創性か、自然との調和か自然の制御か、等々である。[16]

また、人々を分かつこのような価値観は、その社会で起きる問題を誰のせいだと糾弾するかによっても特徴づけられる——強欲な企業か、現実を知らないエリートか、干渉過多の官僚か、嘘つきの政治家か、無学な保守の白人労働者か、あるいは例のごとくエスニック・マイノリティか、といった具合だ。

カハンは、人が客観的判断ではなく忠誠の誓いとして信念を表明する傾向にあるのは、ある意味では理に適ったことだと指摘する。ごく一部の有力者、キーマン、権力者は別として、普通の人は自分が温暖化や進化について何をいおうが、それで世界が変わることはまずないと思っている。その一方で、そうした発言は個人が所属集団のなかで信頼を得られるかどうかには大いに影響する。政治がらみの問題で集団にそぐわない意見を口にすれば、よくて変わり者（わかってないやつ）、下手をすれば裏切り者とみなされるかもしれない。そうした同調圧力は、ともに暮らす、あるいは働くのが互いに似たような人々である場合や、学界・業界・宗教界の一グループが右派ないし左派の信条を旗印に掲げている場合には、いっそう強くなる。いずれかの派閥への支持を明確にしている専門家や政治家に至っては、具体的な争点で立ち位置を間違えればキャリアを棒に振ることにもなりかねない。

この点を考えれば、科学的に通用しない、あるいはファクトチェック（真偽検証）に耐えられないような意見をもつことも、実のところそれほど不合理ではない。少なくとも自分に降りかかる直接的影響がない問題の場合には、不合理ではない。しかしながら、それが社会に、ひいては地球全体にどう影響するかはまた別の問題である。気候は人間の意見などおかまいなく変動し、実際問題として気温が四度上がれば数十億人が何らかの被害を受ける。それまでにどれほど多くの人が仲間内で人気の意見に賛同を表明し、所属集団内で評判を勝ち得たかは関係ない。

カハンは結論として、わたしたちは皆、「信念の共有地の悲劇」〔第一〇章にも出てきた「共有地の悲劇」の信念バージョン〕に参加しているようなものだといっている。個々人が合理的（自分の評判を守るために合理的）だと思って行動していることが、結果的には社会全体にとって不合理（現実問題として不合理）な結果を招くからである。(17)

このような「表現的合理性（expressive rationality）」あるいは「アイデンティティ保護的認知（identity-protective cognition）」〔仲間内で支配的な考えに添う証拠ばかりを信用する傾向〕の裏にある屈折した動機は、二一世紀の合理性のパラドックスを理解する一助になる。二〇一六年の大統領選挙戦のとき、多くの政治評論家はトランプ陣営の信じがたい発言（トランプ自身の発言であることが少なくなかったが）に耳を疑った。たとえば、ヒラリー・クリントンは多発性硬化症で、それを隠すために替え玉を使っているとか、バラク・オバマは9・11に絶対に関与しているはずで、その証拠に当時大統領執務室にいなかった（二〇〇一年九月一一日にはまだ大統領ではなかったので、いなくて当然だ）など。アマンダ・マーコットもこうコメントした。「この人たちは、自分で服を着て、決起集会の演説原稿に目を通して、時間どおりに登壇できるくらいまともなんですよ。それがこんなおかしな、頭がどうかしてでもいないかぎり信じるわけがないデタラメを信じつづけているなんて、いったいどうなってるんです?」(18)。どうなっているかというと、彼らはいっせいに「青い嘘」をついている。「白い嘘」は相手のためにつく嘘〔お世辞など〕

で、青い嘘は所属集団のためにつく嘘である（もともとは警察官が同僚のためにつく嘘のことだった）[19]。

陰謀論を唱える人々は、もちろん純粋に信じている人も一部にはいるだろうが、大多数はパフォーマンスとして唱えている。要するにリベラル派を敵に回し、仲間との団結を誇示しようとしている。人類学者のジョン・トゥービーがいうように、忠誠の証しとして「自分はこれこれを信じている」というのなら、まともな内容よりばかげた内容のほうが効果的だ[20]。「岩が転がり落ちる」なら誰でもいえるが、「岩が山を上る」はよほどのことがなければいえない。つまり仲間とともに歩む気持ちが強いからこそ、「神は三人であり、また一人でもある」といえるのだし、「民主党の面々がワシントンDCのピザ屋で子どもに性的虐待を加えた」といったことまでいえてしまう。

知識が深まるほどに意見が二極化することさえある

政治集会で飛び交う陰謀論はでっち上げによる自己表現の極端な例だが、話はこれで終わるわけではなく、「信念の共有地の悲劇」はもっと根が深い。実は合理性のパラドックスにはもう一つ別種のものがある。それは、専門知識や知力や意識的推論それ自体は、必ずしもわたしたちを真実に近づけてはくれないというパラドックスだ。

それどころか、知力は絶えずより巧妙な屁理屈を生み出す武器になることがある。ベンジャミン・フランクリンも、「理性的な動物（人間）とは便利なものだ。やろうと思えば、何についても理由を見つけたりひねり出したりできるのだから」といった。

心理学者はかなり前から知っていたことだが、人間の脳は「動機づけられた推論」（論証が導くほうへ向かうのではなく、好ましい結論へと論証を導いてしまうこと）、「評価バイアス」（好ましい方向に合わないエビデンスはあら探しをして排除し、合うエビデンスだけを受け入れようとすること）、そして「マイサイドバイアス」（文字どおり〝自分の側〟に偏った自己弁護的な見方をすること）に陥りやすい[21]。

一九五四年に発表された古典的な実験研究にこんなものがある。心理学者のアルバート・ハストーフとハドリー・キャントリルが、ダートマス大学とプリンストン大学の学生を対象に行った実験だ。両校が激突したラフプレー続出のアメリカンフットボールの試合のあとで、学生たちにアンケートをとったのだが、なんと観戦した（あるいは試合を映像で見た）学生たちは皆、相手チームの反則行為のほうが多かったと答えた[22]。

わたしたちはすでに、政党への肩入れがスポーツファンの応援と同じようなものだと知っている。選挙の夜には、アメリカンフットボールのスーパーサンデー[23]と同じようにテストステロン・レベルが上がったり下がったりする。だとすれば、どちらの政党の支持者も同じように、「相手陣営のほうが不正が多い」と感じるのだとわかっても、誰も驚きはしないだろう。

もう一つ古典的な実験研究を紹介しておこう。心理学者のチャールズ・ロード、リー・ロス、マーク・レッパーは、死刑賛成論者のグループと反対論者のグループを対象に、死刑に関する二つの研究結果を読ませて評価させるという実験を行った。一つは死刑に殺人の抑止力があることを示すもの（たとえば死刑制度を採用した州で翌年の殺人発生率が低下したというもの）、もう一つは抑止力がないことを示すもの（たとえば死刑を実施している州の殺人発生率が実施していない近隣の州より高かったというもの）で、いずれも偽の研究だが、書類は本物らしく作ってあった。また空間比較より時間比較を重視する被験者、あるいはその逆もいるかもしれないので、各グループのそれぞれ半分にはそのあたりを入れ替えたものを渡すなど、細かい配慮もなされた。

結果はどうだったかというと、どちらのグループもまったく同じような反応を示した。最初に渡された要旨を見た段階では、少しためらいを見せたが、次に渡された詳細に目を通すと、自分の信条と合わないほうの研究についてあら探しを始め、「同時期の犯罪率全般の変動率に関するデータがないから、このエビデンスには意味がない」とか、「たとえ隣接州でも、州によって事情が異なるからこの比較には意味がない」などといいはじめた。しかもこうした恣意的なあら探しを経て、被験者は実験前よりいっそう極端な意見をもつようになり、同じ証拠を見せられても死刑反対論者はますます反対へ、賛成論者はますます賛成へと態度を硬化させた[24]。

政治とスポーツ観戦が似ている点はもう一つある。人々がスポーツ関連のニュースを漁って夢中になるのは正しい意見をもとうとするからではなく、ファン体験を満喫したいからだ[25]。そしてこれは、カハンの研究から導き出されるもう一つの結論、「気候変動について知れば知るほど人々の意見は二極化する」にも通じる[26]。実際、意見が二極化するのは、人々が自分の意見に有利になるように情報を集めるからとはかぎらない。事前に意見などもっていなくても、結果的に二極化することがカハンの別の実験でわかっている。被験者にナノテクノロジーの功罪（ニュース専門局で政治的争点として扱われることがないテーマ）について情報を提供してから反応を見る実験を行ったところ、中立的かつバランスのとれたプレゼンテーションがなされた場合であっても、被験者の意見はすぐさま二極化した。それもただ二極化したのではなく、原子力や遺伝子組み換え食品をめぐる賛成派・反対派と同じグループに分かれたのだ[27]。

知能が高くても偏見があると誤った結論に飛びつく

これでもまだたいした問題ではないというなら、もう一つのカハンの研究――あるウェブメディアに「脳に関するかつてないほど気の滅入る発見」というタイトルで紹介された研究――はどうだろうか[28]。カハンは一〇〇〇人のさまざまな立場のアメリカ人を対象に、まず一般的な質問表で政治的信条や計算能力を調べたうえで、ある問題への新たな対処法に関する数値データを見せ、その効果のほどを評価してもらう実験を行った。被験者には事前に、「この対処法に効果があるとはかぎらず、場合によっては逆効果の場合もあり、あるいはその対処法なしで状況が改善する場合もあるので、数字をよく見てください」と注意を促しておく。数字はひねってあって、ぱっと見るとある答えが浮かぶが（〝絶対数〟で見ると対処して改善した例のほうが多いので、効果があるように見える）、よくよく考えるとその逆が正しいとわかるようになっている（対処した場合よりしなかった場合のほうが改善例の〝比率〟が高いので、効果がないとわかる）。つまりちょっとした暗算で比率を計算すれば、正しい答えが出せるようになっている。

まず最初の例は、問題が皮膚疾患（発疹）、対処法が新種の塗り薬で、データは次のようなものだった。

	改善	悪化
対処あり	二二三	七五
対処なし	一〇七	二一

数値はこの塗り薬に効果がない（むしろ害になる）ことを示している。症状が改善したのはこの薬を使った人のおよそ四分の三、使わなかった人のおよそ六分の五で、使わないほうが治癒率が高い（被験者の半数には表の並びを逆にしたデータが渡され、その場合は「どちらかというと効き目がある」が正解となる）。計算が苦手な人は絶対数（二二三対一〇七）に気をとられ、答えを間違える傾向が見られたが、計算が得意な人は比率の差（四分の三対六分の五）に気づき、正解にたどり着いた。被験者が塗り薬について何の偏見ももっていないことは明らかで、正解が「効果なし」でも「効果あり」でも（つまり表の並びが逆の場合でも）、計算さえ得意なら同じように正しい判断ができていた。民主党支持者と共和党支持者のあいだには、「あいつらは頭が悪い」という最悪の相互不信感があるが、この実験の正解率に実質的な差は見られなかった。

ところが、別バージョンの実験を行うと結果はがらりと変わった。問題を発疹から犯罪率に、対処法をたんなる塗り薬から信条にかかわる銃規制（一般市民による公共の場での拳銃の秘匿携帯を禁じる法律）に変えたのだ。すると、こんどは計算に強い人でも政治的信条に応じて答えが分かれてしまった。銃規制によって犯罪率が〝低下〟したことを示すデータが提示されたときには、リベラルで計算にも強い人は全員正解したが、保守で計算に強い人は大半が答えを間違えた。後者の正解率は保守で計算に弱い人よりは少しよかったが、それでも不正解率が正解率を上回った。逆に銃規制によって犯罪率が〝上昇〟したことを示すデータが提示されたときには、保守で計算にも強い人は全員正解したが、リベラルで計算に強い人は大半が答えを間違えた。しかも後者の正解率は、リベラルで計算に弱い人と同レベルだった。

この結果からわかるのは、人間の不合理性を頭の悪さのせいにすることはできないということだ。政治的信条で結果が大きく変わってしまったのはむしろ頭のいい人々だったのだから。この研究結果を取り上げた二つのウェブメディアは、それぞれ次のようなタイトルを付けた。[29]「科学が証明──政治で計算できなくなる」と「誰もが政治でばかになる」である。

左派の右派への、右派の左派への偏見を検証

科学者でさえこの落とし穴の例外ではない。彼らは政治上の相手陣営がバイアスに

とらわれていることを証明しようとして、しばしば自らのバイアスに足を取られ、「バイアス・バイアス」[30]とでも呼ぶべき誤謬に陥ってしまう（「マタイによる福音書」第七章第三節に「あなたは、兄弟の目にある屑《くず》は見えるのに、なぜ自分の目の中の丸太に気づかないのか」〔新約聖書、新共同訳〕とあるように）。

　最近の例を挙げると、三人の社会科学者（社会科学者はリベラルが圧倒的に多い）が「保守はリベラルより敵対的かつ攻撃的である」と主張する論文を発表したが、実はデータラベルを読み違えていて、リベラルのほうが敵対的かつ攻撃的だとするデータだったことに気づき、取り下げざるをえなかった[31]。保守がリベラルより偏見にとらわれやすく、頑なだと証明しようとした研究はほかにもあるが、いずれも自分たちに都合のいい項目を選んでまとめているにすぎない[32]。確かに保守派はアフリカ系アメリカ人に対してより偏見をもちやすいが、それをいうならリベラル派も敬虔なクリスチャンに対してより偏見をもちやすい。保守派は学校でキリスト教の祈りを認めるべきだという意見に偏っているが、リベラル派も学校でイスラム教の祈りを認めるべきだという意見に偏っている。また「バイアス・バイアス」は左派だけのものだと考えるのも間違いで、それでは「バイアス・バイアス・バイアス」になってしまう。

　リバタリアンの経済学者、ダニエル・クラインとジェリカ・ブトロヴィッチは、リベラル左派が経済に疎いことを証明しようとして、二〇一〇年に基礎経済学の問題への解答を分析した研究結果を発表した。[33] 設問はたとえば次のようなものである。

以下の記述の正誤を答えよ。

・住宅開発を規制すると、住宅が手に入りにくくなる。（正）
・専門サービス業を認可制にすると、そのサービスの価格が上がる。（正）
・最大のマーケットシェアを握る企業を独占企業という。（誤）
・家賃統制は住宅難を招く。（正）

（ほかには「全般的に見れば、今の生活水準は三〇年前より高い」（正）という項目もあった。この質問への回答結果は、第四章のわたしの主張「進歩主義者は進歩を嫌っている」を裏付けるもので、進歩主義者の六一パーセント、リベラル派の五二パーセントが「誤」と答えた）

このような一連の設問に対して左派のほうが正解率が低かったため、保守派とリバタリアンはにんまりし、さっそく『ウォール・ストリート・ジャーナル』が「あなたは小学校五年生より賢い？」という見出しでこれを報じ、暗に左派は小学生以下だとばかにした。しかし一部の批評家から、設問の選び方に問題があり、そもそも左派の心情を逆なでするものばかりだとの指摘があったため、クラインとブトロヴィッチは、こんどは右派の心情を逆なでするような設問も追加してもう一度実験した。[34] 追加されたのはたとえば次のような設問である。

・二人の人間が自主的に取引すると、双方が必然的に利を得る。（誤）

・人工妊娠中絶を禁じると、違法中絶が増える。（正）

・ドラッグを合法化すると、ギャングやマフィアがますます力をつける。（誤）

すると今回は保守派のほうが正解率が低かった。クラインの名誉のためにいっておくが、彼は「わたしは間違っていた。そしてあなたたちも」と題する論文を出して、左派は経済に疎いとする前言を撤回し、こう書いた。

たとえば、「貧しい人々にとっては、裕福な人々にとってより一ドルの価値が高い」という設問に、わたしと同じリバタリアンの三割以上（そして保守派全体の四割以上）が「誤」と答えたが（おいおい、みんなどうした！）、進歩主義者で「誤」と答えたのはわずか四パーセントだった。（中略）全一七問の成績を集計してみてわかったのは、他のグループより明らかに愚かなグループなど存在しないということである。どうやら、自分の信条に反する内容を問われると、誰もが同じように愚かになるようだ。[35]

右も左もイデオロギーのせいで人類に貢献し損ねた

こうした実験において左派も右派も等しく愚かだとすれば、世界を理解するうえでも、どちらも等しく的外れかもしれないと考えるべきだろう。第五章から第一八章にかけて紹介したデータは、人類の進歩に対して、主要な政治イデオロギーのうちのどれが「自分たちの貢献だ」と主張できるかを見極める材料としても使える。そして、その答えとしてわたしがここまでに明らかにしてきたのは、「人類の進歩の主な原動力となったのは、理性、科学、ヒューマニズムという非政治的な理念であって、これらが人々を知識の追求と利用に向かわせたからこそ人類は繁栄できた」というものだ。第二部で紹介した進歩のどこに、右派ないし左派のイデオロギーが入り込む余地があるだろうか。七〇ほどのこれらのグラフのどこに、右派ないし左派が、「何が偏見だ。こっちが正しくて、そっちが間違ってるだけだ」などといえる根拠があるだろうか。無論、どちらにも少しは自分たちの手柄といえる部分があるだろうが、大部分については そうではない。

なにしろまず、進歩そのものを疑ってかかる保守主義者がいる。近代保守主義の父であるエドマンド・バークは、人間はあまりにも不完全で、自分たちを改善する方法など編み出せないから、奈落の底に落ちたくなければ古来の制度と伝統を守るのがいちばんだと説いた。それ以来ずっと、保守の主流は人間が熟慮して出した数々の計画に懐疑的な態度をとってきた。

最近、トランプ支持者やヨーロッパの極右グループの台頭で注目されるようになった復古的保守主義の人々は、西洋文明が崩壊の危機にあると信じている（第二三章）。彼らによれば、西洋文明という船は、平穏な世紀のせいで制御を失って傾きつつある。西洋は伝統的かつ明確なキリスト教のモラルを捨て、退廃的で勝手気ままな暮らしに走ったので、このままではじきにテロと犯罪とアノミーによって内部から崩壊するという。

だがそれは間違っている。啓蒙時代以前には、飢餓、疫病、迷信、妊産婦・乳幼児死亡率の高さ、騎士や傭兵による略奪、残虐な拷問・処刑、奴隷制度、魔女狩り、聖戦という名の大量虐殺、侵略、宗教戦争などが、人々の暮らしに暗い影を落としていた。[36]［図5―1］から［図18―4］に見られる変化は、創意工夫と共感を人間のありように適用したことで、人生がより長く、より健康で、豊かで、安全で、幸せで、自由で、賢く、深く、面白いものになってきたことを示している。もちろん問題がなくなったわけではないが、問題は常に存在するものだ。

続いて、左派もまた、市場の軽視とマルクス主義への愛のせいで、人類の進歩に貢献するチャンスを逃した。産業資本主義は、一九世紀に貧困からの世界規模での「大脱出」を可能にし、そこで取り残された人々を二一世紀に「大収斂」で救い出そうとしている。だが共産主義が同時期に世界にもたらしたのは、人為的大飢饉、粛清、強制労働収容所、集団虐殺、チェルノブイリ原発事故、革命戦争による大量死、北朝鮮に見られるような貧困であって、その結果、共産主義政権のほとんどは内部矛盾によって崩壊した。[37] それにもかかわらず、最近のある調査によれば、社会科学系の教授の一八パーセントが今なおマルクス主義者を標榜し、また知識人の大多数が「資本主義」「自由市場」といった言葉に抵抗を感じているという。[38] それはある部分、彼らの頭のなかでワープロのオートコレクト機能のようなものが働いて、これらの言葉が「抑制できず、規制されず、歯止めの利かない自由市場」に自動変換され、誤った二分法から抜け出せなくなっているからだ。だが実際には、自由な国に刑法が存在しうるのと同じように、自由市場は安全規制、労働規制、環境規制と共存できる。また自由市場は、医療・教育・福祉などの高水準の社会的支出とも共存できる（第九章）。現に、社会的支出の水準が世界トップクラスでありながら、経済自由度も世界トップクラスという国々が存在する。[39]

偏りのないようにいっておくが、右派リバタリアンも同様に誤った二分法に陥っていて、左派の論点すり替えにまんまと乗っているように見える。[40] 右派リバタリアン（二一世紀の共和党支持層におけるリバタリアン）は、規制が多すぎると弊害が生じうるという経験的知識（規制当局の権限が過度に拡大されて、規制によるメリットより規制にかかるコストのほうが大きくなったり、消費者を被害から守る以上に既得権益者を競争から守る方向に行ってしまうなど）を、何事も規制が少ないに越したことはないというドグマにすり替えてしまった。また、社会的支出が多すぎると弊害が生じうるという経験的知識（労働意欲を削ぎ、市民社会の規範と制度を弱らせるなど）を、いかなる社会的支出も余計なものだというドグマにすり替えてしまった。

さらに、税率があまり高いと弊害が生じうるという経験的知識を、自由擁護のためのヒステリックな表現に置き換えてしまい、「年間所得が四〇万ドルを超える世帯の所得税率を三五パーセントから三九・六パーセントに引き上げるのは、国を容赦ない突撃歩兵に引き渡すようなものだ」と騒いでいる。そしてフリードリヒ・ハイエクが『隷属への道』（西山千明訳、春秋社）で展開した、「規制と福祉は、国が貧困と圧政へと滑り落ちていくきっかけをつくる」という主張をしばしば持ち出して、政府の最適な規模を探ることさえ拒否している。

人類の進歩に関するデータは、これまで述べたように、右派の保守主義、左派のマルクス主義にとって都合の悪いものだ。しかし、右派リバタリアニズムにとっても都合の悪いものだとわたしには思える。そもそも二〇世紀の全体主義国家は、民主主義の福祉国家が「貧困と圧政へと滑り落ち」た結果ではなく、狂信的なイデオロギー信奉者や暴力的な集団によって押しつけられたものだ。[41] またアメリカ以上の税率・社会的支出・規制を実現していながら、それらを自由市場と両立させている国々（カナダ、ニュージーランド、西欧諸国）は、恐ろしいディストピアなどではなく、むしろ住み心地の良い場所になっていて、犯罪発生率や平均寿命、乳幼児死亡率、教育レベル、幸福度といったあらゆる指標でアメリカを凌駕している。[42] 前にも触れたが、先進国のなかに右派リバタリアニズムに則って運営されている国はないし、そのような国の現実的なビジョンが提示されたこともない。

右・左・中道で選ぶのではなく、合理性で選択する

人類の進歩に関するデータが、主要な〝何々主義〟のいずれをも混乱させるのは、むしろ当然のことだ。これらのイデオロギーは二世紀以上前から存在し、その基盤には「人間はどうしようもなく不完全な存在なのか、それとも無限の可鍛性をもつのか」とか、「社会は有機的統一体なのか、それとも個人の集合体にすぎないのか」といった俯瞰的な物の見方がある。[43]

これに対して現実社会のほうは何十億という社会的動物（人間）からなり、その各人が数百兆のシナプスからなる脳をもち、それぞれ自己の幸福を追い求めている。同時にそのことが複雑なネットワークによって他者の幸福にも影響を与え、総じて膨大な正と負の「ネットワーク外部性」〔経済学用語。たとえば電話網への加入者が増えると、電話できる相手が増えるので既存の加入者の利便性は増加するが、料金は変わらない。このようにネットワークへの新規加入により、既存の加入者の利便性が増えたり逆に減ったりすることが、市場を介さずに起こること〕をもたらす。しかもそのネットワーク外部性の多くは過去に例がない新しいものだ。

つまり現実社会は、一定のルールに基づいた単純な予測のとおりには決してならない。だとすれば、政治にはもっと合理的に取り組むべきで、社会を常に進行中の実験ととらえ、固定観念を捨て、どの政治勢力が考え出したものかにかかわらず最良の方法を実践していくべきではないだろうか。そして現時点で経験的にいえるのは、人々が最も繁栄するのは市民規範、権利の保障、自由市場、社会保障、節度ある規制などを兼ね備えた、自由民主主義のもとにおいてだということである。コメディアンのパット・ポールセンはこういった。「右翼か左翼のどちらかだけで国を動かしたら、クルクル回って、まっすぐ飛べなくなる」

だからといってゴルディロックス〔何でも中間を選んだ童話の主人公〕が常に正しいとか、真実は常に両極の中間にあるというのではない。わたしがいいたいのは、今の社会は過去の最悪のしくじりを取り除いてきた結果であって、それがどうにかまともに機能しているなら――路上に血が流れておらず、栄養失調より肥満のほうが問題で、自分の意思で移住する人々が、我先に逃げていくのではなく、「入れてくれ！」と叫びながらやって来るのなら――その社会の現行制度は先に進むための起点として悪いものではないだろうということだ（これはバークの保守主義から学べる教訓でもある）。そして理性がわたしたちに教えてくれるのは、政策討論を最大限に実りあるものにするには、科学実験により近いものと考えて取り組んだほうがよく、アドレナリンが大量分泌されるエクストリーム・スポーツの大会のように取り組むのはあまりよくないだろうということだ。

専門家を予測の正確さで評価すると多くが落第

ある考え方が正しいかどうかを評価するには、想像で議論するのではなく、歴史と社会科学から得られるデータを調べるべきだ。だが実践的合理性を厳密に検証するには、「予測」の検証も必要になる。科学は仮説に基づいて予測し、それを検証するというやり方で進んでいく。誰もがその手法を日常の感覚として受け入れている。たとえばバーで知識をひけらかす物知りに対して、わたしたちは事実に照らして尊敬するか軽蔑するかを考える。また「非を認める」とか「面目を失う」といった慣用句で暗に人の不正確さを責めるし、「行動で証明しろ」とか「論より証拠」といった言葉もよく使う。

だが困ったことに、「正しい予測を生み出す人や考えを信頼し、そうでない人や考えは疑うべきだ」という認識論的基準としての常識は、知識人や評論家にはめったに適用されず、彼らは説明責任を問われることなく意見を垂れ流している。『人口爆弾』の著者ポール・エーリックのように的外れの予言ばかりする学者にも、マスコミはいまだに意見を求めているし、ほとんどの読者・視聴者は、自分のお気に入りのコラムニスト、専門家、コメンテーターのいうことがバナナを選ぶチンパンジー〔第五章参照〕より正しいかどうかを気にかけていない。こうした状況は深刻な事態を招きうる。これまでにも、専門家の予測への過信は数多くの軍事上・政治上の大失敗を招いてきたし（イラクの核兵器開発に関する二〇〇二年の情報機関の報告書など）、金融市場の予測では数パーセントの誤りが巨額の損得の開きを生むこともある。

過去の予測の履歴があれば、政治イデオロギーを含めた知的体系に対するわたしたちの評価も活発になるはずだ。イデオロギーの違いの一部は価値観の相違によるもので、そこは折り合えないかもしれないが、それ以外の部分は同じ目標を達成するための手段の違いにすぎないのだから、妥協の余地があって然るべきだろう。ほぼすべての人が望むもの――恒久平和や経済発展――を実現できるのはどの政策なのか。貧困を、凶悪犯罪を、非識字を減らせるのはどの政策なのか。その答えを求めるために、合理的な社会なら広く世界の実績に目を向けるはずで、ドグマを掲げる独断的なグループがすべてを知っているなどと決めてかかったりはしないだろう。

残念ながら、カハンの実験の被験者に見られた表現的合理性は、専門家や新聞などの論説委員にも見られる。彼らの評判は報酬額に表れるが、それと予測精度とは関係がない（そもそも誰も採点していない）。では評判は何に関係するかというと、人々を楽しませ、興奮させ、あるいは驚かせる能力、人々に自信もしくは恐怖を植えつける能力（自信をもたせることで成功率を上げたり、恐怖を与えることで成功率を下げたりして、予測どおりの結果に近づけようとするやり方）、そして一部の人々の結束を促し、そのグループの価値観を喧伝するスキルである。

心理学者のフィリップ・テトロックは、一九八〇年代から、正確な予測ができる人と「はずしてばかりいるのに自信満々な」予言者（こちらが多い）の違いは何なのかを研究してきた[44]。そのために大勢のアナリスト、コラムニスト、学者などの専門家を集めて予測検証プロジェクトに参加してもらった。未来予測に関する問いを出して結果を予測させ、その正確さをあとから検証する実験である。専門家は自分の予測がはずれたといわれないように先手を打ち、法助動詞（could〔～もありうる〕や might〔～の恐れがある〕など）、形容詞（fair chance〔相当な公算〕や serious possibility〔かなりの確率〕など）、時を表す修飾語句（very soon〔すぐに〕や in the not-too-distant future〔そう遠くない将来に〕など）を駆使して断言を避けようとする。そこで逃げ道をふさぐため、テトロックはどの問いも明確な結果と期限を伴うものとし（たとえば「ロシアは今後三カ月以内に正式にウクライナの新たな領土を併合するか」「来年のうちにユーロ圏を離脱する国があるか」「今後八カ月で、エボラ出血熱の診断例が新たに報告される国は何カ国になるか」など）、また回答も発生確率などの数字で答えさせる方法をとった。

またテトロックは、たった一つのありうる事態の予測を事後に称賛したり嘲笑したりするという、よく見られる愚を犯さなかった。政治ブログ「ファイブサーティエイト」での選挙予測で有名な統計学者のネイト・シルバーは、二〇一六年の大統領選でのトランプの勝率を二九パーセントと予測して非難の的となったが[45]、この非難は予測の評価として妥当なものではない。同じ選挙を何度も再現してトランプの勝率を検証することなどできないのだし、こうした予測だけで当たった外れたといっても意味がない。ではわたしたちに何ができるかというと――それがテトロックがしたことだが――複数の確率予測とその結果を突き合わせるしかない。

またテトロックは予測の正確さだけではなく、あえてリスクをとって正確さを目指したかどうかも評価できる計算方法を使った（正確度を上げるだけなら、いつも五分五分の無難な予測をしておけばいいことになってしまうので）。この計算の論理構造は、予測者が自分の予測に金を賭けていたとしたら、どれくらい儲かったかを計算するのと似ている〔グレン・ブライアーが考案したブライアー・スコア〕。

さて、テトロックはおよそ二〇年間で専門家に二万八〇〇〇件近くの予測をしてもらい、その結果を評価したのだが、はたしてどの程度の成績だったのだろうか。なんと、平均すると彼らの予測はチンパンジーと同じくらいでたらめだった（テトロックが用いた比喩はバナナを選ぶチンパンジーではなく、「ダーツを投げるチンパンジー」）。その後テトロックは二〇一一年から二〇一五年にかけて、心理学者のバーバラ・メラーズと組んで追加調査を行った。このときは数千人規模〔最終的には二万人以上が参加〕のボランティアを募り、アメリカ国家情報長官室直属の研究組織、情報先端研究計画局（IARPA）が主催する予測トーナメントに参加した。そこでもまた数多くの〝ダーツが投げられた〟わけだが、注目すべきは、いずれのトーナメントにおいても、並外れた予測力をもつ「超予測者」がいたという事実である。この人々はチンパンジーや学識者より優れていたのはもちろん、機密情報にアクセスできるプロの諜報部員をも、先物市場の予測をも凌ぎ、理論上の最高レベルに迫るほどの結果を出した。では、千里眼ともいうべきこの予測力をどう説明したらいいのだろうか（ただし一年先までの予測である。未来との距離が遠くなるにつれて予測精度は低下し、五年先になると当てずっぽうと変わらなくなる）。テトロックらが見つけた答えは、明快であると同時にきわめて重要なものだ。
実験で成績が悪かった〔チンパンジーより悪かった〕のは、何らかの〝思想信条〟――リベラルか保守か、楽観主義者か悲観主義者かを問わず――に固執し、それを（見当違いの）自信に結びつけている人々だった。

このグループの思想はさまざまだったが、考え方がひどく観念的だという点が共通している。彼らは複雑な問題に出合うと好みの因果関係の型にはめ込もうとし、うまくはまらなければ無関係で不要なものとして切り捨ててしまう。曖昧な答えに我慢がならず、自分の分析を限界まで（あるいはそれ以上に）推し進めるし、「さらに」「そのうえ」と理由を重ねて、自分が正しく他の人々が間違っていることを強調しようとする。そのあげく、驚くほど自信満々になり、「そんなことはありえない」とか「これは確実です」などと断言しがちになる。自分の結論に固執するあまり、予測が明らかに外れたとわかってもなかなか考えを変えようとしない。そして行き詰まると、「いや、もう少し待てばわかりますよ」といって切り抜けるのが常だった。[46]

実のところ、世間の注目を浴びているという彼らの立場こそが、最悪の結果を生む原因になっていた。有名であればあるほど、また内容が彼らの専門に近いものであればあるほど予測精度が低かったのだ。ただし、著名なイデオロギー信奉者がチンパンジー並みの成績だからといって、「専門家」は役立たずだとか、エリートは信用できないということにはならない。問題は専門家か素人かではなく、物の考え方の違いにある。テトロックは成績がよかった人々のことをこう説明している。

こちらのグループは現実的な専門家で、数多くの分析ツールを使い、しかも取り組む課題に応じて使い分けた。彼らはできるだけ多くの情報源からできるだけ多くの情報を集めた。そして考えるときには、「しかし」「でも」「とはいえ」「その一方」といった転換語を使って頻繁に頭を切り替える。また確実性についてではなく、可能性や確率について語る。誰でも「わたしが間違っていました」とはいいたくないものだが、彼らは他のグループより素直に間違いを認め、考えを変えた。(47)

驚くべき精度で予測を当てる「超予測者」の特徴

これらのトーナメントの結果はオタクの勝利といってもいい。超予測者たちは頭がいいが、必ずしも天才ではなく、IQ分布でいうと人口の上位二〇パーセント以内といったところだった。また彼らは数字に強いが、ざっくり見積もるのが得意だという意味であって、数学の達人ではない。彼らの性格の特徴は、心理学者がいう「経験への開放性」（知的好奇心が強く、変化を好む）が高く、「認知欲求」（知的活動を楽しむ）が強く、「統合的複雑性」（不確実性を受け入れ、物事を多角的にとらえる）が高い。そして衝動的ではなく、最初の直観を信用しない。また左派でも右派でもない。必ずしも自分の能力に謙虚ではないが、特定の信念については謙虚で、それを「守るべき宝ではなく、検証が必要な仮説」として扱う。常に「この推論に矛盾はないか」「もっとほかの資料に当たるべきではないか」「誰かがこの意見を述べたら、自分は納得するだろうか」と自問する。また利用可能性バイアスや確証バイアスといった認知の盲点に気づいていて、それらを避ける習慣を身につけている。心理学者のジョナサン・バロンが「積極的柔軟性[48]」と呼ぶ態度をとり、次の項目にはカッコ内のように答える。

・自分の考えに合わないエビデンスも考慮に入れるべきだ。（そう思う）
・自分と同意見の人より、異なる意見の人の話に耳を傾けるほうが有益である。（そう思う）
・意見を変えるのは弱さの表れである。（そうは思わない）
・決断するときいちばん頼りになるのは直観である。（そうは思わない）

・自説と矛盾するエビデンスが見つかっても、考えを貫くことが肝要だ。（そうは思わない）

性格以上に注目すべきなのが、推論方法である。超予測者たちは暗黙裡にベイズ推定――一八世紀のイギリスの数学者トーマス・ベイズの考え方に基づき、新たな証拠を踏まえて推定したい事象の確率を推論する方法――を使っているという意味でベイジアンである。彼らはまず推測したい事象の基準率の算出からスタートする。全体的かつ長期的に見て、どの程度の頻度でその事象が発生しているかという確率のことである。次いで、新たな証拠がその事象の発生ないし非発生をどの程度示唆するかに応じて、その基準率を微調整していく。彼らはそのような新たな証拠を熱心に探すが、見つけた証拠に対する反応は過剰（これで何もかも変わるぞ！）でも過小（こんなの意味ないな）でもない。

たとえば、二〇一五年一月七日のシャルリ・エブド襲撃事件のすぐあとで、「二〇一五年一月二一日から三月三一日までのあいだに、西ヨーロッパでイスラム過激派によるテロが起こるか」という課題が出された。評論家や政治家なら、利用可能性バイアスに振りまわされながら筋書を思い描き、無関心だとか甘いとか思われたくないと考えて「絶対に起こる」と答えるだろう。だが超予測者はそういうやり方はしない。

たとえばある超予測者は自分の思考プロセスを次のように説明している。まず基準率の計算から始め、ウィキペディアで過去五年間にヨーロッパで起きたイスラム過激派によるテロ事件のリストを見て、その件数を五で割って一年当たり一・二という数字を頭に置いた。だがよく考えてみると、二〇一一年の「アラブの春」で世界の流れは変わったと思えたので、二〇一〇年の件数を差し引いて計算し直し、一年当たり一・五という基準率を得た。次いで、シャルリ・エブド事件以後の新しい要素として、イスラム過激派組織に参加する新兵の増加（テロ発生率を上げる）と、セキュリティ対策の増強（テロ発生率を下げる）を考え、二つの影響力を勘案すると基準率を五分の一程度引き上げるのが妥当だとして、一年当たり一・八件という予測値をはじき出した。予測対象期間は六九日なので、一・八を三六五で割って六九を掛ける。こうして、対象期間に西ヨーロッパでイスラム過激派によるテロが起きる確率はおよそ三分の一と見積もった。このように、多くの人々とは異なる方法をとったことで予測結果も異なるものとなった。

超予測者たちにはほかにも二つ、評論家やチンパンジーと異なる特徴が見られる。第一に、彼らは「群衆の英知」を信じていて、自分の考えをさらけ出して批判や訂正の意見を仰ぐし、他の人々と予測を出し合うことを厭わない。第二に、彼らは人類の歴史を偶然性や不確実性に満ちたものだと思っていて、必然や運命で考えようとしない。これについてもデータがある。テトロックとメラーズはさまざまな人々を対象に、次のような内容に同意するかどうかを訊いた。

・物事は神の計画どおりになる。
・すべての出来事に理由がある。
・この世に偶然などない。
・必然的な出来事などない。
・第二次世界大戦や9・11といった大きな出来事も、まったく違う展開になっていた可能性がある。
・人生では偶然がしばしばものをいう。

そしてこれらの質問を使って「運命論的思考スコア」を付けた。最初の三つのような内容に「そう思う」と答えた場合と、残りの三つのような内容に「そうは思わない」と答えた場合に一点ずつ与え、足し上げたのだ（スコアが高いほど運命論者の傾向が強くなる）。その結果を見ると、平均的なアメリカ人のスコアは全体のほぼ中間で、一流大学の卒業生はその少し下、予測がなかなかの成績だった人はさらにその下、そして超予測者が最も低かった。さらに超予測者のなかでもとりわけ優れた成績を収めた超超予測者は、誰よりもはっきりと運命を拒否し、偶然を受け入れていた。

テトロックが予測という究極の能力を物差しにして、専門知識の価値を冷静に評価してみせたこの結果は、わたしたちの歴史、政治、認識論、知的生活に対する見方を根本的に変えるものだとわたしは思っている。博学な知識人の意見や観念体系に基づく語りよりも、愚直に微調整した確率のほうが頼れる指針になるというこの結果は、何を意味しているのだろうか。わたしたちが頭をガツンとやられて、もっと謙虚になれ、偏見から自由になれと叱咤されたのはもちろんだが、それ以外にも意味がある。それは、そうした方法なら年単位あるいは数十年単位の歴史の動きを垣間見ることができるということだ。物事は一般的な法則や高尚な弁証法によってではなく、無数の小さい力が可能性や度合いを高めたり低めたりすることによって決まる。残念ながらこの考え方は、多くの知識人にとっても、すべての政治イデオロギーの信奉者にとっても馴染みのないものだが、わたしたちはこれに慣れたほうがよさそうだ。

テトロックはある公開講座で、「未来には、予測はどんなものになっていると思いますか」と尋ねられ、こう答えている。「二五一五年の人々が半千年紀前を振り返り、二〇一五年のわたしたちがどのように政治討論を評価しているかを知ったら、わたしたちが一六九二年のセイラムの魔女裁判に対して抱くのと同じくらいの軽蔑の念を抱くでしょうね[49]」

政治の二極化と大学の左傾化は確かに進んでいる

テトロックは政治討論に関するこの一風変わった予測に確率を加えなかったし、予測期限にも十分な余裕をとった。それももっともなことで、政治討論の質の改善は、予測が可能な五年以内の将来にはとうてい望めない。というのも、公的な場では理性の前に強敵が立ちはだかっていて、それは無知でも数字嫌いでも認知バイアスでもなく、物事の政治化であって、これが今まさに勢いを増しているからだ。

まず当の政治の領域を見ると、アメリカの政治はますます二極化しつつある。[50] イデオロギー信奉者の大半の意見は浅薄かつ知識不足で、筋の通ったイデオロギーとはとてもいえないのだが、それでも生粋のリベラルまたは生粋の保守の意見をもつアメリカ人の比率が、一九九四年の一〇パーセントから、二〇一四年の二一パーセントと二倍に増えたことは注目に値する。またこの政治の二極化は社会的分離〔属性の違う人同士が分かれて生活すること〕の拡大と同時に起こっている。つまりこの二〇年間で、「自分は同じ政治観をもつ友人に囲まれている」という人が増えたわけだ。

各政党も以前より党派心をあらわにするようになってきた。ピュー研究所の調査によれば、一九九四年には民主党員のおよそ三分の一が共和党員の中央値にいる人より保守的で、その逆もまた然りだったが、二〇一四年にはそれが二〇分の一近くにまで減っていた。アメリカは二〇〇四年まで、政治勢力分布の全体にわたって左に流れる傾向にあったが、その後はゲイの権利以外のあらゆる重要課題――政府規制、社会的支出、移民、軍事力など――で意見が真っ二つに割れるようになった。さらに厄介なことに、どちらの陣営も以前より相手陣営を見下すようになっている。二〇一四年には、民主党員の三八パーセントが共和党を「きわめて好ましくない」と考え（一九九四年の一六パーセントから増加）、しかも四分の一以上が「国民の幸福を脅かす存在」とみなしていた。共和党員はさらに敵対的で、四三パーセントが民主党に否定的な見解をもち、三分の一以上が民主党を脅威とみなしていた。つまりどちらも歩み寄りに抵抗を見せるようになってきている。

幸いなことに、重要課題に関するアメリカ国民の過半数の意見はより穏健で、自らを中道だと考える人の割合は四〇年前から変わっていない。(51)だが積極的に投票し、寄付し、議員に働きかけるのは両極にいる人々であり、二〇一四年の調査以降も状況が改善したとはとうてい思えない。

次に学問の領域だが、本来大学というところは政治的先入観を脇に置き、自由な探究によって世界のありようを明らかにする場であるはずだ。ところが、そうした偏りのない場が最も必要とされているこのときに、大学もまた政治色を強め、二極化している。ただしこちらは二極化といっても、左が極端に走っている。大学は常に国民の平均よりリベラルだったが、その偏りが以前より大きくなってきている。一九九〇年には大学教員の四二パーセントがリベラルまたは極左(国民全体より一一ポイント高い)、四〇パーセントが中道、一八パーセントが保守または極右で、左右の比率は二・三対一だった。だが二〇一四年には、六〇パーセントがリベラルまたは極左(国民全体より三〇ポイントも高い)、二八パーセントが中道、一二パーセントが保守で、左右の比率は五対一になっていた。[52] 学部によってばらつきがあり、経営学、コンピューターサイエンス、工学、ヘルスサイエンスでは左右のバランスがとれているが、人文科学と社会科学は明らかに左寄りで、保守の割合は一〇パーセント未満にとどまり、その倍の人数のマルクス主義者がいる。[53] 物理学と生物学はその中間に位置し、極左はごくわずかで、実質上マルクス主義者はいないが、それでも保守よりリベラルのほうが圧倒的に多い。

現実世界が完全なものになりえない以上、知的探究は現状を変えようとする方向に動かざるをえないので、大学(と報道・ジャーナリズム、知識社会)がリベラル寄りなのはある意味では自然なことである。[54] また、言葉で命題を表すという知識人の得意技は、保守が主に好む市場と伝統的規範からなる分散した形態の社会組織より、リベラルが主に好む計画的な政策と相性がいい。[55] それにリベラル寄りであることは、ほどほどのものならむしろ好ましい。知的リベラリズムは、今ではほぼ誰もが受け入れているさまざまな進歩——民主主義、社会保障、宗教的寛容、奴隷制の廃止、司法拷問の放棄、戦争の減少、人権・公民権の拡大など——の先頭に立ってきたのだから。[56] つまりいろいろな面で、現在のわたしたちは（ほぼ）全員がリベラルである。[57]

政治と大学の二極化・偏向は何をもたらしたか

しかしながら、すでに述べたように、仲間集団が何らかの信条を旗印に掲げるようになると、メンバーの批判精神が機能しなくなる恐れがあり、多くの理由から大学はすでにその状況に陥っていると考えざるをえない。[58] 極左の政治が人間の本性についての研究——セックス、暴力、ジェンダー、子育て、パーソナリティ、知能などを含む——をどれほど歪めてきたかについては、『人間の本性を考える』（二〇一六年に改訂）で書いた。テトロックも、心理学者のホセ・ドゥアルテ、ジャレット・クロフォード、シャーロッタ・スターン、ジョナサン・ハイト、リー・ジャシムらと一緒に発表した最近の論文で、社会心理学者たちが左傾化していることを示し、そのせいで研究の質が損なわれつつあると主張している。[59] ジョン・スチュアート・ミルの言葉を借りるなら、「物事を自分の観点でしか見ない人は、ほとんど何も知らないのと同じだ」というわけで、テトロックらは心理学の領域にもっと政治的多様性をと訴えている。ここでいう「多様性」とは考え方を異にする多様性のことだが、これが最も重要な多様性である（これに対して、わたしたちがよく耳にする多様性とは、外見は異なるが考え方は近い人々のことだ[60]）。

社会心理学の名誉のためにいっておくが、テトロックとドゥアルテらによる批判には関係者から反論が出たものの、礼儀はわきまえたものだった[61]。ただし誰もがそうだったわけではない。『ニューヨーク・タイムズ』のコラムニストのニコラス・クリストフが、この論文を好意的に取り上げて賛同する記事を出したところ、サイト上に怒りのコメントが寄せられた（なかでも最も多くの「いいね」が寄せられたのは、「ばかと一緒に多様化なんかできるか」というコメントだった[62]）。また実際問題として、極左の教授陣、学生運動家、自主活動しているダイバーシティ推進室などが生み出した一部の大学の学風は驚くほど狭量で、もはやリベラルとはとてもいえない（こうした人々は軽蔑のニュアンスを込めて社会正義の戦士《ソーシャル・ジャスティス・ウォリアー》と呼ばれることもある）。

そうしたキャンパスで具体的にどういうことが起こっているかというと、たとえば、人種差別こそがすべての問題の元凶だと認めないと、人種差別主義者と呼ばれてしまう[63]。左派ではないゲストスピーカー[64]がうっかり左派を批判すると、次から呼ばれなくなったり、盛大なヤジを浴びたりする。学生が私用メールで論争中の二派の双方の言い分を考察する内容を打っただけで、大勢の前で学部長から叱責される。[65] 教授たちは厄介なテーマを講義で取り上げないように圧力をかけられ、スターリン時代のような取り調べで政治的に不適切な考えを抱いていないかどうかチェックされる。[66] こんなふうに、抑圧というのはともすると喜劇になる。[67] どのような言動が無自覚の差別《マイクロアグレッション》に当たるかを解説した学部長用のガイドラインに、「アメリカはチャンスにあふれる国だ」や「最もふさわしい人がその仕事を手にするべきだ」といった言葉まで入っている始末である。

ある大学では、学内のある委員会から学生に、ハロウィーンの衣装について人種差別にならないように注意を促すメールが送られ、それを受けて女性教員が「服装まで決められてかまわないの？　少し落ち着いて考えてみては」とメールで呼びかけ、またその夫である男性教員がこの件で議論の場を設けたところ、学生たちが殺到してこの二人を罵倒し、大学から追い出してしまった。ヨガは「文化の盗用」だというので、ヨガのクラスが廃止されたところもある。コメディアンたちもこれには参っていて、ジェリー・サインフェルド、クリス・ロック、ビル・マーなどはジョークをいうたびに学生に怒鳴りつけられてはたまらないと、キャンパスでのパフォーマンスに慎重になっている。[68]

だがキャンパス内でこうした愚行が見られるからといって、右派の論客が例の「バイアス・バイアス」にふけったり、大学から発信される都合の悪い考えをすべて拒否したりするのを黙って見ているわけにはいかない。大学という機関は、多くの群島を擁する海のように、多様な思考を育んできたのだし、査読、終身在職権、開かれた議論、引用の明示や実証的証拠による裏付けといった、公平無私な真理の探究を育むために考え出された規範を遵守してきたのだから（実践上は不備があるとしても）。また大学は多種多様な意見を受け入れて論じるとともに、膨大な量の知識を世界に提供してきた[69]。それに、大学以外の代替領域――ブログ圏、ツイッター圏、ケーブルニュース、トークラジオ、議会等々――が客観性と厳格性の模範になるかといったら、とんでもない。

さて、政治の二極化と大学の政治化――今まさに理性を妨害しているこの二つの分裂――のどちらがより危険かといえば、明らかに政治の分裂である。アカデミックな論争のほうは、利害関係がほとんどないだけに質《たち》が悪いといわれるほどだ（誰が最初にいったのか不明だが[70]）。一方、政治論争の利害関係たるや際限がなく、地球の未来にまで及ぶし、教授と違って政治家は権力を操る。二一世紀のアメリカでは、もはや極右の代名詞も同然の共和党が議会を握っていて、その支配は危険なレベルに達している。共和党は自分たちの大義は正しく、政敵は悪だと信じるあまり、望むものを手にするために手段を選ばなくなっていて、このままでは民主主義の土台が崩れかねない。

その暴挙はとどまるところを知らず、勝手に選挙区を改定し（ゲリマンダー）、民主党支持票を奪うために選挙権に制限を設け、利害関係者から規制なしに政治献金を受け取れるようにし、大統領選を制するまで最高裁判事の指名を阻止し、重要な要求が通らないと政府閉鎖に持ち込み、ドナルド・トランプの著しく反民主主義的なやり方に反発を感じていながら無条件に支持している[71]。

党派間の政策や信条の違いがどれほど大きくても、民主主義に則った審議のメカニズムは不可侵でなければならない。そのメカニズムが主として右派によって浸食されてきたことで、今や多くの人々が――しだいに若い世代を巻き込みながら――民主政治は本質的に機能不全だと考え、民主主義そのものに懐疑的になりつつある[72]。

また学術界と政界に見られる二極化傾向は、互いに無関係ではない。ロナルド・レーガンからダン・クエール、ジョージ・W・ブッシュ、サラ・ペイリン、ドナルド・トランプへと、アメリカの保守政治がますます知性から遠ざかりつつあるときに、保守の知識人でいるのは難しいことだ[73]。では左派はというと、アイデンティティ・ポリティシャンやポリコレ警察〔ポリティカル・コレクトネス遵守を監視する警察官のようになっている人々〕、社会正義の戦士《ソーシャル・ジャスティス・ウオリアー》などに牛耳られ、「ありのままをいって何が悪い」と居直る人々が思うがままに大口をたたいている。つまり今、この時代を生きるわたしたちが直面している問題とは、知的文化と政治文化を、部族主義や応酬合戦ではなく、理性で動くように育んでいくにはどうすればいいか、というものだ。

「ファクトチェック」が理性的な人々に力を与える

理性のやりとりで議論できるようにするには、まずその核である理性そのものの重要性を明らかにしておかなければならない[74]。繰り返すようだが、その点を誤解して混乱している有識者が少なくない。認知バイアスや感情バイアスが数々発見されたからといって、「人間は不合理だから、合理的な議論を目指しても無駄だ」ということにはならない。人間が合理的になりえないなら、自分たちはこんなふうに不合理なのだと気づくこともなかったはずだ。本当に合理的になりえないなら、人間の判断力を評価するための基準も方法ももてなかったはずである。人間はバイアスやエラーを起こしやすいかもしれないが、誰でもいつでもそうだというわけではなく、「必ず起こす」と断言することなど誰にもできない。ヒトの脳は、条件が揃えば、物事を合理的に考えることができる。つまりわたしたちが取り組むべきなのは、どういう条件が揃えばいいのかを見つけ、それらがもっと安定的に満たされるようにすることである。

同じ理由から、論説委員も、よほどの皮肉を込めていうのでないかぎり、「ポスト真実の時代」などという決まり文句に飛びつくべきではない。こうした言葉は「プロパガンダも嘘ももはや止めようがないので、こちらもプロパガンダと嘘でやり返すしかない」と人々に思わせ、社会を蝕んでいく。わたしたちはポスト真実の時代にいるわけではない。嘘やごまかし、陰謀論、ばかげた妄信、集団の狂気といったものはどれも人類史と同じくらい古いのだし、考えには正しいものと正しくないものがあるという確信もまた同じように古い。(75) この一〇年を見ても、いいたい放題のトランプとなんでもありのトランプ支持者が力をもつ一方で、ファクトチェックの新しい規範も生まれている。二〇〇七年に設立されたファクトチェック専用サイト「ポリティファクト」の編集者を務めるアンジー・ホランはこういっている。

今ではテレビジャーナリストの多くが（中略）生放送での候補者たちの発言から火種になりそうな箇所をピックアップしてファクトチェックを行い、真偽についてインタビュー中に厳しく追及するようになりました。これに対して有権者のほうも大半は、候補者の〝それらしい発言〟の真偽を問うことが政治的に偏った行為だとは思っていません。アメリカン・プレス・インスティテュート（ＡＰＩ）が今年初めに発表した調査結果によれば、一〇人中八人のアメリカ人が政治関連のファクトチェックを支持しています。

実際、わたしも何人ものジャーナリストから、報道各社がファクトチェックを重視しはじめていると聞いています。公開討論や注目の記者会見などが報道されるたびに、ファクトチェック記事へのアクセスが急増するからだそうです。今や多くの読者・視聴者が、ファクトチェックをニュースの一部であるべきだと考えています。ですから、疑わしいニュースばかり報道するところがあれば、読者・視聴者が社内オンブズマンや読者代表者に不満をぶつけることになるでしょう。[76]

デマがたびたび虐殺、暴動、リンチ、戦争の引き金になってきた過去何十年かのことを思うと（一八九八年の米西戦争、一九六四年のベトナム戦争拡大、二〇〇三年のイラク侵攻等々）、このような倫理がもっと前からあればよかったと思わずにはいられない。[77]二〇一六年時点でもこの倫理はまだ厳しく適用されておらず、トランプの勝利を阻止できなかった。だがその後は、トランプと報道官のちょっとした嘘でも、メディアやポップカルチャーが容赦なく叩くようになっている。要するに、嘘より真実をよしとする層が常に勝利するとはかぎらないが、彼らが利用できる情報源は整っている。

長期的に見れば理性は今まで真実を広めてきた

長期的に見れば、理性の諸制度は「信念の共有地の悲劇」という現象を緩和し、真実を広める力をもっている。今わたしたちが直面している不合理にしても、その内容は昔とは違う。現代社会で影響力をもつ人々のなかに、狼人間、ユニコーン、魔女、錬金術、占星術、瀉血、瘴気、動物の生贄、王権神授を信じる人や、虹や日食・月食を吉凶の前兆として見る人はまずいない。だとすれば、わたしたちは道徳的不合理も克服できるはずである。ほんの半世紀前、わたしがもう生まれていた一九六〇年代に、異人種間結婚で逮捕されたラヴィング夫妻をめぐる一連の裁判があり、このときヴァージニア州の判事レオン・バジルは次のような理由を述べてラヴィング夫妻の有罪を支持した〔最終的には最高裁が有罪判決を覆し、異人種間結婚を禁じる法律は事実上無効となった〕。今ならどれほどコチコチの保守派でもこんな理屈は口にしないだろう。

> 被告らは最も重い罪を犯して有罪となった。その罪は公序の観点から制定された公法に反するものであり（中略）その法には社会秩序、公衆道徳、そして黒人と白人双方の最善の利益がかかっている。（中略）全能の神は白、黒、黄、マレー、赤の人種を創造し、それぞれを別の大陸に置かれた。（中略）各人種を離れた場所に置かれたという事実から、神が異人種間混交を善しとされないことは明らかである。[78]

また、リベラルな知識人の象徴だったスーザン・ソンタグは、一九六九年にカストロのキューバを次のように擁護したが、今ならこのような主張には、たとえリベラルでもほとんどの人が納得しないだろう。

キューバ人はおおらかで、快活で、官能的で、よく感情を爆発させる。彼らは直線的で無味乾燥な印刷文化の産物ではない。要するに、彼らの問題はわたしたちの問題のほぼ逆であり、わたしたちは彼らの問題解決努力に思いやりを示すべきなのだ。アメリカの急進派は、左翼革命に見られる伝統的ピューリタニズム的側面に懸念を抱いているが、キューバというもっぱらダンス音楽、売春婦、葉巻、妊娠中絶、リゾート、ポルノで有名な国が、ようやく少し性道徳に厳しくなり、二年前のひどかった時期にハバナの数千人の同性愛者を一斉検挙し、矯正のために農場に送ったということなのだから、もう少し大局的に眺めてもいいのではないか(79)。

だが実際には「農場」というのは強制労働収容所であって、そこへ送ったのはおおらかさや快活さや感情の爆発の矯正のためではなく、ラテン文化に深く根づいた同性愛嫌悪の表れでしかなかった。だから今日、あまりにもばかげた公的議論に腹が立ったら、過去にも人間はそれほど理性的ではなかったことを思い出し、まずは冷静になるべきだろう。

認知バイアスに関する教育で「脱バイアス」は可能

社会全体の合理的推論能力を高めるにはどうしたらいいのだろうか。事実と理屈による説得という方法は単純すぎるかもしれないが、まったく無益というわけでもない。確かに人間は、事実を見せつけられても考えを変えようとしないことがある。『ピーナッツ』のルーシーが、雪に埋もれかかってもなお「雪は地面から生えてくるのよ」といいつづけるのと同じだ。だがいつまでも雪が積もるに任せておけるわけでもない。人は自分の考えと相容れない情報に出合うと、「アイデンティティ保護的認知」「動機づけられた推論」「認知的不協和の軽減」〔煙草は体に悪いのにやめられない、のように自分の中に矛盾する認知を抱えると不愉快で不安になる。これを軽減するため事実をねじ曲げて認知すること〕といった理論からもわかるように、まずは自分の考えに固執し、それまで以上に主張を強める。アイデンティティが危険にさらされると感じて、ギャンブルの倍賭けのように持論の擁護材料を必死でかき集め、異議を払いのけようとするからだ。

一方、人の心には常に自分と現実をつなごうとする部分もあるので、反証が増えるにつれて認知的不協和が大きくなり、やがて耐えられなくなって持論は崩壊する。これを「感情の転換点（affective tipping point）」と呼ぶ。[80] この転換点がどこになるかは、持論を捨てることでその人の評判にどの程度傷がつくかと、反証がどの程度歴然かつ公然とした事実に基づいているかのバランスで決まる（「裸の王様」現象や「部屋のなかの象」現象〔重要な問題にもかかわらず誰も取り上げたがらないこと〕を思い出してほしい）[81]。第一〇章で述べたように、気候変動に関する世論はいまこの転換点にさしかかりつつある。社会全体でいうと、議論の核をなすオピニオンリーダーが意見を変えることで他の人々が追随したり、世代交代で同じドグマに縛られない世代が主流になったりすることで（「葬式があるたびに進歩が起きる」といわれるように）、社会全体が転換点を迎えることがある。

社会全体を動かす理性の車輪はゆっくりとしか回らないことが多いので、回転速度を少しでも上げたいところだ。そのための要になるのが教育とメディアであることはいうまでもない。数十年前から、理性の支持者たちは学校・大学に対して、「批判的思考《クリティカル・シンキング》」をカリキュラムに組み込むように働きかけてきた。物事の両面を見ることや、自分の意見の根拠を述べること、そして論理的誤謬（循環論法、論点をすり替えた反論、権威に訴える論証、人格への攻撃、あるいは適切な程度を考えるべき問題を、白か黒かの二択に置き換えてしまう単純化など）に気づくことを教えるためだ[82]。これに関連する「脱《デ》バイアス《バイアシング》」と呼ばれる学習プログラムは、学生たちに利用可能性バイアスや確証バイアスといった認知的誤謬への免疫をつけさせようとする試みである[83]。

だが、これらのプログラムが導入された当初、思ったような成果が上がらず、広く一般の人々の批判的思考力を育てるのは無理なのではないかという悲観論が広がった。

しかし、リスクアナリストや認知心理学者も生まれながらに批判的思考ができたわけではなく、何らかの教育に啓発されて認知的誤謬やその回避方法を身につけたのだから、それをもっと多くの人々に広めることができないはずはない。そして理性のすばらしさは、これを使っていつでも理性の誤りを正すことができるという点にあるわけで、批判的思考と脱バイアスの学習プログラムについても、その後見直しが行われ、何が成否を分けるかがわかってきた。

問題点は教育研究者にはすでに馴染みのものだった。[84] 第一に、どんなカリキュラムも、教師が黒板の前で一方的にしゃべり、生徒は教科書にマーカーを引くだけというやり方では効果は期待できない。人は新しい概念を学ぶとき、まず自分でとことん考え、それから他者と論じ合い、さらに具体的な問題解決に使ってみて初めて理解することができるのだから。第二に、生徒たちはある具体例で学んだことを、抽象的には同じカテゴリーの問題である別の具体例にそのまま置き換えられるわけではない。たとえば、数学の授業で最小公倍数を使って「どの列も同じ人数になるように音楽隊の隊列を組む」方法を学んだ生徒でも、次に「畑に植える野菜の苗をどの列も同じ数になるように配置するにはどうすればいいか」と訊かれると戸惑う。批判的思考の授業でも同じような問題があり、アメリカ合衆国の独立をイギリス側とアメリカ側の両方から論じることを教わったからといって、ドイツ人が第一次世界大戦をどう見ていたかをすぐに論じられるようになるわけではない。

心理学者たちはこうした〝学び方の学び方〟を頭に入れたうえで、批判的思考の強化につながる「脱バイアス」の学習プログラムを数々開発してきた。いずれも、認知的誤謬に気づき、どういうものかを見分け、それを修正する力を学生につけさせることを目的にしている。(85) そのなかには、コンピューターゲームを使って学生に課題を与え、誤謬があるとおかしな結果がもたらされることに気づかせるよう、フィードバックを行うものがある。また、抽象的な数学的言説を、具体的で誰にでもわかるシナリオに置き換えて表現するというものもある。テトロックも前述の「超予測者」の考え方を整理し、的確な判断のための心得をまとめている（たとえば基準率の算出から始める、証拠を探す、ただし証拠に過剰反応も過小反応もしない、失敗しても言い逃れせず、修正材料として生かすなど）。プログラムの効果は確認済みで、授業で学んだ手法はその場限りではなく、しっかり身について、新たな問題に応用できることがわかっている。

だが、このように成果が上がっているにもかかわらず、また何事においても、先入観にとらわれない批判的推論が欠かせないにもかかわらず、今なおほとんどの教育機関が学生の合理性を磨くことを教育目標に掲げていない（わたしが教えている大学も例外ではなく、カリキュラムの見直し会議で全学生が認知バイアスについて学ぶべきだと主張したのだが、受け入れられなかった）。そんなわけで、今多くの心理学者たちが、自分たちが人類のためにできる最大の貢献の一つとして、脱バイアスの手法を広めていこうと周囲に呼びかけている。[86]

党派性の克服には理性的議論のルールも必要

とはいえ、「アイデンティティ保護的認知」については、批判的推論と脱バイアスの効果的な教育が施されたとしても、それだけでは解決できない。この認知バイアスは自分が属する集団の名誉を高めたり、そのなかでの自分の地位を高めてくれるような情報・考えにしがみつく方向に働く。政治の領域ではこれがいわば〝罹患率の最も高い疾病〟になっているのだが、これに対して科学者はこれまで診断を誤り、真の病因は「信念の共有地の悲劇」による短絡的な合理性であるにもかかわらず、不合理と科学的無知が原因だと主張してきた。そもそも科学者というのは、一般の人々に対して、「イギリス人が外国人に接するときのように〝ゆっくり大きな声で話せば〟問題は解決すると思っている」ことが多い（と、ある研究者がいったそうだが、確かにそうだ）[87]。

というわけで、ただ学生に批判的思考を教えて送り出すだけでは、社会をより理性的な場にすることはできない。そこにはもう一つ、職場や社会集団内、討論や意思決定の場での「議論のルール」といったものが必要になる。すでに実験で明らかになっているのだが、適切なルールを設けることで、「信念の共有地の悲劇」を回避し、推論をアイデンティティから切り離すことができるようになる[88]。

たとえば、大昔にユダヤの律法学者《ラビ》たちが見つけたやり方は、神学校《イエシバ》の学生たちにタルムード〔ユダヤ教の旧約聖書に次ぐ聖典〕解釈について議論させるさい、途中で立場を入れ替えて逆の意見を擁護させるというものだった。少人数のグループで合意に達するまで議論させるというやり方もある。この場合、小グループ内の各人が他のメンバーに対して自分の意見を擁護しなければならなくなるが、するとたいていの場合、真実を主張するほうが勝利する[89]。科学者たちも「敵対的コラボレーション」という新しい手法を編み出していて、こちらは意見が合わない者同士が組んで問題の根底を探り、これなら問題が明らかになると全員が納得できるような実験を考えるというものだ[90]。

また、ただ詳しい説明を求めるだけでも、自信過剰に気づかせることができる。わたしたちはたいていの場合、自分で思っているほど深く世界を理解しておらず、このバイアスは「説明深度の錯覚」と呼ばれている[91]。ジッパーやシリンダー錠やトイレがどういう仕組みになっているか誰もが知っているつもりだろうが、いざ説明しろといわれるとぽかんとし、わからないと告白するはめになる。論争の的になっている政治問題も同じことで、オバマケアやＮＡＦＴＡ再交渉について頑なな意見をもつ人も、具体的に説明してほしいといわれるとはたと考え込み、自分はよくわかっていないと気づいて反対意見に耳を傾けるようになる。留意すべき点はおそらく、何かの問題について人が少しでもバイアスから自由になれるとしたら、それはその問題に直接関与していて、自分の意見の結果がそのまま自分に跳ね返ってくるような場合だということである。

認知科学者、人類学者のユーゴ・メルシエとダン・スペルベルは、合理性に関するある文献レビューでこう述べている。「人間の推論能力については一般的に否定的な評価がなされているものの、偏りのない立場に置かれた場合には、人は十分論理的に考えることができる。少なくとも、自分が主張するのではなく他人の主張を評価するときや、議論に勝とうとするのではなく真理を欲するときはそうだ(92)」

人間はたいていの状況下では十分に理性的

特定の状況のもとでは、ルールのあり方しだいで、わたしたちは集団で愚かになったり賢くなったりする。そのことを踏まえれば、本章で何度か出てきたパラドックス——知識とその共有手段がかつてないほどあふれているこの時代に、世界が理性を失いつつあるように見えるのはなぜなのか——も説明できる。要するに、ほとんどの状況下では、世界は理性を失っていない。今日の世界は、いかさま療法で次々と患者が死んでいく病院とは違うし、墜落しつつある飛行機とも違うし、店への運搬方法がわからないまま食料品が腐っていく港の倉庫とも違う。第二部で示したとおり、人類の創意工夫の総体によって、わたしたちの社会問題は徐々に解決されてきている。

今もなお、さまざまな領域で一歩ずつ、理性の軍団がドグマと直観を征服しつつある。報道の世界では、従来の現場に足を運び専門家に意見を求めるという古いスタイルを、統計学者とファクトチェック・チームが補完するようになってきた(93)。スパイ小説のようだった安全保障の世界でも、あの超予測者たちのベイズ式推論法を取り入れて先を読むようになりつつある(94)。医療分野では、実証的医療、すなわち科学的根拠に基づく医療による改革が進んでいる(95)（医療が事実に基づくことは、とうの昔に当たり前になっているべきだが）。心理療法の世界でも、〝長椅子とノート〟からＦＩＴ（患者からのフィードバックに基づく治療）への進歩が見られる(96)。犯罪対策の領域では、ニューヨークを皮切りに、コンプスタットと呼ばれるリアルタイム・データ処理システムの導入で、暴力犯罪減少に成功する都市が増えてきている(97)。発展途上国支援は、「ランダミスタ」と呼ばれる経済学者たちがＲＣＴ（ランダム化比較試験）のデータ活用を主導し、流行りだが実は無駄な支援と本当に生活向上に結びつく支援とを見極めるようになりつつある(98)。ボランティア活動や慈善事業への寄付も、「効果的利他主義」運動による精査で、たんなる自己満足と本当に支援対象者の生活改善に役立つものを区別できるようになってきた。[99] スポーツ界にはマネー・ボール理論が登場し、戦略も選手も勘と俗信ではなく統計分析で評価されるようになったことで、頭を使うチームが資金の豊富なチームに勝てるようになり、ファンも常に新しい話題で盛り上がれるようになってきた。[100]

ブログ圏には合理性コミュニティ（Rationality Community）というものが誕生し、ベイズ式推論法を応用したり認知バイアスを補正したりすることで、自分たちの考えを「誤りの少ないものにしていこう」と人々に呼びかけている。[101] そして各国の行政サービスの現場でも、人間行動に関する知見の応用（ナッジ理論と呼ばれるもの）とＥＢＰ（証拠に基づく政策）の適用によって、より大きな社会的利益をより少ないコストで実現しようとする試みが始まっている。[102] このようにさまざまな領域で、世界はより合理的になりつつある。

物事が「政治問題化」すると人は理性を失う

ところが、一つとんでもない例外があり、それが選挙政治とそれにまつわる諸問題というわけだ。なにしろこのゲームを支配するルールは、恐ろしいことに、人間の最も不合理な部分をわざわざ引っ張り出すようにできている(103)。有権者は個人的にかかわりのない問題について好きなことがいえるが、それでいて自ら名乗る必要も立場を正当化する必要もない。貿易やエネルギーといった実際的な問題が、安楽死や進化論の教育といった倫理上の争点とセットで提示される。そしてそれぞれのセットは、何らかの地理的・人種的・民族的支持基盤に紐付けられている。メディアは選挙を競馬中継のように扱い、イデオロギーを背負った馬を競わせ、つまり専門家に罵り合いをさせて、それで争点を分析したつもりになっている。

こうした政治領域の特質は、どれも人間を合理的分析から遠ざけ、強い自己表現へと向かわせるものだ。特質の一部は、民主主義の利点は選挙にあるという誤解から生じている。本来の民主主義の利点は、選挙以上に、「権力が制限され、国民の要求に敏感に反応し、かつ政策の結果に注意を払う政府」をもてることにある（第一四章）。だがそこに誤解が生じているせいで、国民投票や直接予備選挙といった〝より民主的な〟統治を目指した改革が行われることとなり、逆にアイデンティティ偏重で不合理な統治を生み出してしまったのかもしれない。これは民主主義につきまとう難問であり、プラトンの時代から議論の対象になってきた(104)。簡単に解決できる問題ではないので、まずは今わたしたちが直面している最悪の問題を見極め、その軽減を図るところから始めるしかない。

問題が政治的なものではない場合、人は驚くほど理性的になれる。カハンも「科学をめぐる激しい論争など、公の場ではほとんど見られない[105]」といっている。抗生物質が効くかどうかとか、飲酒運転がいいかどうかについての議論で、動揺したり憤慨したりする人はいない。この点を証明する出来事として、ごく最近の、理想的な対照群[106]となった自然実験〔歴史的経緯、自然背景、制度などの違いにより、同じ事象が異なる条件下で起きた例を取り上げて、比較する研究方法〕の例を挙げておこう。

ＨＰＶ（ヒトパピローマウイルス）は主に性感染し、子宮頸癌の原因になることもあるが、多くの場合ワクチンで予防できる。Ｂ型肝炎も性感染することがあり、肝臓癌の原因になるが、やはりワクチンで予防できる。このように似ているものの、ＨＰＶワクチンのほうは世の親たちが「若者に性行為を促すつもりか」と政府を批判するなど、政治論争の的になり、Ｂ型肝炎ワクチンのほうは政治問題にならなかった。カハンはこの違いをワクチンの導入方法によるものと考えている。Ｂ型肝炎ワクチンは、百日咳ワクチンや黄熱ワクチンと同じように通常の公衆衛生問題として扱われた。しかしＨＰＶワクチンのほうは、製造業者の州議会への働きかけで定期予防接種に組み込まれ、義務化された。しかも当初は女子のみが対象とされたため、性行為に関係する問題だと考えられるようになり、厳格な親たちが怒りの声を上げる騒ぎになった。

公的な議論を理性的なものにするには、対象となる問題からできるかぎり政治的要素を取り除く必要がある。これまでの研究で、人はたとえば福祉制度改革といった新たな政策を耳にすると、提案したのが支持政党なら良い政策だと思い、その逆ならひどい政策だと思うが、それでいて自分は客観的に評価したと思い込むことがわかっている。[107] したがって、スポークスマンは慎重に選ばなければならない。

気候変動活動家のなかには、アル・ゴアがドキュメンタリー映画『不都合な真実』の脚本を書き、自ら出演したことは、自分たちの活動にとってプラスどころかむしろマイナスだったと嘆く人々がいる。ゴアが民主党政権の副大統領を務め、大統領指名候補でもあったことで、気候変動問題に左派のレッテルが貼られてしまったからだ（今では信じがたいことだが、環境保護はかつては右派のものだった。上流階級が狩りのためにカモの生息環境を守ろうとしたり、田舎の館からの景観を損ねまいと環境保全を訴えたりしたからで、そのせいで右派は、「そんなことより人種差別、貧困、ベトナム戦争といった重要課題に目を向けたらどうだ」と叩かれていた）。

保守派を説得したいなら、同じ保守派の誰かに語らせるほうが効果的だと考えられる。保守ないし右派リバタリアンで、証拠に基づいて問題を把握し、その懸念を多くの人と共有したいと思っているような人物に語らせるほうが、〝ゆっくり大きな声で話せば〟わかってくれると思い込んでいる科学者を大勢動員するよりいいだろう。[108]

また、問題の内容を伝えるさいに、政治色の強い対応策と抱き合わせにしない工夫も求められる。カハンらの研究によれば、人は人為的気候変動について、厳しい排ガス規制が必要だと説明されるより、気候工学でも軽減できるかもしれないと説明されるほうが、偏見にとらわれずに考えることができるという[109]（気候工学的手法がいちばんの解決策だという意味ではない）。実際にも問題を非政治化することで現実的な行動につなげられた例がある。フロリダの経営者、政治家、自治会代表などからなるあるグループ〔環境NGO「南東フロリダ地域気候変動協定」のこと〕の例で、彼らは大半が共和党支持者だが、湾岸道路や真水供給を脅かすまでになっている海面上昇問題への対応策をまとめ、地元行政の同意をとりつけることにも成功した。対応策には炭素排出量削減も含まれていたので、場合によっては政治対立を招き、プロジェクトそのものが空中分解しかねなかった。だがカハンがこのグループに協力して、計画立案作業を目に見える問題に絞り込むように指導し、政治対立につながりかねない側面から遠ざけたことで、関係者は理性的に判断することができた[110]。

理性的な政治の実現をあきらめてはならない

メディアもまた、政治のスポーツ化に一役も二役も買っている現状を見直すべきではないだろうか。知識人や専門家も、言い争いをする前にもう一度よく考えるべきだろう。いったいいつになったら、著名なコラムニストやキャスターが政治的志向に基づく予測どおりの結論を述べるのではなく、個別の問題ごとにきちんと説明のつく結論を述べるようになるのだろうか。「あなたは左派（あるいは右派）の意見を繰り返しているだけですね」というのが痛烈な皮肉と受け取られるようになる日は来るのだろうか。人々（なかでも研究者）が「銃規制で犯罪は減るんですか？」とか「最低賃金を上げると失業率も上がるんですか？」と訊かれたときに、政治的信条から反射的に答えるのではなく、「ちょっと待ってください。最新のメタ分析を調べてみますから」と応じる日は来るのだろうか。右派でも左派でも、評論家がシカゴ流の言葉の応酬（「相手がナイフを出したら、銃を抜け」「仲間が病院に担ぎ込まれたら、連中の一人を死体安置所へ送ってやれ」式の言い争い）をやめる日は来るのだろうか。そして、軍縮のための外交戦略として提唱されたGRITのやり方（緊張緩和の漸進的交互行為。こちらから少しの譲歩をするとともに、相手にも同様の譲歩を促すという方法）を取り入れる日は来るのだろうか。(11)

それはまだ大分先の話だろう。理性の自己修復力が働くには——理性の使い方における欠陥を見つけて教育や批評を介して修正するには——時間がかかるのだからしかたがない。フランシス・ベーコンが事例証拠の誤用や疑似相関（相関関係と因果関係の混同）に注意を促したのは一七世紀のことだが、それが科学的教養人の常識になるまでに何世紀もかかった。トベルスキーとカーネマンが明らかにした利用可能性バイアスその他の認知バイアスも、広く受け入れられるまでにおよそ五〇年かかっている。数ある不合理のなかでも政治的部族主義が最も厄介だという事実に至っては、発見されたばかりで、まだほとんど知られていない。しかもこの部族主義には誰もが陥りやすく、優れた思想家も例外ではないので、対応が難しい。とはいえ、最近では何もかもスピードが上がっているから、この問題についてもこれまでより早く対策がとられることを期待したいところだ。

どれほど時間がかかっても、わたしたちは政治の領域における認知バイアス、感情バイアス、不合理の噴出に負けてはならないし、そのせいで理性と真実のあくなき追求という啓蒙主義の理念を捨ててはならない。わたしたちは人間が非理性的になる理由を特定できる。ということは、わたしたちは間違いなく合理性とは何かを知っている。その〝わたしたち〟が特別な存在ではない以上、同じ人間である他の人々も、少なくともある程度は合理的になれるはずだ。そしてその〝合理性〟の本質からいえば、理性で考える彼らもまた、一歩引いて自分の欠点を分析し、それを克服する方法を考え出すことができるはずである。

第二三章　科学軽視の横行

科学の偉業は否定しようもなく大きく普遍的だ

たとえば宇宙人が集まる銀河間自慢大会に参加したとして、あるいは神の御前に呼ばれたとして、そこで人類の最も誇るべき偉業は何かと問われたら、わたしたちはどう答えるだろうか。

奴隷制廃止やファシズム打倒といった、人権の歴史的勝利について胸を張って語ってもいいだろう。だがそれは、どれほど感動的な勝利であっても、自分たちが蒔いた種を刈り取っただけのことで、履歴書に実績として「薬物依存症克服」と書くようなものかもしれない(1)。

美術、音楽、文学の傑作を自慢するというのも考えられる。しかしアイスキュロスの悲劇、エル・グレコの絵画、ビリー・ホリデイの歌は、わたしたちとまったく異なる脳と経験をもつ生命体にはたして理解されるだろうか。ひょっとすると、文化の違いを越えてあらゆる知性に響くような普遍的な美と意味があるのかもしれない――あると思いたい――が、それがどういうものかを知るのはあまりにも難しい。

しかしながら、たとえどのような知性による審判の場であっても、わたしたちが業績を誇ることのできる領域が一つある。それが科学だ。自分を取り巻く世界に好奇心を抱かない知的主体など考えられないし、人類はその好奇心を実に熱心に満たしてきたのだから。わたしたちはこの宇宙の歴史について、宇宙を動かす力について、人体を構成するものについて、生命の起源について、精神活動まで含めた生命のメカニズムについて、たくさんのことを説明できる。

わからないことはまだ山ほどあるが（いつまで経ってもそうだろう）、わたしたちの知識は豊かで、日々いっそう豊かになりつつある。物理学者のショーン・キャロルは『この宇宙の片隅に』（松浦俊輔訳、青土社）のなかで、日常生活の基礎をなす物理法則は、すべてわかっているといった（ただしエネルギーと重力が極端に強くない場合の物理法則のことで、ブラックホール、ダークマター、ビッグバンなどは除く）。そしてそれが「人類の知性史上最大級の偉業」[2]であることは、まず誰も否定できない。生物界に関しては、すでに一五〇万種以上が科学的に分類されていて、このペースで研究が進めば残りの種（まだあと七〇〇万種くらい生息しているのではないかと推測されている）にも今世紀中に名前がつくと思われる。[3]さらにこの世界についてのわたしたちの理解は、各種の素粒子と力と生物にとどまらず、重力は時空の歪みであるとか、生命は情報を伝えたり、代謝を促したり、自らを複製したりする分子に依存しているといった、深くて明快な原理にまで及んでいる。

科学上の発見はわたしたちを絶えず驚かせ、喜ばせてきたし、答えがないと思われていた問題に答えを出しつづけてきた。ワトソンとクリックも、DNAの分子構造を発見した時点では、のちに三万八〇〇〇年前のネアンデルタール人の化石からDNAが抽出されて解析されるとは夢にも思わなかっただろうし、その解析結果から発話と言語を司る遺伝子が見つかる日が来るとも思わなかっただろう。また、DNA分析で、オプラ・ウィンフリーがリベリアのクペレ族の血を引いているとわかる日が来るとも、想像だにしていなかっただろう。

科学は人間のありようにも新たな光を投じようとしている。古代、理性の時代、啓蒙時代の大思想家たちは生まれてくるのが早すぎて、エントロピー、進化、情報、ゲーム理論、人工知能をはじめとする、倫理および存在の意味に深くかかわるアイデアを享受することができなかった（その先駆けとなるものや類似のものをしばしばいじくりまわしてはいたのだが）。今日では、彼らが提示してくれた諸問題は、これらのアイデアによっていっそう深まり、脳内神経活動の三次元画像化や、ビッグデータ解析による思想の伝播の追跡といった新たな手法で探究されつつある。

また科学は息をのむような美しい画像・映像をわたしたちに届けてくれている。ストロボがとらえた一瞬の動き、熱帯雨林の色鮮やかな動物や、深海の噴出口に群がる不思議な生物、優美な螺旋《らせん》を描く銀河や、薄絹のように広がる星雲、蛍光染色で可視化された神経回路、漆黒の宇宙を背景に月の地平線から昇る青い地球……。芸術作品と同じように、これらはただ美しいだけではなく、熟考を促すものであり、ヒトであることについて、また自然のなかにヒトが占める位置について、わたしたちに多くのことを教えてくれる。

そしてもちろん、第二部で述べたように、科学はわたしたちに長寿、健康、富、知識、自由をもたらしてくれた。もう一度一つだけ例を挙げておくが、痛みと全身の発疹を伴い、二〇世紀だけでもおよそ三億人の死者を出した天然痘は、科学知識のおかげで根絶された（第六章）。この偉業の倫理的重要性を見落としている人がいるかもしれないので、もう一度いっておく。痛みと全身の発疹を伴い、二〇世紀だけでもおよそ三億人の死者を出した天然痘は、科学知識のおかげで根絶された。

畏敬の念さえ覚えるこれらの業績を考えれば、今が衰退、幻滅、不毛、浅薄、不条理の時代だといった嘆きの声が偽りであることは明らかだ。ところがどうしたことか、今日、科学の美しさと力強さは正しく評価されておらず、それどころか忌み嫌われている。しかも忌み嫌っているのはなにも宗教原理主義者や、無知無学の政治家だけにかぎらない。驚くべきことに、多くの尊敬を集めている知識人や、権威ある高等教育機関までもが科学を軽視する傾向にある。

アメリカの政治家による科学軽視の事例

アメリカの右派の政治家に見られる科学軽視については、ジャーナリストのクリス・ムーニーの『共和党の対科学戦争(The Republican War on Science)』に詳しく書かれているが、その現状は熱烈な共和党支持者(たとえば元ルイジアナ州知事のボビー・ジンダル)でさえ同党を「愚かな党」と評するほどのレベルに達している。[4] この事態はジョージ・W・ブッシュ政権時代に打ち出された諸政策に端を発していて、そのなかには創造論を(インテリジェント・デザインと称して)学校教育に取り入れようとしたことや、公正な立場の科学顧問団から意見を聞くという長年の慣行を捨てて、自分好みのイデオロギー信奉者を顧問団として集めたことも含まれる。メンバーの多くは当てにならない説(人工中絶は乳癌の原因となるなど)を広めようとし、その一方で十分な根拠がある説(コンドームは性感染症の予防になるなど)を否定した。[5] 共和党の政治家は相次いで愚行をさらしている。たとえばオクラホマ州選出の上院議員で、上院環境・公共事業委員会の委員長でもあるジェームズ・インホフは、二〇一五年に議場に雪の玉を持ち込み、このように外は寒いのだから、地球温暖化など嘘だと主張した。

　前章で述べたように、政治上の科学蔑視が顕著に見られるのは、主として中絶、進化論、気候変動といった大きな争点がからんでいる場合である。しかし科学蔑視はそこにとどまらず、より全般的な科学否定へと範囲を広げている。テキサス州選出の下院議員で、下院科学宇宙技術委員会の委員長を務めるラマー・スミス〔二〇一八年末に引退〕は、アメリカ国立科学財団（NSF）のやり方をさんざん責め立てたが、その対象は気候科学研究の推進（スミスによれば左派の陰謀）にとどまらず、NSFがピアレビューで助成を決めた研究にまで及んだ。そのやり方は、気に入らない研究を取り上げ、文脈を無視して一部分を切り出してはこき下ろすというものだった（「ナショナル・ジオグラフィックの動物写真の研究に二二万ドル以上とは、これを連邦政府はどう正当化するんです?」といった調子で[6]）。そしてNSFの助成対象を経済や安全保障などの〝国益に適う〟研究に限定する法案を提出し、連邦政府の基礎研究支援をやめさせようとした[7]。

　しかし、改めていうまでもないことだが、科学に国境はないし（チェーホフも「国別の科学などない。国別の掛け算表がないように」といった[8]）、現実の基礎的な理解がなければ、万民の利益に寄与しうる科学の力は発揮されない。たとえば、GPSは相対性理論を利用している。癌治療は二重螺旋構造の発見に負うところが大きい。人工知能は脳の神経回路網と意味ネットワークならびに認知科学の応用にほかならない。

一方、これまた前章で指摘したように、物事の政治化に伴う科学への抑圧は左派にも見られる。人口爆発、原子力、遺伝子組み換え生物への恐怖を煽ったのは左派だった。また知能、性、暴力、子育て、偏見についての研究は、アンケートの質問項目の意図的選択から、政治的に正しいとされる説を認めない研究者への脅迫まで、実にさまざまな左派の妨害によって歪められてしまった。

多くの知識人たちも科学を軽視・敵視してきた

本章ではこのあと、科学へのさらに根深い敵意について述べていく。多くの知識人は、政治、歴史、芸術といった従来の文系領域に科学が口を出すと腹を立てる。同様に、宗教が支配してきた領域に科学的合理性を持ち込もうとする者がいれば罵倒する。実際、神などまったく信じていない著述家でも、その多くは、究極の問題への科学の介入を許さないという立場を変えていない。主要な言論誌では、垣根を越えて渡り歩く科学者が始終槍玉に挙げられ、決定論だ、還元主義だ、本質主義だ、実証主義だと糾弾され、ついには科学主義という罪にまで問われている。

このような憤りは左右両サイドに見られる。まず左派による糾弾の典型的な例として、二〇一一年の『ネーション』誌に掲載された歴史学者ジャクソン・リアーズの論評を紹介しよう。

実証主義は還元主義の主張を足がかりにしている。人間のすべての行為を含めて、この宇宙全体は正確に測定可能で、決定論的な物理過程で説明できるという主張である。（中略）実証主義者の思い込みが認識論的基礎を提供することになったのは、社会進化論と通俗進化論における進歩の概念のみならず、科学的人種主義と科学帝国主義にまで及ぶ。そしてこれらの傾向が一つにまとまったところから、「適者」を選抜育成して「不適者」を断種ないし排除すれば人類の幸福と安寧は向上し、やがて完全な状態に至ると考える優生学が生まれた。その結果どうなったかは小学生でも知っている。つまりあの悲惨な二〇世紀がやってきた。二度の世界大戦、罪なき人々の史上最大規模の虐殺、想像を絶する大量破壊兵器の拡散、大国周辺での局地戦争――これらすべてに、程度の差はあれ、科学研究の先進技術への応用が関与していた。(9)

続いて右派による糾弾の例として、当時ブッシュ大統領の生命倫理諮問委員だったレオン・カスの、二〇〇七年のスピーチを挙げておく。

生物と人間についての科学的概念と発見は、それ自体は大いに歓迎すべきもので、害にはなりません。しかし、それが伝統的な宗教や道徳に戦いを挑むのに利用されつつあるとなれば、しかもその矛先が、わたしたちは自由と尊厳をもつ被造物だという自己理解にまで及ぶとなれば話は別です。今や人々のあいだには、一種の疑似宗教的な信仰――「魂なき科学主義」とでも呼びましょうか――が生まれています。その信仰は、新しい生物学ですべての謎が解かれ、人の命は完全に説明されうると考えるものです。人間の思考、愛、創造力、倫理的判断、そして神を信じる理由さえ、科学だけで説明がつくというのです。今わたしたちを脅かしている問題は、次の人生で魂がどうなるかではなく、この人生で魂が否定されることなのです。（中略）

この戦いが重大なものであることに疑いの余地はありません。なにしろ、わが国の道徳と精神の健全性、科学の変わらぬ活力、そしてわたしたちが人間であり西洋の子であるという自己認識がかかっているのですから。人間の自由と尊厳を支持する誰もが――そのなかにいる無神論者も含めて――わたしたちの人間性が危険にさらされていることを知るべきです。(10)

どちらも実に熱意あふれる告発だが、このあと述べるように、内容はいずれもでたらめである。ジェノサイドや戦争は科学のせいではないし、わが国の道徳と精神の健全性を科学が脅かしているわけでもない。それどころか科学は、政治、芸術、また意味・目的・倫理の探求をはじめとして、人間が関心を抱くあらゆる領域になくてはならないものだ。

否定論者はどのように科学を非難してきたか

科学をめぐるこのような知識層の論争は、一九五九年にC・P・スノーが巻き起こした論争の再燃にほかならない。スノーは「二つの文化」と題した論文と講演で、当時のイギリスの知識人の科学蔑視を嘆いた。この人類学的な意味での「文化」という言葉こそ、なぜ科学が非難されるのか、それも石油業界が後ろ盾の政治家のみならず、学識豊かなインテリ層の一部からも非難されなければならないのかという謎を解く鍵になる。

二〇世紀のあいだに人間の知識は専門別に細かく分割され、中世ヨーロッパの公国のように各々が半ば独立した状態になった。そのためその後の科学（とりわけ人間の本性についての科学）の発展が、人文学が治めてきた領土への侵略とみなされることがよくある。だがそうしたゼロサム的な考え方をしているのは人文学の実践者ではない。ほとんどの芸術家はそのような考え方をしない。わたしが知る小説家、画家、映像作家、音楽家は皆、彼らの媒体に光を投じるかもしれない科学に強い関心をもっている。インスピレーションの源に常に心を開いている彼らの姿勢からすれば、それは当然のことだろう。同様に、ある時代の歴史、ある芸術部門、ある思想体系、あるいはその他の人文学の主題を研究している学者たちも、科学に対する前述のような懸念を表明してはいない。真の学者は、どの分野から出たものかにかかわりなく、アイデアに心を開いているものなのだから。

　では領地を守ろうと喧嘩腰になっているのは誰かというと、〝ある文化〟に属する人々、すなわちスノーが「第二の文化」[11]と呼んだ人文系知識人、文化批評家、博識なエッセイストなどからなるグループである。コラムニストのデイモン・リンカーは、この人々のことを（社会学者のダニエル・ベルを引き合いに出して）こういっている。「（彼らは）物事を一般化するのが得意で（中略）、自らの個人的体験、読書傾向、判断力を基にして世界を論じる。癖の強い奇を衒《てら》った表現の随所に顔を出す主観性が、彼らの〝文芸共和国〟の法定貨幣である[12]」。これは科学とはまさに正反対の流儀であり、だからこそ第二の文化の知識人は「科学主義」をひどく恐れている。しかも彼らは科学主義を、科学がすべてであるとか、あらゆる問題を科学で解決するべきだといった立場のことだと思っている。

もちろんスノーは、科学者の文化にもっと力をもたせるべきだなどというばかげた考えを抱いていたわけではない。むしろ「第三の文化」を提唱し、科学、文化、歴史の分野で生まれた考えを融合して、それを世界中の人々の繁栄と幸福に役立てるべきだと考えていた。[13] この「第三の文化」は、その後一九九一年に作家・編集者のジョン・ブロックマンの手で復活し、それがさらに、生物学者のエドワード・O・ウィルソンが一九九八年に提唱した「コンシリエンス（知の統合）」に結びつくのだが、[14] ウィルソンはこれを（ほかでもない）啓蒙思想家たちに由来するものだといっている。

人間の問題に科学がどれほど役立ちうるかを理解するには、まず第二の文化に見られる守勢で不寛容な精神構造から抜け出さなければならない。そのような精神構造は、文壇の大物レオン・ウィーゼルタイアーが二〇一三年に書いた記事のサブタイトルによく表れている。「科学はリベラルアーツを侵略するつもりだ。食い止めよ」[15]

まずはっきりさせておきたいのは、科学的思考を擁護することと、「科学」という同職ギルドの会員を特別賢く立派な存在だと考えることはまったく別だという点である。科学という文化はむしろそれとは真逆の考え方に基づいている。開かれた議論、査読、二重盲検法といった科学に特徴的な慣行は、科学者が人間であって、間違いを犯しやすいという前提に立ち、その間違いを防ぐために考案された。リチャード・フアインマンがいったように、科学の第一原則は、「自分を騙してはいけない――自分というのはいちばん騙しやすい相手だ」である。

同じ理由から、もっと科学的に考えようという呼びかけを、科学者に意思決定を任せようという呼びかけと混同してはならない。政策や法律のこととなると多くの科学者は世間知らずで、すぐに世界政府だの、親になる免許の取得を義務化するだの、汚染された地球を出て他の惑星に移住するだのと途方もない話に飛びつく。だがそれはかまわない。今問題にしているのは、誰に権限を委ねるべきか、ではなく、どうやったら集団での意思決定がもっと賢くできるか、なのだから。

科学的思考を大事にすることは、その時点での科学的仮説がすべて正しいと考えることでもない。新しい仮説のほとんどは間違いだとわかる定めにある。推測と反駁の繰り返しこそ科学の推進力であり、だからこそ仮説を立て、それが反論に耐えて生き残るかどうかを見る方法がとられている。覆された仮説を取り上げて、これだから科学は信用できないと批判する人はこの点を忘れている。

子どもの頃わたしの身近にもそういうラビがいて、進化論のことをこういって否定していた。「科学者はこの世界が四〇億歳だと考えている。だが以前は八〇億歳だと考えていた。四〇億年もずれていいのなら、もう一度四〇億年ずらしてゼロ歳ということになってもいいわけだ」。この主張の間違いは（ラビの話そのものが科学史と矛盾しそうなことは別にして）、科学にできることはエビデンスを積み重ねて仮説の信頼性を高めていくことであって、ある説の絶対確実性を最初から主張することではない、という基本を認識していない点にある。実際、この種の論法で科学を否定しようという試みは、自己矛盾している。過去の科学的主張を否定するために、現在の科学的主張を認めざるをえないからだ。

また、「前時代の科学的主張は、その時代の偏見や排外主義にとらわれていた。だから科学は信用できない」という、これまたよく耳にする主張も同じ問題を抱えている。前時代の科学者が偏見にとらわれていたとしたら、彼らの科学は間違っていたことになる。そして今日わたしたちがその間違いを指摘できるとしたら、それはその後により良い科学を構築できたからである。

また別の論法に、科学を狭く囲い込んでおいて、それを越えられないから科学はだめだという議論がある。たとえば、科学は物質を扱うものであって、そこから出て価値や社会や文化について何かを語ろうとすると、論理的な誤りに陥らざるをえないという。ウィーゼルタイアーの場合はこうだ。「科学が論理、政治、芸術などの領域に属するかどうかという問題に、科学自身が口を出すべきではない。それは哲学の問題で、科学は哲学ではない」。だが論理的な誤りに陥っているのはこうした主張のほうで、問題を学問分野の分類と混同している。確かに、科学が扱う経験的な問題は哲学が扱う論理的な問題とは異なるし、またどちらも規範的ないし倫理的主張とは区別しなければならない。しかしそれは、科学者が概念や倫理について論じてはならないという意味ではない。哲学者が物理的領域について論じてもかまわないのと同じことだ。科学は経験的事実を羅列したものではない。科学者が没入しているのは物質的事実ではなく、その奥にある数学の真実や、自説の論理性、仕事の指針となる諸価値を含む〝情報のエーテル〟である。逆からいえば哲学者も同じことで、彼らが物理的宇宙から完全に離れて、純粋な観念だけの世界に閉じこもったことなど一度もない。なかでも啓蒙思想家は、概念的議論に知覚、認知、感情、社会性についての仮説を編み込んでみせた（たとえばヒュームの因果性の分析は因果関係をめぐる心理学的考察から始まったのだし、カントに至ってはまさに時代を先取りした認知心理学者だった[16]）。今日の大半の哲学者（少なくとも分析哲学ないし現代英米哲学の哲学者）は「自然主義」の立場、すなわち「現実は自然なものから成り、〝超自然なもの〟は含まれない。したがって〝人間の精神〟を含む現実のあらゆる領域の探求に科学的手法を用いるべきだ[17]」という立場をとっている。つまり近代的概念における科学は、哲学とも、理性そのものとも調和している。

科学支持者が広めたいと考える二つの理想

では、科学と他の理性の行使との違いはどこにあるのだろうか。もちろん「科学的手法」を用いるかどうかではない。[18]この言葉は学校で児童に教えるためのもので、科学者が口にすることはない。科学者は世界の理解の助けになるならどんな方法でも使う。退屈なデータ集計、大胆な実験、理論的考察の思いきった飛躍、明快な数学的モデリング、厄介なコンピューター・シミュレーション、言葉による徹底的な記録など、あらゆる方法を駆使する。ただしそれらは次の二つの理想のために使われるのであって、科学の支持者はその理想をこそ、科学以外の知的世界にも広めたいと思っている。

第一の理想は、この世界は理解可能だということである。わたしたちが経験する現象は、その現象より深いところにある原理で説明できる可能性がある。だからこそ、科学者には『空飛ぶモンティ・パイソン』に出てくる恐竜の専門家の「ブロントサウルスの理論」が大いに受ける。「すべてのブロントサウルスは一方の端が細く、真ん中あたりがものすごく太くて、逆の端がまた細くなります」というものだ。この〝理論〟はブロントサウルスがどのような形をしているかを描写しただけで、なぜそうなっているのかを説明するものではない。しかし、本来の科学においては、物事を一歩深いところにある原理で説明し、するとこんどはその原理がさらに深い原理で説明できるかもしれないとわかり、それがまたさらに……と続いていく（これをディヴィッド・ドイッチュは「われわれは常に無限の始まりにいる」と表現した）。

　この世界を理解するうえで、「これはこういうものだから」とか「つまり魔法だよ」とか「わたしがいうことに間違いはない」などといわれて、そうですかと引き下がらざるをえないことなどまずない。世界は理解可能だと考えることは、信じる信じないの問題ではなく、科学的に説明できる部分を増やしながら少しずつ立証していくことである。たとえば生命の仕組みにしても、以前は神秘的な生の飛躍《エラン・ヴィタール》で説明されていたが、今では複雑な分子同士の化学的・物理的反応によるものだとわかっている。

　科学主義を悪の根源と決めつける人々は、だいたいにおいてこの理解可能性を、還元主義と呼ばれる罪、すなわち複雑なシステムを単純な要素に解析すること（罪として責めていうなら、単純な要素にすぎないとしてしまうこと）と混同している。だが実際には、複雑な事象をもっと単純な原理で説明しても、その事象の豊かさを捨てることにはならない。解析上のどのレベルにも、それより下位の構成要素には還元できないパターンが立ち現れる。たとえば、第一次世界大戦という出来事が運動する物質で成り立っていたからといって、誰もこれを物理、化学、生物で説明しようとは思わない。それより一九一四年のヨーロッパ諸国の指導者たちの認識と目標から説明しようとするだろう。だがその一方で、あの歴史的瞬間に致命的な組み合わせとなった認識と目標——部族主義、自信過剰、相互不安、名誉の文化などがからみ合っていた——について、なぜ人の心はあのような認識と目標をもつ傾向にあるのかと疑問に思い、そこを掘り下げようとする人が出てきたとしても、それはおかしなことではなく、むしろ当然である。

第二の理想は、世界についてのわたしたちの考えが正しいかどうかは、世界に教えてもらうということである。従来の信念の動機（何かを信じる理由）——信仰、啓示、教義、権威、カリスマ、通念、テクストの解釈学的解釈、満足を伴う主観的確信など——は誤りを招くもとであり、知識源としては受け入れられない。経験的問題に関する信念は、それがこの世界に適合しているかどうかによって評価されるのでなければならない。

ここで、つまりそれはどういうことかと説明を求められると、科学者はたいていカール・ポパーの推測と反駁の考えをもちだす。科学理論は経験的検証によって反証されることはあっても、完全に証明されることはありえないという主張である。とはいえ、実際の科学における推測と反駁はクレー射撃のようなものではない。仮説が標的の皿のように次々と放出され、それが片っ端から撃ち落とされていく、ということにはならない。それよりも、どちらかというとベイズ推定（前章のあの「超予測者」の推測法）に似ている。つまりある理論が提示されるとき、それには最初から、わたしたちが知る限りのすべてと整合性がとれていることを根拠として、ある程度の信頼性が付与されている。そしてその後、実際に得られた経験的観測に応じて――理論が正しい場合にその観測結果が得られる確率と、間違っている場合に得られる確率の比較によって――信頼性の度合いが調整される。[19]

ポパーとベイズのどちらの考え方が近いかは別にして、とにかくある理論に対する信頼の度合いは、経験的証拠との整合性しだいで変わっていく。これに対し、いくら「科学的」な運動だと謳っていても、そうした検証の機会が創出されないようなものは、（賛同しない人々を殺したり拘束したりするといった極端な例はもちろんいうに及ばず）いかなるものであっても科学的運動ではない。

「科学は領分を守るべし」という論の誤り

多くの人は、便利な薬や機器が手に入るのは科学のおかげだと思っているし、時には物質の仕組みや働きを教えてくれるという点でも科学を評価する。だがその人々も、人間にとって本当に大事な問題となると一線を引き、科学を認めようとしない。わたしたちは何者なのか、どこから来たのか、人生の意味と目的をどう定義したらいいのかといった深い問題のことである。こうした問題は宗教の範疇とされていて、現に誰よりもやっきになって科学を批判するのも宗教の擁護者である。彼らはだいたいにおいて、古生物学者でサイエンスライターのスティーヴン・ジェイ・グールドが『神と科学は共存できるか？』（新妻昭夫訳、日経ＢＰ社）で提示した分割案を支持している。すなわち、科学と宗教の関心事はそれぞれが「非重複の教導権《マジステリウム》」〔教導権はもとはカトリックの言葉で、教えの権限の範囲のこと〕に属しているという考えで、科学は経験的な領域を、宗教は倫理、意味、価値を引き受けるのがよいとする。

しかし、この協約は少しついただけでぼろが出る。科学の素養がある人――原理主義によって視野が狭くなっていない人――の倫理的世界観は、宗教的意味付けや宗教的価値との決別を求めるからである。

まず、科学の発見によって、世界のあらゆる伝統的宗教・文化の信念体系――世界の始まりや、生命、人類、社会の起源に関する見解――が事実に反することがすでにわかっている。人間はアフリカ起源の霊長目に属する一つの種で、その種が農業を始め、統治機構をつくり、歴史上かなり最近になってから文字も発明したということを、わたしたちの祖先は知らなかったが、今のわたしたちは知っている。その種が、およそ四〇億年前に前生物的化学物質から始まった全生物を含む系統樹のなかの、ほんの一本の小枝でしかないことを、わたしたちは知っている。その種が住んでいる地球は、天の川銀河に一〇〇〇億以上ある恒星の一つの周囲を回っている惑星の一つで、その天の川銀河は、一三八億年前に誕生したこの宇宙に一〇〇〇億以上ある銀河の一つであり、その宇宙もまた、おそらくは膨大な数の宇宙のうちの一つであるということを、わたしたちは知っている。空間、時間、物質、因果関係についてのわたしたちの直感的な理解は、もっとはるかに大きい、あるいははるかに小さいスケールの実在の性質には通用しないものであることを、わたしたちは知っている。物質界を支配する法(事故、疾病、その他の不運を含む)は、人間の幸福につながるような目標など一切もたないことを、わたしたちは知っている。この世には運命、神意、カルマ、魔法、呪い、吉兆凶兆、天誅、御利益《ごりやく》などない(ただし、人がなぜこれらを信じるかについては、確率法則と認知メカニズムのあいだのずれによって説明できるかもしれない)ことを、わたしたちは知っている。また、これらのことは以前からわかっていたわけではなく、どの時代のどの文化の信念でも誤りだと証明されうるのだから、今わたしたちが信じていることの多くもそうなるかもしれないということを、わたしたちは知っている。

要するに、今日の教養人の倫理観や精神的価値観は、科学によって得られた世界観に導かれている。科学的事実は、それ自体が価値を決めるわけではないが、可能性をある範囲に確実に追い込んでいく。たとえば、科学は教会から事実の主張について影響力を奪うことで、教会の倫理の主張についても疑問を投げかけている。科学は復讐の神や超自然の力といった説を論破することで、生贄、魔女狩り、信仰療法、神明裁判、異端の迫害といった慣習を徐々に減らしていく。科学は宇宙を支配する法に目的がないことを示すことで、この惑星の、ヒトという種の、ひいては自分たちの、安寧の責任はわたしたち自身がとるしかないことを教えてくれる。同じ理由から、科学はいかなる道徳体系でも政治制度でも、それが神秘的な力や探究、運命、弁証法、闘争、メシア時代などを土台としているかぎり、これを弱める力をもつ。

そして科学的事実は、いくつかのごく当たり前の信念（わたしたちの誰もが自分の安寧を願っていることや、わたしたちが互いにぶつかりながらも、折り合って行動規範を決めていける社会的存在であることなど）と結びつくことで、擁護可能な道徳性をもたらす。その道徳性とはすなわち、人間とその他の感覚ある存在の繁栄を最大化するような諸原則のことであり、これをヒューマニズムと呼ぶことができる。現代の民主主義、国際組織、寛容な宗教の事実上の倫理性となりつつあるのは、まさにそのようなヒューマニズム――世界の科学的理解と切り離せないヒューマニズム――であり、その目標を実現していくことが、今日のわたしたちに課せられた倫理的要請である（第二三章）。

科学や科学論の誤用・誤解・曲解が横行

物質的、道徳的、知的生活に科学が占める割合や、科学から受ける恩恵が増えつつあるにもかかわらず、文化的機関の多くは科学に無関心になり、それが今や蔑視へと変わりつつある。体裁上はさまざまなアイデアを取り上げているように見える総合雑誌も、よく見ると政治と芸術に絞り込まれていて、科学の新しい知見はほとんど取り上げられず、例外は気候変動のような政治化した論点（および例のごとくの科学主義批判）だけである。[20] さらにひどいのは大学の教養課程における科学の扱いで、学生はほんの少し科学に触れたか触れないかで卒業できてしまう。しかもそこで学ぶ内容は、科学への偏見を植えつけるようなものでしかない。

現代のアメリカの大学で科学の指定図書として最もよく見かけるのは（有名な生物学の教科書は別として）、トーマス・クーンの『科学革命の構造』（中山茂訳、みすず書房）である。[21] 一九六二年刊行のこの古典の主張は、一般的には次のようなものだと解釈されている。科学は真実へと収束していくのではなく、ただパズルを解くのに忙殺されているようなもので、かと思うと不意にパラダイムシフトが起こり、するとそれ以前の理論が陳腐な、というより理解不能なものになっている。[22] クーン自身はこのような虚無的な解釈を否定したが、「第二の文化」の人々のあいだではこれが通説になってしまった。

以前、メジャーな総合雑誌に寄稿しているある評論家が、わたしにこういったことがある。「美術界はもはや作品が〝美しい〟かどうかを気にしていませんが、その理由は、科学者がもはや理論が〝正しい〟かどうかを気にしていないのと同じです」。それは違いますよとわたしが説明したら、彼は心底驚いた様子だった。

歴史学者のデイヴィッド・ウートンは科学史も研究していて、この分野についてこう書いている。「スノーの講演以後、二つの文化の問題はさらに深刻化している。科学史などは、芸術と科学の架け橋となるどころかその逆で、科学者自身が理解できないような奇妙な科学像をこね上げている」[23]。というのも、今や多くの科学史家が、科学を「この世界の正しい説明の追求」と考えるのは幼稚だと思っていて、そのせいでダンス批評家がバスケットボールの試合を解説するような、シュートをシュートと表現してはいけないようなおかしな状況に陥っている。

以前、神経画像の記号論についての講演を聴いたとき、講演者がある科学史家で、彼は脳のカラー三次元動画を脱構築的に論じてこんなふうに滔々《とうとう》と語っていた。「（いかにして）このうわべは中立で自然な科学的視線が、その時点である種の政治課題を受け入れやすくなっている特定の自己に働きかけることによって、神経（心理）学的対象から外部の観測点へと位置を変えるのか」[24]云々……。こうした画像のおかげで脳のなかで起こっていることがわかりやすくなるという、あまりにも当然の指摘からはほど遠い説明である。つまり「科学論」の学者の多くは、科学全体が抑圧の口実だとする難解な研究にキャリアを捧げていることになる。たとえば次のような、最も緊急の課題に対する彼らの学術的貢献を見てもらいたい。

氷河、ジェンダー、そして科学
――地球環境変化の研究のためのフェミニスト氷河学の枠組み

氷河は気候変動と地球環境変動の重要な象徴である。しかしながら、ジェンダーと科学と氷河の関係――特に氷河学の知識の生産に関する認識論的問題との関係――はまだ研究が進んでいない。したがって本稿で、次の四つの主要素からなるフェミニスト氷河学の枠組みを提唱する。(一) 知識の生産者、(二) 科学と知識に見られる性差、(三) 科学による支配の構造、(四) 氷河の代替表象。フェミニスト氷河学の枠組みは、ポストコロニアルのフェミニスト科学研究とフェミニスト政治生態学を融合させたもので、この枠組みによって動的な社会生態システムにおけるジェンダー、権力、認識論の厳密な分析が可能になり、より公正で公平な科学、人間と氷河の相互作用への道が開ける。[25]

この謎めいた人種差別・性差別を探る研究より、さらに欺瞞に満ちているのが、科学を悪者にしようとするキャンペーンである。科学（と理性およびその他の啓蒙主義の諸価値）に、文明と同じくらい古くからある罪を着せようとする活動で、その罪には人種差別、奴隷制、侵略、大虐殺などが含まれる。これは影響力をもつフランクフルト学派の批判理論の主要テーマの一つで、「あまねく啓蒙された地上は、勝ち誇ったように大惨事をまき散らしている」[26]と述べたテオドール・アドルノとマックス・ホルクハイマーに始まる準マルクス主義の運動である。同じようなテーマはポストモダンの理論家の著書にも見られ、その一人であるミシェル・フーコーは、ホロコーストは「生政治《せいせいじ》（bio-politics）」の当然の帰結であり、生政治は啓蒙主義とともに、科学と合理的支配が市民生活に大きな力を及ぼすようになったときに始まったのだと論じた。[27]社会学者のジークムント・バウマンも、ホロコーストの原因は「社会を作り変え、科学的につくられた全体計画に無理やりはめ込もうとする」啓蒙主義の理念にあると非難した。[28]このねじれた理屈は肝心のナチスのことを無視している（「あれは近代性のせいだ！」）。つまりナチスの過激な反啓蒙主義イデオロギーも無視しているのだが、それこそが、リベラルなブルジョアによる理性と進歩の賛美を堕落とみなし、人種間の闘争を煽る有機的で邪教的な力に心酔するものだったのではないのか。

批判理論とポストモダニズムは、定量化や年代学といった〝科学的〟手法を避けているが、この事実から彼らが歴史を理解していないことがわかる。大虐殺や独裁政治は近代以前に至る所で見られたのであって、それが第二次世界大戦後に、科学とリベラルな啓蒙主義の価値観が影響力を増したことで減少したのだ[29](増加したのではなく)。

科学的人種主義の罪を科学は負うべきか

確かに科学は、たびたび嘆かわしい政治運動に加担させられてきた。いうまでもなく、その歴史は直視しなければならないし、科学者も他の歴史上の人物と同様に、加担した事実について批判されて然るべきである。とはいえ、わたしたちが高く評価するあの文系研究者の強み——文脈、ニュアンス、深い歴史的理解——が、理系研究者を批判する機会が訪れたとたんにどこかへ消えてしまいがちなのはどうしたことだろうか。科学は疑似科学の装いをもつ思想運動のせいで責められることが多いが、実のところそうした運動の根は、歴史的にかなり深いものなのだ。

その最たるものが「科学的人種主義《レイシズム》」、すなわち、人種は知性の進化に応じて北欧系ヨーロッパ人を頂点とする階層をなしているという理論である。この理論は一九世紀後半から二〇世紀前半にかけてもてはやされ、頭蓋骨計測と知能検査を基に主張されたが、その後の科学の進歩とナチズムの恐怖によって二〇世紀半ばに力を失った。だがそれで消えたわけではない。イデオロギー的レイシズムの罪を科学に、なかでも進化論に着せるのは、知の歴史の悪しき側面である。レイシズムの信念はどの時代にもどの地域にも見られる。たとえば奴隷制度はどの文明にも存在してきたが、だいたいにおいて、奴隷はもともと隷属に適した人種であるという考え（神の計画によりそのように創られた、など）によって正当化されてきた。[30] 古代ギリシャや中世アラブの著述家がアフリカ人の生物学的劣等性について書いたものは、今のわたしたちには背筋が凍るような内容だし、キケロによるブリトン人評もひどいものだ。[31]

さらに重要なのは、一九世紀の西洋が陥った知的レイシズムが、科学ではなく人文学――歴史、哲学、古典学、神話学――から生まれたものだということである。一八五三年に途方もない人種論を発表したアルテュール・ド・ゴビノーは小説家で、アマチュアの歴史家でもあった。その説によれば、勇猛果敢な白人の一種（アーリア人）が、古くからいた土地を離れてユーラシア大陸にあまねく英雄戦士の文化を広め、その過程でペルシア人、ヒッタイト人、古代ギリシャ人、古代インドのヴェーダ人に分かれ、その後さらにヴァイキング、ゴート人、その他のゲルマン諸部族に分かれた（この説に正しい部分があるとすれば、これらのどの部族もインド・ヨーロッパ語族に属する言語を話すという点だけである)。だが彼らが征服した土地で劣性人種との混血が進むにつれ、すべてが衰えはじめた。アーリア人の偉大さは薄められ、ロマン派が絶えず嘆いていたような活力のない、退廃的で、腑抜けで、ブルジョア的な商業文化へと堕していった。このおとぎ話がドイツ・ロマン主義ナショナリズムや反ユダヤ主義と融合するのに時間はかからず、チュートン族こそアーリア人の子孫であり、ユダヤ人はアジアの雑種にすぎないという説がまかり通るようになった。

そしてこのゴビノーの考えに、リヒャルト・ワーグナー(彼が作曲したオペラはアーリア人の神話を基にしたものといわれる)や、その娘婿のヒューストン・スチュアート・チェンバレン(ユダヤ人が資本主義、自由主義的ヒューマニズム、不毛な科学によってチュートン文明を汚したと書いた哲学者)が取りつかれ、そこからさらにヒトラーへとつながっていった。ヒトラーはチェンバレンを「魂の父」と呼んでいる(32)。

科学はこの影響の連鎖にあまりかかわっていない。ゴビノーもチェンバレンもヒトラーも、ダーウィンの進化論を、なかでもヒトがサルから時間をかけて進化したという考えをあからさまに否定していた。そもそも進化論はロマン主義の人種理論とも、その源流にある民族的・宗教的観念とも相容れない。当時大いに広まったロマン主義は、各人種は互いにまったく別のもので、それぞれが階層の異なる文明に属していて、他の人種と交われば劣化すると考えた。一方ダーウィンが主張したのはこうである。

人類は共通の祖先をもつ単一種であって、誰もが互いにごく近しい関係にある。つまり誰もが等しく〝野蛮な〟起源をもっている。実質的に人種間に知的能力の差はない。異人種同士が結婚しても異種交配の害は生じない。[33]

歴史学者のロバート・リチャーズはヒトラーの影響を入念に調べて本にまとめたが、そのなかの「ヒトラーはダーウィン主義者だったのか？」（創造論者はそうだと主張する）と題した章を、「この問いへの唯一筋の通った答えは――誰が何といおうと間違いなく――ノーだ！」と締めくくっている。[34]

科学的レイシズムと同様に、「社会進化論」と呼ばれる運動も科学のせいだといわれることが多い。進化という概念が広く知られるようになった一九世紀後半から二〇世紀初頭にかけて、さまざまな政治運動、知的運動が、この概念を自分たちの行動を正当化するロールシャッハ・テストのようなもの、ととらえるようになった。つまり誰もが、闘争や進歩、豊かな暮らしについての自分たちのビジョンを自然に適うものと信じたがった。[35] そのような運動の一つが、進化論から名前をとってきて「社会進化論」と呼ばれることになったのだが、これはダーウィンではなく、哲学者で社会学者のハーバート・スペンサーが、『種の起源』の刊行より八年早い一八五一年に提唱した考え方に基づいている。スペンサーが信じていたのは突然変異でも自然淘汰でもなく、ラマルクが唱えた「生物は生存競争によってより複雑で、より環境に適応した形質を（後天的に）獲得し、それが子孫に伝わる」という説だった。スペンサーはそのような進歩の力を妨げるべきではないと考え、弱者である個人や団体をただ生き延びさせるような社会福祉や政府規制に反対した。彼の政治哲学はいわばリバタリアニズムの源流で、悪徳資本家、自由放任《レッセフェール》主義経済の支持者、社会保障不要論者に支持された。

するとこんどは、スペンサーの思想が右派の色合いを帯びていることに気づいた左派の学者が、右派の他の運動を批判するさいにも「社会進化論」という言葉を誤って用いるようになった。他の運動というのは帝国主義や優生学のことだが、当のスペンサーはそのような政府による行動主義に断固反対だった。[36] その後、この言葉はたんなる攻撃用の武器と化し、人間理解に進化論を応用するあらゆる試みに貼られるレッテルとなった。[37] というわけで、社会進化論は「進化論」とついてはいるが、ダーウィンとも進化生物学とも関係がないし、今ではほとんど意味のない侮辱語の一つでしかない。

優生学もイデオロギーのラッパ銃〔弾が広く拡散する〕として利用されてきた。ヴィクトリア朝時代の博学者フランシス・ゴールトンが当初発表したのは、「優秀な人間同士の結婚を優遇し、その子孫を増やすことができれば、人間の遺伝材料を改良できるかもしれない」という考え（積極的優生学）だったが、その考えが広まったときには、「不適者」の生殖を抑制するという考え（消極的優生学）にまで拡大解釈されていた。そして実際、多くの国々で、犯罪者、知的障害者、精神障害者、その他広義の疾患や問題をもつとみなされた人々に対して強制的な断種が行われた。ナチスドイツの強制断種政策はスカンジナビアやアメリカの政策を手本にしたものであり、ユダヤ人、ロマ族、同性愛者の大虐殺も、消極的優生学の論理的延長にすぎないといわれることが少なくない（実際には、ナチスは遺伝や進化よりも「公衆衛生」をもちだすことが多く、ユダヤ人は害虫、病原菌、腫瘍、壊死《えし》組織、汚染された血などに例えられた[38]）。

優生学運動はナチスと結びついたことで決定的に信用を失った。だが優生学という言葉は生き延び、数多くの科学的試みを貶めるのに使われている。たとえば、致命的な変性疾患の心配のない子どもを産めるようにする遺伝医学の応用研究や、個人差を生む遺伝的・環境的要因を分析しようとする行動遺伝学全般が槍玉に挙げられている[39]。また、歴史が逆のことを示しているにもかかわらず、優生学は右寄りの科学者が進めた運動といわれることが多い。実際に優生学を支持したのは進歩派、リベラル、社会主義者で、次の人々も含まれる。セオドア・ルーズベルト、H・G・ウェルズ、エマ・ゴールドマン、ジョージ・バーナード・ショー、ハロルド・ラスキ、ジョン・メイナード・ケインズ、シドニー&ベアトリス・ウェッブ、ウッドロウ・ウィルソン、マーガレット・サンガー[40]。

結局のところ優生学は、現状維持より改革に、利己主義より社会的責任に、自由経済より計画経済に重きを置くものだった。その証拠に、優生学を断固として拒否するさいには、古典的自由主義とリバタリアニズムの原理が引き合いに出される。政府は人間存在を手中にする全能の支配者ではなく、権力に制限のある一機関であって、ヒトの遺伝子構造を完全なものにすることはそこに含まれないという原理である。

これらの運動に科学はあまりかかわっていないと書いたが、それは科学者（これらの運動に積極的に、あるいは間接的に手を貸した科学者は少なくない）に責任がないということではなく、こうした運動をもっと正しく理解するべきだという意味である。今のように反科学のプロパガンダとして使うのではなく、もっと深い、文脈的理解がなされるべきだ。これらの運動はダーウィンの理論の誤解によって勢いを増したが、もともとはその時代の宗教理念、芸術理念、知的理念、政治理念から生まれたものだった。すなわちロマン主義、文化悲観主義、進歩を弁証法的闘争ないし神秘の顕現ととらえる考え方、権威主義的ハイモダニズムなどである。今日わたしたちがこれらをただの時代錯誤ではなく、間違った考えだと思えるのは、より良い歴史的、科学的理解を享受しているからにほかならない。

科学の悪者扱いが大学でまかり通っている

科学の本質に対する批判は、一九八〇年代、九〇年代の「サイエンス・ウォーズ」〔ポストモダン批評家による科学用語の濫用や相対主義、科学的客観性の否定などを、科学者が批判した論争〕の遺物などではなく、今なお大学で科学の役割を決めるほどの力をもっている。ハーバード大学は二〇〇六〜二〇〇七年度に一般教養科目の修得要件を見直したが、そのさいの準備委員会の報告書には、科学教育が人知に占める役割への言及が一切なかった。では何が書かれていたかというと――「科学技術はさまざまな意味で本校の学生に直接的な影響を及ぼしており、それには良い影響もあれば悪い影響もある。人の命を救う医療、インターネット、効率的なエネルギー貯蔵法、デジタル・エンターテインメント機器をもたらしてくれた一方で、核兵器、生物兵器、電子盗聴装置、環境破壊ももたらした」――ほう、なるほど。それなら建築学は博物館をもたらした一方でガス室をもたらしたし、クラシック音楽は経済活動を活性化した一方でナチスに啓示を与えた云々、と続いてもいいだろう。ところがおかしなことに、この実用と非道を並べた妙な説明は科学技術だけに付されていて、しかも無知と迷信よりも理解と知識をよしとする十分な理由があるといった補足さえ見当たらなかった。

最近のある学内会議でも、また別の同僚が、科学の善悪混淆の遺産なるものについて考えを述べた。このとき取り上げられたのは、〝善〟が天然痘ワクチンで、〝悪〟がタスキギー梅毒実験だった。後者は科学の悪を説くときに必ずといっていいほどもちだされるもので、公衆衛生の研究者たちが一九三二年から四〇年間にわたり、貧しい黒人を被験者にして、梅毒を治療しない場合の症状の進行を追跡調査した縦断的研究のことである。

この実験は今日の基準では明らかに非倫理的だが、批判がエスカレートして誤って伝えられている部分もある。たとえば最近の論文では次のような点が指摘されている。実験にかかわった研究者たちは（多くはアフリカ系アメリカ人、あるいはアフリカ系アメリカ人の保健福祉の擁護者だった）被験者を感染させたわけではないのだが、多くの人は感染させたと信じている（この誤解がのちに、エイズウイルスは政府の研究機関が黒人の人口抑制のために開発したものだという陰謀説を生んだ）。またこの実験の開始時点では、当時の基準に照らせば正当化できるものだった可能性もある。このころの梅毒の治療薬（ヒ素の化合物）は有害で、効果も薄かった。その後抗生物質が使えるようになったものの、梅毒への効能や安全性はすぐにはわからなかった。また潜伏梅毒は自然治癒することが多いと考えられていた、等々。[41]

だが問題はそこではなく、この対比そのものが道徳的に鈍感で、「第二の文化」の人々の主張がバランス感覚を失っているとわかる点にある。このときの同僚の主張も、タスキギーの実験を広く批判されるべき違反行為というより、科学の実践の不可避の部分として扱っていたし、数百人を救わずに放置したという一度の過ちと、天然痘ワクチンによって一世紀ごとに何億人という規模の死者を出さずにすむようになったという功績を同列に扱うものだった。

さて、大学の一般教養課程で科学を悪者扱いすることは、そんなに問題なのだろうか？　もちろん問題で、しかもその理由はいくつもある。キャンパスに足を踏み入れたその日から、医学やエンジニアリングへの道をひた走る学生ももちろんいるが、まだ進路を決めかねていて、教授や指導教官からヒントを得たいと思っている学生も大勢いる。そういう学生たちが、科学も宗教や神話と同じく物語にすぎませんとか、科学は次々起こるパラダイム革命に振りまわされるだけで、進歩しているとはいえませんとか、科学はレイシズムや性差別や大虐殺を正当化してきましたなどと教えられたらどうするだろうか。全員とはいわないが、一部は「科学がそんなんなら、金儲けのほうがましだ」と考えるだろう（実際ある学生がそう口にするのを聞いたことがある）。そして四年後、彼らの知力は、金融市場の動きに対するヘッジファンドの反応を、今より数ミリ秒早くするアルゴリズムの創造に使われることになり、アルツハイマー病の新薬や二酸化炭素の回収・貯留技術の研究には使われない。

科学が悪者扱いされることで、科学の進歩そのものも危うくなっている。最近では、研究のために人々に政治についての意見を訊きたいとか、不規則動詞についてのアンケートをとりたいといった場合でさえ、それが人間を対象にした研究であるかぎり、研究倫理審査委員会に対して自分がヨーゼフ・メンゲレ〔ナチス親衛隊将校で人体実験を行った医官〕ではないことを証明しなければならない。もちろん、被験者を搾取やあらゆる危害から保護しなければならないのは当然のことだが、現在のアメリカの研究倫理審査委員会はその使命をはるかに超える規模に膨れ上がっている。これについては、言論の自由への脅威である、都合の悪い意見を封じる武器になりうる、研究を滞らせるばかりか、肝心の被験者・研究対象者保護に結びついておらず、むしろ被害を与えている、といった指摘もなされている(42)。

長年新薬の開発に携わり、シカゴ大学の研究審査委員会の委員長も務めたジョナサン・モスは、ある式典でのスピーチでこう述べた。「どうか皆さん、次の三つの医学上の奇跡を思い起こしてください。X線、心臓カテーテル、全身麻酔の三つです。どれもわたしたちには当たり前のものですが、もしこれらの研究開発が今、この二〇〇五年に行われていたとしたら、三つともまずお蔵入りを免れません(43)」(インスリン注射、熱傷治療、その他の救命処置についても同じような指摘がなされたことがある)

生命科学のみならず、社会科学も同様の困難に直面している。一般化が可能な知識を得るために誰かと話をするには、こうした審査委員会から事前に許可を得なければならないのだが、これはどう見ても米国憲法修正第一項〔言論の自由〕に抵触しているのではないだろうか。人類学者は、読み書きができないため同意書にサインできない無学な人とは話もできないし、自爆テロリストに話を聞こうと思っても、その相手が自らを危険にさらすような情報を洩らすかもしれないという理由で、面会さえできない。[44]

研究の妨げとなっているこの現象は、たんなる組織のミッション・クリープ〔本来の任務を逸脱し、歯止めがかからなくなった状態〕の問題ではない。生命倫理と呼ばれる分野の研究者の多くは、むしろ積極的にこれを正当化している。彼らは、充分な説明を受けて同意した成人が、自分や他者のためになるかもしれず、誰を傷つけることもない臨床試験に参加することを、「尊厳」「神聖」「社会正義」といった曖昧模糊とした言葉で屁理屈をこねて禁じようとする。また、人々に生物医学の進歩への恐怖感を植えつけようとして、核兵器やナチスの残虐行為、『すばらしい新世界』〔オルダス・ハクスリーの一九三二年の小説〕や『ガタカ』〔一九九七年のアメリカのSF映画〕で描かれたSFディストピア、さらにはヒトラーのクローン軍団だの、ネットオークションに自分の眼球を出品する人々だの、人間に代替臓器を提供するゾンビの倉庫だのといったフリークショーまがいのシナリオまでもちだし、それを無理やり生物医学研究と結びつけようとする。

倫理学者のジュリアン・サバレスキュは、こうした主張を支える推論のレベルの低さを指摘し、なぜ〝生命倫理〟の視点からの研究妨害が〝非倫理的〟になりうるかについてこう述べた。「年に一〇万人の命を奪う致死性疾患の治療法開発を一年遅らせることは、その一〇万人分の死の責任を負うことになる。たとえその人たちと決して会うことはないとしても」(45)

バイアスを正すには科学的知識が不可欠

科学の正しい理解を広める意味がどこにあるかというと、その最大の成果は、誰もがもっと科学的に考えられるようになることである。前章でも述べたように、人間は認知バイアスや誤謬に陥りやすい。政治化されたアイデンティティの問題ともなると、たとえ科学的知識があっても誤謬を正す役に立たないのは前章で見たとおりだ。だが多くの問題は最初からそうした罠にはまるわけではないので、誰もがより科学的に考えるようになれば、誰もがより良い状態になれる。データジャーナリズム、ベイズ推定、エビデンスに基づく医療・政策、リアルタイムの暴力監視システム、効果的利他主義といった科学の洗練を目指す運動は、人類の福祉を大いに増進させる可能性を秘めている。とはいえ、そのような考え方が文化に浸透するのに、ずいぶん時間がかかっていることも否めない(46)。

以前、膝が痛くなったときに、かかりつけ医にサプリメントを薦められたので、本当に効くんですかと尋ねたら、「ほかの患者さんで、痛みが治まったという人が何人かいますから」という返事だった。ビジネススクールで教えているある同僚は、実業界でも同じような現象が見られるといっている。「頭がいいのに、具体的な問題に取り組むとなると論理的に考えられなかったり、相関関係をすぐ因果関係に置き換えたり、予測可能性の範囲をはるかに逸脱して事例証拠を使ったりする人が多いんです」。戦争、平和、人間の安全保障などを定量化する仕事をしている別の同僚によれば、国連でさえ〝エビデンス不要ゾーン〟と化しているという。

国連上層部も大半が法律家か文系出身者なので、アンチ科学の人文系講義とあまり変わらない。多少なりとも科学的思考法を身につけた人々がいるのは、国連事務局でもごく一部の、あまり重要ではない部署と決まっている。「平均で見た場合、かつ他の条件が同じであれば」といったごく基本的な限定表現であっても、正しく理解している幹部は一握りにすぎない。だから、たとえば紛争勃発の確率について話をすると、まず間違いなくサー・アーチボルド・プレンダーガスト三世か誰かのお偉方が「ブルキナファソではそうではなかった」のひと言で払いのけてしまう。

科学的思考を嫌う人はよく、何でもかんでも数値化できるわけではないという。しかしそういう人も、白黒つくような問題しか取り上げないとか、もう決して「もっと多い」「もっと少ない」「もっと良い」「もっと悪い」といった言葉（あるいはその他のすべての比較表現）は使いませんというのでもないかぎり、本質的には数量的な話をしているわけだ。

それでも数字には置き換えられないというのなら、それは「わたしの直観を信じろ」というのと同じことで、だとしたら認知についてすでに明らかになっていることを一つ挙げておかなければならない。人間は（専門家も含めて）自分の直観について、傲慢にも過度の自信を抱いている。一九五四年に心理学者のポール・ミールは、多少なりとも正確性が判断可能な事柄（精神医学的分類、自殺企図、学校の成績や仕事の業績、虚言、犯罪、医療診断など）について調査し、そのほとんどにおいて、シンプルな統計的予測のほうが専門家の予測より精度が高いことを明らかにしてみせ、他の心理学者を驚かせた。このミールの研究は、その後トベルスキーとカーネマンによる認知バイアスの発見や、テトロックの予測トーナメントへとつながり、今では彼の「直観的判断より統計的判断のほうが優れている」という結論は、心理学史上最も堅固な知見の一つと考えられている。(47)

もちろん何事も良いことばかりではなく、データは万能薬ではないし、特効薬でもない。それに世界中の富をすべて注ぎ込んだとしても、すべての問題についてランダム化比較試験を行うことなどできない。だから人間は絶えず、どういうデータを集めたらいいのか、それをどう分析し、どう解釈したらいいのかと悩みつづける。ある概念を数値化しようとするときも、最初は粗い分析にならざるをえないので、最善の試みであっても完全な理解は望めず、確率的理解にとどまる。だがそれでも、数値化すれば、計量社会学者が基準を設定することで測定を評価できるようになるし、改善も可能になる。また比較決定は、測定が完全かどうかではなく、専門家や批評家、面接調査者、臨床医、司法官、鑑定家などの判断より良いかどうかが基準になるので、ハードルは高くない。

政治やジャーナリズムの文化は、だいたいにおいて科学的な物の見方を知らないので、人々の生死にかかわるような重大問題であっても、エラーを起こすとわかっている方法で答えを出そうとする。逸話や大見出し、レトリック、エンジニアがＨｉＰＰＯ（高給取りの意見）と呼ぶものなどを手がかりにする方法のことだ。こうした統計音痴の手法からどれほど危険な誤解が生じるかについては、すでに述べたとおりである。今多くの人が、犯罪や戦争が増加して制御不能になりつつあると考えているが、実際には殺人や戦闘による死者数は減少している。今多くの人が、イスラム過激派のテロがわたしたちにとって重大な脅威になっていると考えているが、実際にはスズメバチやミツバチの攻撃のほうが危険性が高い。今多くの人が、イスラム過激派組織がアメリカの存在と存続を脅かしていると考えているが、実際にはテロ活動がその戦略的目標を達成することはめったにない。

データを受けつけようとしない態度（「ブルキナファソではそうではなかった」のような）は、大きな悲劇を招きかねない。たとえば、国連平和維持活動（ＰＫＯ）というとすぐに失敗例（一九九五年のボスニアなど）を思い浮かべ、あれは人と金の無駄遣いだと評する政治評論家が少なくない。一方、ＰＫＯが成功した場合は、耳目を集める出来事が起こらないので、ニュースにならずに終わってしまう。政治学者のヴァージニア・ページ・フォートナは、『ＰＫＯは有効か？（Does Peacekeeping Work?）』という著書で、タイトルに掲げた問題に対して、ヘッドラインに踊らされることのない科学的手法で取り組んだ。そして、ベターリッジの見出しの法則〔第一八章参照。疑問符がついたら答えはノー〕に反して、「文句なくイエス」という答えを導き出した。ＰＫＯに関する他の研究も同じ結論に達している。[48] こうした分析の結果を知っていれば、ある国に平和をもたらす国際組織と、内戦を悪化させるだけの国際組織の違いも見極められるはずだ。

民族紛争についても同じことがいえる。多民族地域には、本当に、よくいわれる「古来の憎悪」が染みついているのだろうか。そしてその憎悪を和らげるには、本当に、それぞれの民族居住地に分割して、各居住地から少数派を追い出す以外に手がないのだろうか。隣接する民族間で衝突があれば必ずニュースになるので、わたしたちは知ることができる。だが隣接する民族同士がのんびり平和に暮らしていたらどうだろう。決してニュースにはならないので、わたしたちは知らないままだ。では後者の割合は、つまり隣接する民族同士が暴力沙汰を起こさずに共存している割合はどの程度なのだろうか。答えは、「ほとんどの場合」である。旧ソ連の隣接諸民族の場合は九五パーセント、アフリカの隣接諸民族は九九パーセントがこれに該当する。(49)

非暴力の抵抗運動はどうだろう。効果はあるのだろうか。多くの人は、ガンディーの運動は、たまたまタイミングよく賢明な民主主義の精神に訴えかけることができたが、マーティン・ルーサー・キングも運がよかっただけだと思っている。この二人の運動は例外であって、被抑圧者が抑圧者の支配を払いのけるにはどうしても暴力が必要だ、と考えている。しかし、政治学者のエリカ・チェノウェスとマリア・ステファンが、一九〇〇年から二〇〇六年までの世界各地の政治抵抗運動についてデータを集めて分析してみたところ、非暴力の抵抗運動の四分の三が成功していたのに対し、暴力を伴う抵抗運動の成功率はわずか三分の一だったことがわかった。(50)つまりガンディーとキング牧師は正しかったのだが、データがなければそのことは誰にもわからない。

人が暴力的な反乱軍やテロ組織に加わるきっかけは、正戦論というより男の絆といったものに巻き込まれてのことかもしれないが、ほとんどの戦闘員が世界を良くするには人を殺すしかないと信じていることはおそらく間違いないだろう。ではもし、暴力的戦略が人の道に外れるばかりか、実は効果もないと誰もが知ったとしたら、世界はどうなるだろうか。いや、チェノウェスとスティーヴンの本を紛争地帯で空からばら撒けといっているわけではない。だが過激派グループのリーダーは高い教育を受けている場合が多いし（彼らは「数年前のどこかの学者の駄文から発想を得て、それを狂気に変えただけだ」〔ケインズ〕）、下位の戦闘員でも大学で社会通念を学んでいて、それが〝革命的暴力が必要〟という考えの裏付けになっている場合が少なくない[51]。大学の標準的なカリキュラムから、カール・マルクスやフランツ・ファノンの著作に割く時間を少し削って、代わりに政治的暴力の定量分析に目を向ける時間がつくれたら、長期的に何らかの変化が望めるのではないだろうか。

科学と人文学の協力は双方の得になる

現代科学にできる最大の貢献の一つは、学問上のパートナーである人文学との統合を深めることかもしれない。誰の目から見ても、人文学は苦境に陥っている。大学の講座は縮小され、次世代を担う研究者は非常勤あるいは失業状態にあり、士気が下が

り、学生もぞろぞろと離れていっている。(52)

思慮深くありたいなら、今の社会が人文学から投資を引き揚げつつあることに無関心でいてはいけない。(53)歴史の知識がない社会は記憶のない人間のようなもので、惑わされ、まごつき、たやすくつけ込まれる。哲学は、明晰さや論理はただ待っていても手に入らないことを、そして考えを磨き、深めることができて初めて、より良い状態をつくれることを認識させてくれる。芸術は人生に生きる意味を与えてくれるものの一つで、美と洞察でわたしたちの経験を豊かにしてくれる。そして批評は、優れた作品の鑑賞の楽しみを何倍にもしてくれるのだから、それ自体が芸術活動である。これらの学問領域の知識は人間が努力を重ねて築き上げてきたものであり、これからも時代の移り変わりとともに絶えず拡充、更新していくべきものだ。

人文学の低迷の背景には、今の文化の反知性主義的傾向と大学の商業化がある。だが率直にいえば、この現状には人文学が自ら招いた部分もあるといわざるをえない。人文学はポストモダニズムの失敗――大胆な反啓蒙主義、自己論駁的な相対主義、抑圧的なポリティカル・コレクトネス――からまだ立ち直っていない。ポストモダンを代表する人々――ニーチェ、ハイデガー、フーコー、ラカン、デリダ、そして批判理論家――は皆気難しい文化悲観論者で、近代性《モダニティ》は醜悪だ、すべての言説は矛盾している、芸術作品は抑圧の道具である、自由民主主義はファシズムと同じである、西洋文明は余命いくばくもない、などと断言した[54]。

なんとも明るい世界観で、これでは自分たちの仕事に関していくら進歩的な課題を掲げようとしても、うまくいくわけがない。何人かの大学学長や学部長から聞いた話だが、理系の研究者が彼らの部屋に押しかけて来るのは、すごい新研究の課題があるから予算をくれとせがむためと決まっていて、困ったものなのだそうだ。一方、人文系の研究者は、これまでのやり方を尊重してくださいと訴えるためにやって来るという。いや、もちろん、これまでのやり方は敬意を払うに値するし、博識な人文学者が個々の研究対象に応用する「クロース・リーディング」〔文芸批評において一字一句について詳細に検討し解釈を行うこと〕、「厚い記述」〔人類学などで文脈も含めて人間の行動を説明すること〕、「ディープ・イマージョン」〔民族誌学などで研究対象となる文化のなかに身を置くこと〕などに取って代わる方法などありえない。しかし、それだけでいいのだろうか。それだけが理解に至る道だろうか？

科学と統合すれば、人文学が新たな知見を得るチャンスが広がる。芸術も文化も社会も人間の脳から生まれる。いずれもわたしたちの知覚、思考、感情から始まり、人々が互いに影響し合う疫学的な伝播ダイナミクスによって集積、拡散していく。その仕組みやつながりに興味の目を向けなくていいのだろうか。解明できれば人文学と科学のどちらにとっても得になる。人文学は、科学的説明で考察を深めることができるし、意欲と才能のある学生を（もちろん学部長や資金提供者も）惹きつける前向きな研究計画を立てられるだろう。また科学は、科学理論の検証のために、人文学者が詳細に記述してきた事実のなかから自然実験として扱えるものや生態学的に妥当な現象を探し出し、活用することができるだろう。

この統合は分野によってはすでに始まっている。美術史の一分野として始まった〔ヨーロッパの場合〕考古学は、今やハイテク科学の一分野でもある。心の哲学は、数理論理学、コンピューターサイエンス、認知科学、神経科学と徐々に融合しつつある。そして言語学は、語源と文法史に関する文献学上の知識を、発話の実験研究、文法の数学モデル、そして文字・音声言語の膨大なコーパス〔収集した会話・文章のデータベース〕のコンピューター分析とつなごうとしている。

政治理論も本来、心の科学と親和性がある。ジェームズ・マディソンは、「政府そのものが人間性の最も偉大な反映でなくして、いったい何だというのか」と述べた。社会学、政治学、認知科学の研究者たちは、政治と人間の本性との関係を改めて調べはじめている。これはマディソンの時代にも大いに論じられたテーマだが、その後人々が人間を「空白の石板」と考えたり、合理的行為者と考えたりしていたあいだに、どこかに埋もれてしまっていた。だが今では、人間は道徳的行為者だとわかっている。つまり人間は、権威、部族、純粋さなどについての直観に導かれ、自らのアイデンティティを示す神聖な信念に忠実で、復讐と和解の相反する二つの方向に動機づけられた存在である。そして今わたしたちは、なぜ人間がそのような衝動をもつようになったのか、それは脳にどのように実装されているのか、それは個人により、文化により、下位文化によりどのように異なるのか、どのような条件でその衝動のスイッチが入ったり切れたりするのかを理解しはじめている。[55]

同じようなことは人文学の他の領域でも考えられる。視覚芸術は、色、形、テクスチャ、明るさなどの知覚の研究や、顔、風景、幾何学的形状などの進化美学といった、視覚科学の〝知の爆発〟を利用できるだろう。[56]音楽学者は、音声知覚、言語の構造、脳による音の世界の分析などの研究者と大いに議論できるだろう。[57]

文学研究についてもさまざまな可能性が考えられる。[58]ジョン・ドライデンはフィクション作品を、「人の本性を的確に生き生きと写し取るものであり、人類の喜びと教育のために、人の感情と気質を、そして人を翻弄する運命の変化を描くもの」と評した。認知心理学は、読者がなぜ作者や登場人物の意識に自分の意識を重ねられるのかを明らかにしてくれる。行動遺伝学は、親の影響についての民俗学理論を、遺伝子の影響、仲間の影響、偶然の影響といった発見によって補完・更新してくれる。これらは、伝記と回想録を解釈するうえで重要な意味をもつものだ。伝記と回想録に関する取り組みは、記憶に関する認知心理学の知見や、自己呈示に関する社会心理学の知見からも多くを得られるだろう。また進化心理学は、普遍的な強迫観念と特定の文化によって誇張された強迫観念を区別できるし、家族、カップル、友人、ライバルといった関係に固有の利害の対立と錯綜を説明できるが、これらはいずれも物語のプロットの原動力にほかならない。以上のアイデアはすべて、前述のドライデンの見解に新たな奥行きを加える一助となるはずだ。

人文学の関心事の多くは従来の物語批評でうまく解明できるが、なかには経験的な問いを投げかけるものもあり、それについてはデータが助けになる。書籍や定期刊行物、通信文、楽譜なども扱うデータサイエンスの登場によって、遠大な「デジタル人文学」がすでにスタートを切っている[59]。

結局のところ、理論や発見の可能性を制限するのは想像力だけであり、想像力を広げれば可能性も広がる。新たな理論や発見の可能性の例としては次のような研究が挙げられる。アイデアの由来と伝播、知的影響と芸術的影響のネットワーク、歴史的記憶の輪郭、文学におけるテーマの変遷、元型とプロットの普遍性と文化特異性、そして非公式の検閲とタブーのパターン。

知の統合を妨げる「第二の文化」の警察官

知の統合は、知識が双方向に流れるという条件が整わなければ実現しない。科学者が芸術の説明にまで首を突っ込んできたのに驚いて、思わず後ずさりした人文学者のなかには、科学者の説明は自分たちから見れば浅薄で短絡的だと批判する人々もいるが、その点は正しい。いや、だからこそ、人文学のほうからも手を差し伸べて、個々の作品やジャンルに関する彼らの深い学識を、人間の感情や美的反応に関する科学的洞察と融合させるべきではないだろうか。さらに望ましいのは、大学が二つの文化のどちらにも精通した新世代の研究者を育てることである。

実は人文学の研究者自身は、科学が提案するアイデアを喜んで受け入れようとする傾向にあるのだが、これに第二の文化の警察官たちが目を光らせていて、そんな好奇心に身をゆだねてはいけないと釘を刺す。たとえば、文学者のジョナサン・ゴットシャルが人間の「物語る本能」の進化について書いた興味深い本があるのだが、これを『ニューヨーカー』誌の書評欄で否定的に取り上げたアダム・ゴプニックはこう書いた。「物語に関する興味深い問題は、何がその作風を〝普遍化〟するかではなく、何がその作風をほかより優れたものにするかにある。（中略）この議論は、女性ファッションと同じようなもので、微妙で〝表面的な〟違いが実質的に主題のすべてであるようなものの一例である[60]」

しかし文学の評価において、鑑識眼だけが本当に「主題のすべて」なのだろうか。探究心旺盛な人なら、文化や時代で異なる人間精神が、なぜ人間存在の永遠の謎に繰り返し取り組もうとするのか、そこに興味をもつのではないだろうか。

前述のウィーゼルタイアーも警察官の一人で、人文学の研究は、科学がいう〝進歩〟などするべきではないと、有害きわまりない決めつけをし、「科学の歴史は誤りが正され退けられる歴史である。しかし哲学の悩み（中略）はそんなふうに退けられたりはしない」[61]と言い放つ。だが実際には、たとえば奴隷制を自然の制度だと擁護する古い主張について尋ねたら、今日の道徳哲学者のほとんどが、その主張は誤りで、すでに正され、退けられたというだろう。また哲学的認識論を専門とする哲学者なら、この領域の学問は進歩していて、デカルトが人間の知覚は真である、神が人間を欺くことはないのだからと主張できたころとは異なると付け足すかもしれない。だがウィーゼルタイアーはさらにこういう。「自然界の研究と人間界の研究にはきわめて大きな相違」があり、この二つの「境界を越え」ようとする動きはどれも、人文学を「科学の補佐役」とすることにしかならない。なぜなら、「科学的説明はこの二つの領域の基本的同一性を暴き」、そのうえで「すべてを吸収して一つの領域に、つまり彼らの領域にまとめ」ようとするのだから、と。

いったいこの被害妄想と縄張り意識はどこへ向かうのだろう。『ニューヨーク・タイムズ・ブックレビュー』を見るかぎり、ウィーゼルタイアーが求めているのはダーウィン以前の世界観――「人間の特異性は、いかなる動物的側面にも帰することはできない」――いや、それどころかコペルニクス以前の世界観――「この宇宙における人類の中心性」――である。[62]

芸術家や人文系研究者が、彼らの守護者を自任するこういう人たちの後を追って崖から転げ落ちなければいいと願うばかりだ。人間が置かれた厳しい状況をどうにかしようとする試みを、前世紀あるいは前々世紀の状態で凍結する必要はないし、ましてや中世で止めるなどとんでもない。政治理論も文化の理論も道徳理論も、この宇宙と、一生物種としての人間の特性について大いに学ばなければならないことは、今さらいうまでもない。

一七八二年に、哲学者のトマス・ペインは科学のコスモポリタンな価値をこう称えた。

国をもたないパルチザンでありながら、すべての国を助ける擁護者でもある科学は、寛大にも誰もが集える神殿を開いてくれました。太陽が冷えきった大地を照らすように、科学は精神に影響を及ぼし、ずっと以前から、より高い教養とよりいっそうの改善のための準備をさせてきたのです。一国の哲学者が他国の哲学者を敵とみなすことはありません。科学の神殿に腰を下ろした哲学者は、隣に座っているのがどこの誰かと尋ねたりはしないのです。[63]

ペインが〝一国と別の国〟について述べたことは、知の一領域と別の領域についても当てはまる。このような意味において、そしてあらゆる意味において、科学の精神は啓蒙の精神なのだ。

第二三章　ヒューマニズムを改めて擁護する

ヒューマニズムとは人類の繁栄を最大化すること

科学だけでは人類に進歩をもたらすことはできない。「自然法則によって禁じられていないものは、適切な知識があれば何でも達成できる」（デイヴィッド・ドイッチュ）――ここに問題がある。「何でも」とはつまり〝何でもあり〟である。ワクチンも生物兵器も、ビデオ・オン・デマンドもテレスクリーン上のビッグ・ブラザー〔ジョージ・オーウェル『一九八四年』に登場する独裁者〕も。ワクチンを疾病の根絶のために使う一方で、生物兵器は使ってはならないと禁じるのは、科学だけの力でできたことではない。だからこそわたしは、巻頭の題辞にまずスピノザ――「理性に導かれる人間は、他の人々のためにも望むことしか、自分のために望まない」――を置き、そのあとにドイッチュの右の言葉を置いた。人が自分の繁栄を望むのと同じやり方で、人類全体が繁栄できるように知識を使うことによって、初めて進歩がもたらされる。

人類の繁栄──長寿、健康、幸福、自由、知識、愛、豊かな経験など──を最大化するという目標を、ヒューマニズム（人間主義）と呼んでいいだろう（語源に反して、「ヒューマニズム」は動物の繁栄を排除するものではないが、本書では人類に視点を置いて考えていく）。ヒューマニズムはわたしたちが知識を活かして〝何を〟達成すべきかを明らかにしてくれる。ヒューマニズムは「こうである」〔事実命題〕を補う「こうあるべきだ」〔価値命題〕を示してくれる。ヒューマニズムはたんなる達成と真の進歩を区別してくれる。

ヒューマニズム（大文字で始まるHumanism）と呼ばれる運動で、広がりを見せているものが一つある。非超自然な基盤をもつ意味と倫理──すなわち「神のない良心」──を掲げる運動である[1]。その理念と提言は「ヒューマニスト・マニフェスト」として文書化されていて、一九三三年に「第一マニフェスト」、一九七三年に「第二マニフェスト」、二〇〇三年に「第三マニフェスト」が発表された。最新の第三マニフェストは次のようなものだ。

> **世界の知識は、観察、実験、合理的分析によって得られる。**ヒューマニストは、知識を得る方法として、また問題解決と有益な技術開発の方法として、科学が最良のものであると考える。またわれわれは、思考、芸術、内的体験における、新しい試

みの価値を認識し、そのいずれもが批判的知性により分析されるべきものだと考える。

人間は自然の不可分の一部であり、誰に導かれたわけでもない進化的変化の結果である。（中略）われわれは自分の生を、それですべてであり、かつ十分なものとして受け入れ、ありのままの事実と、われわれが望んだり想像したりする事柄とを区別する。われわれは将来の課題から逃げず、未知なるものに関心を抱きこそすれ、恐れを抱くことはない。

倫理的価値は、経験という試練を経た人間の要求と利益から生まれる。ヒューマニストは、人間の繁栄と幸福に価値を置く。その繁栄と幸福は、人間の状況、利益、課題によって形作られ、地球生態系とその外にまで広がる。（後略）

人生の満足感は、個々人が人道的理想のために力を尽くすことによって得られるものである。われわれは（中略）強い目的意識をもって生を活気あるものとし、人間存在の喜びと美に、その難題と悲劇に、さらには死の必然性と終局性にさえ畏怖と驚嘆を見出していく。（後略）

人間は生来、社会的な存在で、人とのつながりに意味を見出す。ヒューマニストは、（中略）誰もが互いを思いやり、残忍性とそれがもたらす結果から解放され、暴力ではなく協力によって違いを乗り越える世界を目指す。（後略）

社会の利益のために働くことが、個人の幸福を最大化する。進歩的な文化は、ただ生き延びるための残虐行為から人類を解放し、苦しみを軽減し、社会を改善し、国際社会を発展させることに力を入れてきた。[2]（後略）

ヒューマニズムの理想がいかなる派閥にも属さないことは、こうしたヒューマニスト協会の会員たちが真っ先に断言するだろう。自分が物心ついてからずっと「散文」を話してきたのだと知って喜んだ、あのモリエールの『町人貴族』（鈴木力衛訳、岩波文庫）の主人公のように、人はだいたい自分でも知らぬ間にヒューマニストになっている。[3]ヒューマニズムを紐解いてその源をたどれば、「枢軸時代」〔第二章参照〕にさかのぼる信念体系のなかにも見つかるかもしれない。それが「理性と啓蒙の時代」に注目され、イギリスの「権利の宣言」〔一六八九年〕、アメリカの「バージニア権利章典」〔一七七六年〕、フランスの「人および市民の権利の宣言」〔一七八九年〕を生み、さらに第二次世界大戦後

に再び息を吹き返し、国際連合、世界人権宣言〔一九四八年〕、その他の国際協力の枠組みへとつながった。(4)

ヒューマニズムは、意味と道徳性の根拠として神や精霊、魂を呼び出したりはしないが、決して宗教と相性が悪いわけではない。儒教や仏教諸宗をはじめとする一部の東洋の宗教は、その倫理の基礎を、神のお告げではなく人間の幸福に置いてきた。また、ユダヤ教とキリスト教の宗派の多くも、しだいに人間性を重視するようになっていて、超自然信仰や教会的権威といった遺産から、理性や人類の普遍的繁栄へと重心を移しつつある。そのような宗派としては、クエーカー、ユニテリアン、リベラル聖公会、北欧ルーテル教会、ユダヤ教改革派、再建派、そしてヒューマニズムを重視するユダヤ教諸派が挙げられる。

ヒューマニズムの内容はごく当たり前のもので、反対のしようがないと思えるだろう。そもそも誰が人類の繁栄に異を唱えるだろうか。だが実は、これは道徳上の特別なコミットメントであって、人の心にとって当たり前のものではない。これから述べるように、ヒューマニズムは宗教上、政治上の多くの派閥のみならず、驚いたことに著名なアーティストや学者、知識人からも猛反発をくらっているのだが、その理由の一つはそこにある。したがって、啓蒙主義の他の理念とともに、ヒューマニズムも人々の心にとどめておくべきものならば、現代の言葉で改めて語り直し、擁護し直さなければならない〔第一部序言のハイエクの引用参照〕。

道徳の非宗教的基盤は「公平性」だけでは不足

前述のスピノザの言葉は、道徳の世俗的（非宗教的）基盤を「公平性」に求めようとする考え方の一例である。[5] この公平性は、「わたし」という代名詞に特別な力がないという認識、「わたし」は他人の利益より自分の利益を優先する理由にはならないという認識のことだといってもいい。要するに、自分が暴力を振るわれる、手足を切られる、飢える、殺されるのはごめんだと思うなら、他人に暴力を振るい、手足を切り、飢えさせ、殺すことはできないという理屈で、このような公平性は理性の上に道徳性を築こうとする多くの試みを支えてきた。

スピノザの永遠の相のもとでの認識、ホッブズの社会契約論、カントの定言命法、ロールズの無知のヴェール、ネーゲルの「どこでもないところからの眺め」〔著書のタイトルにもなっている〕、ロックとジェファソンの「すべての人は平等につくられた」という自明の理、[6] そしてもちろん、道徳の伝統のなかに無数に見出される黄金律とその派生形もそうである（黄金律は「自分がしてもらいたいと思うことを人にしなさい」。白銀律は「自分がされたくないことを人にしてはいけない」。白金律は「人があなたからしてもらいたいと思っていることを人にしなさい」。黄金律以外の派生形のほうは、マゾヒストや自爆犯、感覚の違いなどを想定し、黄金律が行き詰まる場合の先手を打って考えられたものだ）。

しかし、公平性に基づく議論は完全なものにはなりえない。相手が無慈悲で、独善的で、誇大妄想のソシオパスで、誰を食いものにしても罰を受けない立場にいるとしたら、どのような議論をもってしても「あなたは論理的誤謬を犯している」と説得することはできない。また公平性に基づく議論は中身に乏しい。人の望みを尊重せよという大括りな助言になっているだけで、その望みとはどういうものをいうのか――人間の繁栄を定義する欲求、要求、経験とはどういうものなのか――についてほとんど何も語らない。そうした望みはただ公平に叶えられればいいのではなく、できるだけ多くの人が叶えられるように積極的に求め、広めるべきものなのだが、そのことも語られない。

このギャップを埋めるべく、マーサ・ヌスバウムは人が行使する権利があると考えられる「基本的な人間の潜勢能力《ケイパビリティ》」をリストにした。そこには長寿〔早死にしないこと〕、健康、安全、識字能力、知識、表現の自由、遊び、自然の享受、他者との情緒的なつながり、社会との関わりなどが挙げられている〔第一七章参照〕。だがこれも、それだけではただのリストで終わってしまい、リスト作成者は「好きなものを並べただけじゃないか」という反論にさらされることになる。ヒューマニズムの道徳をもっとしっかりした基盤の上に据えることはできないのだろうか。理性あるソシオパスなど認めないと同時に、わたしたちが尊重すべき人間の要求を正当化できるような基礎のことである。わたしはできると思っている。

アメリカ独立宣言は「生命、自由および幸福追求の権利」を〝自明のこと〟とした。しかし〝自明のこと〟が常に自明とはかぎらないので、これもまた完全に満足できるものではない。とはいえ、ここには重要な直観がとらえられている。道徳の基盤について論じるときに、まず生命そのものを正当化しなければならないとしたら、何やらおかしなことになるという直観だ。生命の正当性が必要なら、道徳について最後まで論じられるか、その前に撃たれて死ぬかわからないような話になってしまう。そもそも、あることについて考察するという行為は、考察しようとする行為者の存在を前提とする。理性は交渉とは無縁のものとするネーゲルの超越論的論証——理性の正当性について考察すること自体が理性の正当性を前提とする——に意味があるなら〔第二一章参照〕、道徳基盤の考察も理性的主体の存在（つまり生命）を前提としていることになる。

だとすれば、ヒューマニズムの道徳の考察に新たな道が開ける。すなわち、科学が差し出す二つの鍵である「エントロピー」と「進化」の助けを借りて、もっと深いレベルでヒューマニズムの道徳を正当化する道が開けてくる。社会契約の伝統的な分析は「肉体をもたない魂」の交渉による契約を想定していた。この理想化された状態に、ここで最小限の前提――理性的主体はこの物質界にいるという前提――を加えてみよう。すると考察はどんどん進む。

道徳の基盤となる人間の身体・理性・共感

まずエントロピーの観点からいうと、「肉体をもった理性的主体」という存在は、想像を絶するほど小さい確率が現実のものとなった結果である。そしてそうなりえたのは、その主体が、複雑で適応可能な体をつくり上げられる唯一の自然現象である自然淘汰の生成物となり、自らを思考する生き物へと変えてきたからに相違ない(7)。そしてその主体は、とうとう言葉を交わすようになり、議論を戦わすようになるほど長期にわたって、エントロピーによる破壊を免れてきた。ということは、その主体は環境からエネルギーを取り込み、身体的統合性を維持できる限られた条件のなかにとどまり、生物、非生物の脅威から身を守ってきたことになる。つまりその主体は、自然淘汰と性淘汰の生成物として、深く根を張った巨大な系統樹――配偶子を得て生存能力のある子孫を残す複製子からなる系統樹――の若枝ということになる。

また、知性はただのアルゴリズムではなく、知識を糧として培われるものなのだから、その主体は世界に関する情報を吸収し、そのなかのランダムではないパターンに注意を払うように導かれてきたにちがいない。そしてその主体が他の理性的主体と議論しているとすれば、それは互いに言葉を交わせる関係に置かれているからで、つまりあえて時間を使い、また安全上のリスクを背負ってでも、互いに関わり合おうとする社会的存在であるにちがいない(8)。

理性的主体が物質界で生存しうる物理的要件は、抽象的な設計仕様としてではなく、欲求、要求、感情、苦しみ、喜びといった形で脳内に実装されている。平均的にいえば、またヒトという種が誕生した環境においては、喜びを伴う経験が生存と繁殖を可能にし、苦しみを伴う経験が死をもたらしてきた。つまり、食事、癒し、好奇心、美、刺激、愛、セックス、友情などは、浅はかな耽溺でも快楽主義的な気晴らしでもない。まさにそれらが、心を生みだすに至る因果連鎖をつないできたのである。

禁欲的で厳格な制度とは異なり、ヒューマニズムの倫理は、人間が癒し、喜び、満足を追求することの価値を疑ったりはしない。こうしたものを求めなければ、人類は生き残っていないのだから。だが同時に、こうした欲求が互いに食い違ったり、他者の欲求とぶつかったりすることもまた進化上の避けがたい事実である(9)。わたしたちが知恵と呼ぶものの多くが、自分の欲求の矛盾を調整することであり、またわたしたちが道徳や政治と呼ぶものの多くが、人間同士の欲求の矛盾を調整することなのはそのためだ。

第二章（のジョン・トゥービーらの発表への言及のすぐあと）で述べたように、エントロピーの法則があるかぎり、わたしたちには常にある脅威がつきまとう。わたしたちの体（と心）を機能させるには実に多くのことがうまくいかなければならず、そのうちのどれか一つでもうまくいかなくなると、体の機能が永久に止まってしまうという脅威である。出血でも、気道閉塞でも、細胞レベルの微小な生体メカニズムの不調であっても、死を招きうる。つまりある主体の攻撃は別の主体の命を奪いうる。そして、誰もが暴力に対してきわめて脆弱である以上、逆に暴力をやめると合意できれば、その合意からわたしたちは計り知れない恩恵を受けることになる。

どうしたら、自分が食い物にされないという保障と引き換えに相手を食い物にする誘惑を抑えられるかというのは、社会的存在であるわたしたちにとっては大きなジレンマである。そしてこのジレンマ――「平和主義者のジレンマ」〔「囚人のジレンマ」を暴力の問題に置き換えたもので、著者が『暴力の人類史』のなかで説明している〕――が人類の頭上に常にダモクレスの剣のようにぶら下がっている〔支配者の栄光と権力を羨んだダモクレスを、細い糸で吊された剣の真下にある玉座に座らせ、栄華の中に潜む危険を悟らせたという古代ギリシャの故事〕ので、平和と安全の実現は永遠の目標にとどまり、ヒューマニズムの倫理はひたすらこれを目指しつづけることになる。[10] しかしながら、歴史的に見て暴力が減少してきている事実からわかるように、このジレンマは決して解決不可能なものではない。

肉体をもった理性的主体が例外なく暴力に対して脆弱であるかぎり、無慈悲で、独善的で、誇大妄想のソシオパスも、道徳論（とそれが求める公平と非暴力）にいつまでも背を向けてはいられない。頑として背を向けつづければ、病原菌や山火事や暴れまわるクズリ〔小型だが獰猛〕のような心をもたない脅威と同じく、問答無用で無力化すべき対象とみなされてしまう（ホッブズがいったように、「野獣と契約を取り交わすことはできない」）。自分は不死身だと思い込んでいるあいだは、いちかばちかでうまくいくこともあるかもしれないが、いずれはエントロピーの法則に行く手を阻まれる。しばらくは周囲を押さえつけることができても、やがてはその周囲の結集した力のほうが強くなる。永遠に不死身ではいられない以上、無慈悲なソシオパスでさえ、道徳論に向き直らざるをえなくなる。

心理学者のピーター・デシオリが指摘したように、「一人で敵に向かうとき、いちばん頼りになる武器は斧かもしれないが、大勢の見物人の前で敵に向かうとなったら、いちばん頼りになるのは議論かもしれない」[11]。そして対話を行う者は、より優れた議論に敗れることもある。結局のところ、考えることのできる人間はすべて道徳世界のなかにいるといっていい。

エントロピーに続いて進化だが、こちらはヒューマニズムという非宗教的な道徳のためにもう一つの基盤を提供してくれる。「共感」を抱くことができるというわたしたちの能力のことである（啓蒙思想家たちはこれを善意、憐憫、想像力、同情などとさまざまに呼んだ）。たとえ理性ある人間が「道徳的であることは、長期的に見れば誰にとっても得になる」と考えたとしても、それだけであえて自分を犠牲にしてまで他人を助けるとは思えない。そこには何か、その人間の背中を押すものがある。そしてその〝ひと押し〟は、なにも天使のささやきでなくてもかまわない。進化心理学はこの〝ひと押し〟を、わたしたちを社会的動物たらしめている「感情」に由来するものと説明している。(12)

親族間の共感は、わたしたちをつないでいる生命の巨大な網のなかで、遺伝的な成り立ちが共通している者同士のあいだで生じる。一方、もっと広い意味での人間同士の共感は、自然が誰にでも公平であることから生じる。つまり誰でも苦境に陥ることがありうるということで、そんなときには他人のちょっとした情けに大いに助けられる。このため、各人が自分だけで何とかする状態よりも、誰もが互いに善行を施し合う（自分は何も与えず、ただ受け取るばかりという人がいない）状態のほうがいい。だから進化は、自然淘汰の過程で、道徳感情――共感、信頼、感謝、罪悪感、羞恥心、寛容、義憤など――を選択した。つまり共感はわたしたちの精神の成り立ちにすでに組み込まれているので、あとは理性と経験があれば、共感の輪をすべての「感覚をもつ存在」に広げていくことができる。(13)

功利主義的道徳は必ずしも悪いものではない

ヒューマニズムに対する哲学的な批判には、「ただの功利主義にすぎない」というものもある。人間の繁栄の最大化を目指す道徳は、最大多数の最大幸福を目指す道徳と同じだという主張である[14]（哲学者はよく幸福を「功利（utility）」と呼ぶ）。大学で「道徳哲学」の講義の第一回（イントロダクション）を受講した学生なら、功利主義の問題点をいくつも挙げられるだろう[15]。たとえば、「功利の怪物」という話があるが、この怪物が人間を食べることによって得る喜びは、犠牲となる人間が生きることから得る喜びより大きい。この場合、そのほうが喜びの総量が大きくなるという理由で、その怪物の好きにさせるべきだろうか。あるいは少数を犠牲にして大勢を救う話はどうだろう。安楽死の志願者をつのり、その臓器をすべて摘出して各部位を移植手術に使えば、志願者より多くの患者を救うことができるが、では実際にそうすべきだろうか。殺人事件が解決されないことに腹を立てた町の住民が、暴徒と化して殺戮を繰り広げそうだという場合、保安官はどこかのごろつきに罪を着せて縛り首にすることで、住民の怒りを鎮めるべきだろうか。ある薬が心地よい夢とともに永遠のまどろみにつかせてくれるとしたら、その薬を飲むべきだろうか。何十億羽ものウサギを低コストで、しかもウサギがハッピーでいられる状態で飼育できる倉庫があるとしたら、その飼育倉庫をどんどん建てるべきだろうか――等々。

こうした思考実験は、「義務論的倫理学」の考え方を後押ししようとするものだ。義務論的倫理学は、特定の行為の性質のみに着目し、それをいくつかの権利、義務、諸原理に照らして道徳的か非道徳的か判断する〔その行為の目的や結果は考慮せず、いかなる場合でも善と判断される行為を道徳的と考える〕。この考え方のなかには、判断基準となる原理は神がもたらすとするものもある。

確かにヒューマニズムには功利主義的な、あるいは少なくとも帰結主義的なところがある（帰結主義は行為や方法の道徳性をそれらがもたらす結果から考える〔結果を考慮しない義務論とは対立する。功利主義は帰結主義の一つ〕）。ただしヒューマニズムにとっての「結果」は、狭い意味での幸福――顔に笑みが浮かぶような――である必要はなく、もっと広い意味での繁栄と考えていい。たとえば、子育て、自己表現、教育、豊かな経験、永続的価値をもつ作品の創造などがすべて含まれる（第一八章）。ヒューマニズムが帰結主義的な色合いを帯びていることは、実は有利な点でもある。その理由を二つ挙げておこう。

一つは、義務論的倫理にも問題点があるからだ。「道徳哲学」の講義が二週目に入っても居眠りしなかった学生なら、こちらの問題点も挙げられるだろう。たとえば――嘘は本質的に悪だというなら、アンネ・フランクはどこだとゲシュタポに訊かれたとき、正直に答えなければいけないのか。マスターベーションが不道徳だというのは（義務論者の代表であるカントはそう主張した）、動物的衝動を満たす手段として自分自身を利用するからなのか、そして人間はあくまでも目的であって、手段として扱ってはならないからなのか。テロリストが何百万人もの命を奪う核爆弾をしかけたとしたら、その男を水責めにして爆弾のありかを聞き出そうとするのは不道徳なのだろうか。天から神の声は降りてこないのに、いったい誰がどこから原理を引き出してきて、ある行為を（誰も傷つけないような行為まで）本質的に不道徳だと宣告できるのだろうか――等々。倫理学者はこれまで何度も義務論をもちだして、予防接種、麻酔、輸血、生命保険、異人種間結婚、同性愛は本質的に間違っていると主張してきた。

実は道徳哲学者の多くも、この功利か義務かという入門レベルの二分法は極端だと考えている(16)。義務論的原理が、最大多数に最大幸福をもたらす良い方法であることも少なくないし、結果から考えようとしても、人間は寿命が限られているので、自分の行為が遠い未来にどんな結果をもたらすかまでは予測できない。また人間は自分の利己的な行為を利他的なものだと思い込みやすい。したがって、全般的な幸福促進のための最善の方法の一つは、功利か義務かを論じることではなく、誰も越えてはならない明確な線を具体的に引いていくことである。たとえば、わたしたちは政府に、市民を騙したり殺したりする力を与えるべきではない。なぜなら現実の政治家は、思考実験で想定されるような完全無欠で善意にあふれた半神半人ではなく、手にした権力を好き勝手に行使することがあるからだ。政府が最大多数に最大幸福をもたらすことができない理由は多々あるが、これもその一つである（政府が無実の人々を死刑にしたり、臓器提供のために安楽死させたりする力をもちうることを忘れてはならない）。

あるいは平等原則についていえば、女性やマイノリティを差別する法律を認めるべきではない。そのさいに、その理由が本質的に不公正だからなのか、それとも結果的に差別される人々が被害を受けるからなのかといった議論に、わたしたちは答えを出す必要があるだろうか？　逆に、結果として害をもたらす義務論的原理、たとえば生命を維持する血液は神聖なものだ（だから輸血を認めない）といったものは、さっさと投げ捨ててしまってかまわない。人権は人間の繁栄を促進する。だからこそ、実際上の問題として、ヒューマニズムと人権は緊密な関係にある。

ヒューマニズムが功利主義的な色合いを帯びていてもかまわないもう一つの理由は、功利主義的アプローチが人間の幸福を増進してきたという実績にある。チェーザレ・ベッカリーア、ジェレミー・ベンサム、ジョン・スチュアート・ミルなどの古典的功利主義者たちは、その時代に当然のこととしてまかり通っていた奴隷制、残酷な刑罰、動物虐待、同性愛を犯罪として扱うこと、女性の従属に異議を唱えた。(17)そればかりか、言論の自由や信仰の自由といった抽象的な権利の擁護も、かなりの部分は有益性と有害性の観点からなされた。トマス・ジェファソンもこう述べている。「政府の合法的権力が及ぶ範囲は、他人を害するような行為の抑制に限られる。だがわたしの隣人が神は二〇人いるといおうが、神はいないといおうが、わたしには何の害もない。それはわたしの財布を奪うわけではないし、わたしの脚を折るわけでもない[18]」

義務教育、労働者の権利、そして環境保護も、功利主義に基づいて提唱された。それに、少なくともこれまでのところ、「功利の怪物」もウサギの飼育倉庫も現実の問題にはなっていない。

ヒューマニズムの功利主義的主張がもつ利点

功利主義の主張がしばしば成功に結びついてきたのにはわけがある。誰でもその正しさを認めざるを得ないからだ。「害がなければ罪はなし」とか、「誰も傷ついていないなら、それが悪いはずはない」、「大人が自分の意志で個人的にすることに、他人が口出しする筋合いはない」、あるいは「あたしが気まぐれを起こして／海に飛び込んだとしても／それはあたしの問題よ」〔一九二〇年代のブルースの歌詞〕といった理屈には深みがなく、例外もあるだろうが、そういわれると誰もが納得してしまうし、反論しようと思ってもなかなか難しい。だがそれは功利主義が人の直観に根ざしているからではない。人類の歴史に古典的自由主義が登場したのはかなり最近のことであって、伝統的文化はおおむね「大人が自分の意志で個人的にすること」こそが問題だと考えてきた[19]。

哲学者で認知神経科学者でもあるジョシュア・グリーンは、義務論的な信条の多くが、部族主義、純粋性、嫌悪感、社会規範といった原始的な直観に根ざしているのに対し、功利主義的な判断は合理的思考から生じると述べている[20]（グリーンは、この二種類の道徳的思考が、それぞれ脳の感情システムと認知システムに関係していることまで明らかにしている）。さらにグリーンは、多様な文化的背景をもつ人々が何らかの道徳律を選んで同意しなければならなくなると、功利主義的な考えをとる傾向があると指摘する。これらの考察は、女性や同性婚の法的平等を求める運動など、ある種の改革運動が、なぜ何世紀にもわたる慣例を驚くほど短期間で覆すことができたのか（第一五章）を説明してくれる。つまり、それを維持してきたのは慣習と直観だけであり、その状況が功利主義の論法に直面して脆くも崩れ去ったと説明できる。

ヒューマニズムもいろいろな権利を主張してその目標を補強するが、それらの権利を正当化する哲学体系はあくまでも〝薄い〟ものであるはずだ[21]。コスモポリタンな世界で通用する道徳哲学は、複雑な論証の層からなるものではありえないし、深遠な形而上学的信念や宗教的信念に基づくものでもありえない。それは誰もが理解し、同意できるような、シンプルで率直な原理の上に立つものでなければならない。人々が長寿で、健康で、幸福で、豊かで、刺激的な人生を送れることという人間の繁栄の理想は、まさにそういう原理である。この理想の基盤はわたしたちの共通の人間性にあり、それ以上でもそれ以下でもないのだから。

歴史が教えているように、多様な文化が共通の基盤を築く必要に迫られると、その模索はヒューマニズムへと収斂する。アメリカ合衆国憲法が政教分離を掲げたのは、啓蒙主義の哲学の影響だけではなく、現実問題としてその必要があったからだ。経済学者のサミュエル・ハモンドによれば、独立戦争前に北米にあった一三のイギリス植民地のうちの八植民地がすでに公認の教会を定め、税金から牧師に俸給を支払い、厳格な宗教儀式の執行を法律で規定し、他の宗派の信者を迫害するなどしていて、宗教が政治の領域に踏み込んだ状態だったという。だから複数の植民地を一つの憲法で束ねるには、政教を分離し、信仰の表現と実践の自由を自然権として認めるしかなかった。[22]

それから一世紀半以上を経て、こんどは第二次世界大戦のわだかまりが残るなかで、国際社会が協力して一連の指針を決めなければならなくなった。当然のことながら、「イエス・キリストを救い主として受け入れる」とか、「アメリカは光り輝く丘の上の町である」〔ピューリタンの指導者ウィンスロップが新約聖書から引用し、のちにロナルド・レーガンも引用した〕といった宣言に、世界が合意することなど考えられない。そこで一九四七年に、国際連合教育科学文化機関（ユネスコ）は、国連の世界宣言にどのような諸権利を盛り込むべきかについて、世界の識者数十人に意見を求めた（ジャック・マリタン、マハトマ・ガンディー、オルダス・ハクスリー、ハロルド・ラスキ、クインシー・ライト、ピエール・テイヤール・ド・シャルダン、および著名な儒学者、イスラム世界の知識人《ウラマー》など）。彼らから提案された権利のリストはいずれも驚くほど似通ったものだった。その提言をまとめた文書のまえがきで、マリタンはこう述べている。

> 人権について話し合うユネスコの国内委員会の会合の一つで、誰かが驚きの声を上げたことがある。真っ向から対立するイデオロギーの信奉者同士が、この権利のリストに同意するとは、と。だが彼らは「同意しますよ」といった。「これらの権利には同意します。ただし、その理由を誰も訊かないという条件で[23]」

世界人権宣言——三〇条からなるヒューマニズム宣言の一つ——は、起草委員会の委員長を務めたエレノア・ルーズベルト〔フランクリン・ルーズベルトの未亡人〕の尽力もあって、二年足らずで草案がまとめられ、プロジェクトはイデオロギー対立の泥沼にはまることなく無事に進行した[24]（最初の草案を書いたジョン・ハンフリーは、どういう原理に基づく宣言なのかと訊かれたとき、そつなく、「哲学ではないことだけは確かです」と答えた[25]）。そしてこの宣言は、一九四八年一二月の国連総会において、「賛成四八、反対〇、棄権八」

で採択された。人権などというものは西側の偏狭な考えにすぎないという批判もあったが、インド、中華民国、タイ、ビルマ、エチオピア、イスラム圏の七カ国など、西洋以外の多くの国が賛成した。むしろ躊躇《ちゅうちょ》したのは英米のほうで、エレノア・ルーズベルトは両国の賛成を取りつけるために、あちこちの関係者に圧力をかけなければならなかった。アメリカは国内の黒人問題への、イギリスは植民地問題への影響を危惧していたからである。ソビエト連邦と旧ソ連圏の国々、サウジアラビア、南アフリカ連邦は棄権に回った[26]。

この宣言は五〇〇の言語に翻訳され、多くの国際法、国際条約、国際組織はもちろん、その後の数十年間に起草された各国の憲法のほとんどにも影響を与えた。採択から七〇周年を迎えた今でも、その内容は古びていない。

ヒューマニズムを否定したがる二つの勢力

このようにヒューマニズムは、多様な文化をもつ合理的な人々が、なんとか一緒にやっていかなければならないときにたどりつく道徳規範ではあるが、だからといって中身がなくてただ響きがいいだけの、公分母的な規範というわけではない。だからなおさらのこと、人間の繁栄の最大化を目指すこの道徳は、以前から人々を惹きつけてきた次の二つの考えと正面からぶつかる。一つは「有神論的道徳」で、神の法に従うことが道徳であり、その法は現世または来世での超自然な賞罰によって執行されるという考え方。もう一つは「ロマン主義的ヒロイズム」で、道徳は個人または国家の純粋性、真正性、偉大さからなるという考え方である。ロマン主義的ヒロイズムが明確に表現されたのは一九世紀のことだが、近年新たに影響力を増しつつある権威主義的ポピュリズム、ネオファシズム、ネオ反動主義、オルタナ右翼などの運動にも見てとることができるだろう。

多くの知識人は、この二つの考え方を支持してはいないものの、これらが人間の心理の重要な真実をとらえていると信じている。つまり人間には有神論的、霊的、英雄的、あるいは部族的な信念が必要だと考えている。ヒューマニズムは間違ってはいないだろうが、人間の本性に合わないと彼らはいう。ヒューマニズムの原理に基づく社会は決して長続きしないし、ましてやそれに基づく国際秩序などうまくいくはずがない、という。

こうした心理学的主張はたちまち歴史的主張に転じる。実際に彼らは、すでに崩壊が始まっていて、わたしたちは今まさにリベラルで、コスモポリタンで、啓蒙主義的で、ヒューマニスティックな世界観が崩れていくのを見ているのだと主張している。「リベラリズムは死んだ」――と、『ニューヨーク・タイムズ』紙のコラムニスト、ロジャー・コーエンは二〇一六年に書いた。「リベラル民主主義――啓蒙主義由来の考え方で、個々人が、自分の意思で自分の運命を自由に切り開いていけるという、ある種の不可侵の権利を有すると信じるもの――の実験など、一瞬の幕間にすぎない」[27]。同じく二〇一六年に、『ボストン・グローブ』紙の論説委員、スティーヴン・キンザーも、「啓蒙主義はすでにその時を終えた」と題した記事で同様の考えを述べている。

啓蒙主義の理念の中核をなすコスモポリタニズムは、多くの社会で人々を混乱させる結果を招いてきた。これでは人間社会は霊長類が本能的に好む支配構造に戻ってしまう。強い首長が部族を守る代わりに、部族員を絶対的支配下に置く構造のことだ。（中略）理性は道徳の基盤など提供できないにもかかわらず、スピリチュアルな力を拒み、感情や芸術や創造力の重要性を否定する。理性は冷たく不人情なので、人の心に深く根づいた、人生に意味を与えてくれる土台から、人々を切り離してしまう恐れがある。[28]

こうした主張に加えて、多くの若者がＩＳＩＳに惹きつけられるのも無理はないとする評論家もいる。彼らは「無味乾燥な現世主義」に背を向け、「もはや何の意味も見出せない人生にテコ入れするために、急進的で宗教的な矯正手段」を求めているのだと。[29]

では、本書のタイトルも『今のうちに啓蒙主義を（Enlightenment While It Lasts）』とでもすべきなのだろうか？　そんなばかな！　第二部でわたしは、人類が実際にどう進歩してきたのかを述べた。第三部では、その進歩を可能にした物の考え方と、それが続くと思える理由を述べてきた。前章と前々章で理性批判と科学批判への反論を終えたので、本章ではヒューマニズム批判を取り上げる。取り上げるといっても、ただそれらが道徳的、心理学的、歴史的に間違っていると指摘すればいいわけではない。ある考え方を理解する最良の方法は、その考え方ではないものをきちんと知ることだ。ヒューマニズムの代替とされる選択肢を分析すれば、啓蒙主義の理念を掲げることが何を意味するかもはっきりするだろう。まずヒューマニズムに対する宗教的な批判を分析し、続いてロマン主義的・英雄的・部族的・権威主義的な批判を分析する。

有神論的道徳からのヒューマニズム批判の中身

宗教的視点からのヒューマニズム批判には次のようなものがある。わたしたちは本当に神なしで善を行えるのか？　ヒューマニズムを信奉する科学者たちが提示した神なき世界は、その科学者自身の発見によって侵食されつつあるのではないのか？　わたしたちは生まれながらにして神的存在に適応している（ＤＮＡに神の遺伝子、脳に神のモジュールが組み込まれている）のではないのか？　だから非宗教的ヒューマニズムが現れても、必ずや有神論的宗教がそれを押し返すのではないのか？

　では有神論的道徳について見ていこう。確かに多くの宗教的規範が、殺すな、暴力を振るうな、盗むな、裏切るなと教えている。だがそれをいうなら、非宗教の道徳規範も同じことを教えているし、しかもその理由は明白である。合理的で、利己的で、群れで生きる存在であるかぎり、誰もがこういうルールを仲間に守ってほしいと思うからだ。だからこそこれらはどこの国でも法制化されているし、実際上あらゆる人間社会に存在するルールだと思われる(30)。

　ではあえて超自然の立法者をもちだすことで、人生をより良いものにしようとするヒューマニズムの取り組みに何を追加できるのだろうか。明白なのは、超自然の力による法の執行である。罪を犯せば神の怒りを買い、地獄へ落とされるか、さもなくば「生命の書」から名前を削られてしまうと人々に思わせることができる。これが魅力的な追加なのは、現世の法執行機関がすべての違反を摘発・処罰できるとは思えないからだ(31)。一方で、誰もがすべての他人に対して、人を殺して逃げきれると思うなといいたいからだ。サンタクロースと同じで、「サンタさんはあなたが眠っているときも、起きているときもあなたを見ているから、良い子だったか悪い子だったかわかるのよ。だから良い子でいましょうね」というわけである。

しかし、有神論的道徳には致命的な欠陥が二つある。第一の欠陥は、神の存在を信じるべきもっともな理由がないことである。哲学者のレベッカ・ニューバーガー・ゴールドスタインは、哲学的フィクション『三六の神の存在証明――フィクション(36 Arguments for the Existence of God: A Work of Fiction)』の巻末の解説で、これらのすべての存在証明に（一部プラトン、スピノザ、ヒューム、カント、ラッセルを引き合いに出しながら）一つずつ反論している。[32] 神の存在証明として頻繁にもちだされるのは、信仰、啓示、聖典、権威、伝統、そして主観的主張だが、これらはそもそも論証になっていない。存在理由として信頼できないだけではなく、宗教ごとに主張が異なり、互いに矛盾している。神は何人いるのか、どのような奇跡を起こしたのか、信者に何を求めているのかなど、宗教ごとに信じるものが違っている。

歴史研究が十二分に示してきたように、聖典はまぎれもなく、それぞれの時代の人間の手によるものであって、そこには内部矛盾もあれば、事実誤認も、近隣文明からの盗用も、科学的不合理（神は昼と夜とを分け、その三日後に太陽をつくったなど）もある。教養ある神学者の難解な論証も妥当とはいえない。「宇宙論的証明」（すべてに原因と結果があるのだから、宇宙という〝結果〟が神の存在という〝根因〟を証明している）も「存在論的証明」（神は〝このうえなく大なる存在〟であり、概念より実在のほうが〝大なる〟ものである以上、神は実在する）も、論理的根拠に乏しく、「目的論的証明」はすでにダーウィンが論破している。それ以外の証明も、明らかに間違っているか（人間は生まれつき神の真実を感じ取る能力を備えている、など）、あるいは見え透いた逃げ口上（キリストの復活は神にとってあまりに重要な出来事なので、それを人が経験的に検証することなどお許しにならない、など）のどちらかでしかない。

なかには、科学はそもそも宗教論に立ち入れないと主張する識者もいる。彼らは「方法論的自然主義」〔本来は、世界を理解するのに超自然的なものは仮定しないという考えのことをいう〕の条件を逆に科学に課すことで、建前上も、科学が宗教を評価できないようにしようとしている〔方法論的自然主義を「科学は、超自然的なものを肯定も否定もしないまま、仮説の検証を自然の因果のなかでのみ行うとするもの」と解釈し、科学は宗教に関係することができないと考える〕。そうしておけば、科学に共感する信者が、そのままの状態で信仰を維持できる安全地帯を確保できるからである。

しかし、前章で述べたように、科学は恣意的なルールで行われるゲームではない。科学とは、この宇宙を理性によって説明し、またその説明が正しいかどうかを理性によって確かめようとするものだ。生物学者のジェリー・コインは『信仰か事実か（Faith Versus Fact）』[33]のなかで、聖書が説く神の存在は検証可能な科学的仮説にほかならないと述べた。つまり神が本当に存在するなら、聖書の歴史的記述が考古学、遺伝学、文献学によって裏づけられていてもおかしくない。聖書に「汝、光より速く動くことなかれ」とか、「からみあう二本の鎖こそが生命の秘密である」など、未来の科学的発見を予言する驚くべき内容が書かれていてもおかしくない。ある日、空に輝く光が現れ、白い衣にサンダル姿の男が翼のある天使を従えて降りてきて、目の見えない人に視力を与え、あるいは死者を蘇らせるのを、わたしたちが実際に目にしていてもいいはずだ。あるいは他者のための祈りによって視力が回復したり、失われた手足が再生したりするという事実が発見されてもいいはずだ。みだりに預言者ムハンマドの名を口にした者がその場で倒れたり、一日に五回アッラーに祈りを捧げる者が病気や不運に見舞われないことが証明できたりしてもいいはずだ。もっと一般的にいうならば、善人に幸運が訪れ、悪人が不運に見舞われることを示すデータがあってもいいはずだ。たとえば、出産で命を落とす母親や、小児癌で衰弱する子ども、地震や津波や虐殺の犠牲になった無数の人々が、すべて自業自得だったというデータである。

神の存在以外の有神論的道徳の主張も、やはり検証可能なものである。たとえば非物質の魂の存在や、物質とエネルギーを超える現実領域の存在のことだ。これらが本当に存在するなら、〝話をする切られた首〟が発見されてもいいだろうし、予言者が自然災害やテロ攻撃の発生日を正確に予言できてもおかしくない。魔女のヒルダ叔母さん〔アメリカのコミック、テレビドラマの『サブリナ』に登場〕が〝あちらの世界〟からメッセージを送ってきて、どこに宝石を隠したのか教えてくれてもおかしくない。酸欠状態で臨死体験をした患者の手記に、通常の感覚器官ではとらえられない事実についての検証可能な詳細が書かれていてもおかしくない。

だが実際には、そうした記述はすべて作り話、記憶違い、偶然の拡大解釈、あるいは見世物まがいの小細工だったことがわかっていて、「非物質の魂が存在し、それが神の裁きを受けることになる」という仮説を危うくする役にしか立っていない[34]。もちろん理神論哲学もあり、神は世界を創造したが、そのあとは一歩引いて見守っているとか、「神」とは物理法則や数学法則の同義語にすぎないといった考えを提示している。しかしそのような神はあまりに無力で、道徳の引き受け手にはなりえない。

「基礎物理定数」は神の存在の証拠？

実のところ有神論的信念の多くは、気候、疾病、種の起源といった自然現象を説明する仮説として生まれたものである。そうした仮説が一つずつ科学的仮説に置き換えられるにつれ、有神論の領域は狭められてきた。とはいえ科学的理解にはこれで完璧ということがないので、科学で説明できない領域もゼロにはならない。その隙間を最後の手段として利用するのが、「隙間の神」として知られるごまかしの論証である。今日では、これまで以上に難解な知識を身につけた有神論者たちが隙間を二カ所見つけ、そこに神をはめ込もうとしている。一カ所は「基礎物理定数」、もう一カ所は「意識のハードプロブレム」である。道徳の正当化を神に委ねるべきではないと考えるヒューマニストなら、誰もがこの二つの隙間問題に直面しうるので、わたしもここで少し触れておこうと思う。先にいってしまえば、有神論者の主張は、ゼウスが投げる雷《いかずち》で雷雨を説明しようとするのとさほど変わらない。

まずは「基礎物理定数」である。わたしたちの宇宙はいくつかの数字で特徴づけることができる。自然の力（重力、電磁気力、核力など）の強さを表す数字や、時空のマクロ的次元の数（四）、暗黒エネルギーの密度（宇宙の膨張が加速している原因）などのことだ。宇宙学者のマーティン・リースは、『宇宙を支配する6つの数』（林一訳、草思社）で、わずか六つの数がこの宇宙を司っていると述べている。しかし正確に数えようとすると、物理理論のどのバージョンを引き合いに出すかによっても変わるし、また定数そのものを数えるのか定数と別の定数の比率を数えるのかによっても変わってくるという。これらのどれか一つの定数がほんのわずかでもずれていたら、物質はばらばらになって飛び散るか、あるいは自己崩壊していたはずで、銀河も、星々も、惑星も、もちろん地球上の生命やホモ・サピエンスも生まれなかった。現時点で最も信頼のおける物理理論をもってしても、なぜこれらの定数がここまでぴたりと微調整《ファインチューニング》され（特に暗黒エネルギーの密度）、わたしたちのような知的生命が存在しうる条件が整っているのかは説明できない。そこが有神論者にとっての「隙間」というわけで、彼らはこの問題に対して、微調整役である神がいるからだと答えている。つまり昔ながらの神の「目的論的証明」を、生物ではなく宇宙全体に適用しようとしている。

　これに対するとりあえずの反論としては、同じく古い弁神論〔悪の存在は神の正義と矛盾しないのかという問題（狭義の弁神論）〕をもちだすことができる。もし神がその無限の知と力で宇宙をファインチューニングし、わたしたちが存在できるようにしたのだとしたら、なぜこの地球を、地質学的大変動や気象災害で罪なき人々が壊滅的な被害を受けるような場所にしたのだろうか。いったい何のために、過去に多くの人命を奪い、未来においては人類を絶滅させかねない巨大火山を造ったのだろうか。なぜ太陽を、いずれは赤色巨星となることが避けられないように造ったのだろうか。

　だがそのような反論は的が外れているし、そもそもこの「物理定数のファインチューニング」という問題に対して、物理学者はただ呆然としていたわけではなく、むしろ積極的に説明を試みている。たとえば、物理学者のヴィクター・ステンガーの説明はその著書のタイトルに表れている――『ファインチューニングの誤謬（The Fallacy of Fine-Tuning）』[35]〔ヒトではなく、何らかの生命の進化の可能性という観点から考えれば、それほどの〝ファインチューニング〟は必要ないと論じるもの〕。

　多くの物理学者は、基礎物理定数の値が任意のものなのか、それとも生命と矛盾しない唯一の値なのかを結論づけるのは時期尚早だと考えている。今後さらに物理の理解が深まれば（なかでも、以前から待ち望まれている相対性理論と量子論の統一に漕ぎつけられれば）、定数のいくつかはまさにその値でなければならなかったと判明するかもしれない。そしてそれ以外の定数はほかの値を――あるいは値の組み合わせを（こちらのほうが重要）――とりえたとわかるかもしれない。そしてその場合、ほかの値をとる宇宙は、わたしたちが愛するこの宇宙とは違うものになるだろうが、それはそれで安定し、物質で満たされた宇宙なのかもしれない。あるいは物理学の進歩によって、結局のところ基礎物理定数はそれほど厳密にファインチューニングされているわけではなく、生命を育む宇宙もさほど珍しくないとわかるかもしれない。

　ファインチューニング問題のもう一つの説明は、多元宇宙論《マルチバース》の一つで、わたしたちの宇宙は、それぞれに異なる物理定数をもつ無数の宇宙からなる広大な〝ランドスケープ〟のほんの一領域を占めているにすぎないというものである。[36] そうだとすると、わたしたちがいる宇宙が生命を育みうるものだということにわたしたちが気づいたとしても、それはそのためにこの宇宙が調整されたからではないことになる。そうではなくて、わたしたちが存在することは、ここがたまたまそのような宇宙であって、生命が存在できない無数の宇宙の一つではないことを示しているにすぎないことになる。だとすればファインチューニングは「前後即因果の誤謬」〔時系列で前後関係にあるものに実際にはない因果関係を見出す誤り〕であって、大儲けした人間が、自分はなぜ成功できたのかとあとから理由を探すようなものだ。誰かが勝つことになっているゲームで、その勝者がたまたま自分だったときでも、人はまず理由を探そうとする。思想家がこの誤謬に陥って、何らかの物理定数にありもしない深い意味を求めようとするのも、これが初めてのことではない。ヨハネス・ケプラーも、地球と太陽の距離はなぜ一億五〇〇〇万キロなのか、なぜちょうど水が凍結も沸騰もせず、湖を満たし川を流れうる距離になっているのかと考え込んだ。だが今日では、地球が数ある惑星の一つにすぎず、惑星はそれぞれ太陽ないし恒星からの距離が異なることがわかっているので、わたしたちは自分が地球人であって火星人ではないことに驚いたりはしない。

多元宇宙論は、もし他の物理理論との整合性がとれていなかったら、それ自体が事後のこじつけということになっていたかもしれない。特に、真空空間からビッグバンが生じ、それが新しい宇宙に成長しうるという理論や、新たに誕生するそれら宇宙はそれぞれ異なる物理定数をもちうるといった理論のことである(37)。だが整合性がとれていてもなお、気が遠くなるような話なので、これに反発を感じる人は(物理学者でも)少なくない。無数の宇宙(あるいは少なくとも、考えうるかぎりの物質配列が実現されているくらい多くの宇宙)があるとすれば、そのなかにはあなたのドッペルゲンガーがいる宇宙も複数あるだろうといった話にもなるのだから。ただしその分身は別の人と結婚しているかもしれないし、昨夜車にひかれて死んだかもしれないし、あなたとは違う名前だろうし、身だしなみを気にしないかもしれないし、たった今この本から目を上げたので、もう読んでいないかもしれないが。

このように多元宇宙論がわたしたちを動揺させるとしても、認知的不快感が真実への導き手にならないことは、すでに思想の歴史が教えてくれている。いつの時代でも、最新科学は常識を愚弄するような発見をぶつけて人々を動揺させてきたが、結局はそうした発見のほうが正しかった。丸い地球も、高速で動くと時間が遅れることも、量子重ね合わせも、時空の歪みも、もちろん進化論もそうである。それに、最初の衝撃が過ぎてみると、多元宇宙論もそれほどおかしなものではないと気づかされる。そもそも物理学者が正当な理由を得て複数の宇宙を仮定するのも、これが初めてではない。たとえば、別の種類の多元宇宙論は、空間はどうやら無限で、物質はそこにほぼ均一に分布しているようだとわかったことから、単純に推測されたものだ。これはわたしたちが観測可能な宇宙の先には無数の宇宙が点在する三次元空間が広がっていると考える。また、量子力学による多世界解釈というのもある。量子力学の確率的プロセスが生む複数の結果（光子がたどる軌跡など）は、そのすべてが、「重ね合わせ」状態の平行宇宙《パラレルユニバース》でそれぞれに実現されているという解釈である（この考え方は、変数の考えられるすべての値を同時に処理できるような「量子コンピューター」につながる可能性がある）。

それに、ある意味では、従来の単一宇宙論より多元宇宙論のほうが現実の説明としてすっきりしている。わたしたちの宇宙が唯一の宇宙だとすれば、エレガントな物理法則に、わざわざこの宇宙の偏狭な初期設定だの物理定数だのといった特別な条件をからめなければならないという、ややこしい問題に向き合わざるをえなくなる。そうすると、物理学者のマックス・テグマーク（四種類の多元宇宙論の提唱者）がいうように、「わたしたちはどう見ても無駄が多くてすっきりしない考えに追い込まれることになる。つまり宇宙が多いのを認めない場合は、言葉が多くなる」。

物理定数問題のベストの解が多元宇宙論だとわかれば、多くの人が驚愕するだろうが、わたしたちが自分の感覚を超える世界を知って驚愕するのもまた、過去に何度もあったことだ。新大陸が発見されたときも、地球以外に八つの惑星があるとわかったときも〔以前は冥王星も惑星とされていた〕、この銀河に一〇〇〇億以上の恒星があると（しかもその多くが複数の惑星を従えていると）わかったときも、観測可能な宇宙に一〇〇〇億以上の銀河があるとわかったときも、わたしたちは驚愕とともに事実をのみ込まざるをえなかった。ということは、再び理性と直観が矛盾することがあれば、それは直観のほうが間違っていると考えられる。多元宇宙論のもう一人の提唱者であるブライアン・グリーンもこういっている。

> 奇妙で小さい地球中心の宇宙から、膨大な銀河が点在する広大な宇宙へと、わたしたちは感動的であると同時に屈辱的な道のりを歩んできた。そしてその過程で、

自分が中心にいるという神聖な信念を捨てざるをえなかった。だが地球の地位の降格を受け入れることによって、わたしたちは人間の知性が日常の経験の枠を超え、驚くべき真実を明らかにする力をもっていることを示してきたのである。(38)

「意識のハードプロブレム」は神の存在の証拠?

次は有神論者が神をはめ込もうとしているもう一つの隙間、「意識のハードプロブレム」である。これは直覚(sentience)、主観性、現象的意識、クオリア(意識の質的な側面)の問題としても知られている。(39) 哲学者のデイヴィッド・チャーマーズがこの問題を提起したときに使った「ハードプロブレム」という言葉は内輪のジョークで、というのもその対語のイージープロブレム——意識的な心的計算を無意識のものから区別し、その脳内の基質を同定し、それがなぜ進化したのかを説明しようとする科学的挑戦——が〝イージー〟なのは、癌治療や、月に人を送るのが〝イージー〟なのと同じことで、つまり科学的に「扱いやすい」という意味なのだから。

幸いなことに、イージープロブレムはたんに「扱いやすい」だけにとどまらず、わたしたちはすでに満足のいく説明ができる状態へと迫りつつある。人間がこの世界を、網膜上の画素の目まぐるしい変化としてではなく、安定した、確かな、色つきの、三次元物体として経験できるのはなぜなのかとか、わたしたちが社会的孤立や、組織の損傷に苦しみ（したがってそれらを回避し）、食事、セックス、身体の完全性などに喜びを感じる（したがってそれらを求める）のはなぜなのかといった問題はもはや謎ではない。こうした内部状態とそれが促す行動は、明らかにダーウィン的適応の結果である。進化心理学の進歩とともに、わたしたちの意識的経験は次々と解明されつつあり、知的妄想、道徳感情、審美的反応もその例外ではない。[40]

意識の計算原理と神経生物学的原理も、それほどわかりにくいわけではない。認知神経科学者のスタニスラス・ドゥアンヌらによれば、意識は「グローバルワークスペース」あるいは「黒板」のように機能するという。[41] 多様な計算モジュールがそれぞれの結果を黒板に、つまり意識に、共通フォーマットを使って書き込み、他のすべてのモジュールはそれを〝見る〟ことができるという考え方である。計算モジュールには知覚、記憶、動機、言語理解、行動計画などのモジュールがあり、それらがすべて今関係のある情報（意識の内容）の共有プールにアクセスできるからこそ、わたしたちは自分が見ているものを描写したり、つかんだり、近づいたりできるし、他人の話や行動に反応できるし、自分の望みと知識に応じて記憶したり計画したりできる（これに対して、両眼視差から奥行を計算するとか、運動を作りだすために筋収縮の順番を決めるといった、各モジュール内部の計算のほうは、それ自体の入力ストリームでこなせるので全体を見る必要がなく、無意識下で進行する）。

このグローバルワークスペースは、神経回路網のリズミカルな同期発火として脳内に実装されていて、それが大脳皮質の前頭葉と頭頂葉を互いにつなぎ、さらに知覚・記憶・動機づけ信号を送ってくる脳の他の領域ともつないでいる。

一方、ハードプロブレムと呼ばれるもの――赤が赤に見えるとか、塩をしょっぱく感じるといった主観的体験において、なぜ意識のあるわたしたちの誰もがそれを〝赤いもの〟〝しょっぱいもの〟と感じるのかといった問題――が〝ハード〟なのは、それが科学的に「扱いにくい」からというより、頭をかきむしりたくなるような概念の謎だからである。たとえば、わたしの赤はあなたの赤と同じなのか、コウモリであるとはどのようなことか、哲学的ゾンビ（わたしたちと同じだが、主観的体験だけを欠いている人間）は存在しうるか、存在しうるとしたら〝わたし〟以外は皆ゾンビなのか、人間そっくりのロボットは意識をもつのか、脳のコネクトーム（神経回路マップ）をクラウドにアップロードできたら不死を得られるのか、スタートレックの転送装置は本当にカーク船長そのものを惑星表面に転送するのか、それとも彼を殺してそっくりな人間を再構築しているだけなのか、といった厄介な問題のことである。

『解明される意識』（山口泰司訳、青土社）の著者のダニエル・デネットをはじめ、一部の哲学者は、意識のハードプロブレムなどありはしないといっている。そんなものは頭の混乱にすぎず、いつも頭のなかの劇場に小人が座っているところなど思い浮かべているからいけないのだと。この小人は体外離脱ができて、〝わたし〟の劇場からこっそり抜け出すと、あなたの劇場に入り込んで〝あなたの赤〟を確認したり、コウモリの劇場に入り込んでそこの映画を観てみたりする。小人はゾンビのなかにはもういないかもしれず、ロボットのなかにはいるかいないかわからない。ザクドーン星に転送されたとき、カーク船長のなかの小人はビームに耐えて生き延びたかもしれないし、だめだったかもしれない。

わたしもハードプロブレムが招いた災難を思い浮かべると（神の存在をめぐる討論のさいに、保守派の論客ディネシュ・ドゥスーザがわたしの『心の仕組み』〔椋田直子訳、NHK出版〕をつかんで振りまわしたことも含めて）、こんな問題なんかないほうがいいと思えてデネットの意見に賛成したくなることがある。

だが、ハードプロブレムがさまざまな誤解を受けているのも確かで、実際にはそれは奇妙な物理現象や超常現象に関するものではなく、千里眼もテレパシーもタイムトラベルも呪術も遠隔作用も一切関係ない。また特異な量子物理学も、陳腐なエネルギー振動も、その他のニューエイジのナンセンスも必要としない。また、今ここで論じている問題にとって何よりも重要なのは、ハードプロブレムが非物質の魂とはなんら関わりがないことである。わたしたちが意識について知っていることのなかに、意識はすべて神経活動に依存しているという考えと矛盾するものは一つもない。

結局のところ、わたしはまだ、ハードプロブレムは〝概念的〟問題として意味があると思っている。だが〝科学的〟問題としてはデネットの意見に賛成で、意味がないと思う。[42]いったい誰が、自分がゾンビかどうかを、あるいはエンタープライズ号のデッキにいるカーク船長とザクドーン星にいるカーク船長が同じかどうかを、助成金を得て研究しようと思うだろうか。またわたしは、そもそもこの問題に答えを期待するのは無駄だと考える何人かの哲学者にも賛成する。というのも、ハードプロブレムはまさに概念の問題であり、もっとはっきりいえば、わたしたち自身の概念に関する問題だからだ。トマス・ネーゲルの著名な論文「コウモリであるとはどのようなことか」にあるように、「たとえ人類という種が永遠に続いたとしても、人間には決して表現も理解もできないような事実」が存在するのかもしれない。そしてそれはたんに、「そのような事実が必要とするタイプの概念を、わたしたちの構造が操作できない」からなのかもしれない。[43]哲学者のコリン・マッギンも同じように考え、現実を説明するための認知ツール（因果関係の連鎖、要素分析および要素の相互関係の分析、数学的モデリング）と、非直感的で全体論的な意識のハードプロブレムは、同列には語れないといっている。[44]

繰り返しになるが、最善の科学によれば、意識とは、現在の目標、記憶、環境などが表示されるグローバルワークスペースのようなもので、前頭頭頂回路における同期発火として脳内に実装されている。だがそうした理論の最後のひとかけら――意識はそのような回路の状態を主観的に〝これこれのようなもの〟と感じる――は、それ以上説明のしようがない一事実として受け入れるべきかもしれない。だとしてもそれほど驚くことではない。アンブローズ・ビアスの『悪魔の辞典』（西川正身編訳、岩波文庫、ほか）にあるように、心は自分以外に自分を知る手段をもたず、自分の存在や自分の本質的主観性の、最も奥深い部分を理解したという満足感を得ることは決してないのかもしれないのだから。

意識のハードプロブレムをどう解釈するにしても、そこでは非物質の魂は何の役にも立たない。なぜなら、第一に、魂をもち込むのは謎をさらに大きな謎で解こうとするようなものである。第二に、それでは超常現象がありうるという誤った予測につながってしまう。第三に、これが決定的だが、意識が神から与えられたものだというなら、それが道徳基準の設計仕様に合っていないのはおかしい。なぜ神は意識を、犯罪組織の一員が不正利益を得て喜んだり、性犯罪者が犯罪行為で満足を得たりするようにつくられたのだろうか（彼らをあえて誘惑し、それに抵抗することで道徳心の証しを立てさせるつもりなら、なぜ被害者はその犠牲にならなければいけないのか）。なぜ慈悲深い神は、癌患者から年月を奪うだけでは満足せず、ひどい痛みといういわれのない罰まで与えるのだろうか。結局のところ意識の現象は物理現象と同じで、「自然法則が人間の幸福などおかまいなく適用されるとしたらまさにこうなるだろう」と誰もが思うとおりになっている。したがって、人間の生をより良いものにしたいなら、わたしたち自身がその方法を考えるしかない。

有神論的道徳が抱える第二の欠陥

このことは有神論的道徳の第二の欠陥につながる。第一の欠陥は、わたしたちのために道徳的規範を決定、実施してくれる神はほぼ確実に存在しないということだった。だがそれだけではなく、もう一つ、たとえ神が存在するとしても、宗教を介して告げられるその神意は、わたしたちの道徳基盤になりえないという第二の欠陥がある。その説明を探せば、プラトンの『エウテュプロン』(『プラトン全集1』今林万里子訳、岩波書店)にまでさかのぼることができる。エウテュプロンとの対話で、ソクラテスは、神々がある行いを善しとされる確かな理由があるのなら、わたしたちが直接その理由を拠り所にすればいいのであって仲介者は要らないし、確かな理由がないのなら、神々の命じることなど真面目にとるべきではないといったことを主張している。思慮深い人なら、人を殺さない、犯さない、痛めつけない理由を、永遠の地獄の刑が怖いからという以外にも挙げることができるだろうし、神に見られていないと確信できても、あるいはたとえ神が許したとしても、いきなりレイプ犯や殺し屋に豹変したりはしないだろう。

これに対して有神論者は、聖書の神はギリシャの気まぐれな神々と違い、その本質からして不道徳な命令を下すことなどありえないと反論する。だが聖書を読んでいる人ならそうではないとわかるはずだ。旧約聖書の神は何百万人もの無辜《むこ》の民を殺し、古代イスラエル人に集団強姦や虐殺を命じた。神への冒瀆、偶像崇拝、同性愛、姦通、親への口答え、安息日の労働には死罪を宣告しながら、奴隷制度、強姦、拷問、手足の切断、虐殺を特に悪とはしていなかった。いずれも青銅器・鉄器時代に普通に行われていたことだからである。だがもちろん今日では、良識ある信者は神の命令から人道的なものだけを選びだし、そうでないものは寓話的に解釈したり、修正したり、無視したりしている。それこそが重要な点で、つまり今日の信者は啓蒙主義的ヒューマニズムのレンズを通して聖書を読んでいることになる。

また、無神論は道徳的相対主義を招き、誰もが好き勝手に振る舞うことになるという主張もよく聞かれるが、これが誤解なのは『エウテュプロン』の論述が示すとおりで、実際はその逆である。ヒューマニズムの道徳は、理性と人間の利害という普遍的な基礎の上に立っている。傷つけ合うのをやめて助け合えば、誰もがもっと良い状態になれるというのは、人間のありようのなかの変わることのない特徴の一つである。それを踏まえて、ネーゲル、ゴールドスタイン、ピーター・シンガー、ピーター・レイルトン、リチャード・ボイド、デイヴィッド・ブリンク、デレク・パーフィットをはじめとする現代の多くの哲学者は、道徳的相対主義の対極にある道徳的実在論《モラル・リアリズム》の立場をとり、道徳的言明は客観的に真か偽か定められるのではないかと主張している。[45]

　本質からして相対主義的なのはむしろ宗教のほうで、証拠がないとなれば、神が何人いるかも、その神が遣わされた地上の預言者ないし救世主が誰なのかも、その神が人間に何を求めているのかも、部族ごとの偏狭な見方を頼りに決めるしかないわけだ。したがって、有神論的道徳は相対的になるばかりか、不道徳にもなりうる。人の目に見えない神々は、異端者、異教徒、背徳者を殺せと命じることができるし、非物質の魂は、わたしたちを折り合いへと導く現世的な動機に動かされることがない。物的資源をめぐって争う者同士は、たいていの場合、戦うよりも分け合うほうが互いのためになるし、その人々が現世に価値を置いていればなおさらのことである。だが、神聖な価値（聖地や信仰の肯定）をめぐって争う者同士は妥協できないし、そのうえ魂は不滅だと思っているなら、肉体の死などどうでもいいことになってしまう——実際、楽園での永遠の生を手にするためなら、この世の命という犠牲など安いものだろう。

　多くの歴史学者が指摘しているように、宗教戦争は長引くとともに血みどろの様相を呈することが多く、また宗教戦争ではなくても、そこに宗教的信条がからむと長期化することが多い(46)。第一四章で紹介した残虐行為計数家のマシュー・ホワイトは、かつて人間同士が繰り広げた残虐な大量殺戮のなかに三〇の宗教戦争を挙げていて、その合計死者数をおよそ五五〇〇万人と見積もっている(47)（三〇のうち一七は一神教同士の、八は一神教の異端に対する戦いだった）。

また、二度の世界大戦は宗教的道徳の衰退が引き金になったという説がまかり通っているが（たとえばトランプの元戦略官スティーヴン・バノンは、第二次世界大戦を「ユダヤ・キリスト教の西洋と無神論者の戦い」とした）、これは歴史認識としてあまりにもお粗末だ(48)。第一次世界大戦の主要参戦国は、イスラム神政国家のオスマン帝国以外は熱心なキリスト教国ばかりで、基本的にキリスト教国同士の戦争だった。第二次世界大戦の主要参戦国も、無宗教を公言していたのはソビエト連邦だけであり、しかもこの戦争の主軸は連合国とナチス体制との戦いで、そのナチスはドイツキリスト教に同調し、後者も前者に同調し、両者は非宗教的な現代性への嫌悪によって一つに結びついていた(49)（これについてもその逆を示唆する神話がはびこっている）――ヒトラー自身は理神論者で、「わたしは自分が神意にかなう行動をとっていると信じている。ユダヤ人と戦うことは神の仕事にほかならない」と述べている(50)。

さらに有神論者は、共産主義イデオロギーの実現や、いわゆる征服が目的の非宗教の戦争や残虐行為のほうが、よほど多くの人命を奪っていると反論するが、それこそ相対主義ではないか。宗教をそのような相対評価の対象とするのはおかしなことだ。宗教が道徳の基盤だというなら、宗教戦争や宗教を理由とする残虐行為の発生件数はゼロのはずである。それに、そもそも無神論は道徳体系ではないので、比較対象にならない。無神論とはたんに超自然の存在を信じないということであって、ゼウスを信じない、ビシュヌ神を信じないというのと変わらない。道徳基盤として有神論に代わるものは無神論ではなく、ヒューマニズムである。

信仰擁護無神論者「信仰を否定するな」

今日では、天国と地獄、聖書の文字どおりの内容、物理法則に縛られない神の存在を信じていると公言する知識人はほとんどいない。ところが、二〇〇四年から二〇〇七年にかけて刊行された四冊のベストセラー——著者はサム・ハリス〔『信仰の終わり』(The End of Faith)〕、リチャード・ドーキンス〔『神は妄想である』(垂水雄二訳、早川書房)〕、ダニエル・デネット〔『解明される宗教』(阿部文彦訳、青土社)〕、クリストファー・ヒッチェンズ〔『神は偉大ではない』(God Is Not Great)〕——をきっかけに「新無神論(New Atheism)」〔いわば積極的な無神論〕が広まると、多くの知識人がこれに対して怒りをあらわにした。[51] この人々の反応のことは、「わたしは無神論者だがしかし主義」とか、「信仰の信仰主義」とか、「妥協主義」とか、「信仰擁護無神論（faitheism）」（生物学者のジェリー・コインの造語）〔faith と atheism を組み合わせたもので、自分は無神論だが、人々の信仰を批判するべきではないとする立場のこと〕などと呼ばれている。

彼らが見せた怒りは、「第二の文化」の科学への敵意にも通じるものがあるが、それはおそらく、どちらにも分析的・実証的アプローチより解釈学的アプローチを好む傾向があるからだろう。また、実存の本質的な問題についてまで野暮な科学者や非宗教的な哲学者の意見が正しいと認めるなど、我慢がならないからでもあるだろう。あるいは、従来の無神論——たんに神を信じないこと——は広くヒューマニズムとも反るヒューマニズムとも両立しうるが、新無神論のほうはヒューマニズムを自認しているため、新無神論の世界観に欠点が見つかると、それがそのままヒューマニズム全体に広げられてしまうからかもしれない。

信仰擁護無神論者（faitheists）は次のように主張する。新無神論者（New Atheists）はあまりにも辛辣かつ攻撃的で、彼らが批判するキリスト教原理主義者と同じくらい厄介だ（ウェブコミックのＸＫＣＤのキャラクターは、この主張に対してこう切り返す。「要するに、そういう言い方をすれば、自分はそのどっちよりも〔新無神論者よりも原理主義者よりも〕上だと思えることに気がついたってことでしょ？」）[52]。普通の人々が信仰心を捨てることはないだろうし、おそらく捨てるべきではない。なぜなら社会が健全であるためには、身勝手な行為や無意味な消費を防ぐ土塁として宗教が必要なのだから。そして、そうした社会のニーズに応えているのが宗教組織で、慈善活動、コミュニティ、社会的責任、通過儀礼、実存の問題についての助言など、科学には決して提供できないものを提供している。それに、ほとんどの人は聖書を文字どおりにではなく寓意的に解釈しているし、スピリチュアリティ、恩寵、神の秩序などを包括的にとらえて、そのなかに生きる意味と知恵を見出しているのだから何も問題はない、と。[53]

ではこれらの主張について考えていこう。

皮肉なことに、信仰擁護無神論を触発したものの一つに宗教の心理学的研究がある。人が超自然現象を信じる心理的起源についての研究だが、その成果により、たとえば自然現象に意図や作用があると思いたがる認知的習慣や、宗教集団内部の連帯という情動的感情などが明らかにされてきた。[54]これを普通に解釈するなら、「人間が超自然現象を信じたがるのは神経生物学的構造の産物にすぎないことが明らかになったのだから、これらの知見は宗教的信念の根拠を切り崩すものだ」となるはずである。にもかかわらず、信仰擁護無神論者はこれを、「人間の本性は食事、セックス、人との親交と同じように宗教を求めている」と解釈し、だから宗教のない人間社会など考えられないと主張する。

だがこの解釈は疑わしい。[55]人間の本性が求めるものがすべて、自己恒常性に根ざしたもの〔たとえば体温の維持や水分補給など〕なら、つねに満たされなければならないが、そうではない欲求や欲望もある。確かに人間は、認知的錯覚から超自然現象を信じたくなるし、コミュニティへの帰属を求めもする。だからこそ、人間社会にははるか昔から、錯覚を促し帰属の欲求に応じるような慣習があり、それらをパッケージとして提供するための組織も数多く生まれた。しかしながら、そうした組織が存在するからといって、人間にそのような〝完全なパッケージ〟が必要だという証拠にはならない。性欲があるからといって、プレイボーイ・クラブが必要なわけではないのと同じことだ。したがって、宗教の構成要素のなかに、社会の教育水準や安全水準が上がるにつれて時代遅れになっていく部分があれば、それをパッケージから外していくことは可能である。逆に、時代遅れにならないもの——たとえば多くの人々が求める芸術、儀式、図像、コミュニティなど——はリベラルな宗教にも提供できるものであり、超自然の教義や鉄器時代の道徳とパッケージ化される必要はない。

このことからわかるのは、宗教をひとからげに全否定したり全肯定したりするのではなく、『エウテュプロン』の論法で考えるべきだということである。ある活動に筋の通った理由があるのなら奨励するべきだが、そのような理由がないのに、ただ宗教的なものだからというだけで奨励するべきではない。これまでの歴史上、宗教が有益な貢献をした活動分野としては、教育、慈善、医療、カウンセリング、紛争解決、その他の社会奉仕が挙げられる（ただし先進国においては、これらの活動は早々に非宗教の組織に移り、宗教の活動範囲が狭められたため、第二部で紹介した飢餓、疾病、非識字、戦争、殺人、貧困問題の大幅な改善を成し遂げたのは宗教ではなかった）。また宗教組織は、連帯感や相互援助の精神も提供してくれるし、数千年に及ぶ歴史をもつおかげもあって、芸術や儀式、美しく歴史的価値のある建造物も見せてくれる。わたし自身、そうしたものを喜んで享受している。

宗教組織の有益な貢献が、市民社会で人々をつなぐ役割に由来するとすれば、その恩恵は有神論的信仰とは別のものと考えることができるはずで、実際にもそうだとわかっている。教会に行く人のほうが行かない人より幸福感が高くて慈悲深いというのは、かなり前から知られていることだが、政治学者のロバート・パットナムとデヴィッド・キャンベルによって、そのような恩恵が神、天地創造、天国、地獄を信じるかどうかとは無関係であることが明らかにされた(56)。

信者であるパートナーに引っ張られて教会の集まりに参加するようになった無神論者が、熱心な信者に負けず劣らずチャリティー精神にあふれていることもあれば、一人で祈るタイプの熱心な信者が、実はそれほど寛容ではないこともある。また、公共性と市民道徳は、非宗教のボランティア団体でも養うことができる。たとえばシュライナー（子ども病院や火傷《やけど》治療室を運営）、国際ロータリー（ポリオ撲滅活動に取り組んでいる）、ライオンズクラブ（失明予防活動に取り組んでいる）などだが、パットナムとキャンベルの研究によれば、ボーリング仲間の集まりでも同様の効果があるそうだ。

　宗教組織が人道的目的を追求しているかぎり、その活動は称賛に値する。しかし人道的目的の妨げになるとしたら、その部分は批判にさらされるべきであって、宗教だからという理由で擁護してはならない。妨げというのは、たとえば病気の子どもに医学的治療を受けさせないこと（信仰療法教団に見られる）、人道的な安楽死への反対、学校の科学教育の改悪、幹細胞などの反発を招きやすい生物医学研究への抑圧、そして避妊、コンドーム、HPVワクチンといった人命を救う公衆衛生政策の妨害のことである。[57]

　また、宗教はもっと高い道徳目的をもっていると考えるのも間違いだ。信仰擁護無神論者はキリスト教福音派の道徳心の高さに期待して、社会の改善に一役買ってくれるものと何度も頼りにし、そのたびに痛い目にあってきた。たとえば二〇〇〇年代初めには、環境保護のためのある超党派連合が、「被造物保護《クリエーション・ケア》」や「信仰に基づく環境保護主義」といった名目を掲げれば、気候変動問題で福音派の協力が得られると考えた。しかし福音派は共和党の強力な支持基盤であり、その共和党はオバマ政権に対して一切妥協しない姿勢をとっていたため、結局は政治的部族主義が勝利し、福音派は共和党に歩調を合わせ、クリエーション・ケアではなく極端なリバタリアニズムを選んだ。[58]

また二〇一六年にも、福音派があのカジノ経営者〔ドナルド・トランプのこと〕を認めるはずはないと、誰もが束の間期待を抱いた。なにしろ前者が謙虚、節度、寛容、礼節、騎士道精神、倹約、弱者への哀れみを尊ぶのに対し、後者は自惚れ屋、道楽好き、執念深い、下劣、女性蔑視、これ見よがし、大金持ち、人を「負け犬」と呼んで憚《はばか》らない云々と評判だったのだから。ところが期待は裏切られ、福音派と再生派の白人有権者の八一パーセントがドナルド・トランプに投票し、共和党支持層のなかで最も高い支持率となった。[59]これは主として、トランプが非課税の慈善団体（教会を含む）のロビー活動・政治活動を禁じる法律を廃止すると約束して集めた票である。[60]政治が切ったこの切り札《トランプ》が、キリスト教徒の美徳をねじ伏せた。

神がいなくても人が生きる意味は見出せる

宗教の「事実に関する教義」が、もはや真面目に受け取ることができないものであり、「倫理を説く教義」のほうも、結局のところ非宗教の道徳で正当化できるものしか価値がないとしたら、「実存の重要な問題に関する英知」はどうなるのだろうか。信仰擁護無神論者は何かというとこう口にする。人間が抱く最も深い望みについて論じられるのは宗教だけであり、生命、死、愛、孤独、喪失、高潔、宇宙の正義、形而上学的希望といった実存の重要な問題に、科学が十分な答えを出すことなどありえない、と。

これはデネットが（友人の子どもが口にした言葉を借りて）「deepity（深いっぽい話）」と呼ぶ類いの主張で、一見深そうだが、意味を考えればすぐにナンセンスだとわかる。そもそも、人生に意味を与えてくれるものとしての「宗教」に取って代わるのは、「科学」ではない。どのように生きるべきかを知りたいなら魚類学や腎臓学が参考になりますよ、などと誰がいうだろうか。目を向けるべきは「科学」ではなく、知識、理性、ヒューマニズムの諸価値が織りなす総体であって、科学はその一部にすぎない。そしてもちろん、そこには宗教由来の糸――聖書に出てくる言葉や寓話、賢者や学者やラビが書き残した言葉など――も織り込まれている。しかし今日、この総体のほとんどを占めるのは非宗教のもので、たとえば古代ギリシャに始まる倫理に関する議論も、啓蒙主義の哲学も、シェイクスピア、ロマン派の詩人、一九世紀の小説家、その他の大芸術家や随筆家が描いた愛、喪失、孤独も編み込まれている。

普遍的基準に立ってこの総体を眺めてみると、人生の重要な問題に関する宗教の貢献の多くは深いというより浅く、時代を超えるというより古めかしいことがわかる。たとえば、宗教の「正義」の概念には冒瀆者を罰することが含まれているし、宗教の

「愛」の概念には女性を夫にかしずかせることが含まれている。また、すでに述べたように、非物質の魂の存在を前提とする生死の概念は、どれも事実として受け入れがたく、道徳としても有害である。それに、宇宙的正義（人間の正義の対極）も、形而上学的希望（この世の希望の対極）も存在しないのだから、これらを追求する意味などない。超自然信仰にもっと深い意味を探るべきだという主張には、どう考えても説得力がない。

ではもっと抽象的な「スピリチュアリティ」はどうだろうか。それが意味するのが、自分が存在していることへの感謝や、宇宙の美しさと無限の広がりに対する畏怖や、人知に限りがあると知る謙虚さなどであるならば、スピリチュアリティとはまさに、人生を生きるに値するものにしてくれる経験のことにほかならない。そしてそのような経験をより高い次元へ引き上げるものがあるとすれば、それは科学と哲学の進歩である。だがいわゆる「スピリチュアリティ」は、何かそれ以上のものを意味すると思われがちである。宇宙は何らかのかたちで人格を備えているとか、物事にはすべて理由があるとか、人生の偶然の出来事に意味を見出すべきだといった解釈のことだ。『オプラ・ウィンフリー・ショー』の最終回でウィンフリーがいったことは、何百万人の視聴者の思いを代弁していた。「恩寵の現れも神の顕現もわたしにはわかる。だから偶然などないと知っているわ。偶然なんかない。ただ神の秩序があるだけ」[61]

エイミー・シューマーが総指揮をとったコメディショー『インサイド・エイミー・シューマー』のある回に、ウィンフリーがいった意味のスピリチュアリティを取り上げたエピソードがある。タイトルは『宇宙――無検閲』で、ドキュメンタリー風のオープニングでは、科学教育番組の司会で有名なビル・ナイが宇宙の映像を背にして立っている。

ナイ「宇宙。人類はこのエネルギーとガスと塵埃の果てしない広がりを理解しようと、何世紀にもわたって努力してきました。そして近年、宇宙の存在理由についてのわたしたちの考えは、実に驚くべき発展を遂げました」

（地球がクローズアップされ、さらにズームして、ヨーグルト・ショップでおしゃべりする二人の若い女性が映し出される）

女性A「運転しながらメール打ってて、曲がる所を間違えちゃったの。そしたらすぐビタミン・ショップの前を通ったわけ。それで、あ、これって間違いなく、カルシウム不足だっていう宇宙からのメッセージだと思ったのよね」

ナイ「かつて科学者たちは、宇宙とは物質の混沌とした集まりだと考えていました。しかし今では、宇宙は本質的に二〇代の女性たちにメッセージを送る力なのだとわかっています」

（スポーツジムでエクササイクルに乗っているシューマーと女友達が映し出される）

シューマー「知ってるでしょ？　わたしが半年くらい前から既婚者のボスと付き合ってること。それで最近、もう奥さんと別れる気はないんじゃないかって心配になってたわけよ。そしたら昨日のヨガのクラスで、前の人が「Chill.（落ち着け）」ってプリントされたTシャツを着てて、それでわかったの。『そのままボスと続ければいい』っていう宇宙からのメッセージだって[62]」

気まぐれな運勢を宇宙のメッセージと解釈するのは愚かなことだ。その愚かさから抜け出すには、まず、宇宙の法則はあなたのことなど気にかけていないと知らなければならない。そして次に、だからといって人生が無意味なわけではないと知らなければならない。宇宙は気にかけていなくても、あなたの周囲の人々はあなたを気にかけているし、その逆も然りなのだから。あなた自身も自分のことを気にかけているはずで、だからあなたには、自分を生かしてくれているこの宇宙の法則を尊重する義務がある。そしてだからこそ、あなたは自分という存在をおろそかにしてはいけない。あなたが愛する人々はあなたのことを気にかけているし、逆にあなたには子どもを孤児にしない責任、配偶者を寡婦や寡夫にしない責任、両親を悲しませない責任がある。
さらに、ヒューマニズムの感性をもつ人なら誰もがあなたのことを大事に思っている。それはあなたの痛みを感じるという意味ではないが——人の共感力は弱く、数十億人もいる他人にまで及ぶことはない——あなたのことを自分と等しく重要な存在だと理解しているという意味で、また人間のありようを良くし、あなたを含めてみんなが繁栄できるようにするために宇宙の法則を用いる責任が、あなたを含めてみんなにあるという意味で、あなたのことを大事に思っている。

「宗教は巻き返している」という見解は誤り

宗教そのものについての議論はさておくとして、非宗教のヒューマニズムが宗教に押し返されつつあるというのは本当なのだろうか。宗教の信奉者、信仰擁護無神論者、科学や進歩を毛嫌いする人々は、今世界中で宗教が巻き返していると悦に入っている。だが、これから述べるように、宗教の巻き返しは幻想にすぎない。宗教に関するグループ分けのなかで、今世界で最も速く人数が増えつつあるのは「宗教をもたない」グループである。

歴史を振り返って宗教的信仰心の変化を測るのはなかなか難しい。この問題について多くの国で長期にわたって同じ質問をした調査はほとんどなく、たとえあっても質問の解釈が回答者によってばらばらだろう。自分を「無神論者」と認めたがらない人も多い。この言葉は「不道徳」と同じ意味にとられることが多いので、敵意をもたれたり、差別されたりするかもしれないし、場合によっては（多くのイスラム教国では）投獄、手足の切断、あるいは死罪に当たることさえある。[63] 宗教についてはっきりした考えをもたない人も多く、自分が宗教も信仰心ももたず、宗教を重視していなくても、それが「無神論者」に当たるとは思っていない場合がある。また、自分は宗教的ではないが霊的だという人や、神は信じていないが「崇高なる力」なら信じているという人もいる。つまり調査ごとに、どのような回答選択肢がどのような言葉で用意されるかによって、無宗教の度合いの解釈も違ってしまう。

　数十年前、あるいは数百年前に無信仰者がどれくらいいたかはよくわからないが、それほど多くはなかっただろう。ある試算によれば、一九〇〇年の無信仰者の割合は〇・二パーセントだったという。[64] 二〇一二年に、ＷＩＮ／ＧＩＡ〔各国の調査会社が加盟する世界的ネットワーク〕が五七カ国、五万人を対象に調査を行ってまとめた「信仰心と無神論の世界指数」によれば、この時点で世界人口の一三パーセントが自分は「無神論者である」と回答していて、二〇〇五年のおよそ一〇パーセントから三割ほど増加していた。[65] 確実な数字はないものの、全世界の無神論者の割合が二〇世紀のあいだにおよそ五〇倍になり、二一世紀に入ってからさらに倍増したといっても、大きく外れてはいないだろう。また二〇一二年には、「無神論者」の一三パーセント以外に、自分は「信心深くない」

と答えた人が二三パーセントいて、「信心深い」と答えたのは五九パーセントにとどまった。この最後の数字は一世紀前にはほぼ一〇〇パーセントに近かったわけで、かなりの落ち込みである。

社会学に古くからある「世俗化論」は、社会が豊かになり、教育レベルも上がると、自然に無宗教になると考える(66)。最近の研究でも、豊かで教育水準の高い国ほど、信心深い人の率が低くなることが確認されている(67)。この傾向が特に顕著なのは西ヨーロッパとイギリス連邦と東アジアの先進国で、オーストラリア、カナダ、フランス、香港、アイルランド、日本、オランダ、スウェーデン、その他数カ国では、信心深い人のほうが少数派になっている。別の調査では、先進国で「神を信じていない」と答えた人がすでに四分の一を超え、国によっては半数を超えていた(68)。旧共産主義国（特に中国）でも宗教は衰退している。逆にラテンアメリカ、イスラム圏、サハラ以南のアフリカでは衰退が見られない。

総じて、データには世界的な宗教復興の兆しは表れていない。「信仰心と無神論の世界指数」で、二〇〇五年にも二〇一二年にも調査対象国となった三九カ国のうち、信心深い人の率が増えていたのは一一カ国で、増加幅も六パーセントポイント止まりだったのに対し、信心深い人の率が減っていたのは二六カ国で、その多くが二桁のパーセントポイントで減少していた。また報道から受ける印象とは異なり、ポーランド、ロシア、ボスニア、トルコ、インド、ナイジェリア、ケニアといった宗教問題に敏感な国々でも、この七年間で宗教が衰退していて、その点ではアメリカも同じである（詳細はこのあと述べる）。世界全体では、自分を「信心深い」とする人の割合は九ポイント減り、逆に過半数の国々で「無神論者」が増えている。

世界規模の調査にはピュー研究所が実施したものもあり、こちらは主な宗教の人口・地域分布を把握するとともに、今後の変化を予測することを目的としている[69]（信仰心の変化の調査ではない）。その報告書によれば、二〇一〇年の時点で世界人口の六分の一がどの宗教にも属していなかった。そしてその人数は、ヒンドゥー教徒よりも、仏教徒よりも、ユダヤ教徒よりも、民族宗教の信者よりも多かった（無宗教者より多かったのはキリスト教徒とイスラム教徒だけだった）。また今後の変化予測については、宗教別に（「無宗教」のグループも含めて）新たに加わる人数と離れる人数がまとめられていて、それによれば二〇一〇年から二〇五〇年までの累積で、加わる人数から離れる人数を引いた純増が最も多いのが「無宗教」であり、およそ六一五〇万人の純増と予測されている。

宗教復興と見誤らせる「出生率」「投票率」

このように宗教離れを示す数字があるのに、いったいどこから宗教復興の話が出てきたのだろうか。それは一つには、カナダのケベック人が「揺りかごの復讐」と呼ぶ現象〔もとはケベックで、フランス系カナダ人がイギリスの支配に対抗して人口を増やそうとしたことをいう〕に似たもの、すなわち信心深い人々が暮らす地域の出生率が高いことから来ている。ピュー研究所の人口統計学者の試算によれば、宗教別の人口比率は、二〇一〇年から二〇五〇年にかけて、イスラム教徒が世界人口の二三・二パーセントから二九・七パーセントに上昇し、キリスト教徒は三一・四パーセントのまま変わらず、その他すべての宗教および「無宗教」の比率は低下するという。しかしながら、この予測は現時点での出生率予測に基づくもので、今後アフリカ（信心深い人が多く、多産でもある）が人口転換〔経済発展に伴う人口減少〕を経験すれば、あるいは第一〇章で述べたイスラム諸国の出生率低下が続くことになれば、この試算も時代遅れになるだろう。(70)

世俗化傾向で重要なのは、それが時代の変遷（時代効果）、高齢化（年齢効果）、世代交代（コホート効果）のどれによるものなのかを見極めることである。この問いに答えられるほど長期にわたるデータとなると、英語文化圏の限られた数の国のものしかないが、それでも次のようなことがわかっている。(71)

オーストラリアとニュージーランドとカナダでは、時とともに宗教離れが進んだが、これは高齢化というより時代の変遷によるものと考えられる（高齢化の影響があるなら、人は死に近づくにつれて、どちらかというと信心深くなるはずだ）。一方イギリスとアメリカでは時代の変遷による変化は見られなかった。しかしこの五カ国すべてで世代による顕著な変化が見られ、どの世代も前の世代より信仰心が薄れていた。コホート効果は数字にもはっきり表れている。イギリスでは、GI世代〔一九〇〇〜一九二四年生まれ〕の八〇パーセント以上が「何らかの宗教に属している」と答えていたが、その曾孫にあたるミレニアル世代〔一九八〇〜二〇〇〇年代初頭生まれ〕になると、同じ年齢で同じ答えをした人は三〇パーセントもいなかった。アメリカでも、GI世代の七〇パーセント以上が「神は存在する」と答えていたが、ミレニアル世代でそう答えたのは四〇パーセントだった。

これら英語文化圏の国々のどこでも世代間の違いが見られるとわかったことで、世俗化論に刺さっていた〝大きなトゲ〟が抜けた。アメリカは豊かでありながら信仰心が強いという問題のことである。アメリカ人がそのいとこのようなヨーロッパ人よりも信心深いことについては、すでに一八四〇年にフランスの思想家アレクシ・ド・トクヴィルが指摘していたが、その違いは今日もなお残っている。二〇一二年の調査で自分は「信心深い」と答えた人の割合は、アメリカが六〇パーセントだったのに対し、カナダは四六パーセント、フランスは三七パーセント、スウェーデンは二九パーセントだった[72]。西側のその他の民主主義国についても、無神論者の割合がアメリカの二倍から六倍になることがわかっている[73]。

しかしながら、信仰心が高い状態からスタートしたとはいえ、世代を経るにつれて世俗化が進んだという点ではアメリカも他国と同じだった。この変化は最近の調査研究でも明らかにされていて、こんなタイトルの報告も出されている――『大量脱出――なぜアメリカ人は宗教から離れつつあるのか。またなぜ元に戻りそうもないのか』[74]。変化が最もよくわかるのは「どの宗教にも属さない」人々の割合で、一九七二年の五パーセントから二〇一六年の二五パーセントへと急上昇している。二五パーセントというのは、「カトリック教徒」（二一パーセント）、「白人のプロテスタント福音派」（一六パーセント）、「白人のプロテスタント主流派」（一三・五パーセント）よりも多く、宗教に関してアメリカで最大の集団を形成している。しかも世代別の時系列変化が顕著で、「どの宗教にも属さない」の割合は、沈黙の世代〔一九二五～一九四五年生まれ〕と前期ベビーブーム世代〔ベビーブーマーは一九四六～一九六四年生まれ[75]〕では一三パーセントだが、ミレニアル世代では三九パーセントまで上がっている。また若い世代ほど、年をとって死を意識するようになっても無宗教のままでいる割合が高いようだ[76]。

さらに変化が著しいのは、「どの宗教にも属さない」集団の部分集合で、たんに〝ほかのどれでもないから〟無宗教に入るのではなく、はっきりと「無信仰を自認する」人々の割合である。この人々、つまり自分を「無神論者」「不可知論者」あるいは「自分にとって宗教は重要ではない」とするアメリカ人の割合は（おそらく一九五〇年代には一、二パーセントだったと思われるが）、二〇〇七年が一〇・三パーセント、二〇一四年が一五・八パーセントだった。コホート別に見ると、沈黙の世代が七パーセント、ベビーブーム世代が一一パーセント、ミレニアル世代が二五パーセントである。(77)なお、自分は無神論者だと告白することに抵抗を感じる人も多いとして、それを回避する方法で調査・予測を試みた研究によれば、無神論者の実際の割合はさらに高くなるはずだという。(78)

ではいったいなぜ、評論家はアメリカで宗教が復活しつつあるというのだろうか。それはアメリカの〝大量脱出〟に関してもう一つ、「どの宗教にも属していない人々は投票しない」という調査結果があるからだ。二〇一二年の数字で比べると、「どの宗教にも属していない」人々はアメリカの有権者の二〇パーセントを占めていたが、実際に投票に行った人のなかでは一二パーセントしか占めていなかった。その一方で、宗教組織はその名のとおり〝組織〟であり、その組織力で信者を投票所に向かわせ、特定の候補者に投票させることができる。二〇一二年には「白人のプロテスタント福音派」もちょうど有権者の二〇パーセントを占めていたが、投票者のなかでは二六パーセントと、無宗教者の倍以上を占めていた。(79)「どの宗教にも属していない」人々は、一対三の比率でトランプよりクリントンを支持していたが、その多くは二〇一六年一一月八日の投票に行かず、その一方で福音派の信者は投票所に列を作った。ヨーロッパのポピュリスト運動でも同じような現象が見られる。

評論家は得てしてこのような選挙への影響力を宗教の復活ととらえがちだが、これまで見てきたようにそれは誤りだ。世俗化が人々の目に見えにくくなっている第一の理由が、前述の出生率の問題にあるとすれば、この選挙への影響力から生じた思い違いが第二の理由といえるだろう。

世界はなぜ宗教を失いつつあるのだろうか。これについてもさまざまな説明がなされている。[80] たとえば──二〇世紀の共産主義諸国が宗教を法的に禁止したり弾圧したりしたため、その後体制が変わっても、国民が宗教を取り戻すのに時間がかかっている。一九六〇年代をピークに、あらゆる制度への信頼度が低下しつつあり、宗教離れもその一つである。[81] 女性の権利、生殖に関する自由、同性愛に対する寛容性といった、解放的な価値観（第一五章）へと向かう世界的潮流も理由の一つである。[82] 経済発展や医療、社会保険の充実によって生活が安定するにつれ、身の破滅から守ってもらおうと神に祈る必要がなくなるのも理由の一つで、現に、他の要因を一定にした場合、セーフティーネットがしっかりしている国ほど宗教離れが進んでいる[83]──など。

だが最もわかりやすい理由は、理性そのものではないだろうか。知的好奇心が旺盛になり、科学知識が身につくと、人は奇跡を信じなくなる。宗教を捨てたアメリカ人がその理由として最も多く挙げるのも、「宗教の教えを信じていないから」である。[84] すでに述べたように、教育水準の高い国ほど宗教の信奉者が少なく、また世界中どこでも無神論とフリン効果〔第一六章参照〕は歩みを共にしている。つまり、ある国が賢くなればなるほど、その国は神に背を向けるようになる。(85)

一方、理由がどうであれ、世俗化について歴史と地理からすでに明確になっている事実もある。それは、「宗教を失った社会はアノミー、ニヒリズム、諸価値の喪失(86)に陥る」という心配は見当違いだということである。世俗化は、第二部で述べたすべての進歩の歴史とともに進んできた。カナダ、デンマーク、ニュージーランドをはじめとする数多くの無宗教社会が、人類史上最も暮らしやすい場所（人の暮らしにとって〝良いこと〟で数値化可能なものが、すべて高水準にある場所）に数えられるのに対して、世界で最も信心深いとされる社会の多くは最悪の場所になっている。(87)アメリカは豊かなのに信心深いというアメリカ例外論も、喜ぶべき結果をもたらしているわけではなく、むしろ教訓になっている。

確かにアメリカは同胞の西側諸国より信心深いが、幸福感（happiness）でも客観的な幸福の尺度（well-being）でも劣っていて、殺人発生率、受刑率、妊娠中絶率、性感染症罹患率、乳幼児死亡率、肥満率、教育水準が低い人の割合、早死にの率がいずれも高い。(88)同じ傾向は米国内の五〇の州にも当てはまり、信心深い州ほど市民生活に機能低下が見られる。(89)どちらが原因でどちらが結果なのかについては、さまざまな可能性が考えられるものの、民主主義国で世俗主義がヒューマニズムにつながりつつあると考えることに無理はない。つまり世俗化とともに、人々は祈りやドグマや教会的権威を離れ、自分と仲間をより良い状態に置くことができるような現実的な政策へと向かいつつある。

イスラム諸国の停滞の原因は明らかに宗教

有神論的道徳が良い結果を生んでいないのは、西側諸国に限ったことではない。現代のイスラム世界ではもっと厄介な状況を招いている。イスラム世界を無視して世界の発展を語ることなどできるはずもなく、そのイスラム世界が、多くの客観的指標から、それ以外の世界のような発展を享受できていないと考えられることは憂慮に値する。イスラム主流国（イスラム教徒が多数派の国）は健康、教育、自由、幸福感、民主主義、資産保有の指標で評価が低い[90]。また二〇一六年に勃発した戦争・紛争のすべては、イスラム主流国で起きたか、あるいはイスラム集団がかかわったもので、テロ攻撃のほとんどにもイスラム集団が関与していた[91]。ジェンダーの平等、個人の選択、政治的発言権などの解放的価値観の普及についても、第一五章のグラフにあったように、イスラム教の中心地は世界の他のどの地域よりも（サハラ以南のアフリカよりも）遅れている。さらに、イスラム教国の多くで人権が踏みにじられ、実際の犯罪のみならず、同性愛、呪術、背教行為、ソーシャル・メディアでの自由な意見表明に対しても残酷な刑罰（鞭打ち、目つぶし、手足切断など）が科せられている。

　こうした進歩の遅れのどこまでが有神論的道徳の影響なのだろうか。いうまでもないが、イスラム教そのもののせいにすることはできない。イスラム文明は早くに科学革命を経験し、その歴史の大半において、西のキリスト教世界より寛容で、国際的で、内部は平和だった[92]。イスラム主流国には退行的な因襲も見られるが、女性器切除や、家の名誉回復のために妻・姉妹・娘を殺す「名誉殺人」などはアフリカないし西アジアの古い部族の風習で、それが誤ってイスラム法の定めとされたものである。またイスラム諸国の進歩の遅れの一部は、イスラム教国以外の「資源の呪い」〔天然資源に恵まれている地域のほうが工業化や経済発展が遅いという現象〕にかかった独裁国家でも見受けられるものだ。また別の一部は、西側諸国の中東への不適切な干渉によるものだといえる。オスマン帝国の分割〔サイクス・ピコ協定〕、アフガニスタンで旧ソ連軍と戦ったイスラム聖戦士《ムジャヒディン》への支援、イラク侵攻などによって、状況が悪化したことは否めない。

　その一方で、進歩の遅れの原因の一つが宗教的信仰にあることも否定できない。イスラムの教えには、文字どおりに受け取ると著しく非人道的なものが少なくないという問題がある。コーランおよびその他のイスラム法の法源には、不信心者に対する憎悪、殉教の具体論、ジハードの重要性を説く個所が数多くある。またイスラム法は、飲酒に対する鞭打ち刑、姦通と同性愛に対する石打ち刑、イスラムの敵に対する絞首刑、異教徒の女性を性的奴隷にすること、九歳以上の女児を強制的に結婚させることを認めている。(93)

無論、キリスト教の聖書にも非人道的な記述が多々あり、聖典を比べてどちらのほうがひどいとか、ましだとか議論しても始まらない。問題は、信者がそれらをどこまで文字どおりに受け取るかである。イスラム教にも、ユダヤ教やキリスト教と同様に、聖典の厄介な個所を寓話的に解釈したり、特別枠に置いたり、ひねった解釈をするといった、ラビによる聖書解釈論争やイエズス会的詭弁に相当するものがないわけではない。またイスラム世界にも「文化的ユダヤ人」〔ユダヤ教徒ではないユダヤ人〕、「カフェテリア・カトリック」〔カフェでメニューを選ぶように、カトリックの教義のなかから信じるものを選ぶクリスチャン〕、「CINO」(Christians in Name Only：名ばかりのクリスチャン)に相当する人々がいることはいる。だが、現代のイスラム世界ではそのような無害な偽善はまだまだ未発達で、そこに問題がある。

政治学者のエイミー・アレクサンダーとクリスチャン・ヴェルツェルは、世界価値観調査〔第一五章参照〕の宗教的帰属意識に関するビッグデータを分析して次のように述べた。「イスラム教徒を自認する人々は、世界の『信仰心が強い』人々のなかの八二パーセントを占め、圧倒的な集団を形成している。さらに驚かされるのは、信仰心の強さに関する彼らの自己評価で、一〇点満点中の九点以上をつけた人が九二パーセントもいる（ユダヤ教徒、カトリック教徒、プロテスタント福音派は半数に満たない）ことだ。どうやらイスラム教徒を名乗ることは、どの宗派にかかわらず、『わたしは信仰心が強い』というのと同じ意味らしい」[94]。

この点についてはほかの調査でも同じ結果が出ている[95]。ピュー研究所の大規模な調査では、調査対象三九カ国のうちの三二カ国で、イスラム教徒の半数以上が「イスラムの教えを理解する正しい方法は一つしかない」と答えていて、「コーランを一字一句文字どおりに解釈するべきだと思うか」という質問に対しては（調査対象国は少ないが）、五〇から九三パーセントの人々が「そう思う」と答えている。また、多くの国で、大多数のイスラム教徒が、「シャリーア（イスラム法）は正式な国法であるべきだ」と考えている[96]。

相関関係は因果関係ではない。しかしながら、イスラム教の教義に非人道的なものが多く含まれているという事実と、信者の多くがイスラム教の教義に誤りはないと考えているという事実をつないだらどうだろう。そしてさらに、反自由主義的政策や暴力行為を実践するイスラム教徒が、「それこそが教義に沿うものだから」と主張している事実を加えたらどうだろうか。そうなると、非人道的な行為は信仰心とはまったく関係がないとか、本当の原因は石油、植民地主義、イスラム恐怖症、オリエンタリズム〔東方世界を西洋とは本質的に異なる劣ったもの、支配すべき対象と見なす、西洋世界の思考様式〕、シオニズム〔イスラエル再建運動〕にあるといった主張には無理があるといわざるをえなくなるだろう。納得できるデータが欲しいという読者のために書いておくが、価値観についての調査資料には、社会科学者が数値化したがるあらゆる変数（所得、教育、石油収入への依存度を含む）が入っている。それを分析すると、イスラム教という要素だけで、家父長制などの反自由主義的価値観の行き過ぎを、国単位でも個人単位でも予測できることがわかる。[97] 非イスラム社会においては、モスクに行く頻度がその代わりの指標になる（イスラム社会では行くのが当たり前なので指標にならない[98]）。

こうしたイスラム世界の厄介な思考パターンは、すべて、かつてキリスト教世界でも見られたものである。だが西洋では、啓蒙主義運動をきっかけに、政教を分離し、非宗教の市民社会が育つ場を確保し、普遍的なヒューマニズムの倫理の上に諸制度を築くというプロセスが始まった（今も続いている）。これに対して多くのイスラム主流国では、今もなおそのプロセスが軌道に乗っていない。イスラム諸国で、宗教がいかに政府機関や市民社会を抑圧し、経済・政治・社会的発展を阻んでいるかについては、歴史学者や社会科学者（多くのイスラム教徒を含む）が証拠を挙げて論じている。[99]

その状況をさらに悪化させているのが、エジプトの作家のサイイド・クトゥブ（一九〇六―一九六六）の著作によって広まった反動的イデオロギーである。クトゥブはムスリム同胞団の理論的指導者で、アルカイダその他のイスラム主義運動の原動力ともなった。[100]このイデオロギーは、預言者と正統カリフの時代や、アラブ文明の黄金時代を懐古し、その後の屈辱の諸世紀——十字軍、騎馬民族、ヨーロッパの植民地開拓者、さらに最近では油断のならない非宗教的近代主義者によって辱められた時代——を嘆く。そしてこの屈辱の歴史を、厳格な宗教的慣習を捨てた報いとみなし、かつての栄光を取り戻すには、シャリーアによって統治され、非イスラムの影響を排除した、真のイスラム国家を再興するしかないと考える。

イスラム世界でもヒューマニズム革命は進む

以上のように、イスラム世界を悩ませる諸問題に有神論的道徳がかかわっていることは否定できないが、それを多くの西側の知識人が容認してきたこともまた否定できない。彼らは、イスラム世界で普通に見られる抑圧、女性蔑視、同性愛嫌悪、政治的暴力が、もし自分の国でたとえわずかでも見られたらぞっとするにちがいないのに、それがイスラムの名のもとで行われているかぎり、奇妙なことに擁護する。[101]それは一つには、イスラム教徒に偏見を抱いてはいけないという殊勝な心がけによるものだろう。もう一つには、世界は文明の衝突に巻き込まれているという破壊的な物語（もしかしたら自己成就的でもある）を打ち消そうとしているからだろう。またもう一つには、西側の知識人に昔から見られる、自分たちを卑下して敵を理想化する症候群（このあとでまた触れる）のせいだろう。しかしながら、彼らの容認的態度の主因が、有神論者、信仰擁護無神論者、第二の文化の知識人のあいだに見られる、宗教への愛着と啓蒙主義ヒューマニズムへの嫌悪感にあることは間違いない。

現代のイスラム教信仰の反ヒューマニズム的側面を批判することは、イスラム恐怖症でも文明衝突でもなんでもない。イスラム教徒による暴力と抑圧の被害者は、圧倒的多数が他のイスラム教徒である。また「イスラム」は人種ではないし、元イスラム活動家のサラ・ハイダーがいうように、「宗教は思想であって、それ自体が権利を有するわけではない」[102]。イスラムの思想を批判するのは、新自由主義や共和党の政策を批判するのと同じことで、宗教への偏見には当たらない。

イスラム世界に啓蒙主義運動は起こりうるのだろうか。改革派イスラム〔改革派ユダヤ教のイスラム版〕、自由主義イスラム〔自由主義神学のイスラム版〕、イスラム教ヒューマニズム〔キリスト教ヒューマニズムのイスラム版〕、イスラム教公会議〔キリスト教公会議のイスラム版〕は生まれうるのだろうか。国家（政府）とイスラム教の分離はありうるのだろうか。前述の「イスラム世界の反自由主義を容認する信仰好きの知識人」の多くは、反自由主義を乗り越えるような進歩をイスラム教徒に期待するのは理不尽だともいっている。西洋諸国はポスト啓蒙主義の社会で平和、繁栄、教育、幸福を享受できているかもしれないが、このような浅薄な快楽主義をイスラム教徒は決して受け入れないだろうし、彼らがあくまでも中世の信念・慣習体系にしがみつこうとするのは無理からぬことだという。

しかしこうした恩着せがましい考えが間違いであることは、イスラム世界の歴史と最近の新たな動きが証明している。アラブ文明の黄金時代には科学と世俗哲学が花開いた。[103] また経済学者で哲学者のアマルティア・センが詳述しているように、ヨーロッパで異端審問の嵐が吹き荒れた一六世紀、ジョルダーノ・ブルーノが異端とされて火刑に処せられたような時代に、インドのイスラム王朝ムガル帝国では、皇帝アクバル一世が多宗教（無神論者や不可知論者を含む）でリベラルな社会秩序を実現していた。[104] そして今、イスラム世界の多くの地域で近代化の力が作用しつつある。チュニジア、バングラデシュ、マレーシア、インドネシアはすでに自由民主主義に向けて大きな一歩を踏み出した（第一四章）。多くのイスラム教国で、女性やマイノリティへの意識が改善されつつある（第一五章）――確かにスローペースではあるが、[105] 女性、若い世代、教育を受けた人々のあいだではこうした傾向が顕著になりつつある。

つまり、人とのつながり、教育、社会の移動性、女性の社会進出といった西洋を自由化してきた解放的な力は、イスラム社会を素通りしてしまったわけではない。今後、世代交代という〝動く歩道〟が、その横の道をのろのろ行く人々を追い越すことも考えられる[106]〔イスラム主流国は概して先進国より出生率が高く平均寿命は短く、若年層の人口比が高い〕。

そして、第三部冒頭で述べたように、思想は力をもっている。イスラム世界でも、一団の知識人、著述家、活動家の精鋭たちがヒューマニズム革命を推し進めようと声を上げていて、そこには次のような人々が名を連ねている。

スアド・アドナン（モロッコの「科学研究・人文科学アラブセンター」の共同創設者）、ムスタファ・アキオル（『極端のないイスラム（Islam Without Extremes）』の著者）、ファイサル・サイード・アルムタール（「世界世俗的ヒューマニスト運動（Global Secular Humanist Movement）」の創設者）、サラ・ハイダー（「北米元イスラム教徒団体（Ex-Muslims of North America）」の共同創設者）、シャディ・ハミド（『イスラム例外論（Islamic Exceptionalism）』の著者）、パルヴェーズ・フッドボーイ（『イスラームと科学』〔植木不等式訳、勁草書房〕の著者）、レイラ・フセイン（女性器切除に反対する「イヴの娘たち（Daughters of Eve）」の創設者）、グラライ・イスマイル（パキスタンの「アウェア・ガールズ」の創設者）、シラーズ・マハー（第一部でも紹介した人物で、『サラフィー・ジハード主義（Salafi-Jihadism）』の著者）、オマル・マフムード（アメリカの論説委員）、イルシャド・マンジ（『今日のイスラムの問題（The Trouble with Islam Today）』の著者）、マリアム・ナマジー（イギリスのシャリーア法廷に反対する「すべての人々のための一つの法（One Law for All）」のスポークスマン）、アミール・アフマド・ナスル（『わたしのイスラム（My Isl@m）』の著者）、タスリマ・ナスリン（『わたしの少女時代（My

Girlhood)』の著者）、マージド・ナワズ（サム・ハリスとの共著に『イスラムと寛容の未来（Islam and the Future of Tolerance)』がある）、アスラ・ノマーニ（『メッカにひとり立つ（Standing Alone in Mecca)』の著者）、ラヒール・ラザ（『彼らのジハードであって、わたしのジハードではない（Their Jihad... Not My Jihad!)』の著者）、アリ・リズビ（『無神論者のムスリム（The Atheist Muslim)』の著者）、ワファ・スルタン（『憎む神（A God Who Hates)』の著者）、ムハンマド・サイード（「北米元イスラム教徒団体（Ex-Muslims of North America)」の共同創設者）、そしてとりわけ著名なイギリスの作家サルマン・ラシュディ〔一九八八年の著書『悪魔の詩』（五十嵐一訳、新泉社）のイスラム教を揶揄する内容により、イスラム最高指導者ホメイニに死刑宣告を受けた。その後本書の出版関係者の殺害事件が多発、日本語版訳者の五十嵐一も殺害された〕、アヤーン・ヒルシ・アリ〔ソマリア出身でオランダ在住の活動家〕、マララ・ユスフザイ。

当然のことながら、イスラムの新たな啓蒙主義運動の先頭に立つのはイスラム教徒でなければならない。だが非イスラム教徒にも果たすべき役割はある。知的影響力のネットワークに国境はないのだから、西洋のもつ知名度と影響力を考えれば（たとえそれを不快に思う人々のあいだでの知名度と影響力であっても）、西洋の思想と価値観が水滴となってしたたり、ちょろちょろと流れ出し、やがて思いがけない水量となって滝のように外へ流れ落ちることも考えられる（たとえば、オサマ・ビンラディンはノーム・チョムスキーの本をもっていた[107]）。

哲学者のクワメ・アンソニー・アッピアの『名誉の規範（The Honor Code)』など、

道徳の進歩の歴史が詳しく書かれた本を見ると、ある文化の退行的な慣行の問題点を別の文化が道徳的に明らかにしたからといって、必ずしも激しい反発を招くとはかぎらないことがわかる。場合によっては道徳的に遅れた人々が恥じ入り、遅まきながら改革に着手することもありうる（そのような過去の例に、奴隷制、決闘、纏足《てんそく》、人種隔離がある。アメリカに当てはまる今後の例としては、死刑や大量投獄が考えられる[108]）。したがって、ある知的文化が啓蒙主義の価値観を一貫して擁護し、しかもヒューマニズムの価値観と宗教がぶつかったときに宗教の思うようにさせなかったとすれば、その知的文化は、世界のその他の地域の学生、知識人、偏見をもたない人々の導き手になれるはずである。

ヒューマニズムの敵を育てたニーチェの思想

さて、本章ではヒューマニズムとはどういうもので、どう考えるべきかについて述べ、それと明らかな対照をなすものとして二つの信念体系があることを説明した。そして、その一つである「有神論的道徳」についてここまで述べてきた。ここからはもう一つの信念体系、ヒューマニズムの第二の敵である「ロマン主義的ヒロイズム」について考えていく。復活しつつある権威主義やナショナリズム、ポピュリズム、反動的思想、さらにはファシズムまで含めて、これらすべての背景にあるイデオロギーのことである。有神論的道徳と同様に、このイデオロギーの信奉者もその知的価値、人間の本性との親和性、歴史的必然性を主張している。だがこれから述べるように、その主張は間違っている。

まずはこのイデオロギーの歴史を振り返ってみよう。

ヒューマニズムの（というより本書で擁護するものすべての）対極に立つ思想家を一人だけ挙げろといわれたら、ドイツの古典文献学者、フリードリヒ・ニーチェ（一八四四―一九〇〇）をおいてほかにない。[109] 本章の最初のほうで、ヒューマニズムの道徳が、無慈悲で、独善的で、誇大妄想のソシオパスにどのように対抗しうるかについて考察したが、ニーチェは無慈悲で、独善的で、誇大妄想のソシオパスであることは「良い」ことだといっている。もちろん誰にとっても「良い」わけではないが、そこはニーチェにはどうでもいい。大多数のいわゆる大衆（「無能な出来損ない」「おしゃべりの小人ども」「虫けら」）の人生など、彼にとってはどうでもいいのである。そして次のように論じた。

人生で重要なのは、善悪を超越し、意志を力に変え、英雄的栄光を手にする「超人（Übermensch）」になることだ。そのようなヒロイズムによってのみ、種の可能性を引き出し、人類を存在の高みへと押し上げることができる。偉業とは、病気を治療する、飢えた人々に食事を与える、平和をもたらすといったことではなく、むしろ芸術上の傑作や軍事上の征服によって達成されるものでなければならない。西洋文明は、ホメロス時代のギリシャ人、アーリア人の戦士、兜《かぶと》をかぶったヴァイキング、その他の勇ましい男たちの時代に全盛期を迎えたが、その後は衰退の一途をたどっている。なかでもキリスト教の「奴隷道徳」、啓蒙主義運動による理性の崇拝、そして社会改革と繁栄の共有を求めた一九世紀の自由主義運動が、この文明を堕落させた要因である。こうした女々しい感傷に流されて行き着く先には退廃しかない。したがって、真実を見た者は「鉄槌で哲学」し、現代文明に最後の一撃を振るうべきで、そうすれば贖いとしての大変動が起こり、そこから新しい秩序が生まれるだろう。

以上はニーチェの考えだが、わたしが都合のいいように「超人」を解釈したと思われては困るので、ニーチェの記述をいくつか引用しておく。

「ある人にとって正しいことは、他の人にとっても正しい」とか、「自分がしてもらいたくないことを、他人にしてはならない」などと誰かがいうとき、わたしはその人間の卑俗性にぞっとする。(中略)こうした理屈が前提としているものはあまりにも卑しい。わが行為と汝の行為のあいだに、ある種の等価性があるものとされているのだから。

わたしは存在の悪と苦しみに指を突きつけて非難するようなことはせず、むしろ、いつの日か人生がもっと有害で、かつてないほど苦痛に満ちたものになればいいと願う。

男は戦いのための、女は戦士に英気を養わせるための訓練を受けるべきだ。それ以外のことはすべて愚行である。(中略)女のもとに行くのか? ならば鞭を忘れるな。

「高次の人間」は大衆に対して宣戦布告するべきだ。(中略)人間の改良に役立つような、すなわち強い者をより強くし、世を儚《はかな》む者どもを無力化して破壊するような厳しい教えが必要だ。「道徳」と呼ばれる戯言《たわごと》を消し去ること。(中略)衰退しつつある種族を滅ぼすこと。(中略)高次の種族を生み出すために、地上を支配すること。

その新たな生の党派が、あらゆる使命のなかでも最も偉大な、人類をより高次のものに育て上げるという使命を引き受けるとともに、退化した寄生虫のようなものをすべて容赦なく破壊するだろう。その結果、この地上における生の過剰が再び可能となり、ディオニュソス的状態もまた復活するだろう。(110)

この大量虐殺の妄言は、デスメタル漬けの思春期病の中高生か、『オースティン・パワーズ』〔『007』のパロディ映画〕に登場する悪役のドクター・イーブル（スペクターのパロディ）の口から出たもののように思える。だが実際はニーチェの言葉であって、そのニーチェは二〇世紀に最も大きな影響力をもった思想家であり、その影響は二一世紀の現在も衰えていない。

ニーチェが「ロマン主義的軍国主義」の形成に一役買い、それが第一次世界大戦とファシズムにつながり、さらに後者が第二次世界大戦につながったことはあまりにも明らかだ。ニーチェ自身はドイツ・ナショナリストでも反ユダヤ主義者でもなかったが、その言葉がナチスの典型的なプロパガンダのように聞こえるのは偶然の一致ではない。ニーチェはその死後、ナチスのお抱え哲学者になったのだから（ヒトラーは首相に就任した年にニーチェ文庫《アルヒーフ》を訪れている。この文庫を管理していたのは、ニーチェの妹で遺言管理者のエリーザベト・フェルスター＝ニーチェで、ナチ党の支援に熱心だったのもこのエリーザベトだった）。

ニーチェとイタリアのファシズムとのつながりはさらに明確で、一九二一年にベニート・ムッソリーニがこう書いている。「相対主義がニーチェと、また彼のいう『力への意志』と手を携えたとき、イタリアのファシズムは、個人および国家の『力への意志』の最も偉大な産物となった（今もなおそうである）」[111]。またボルシェビズムとスターリン主義とのつながりもあり――「超人」から「新しいソビエト人」へ――これについてはあまり知られていないが、歴史学者のバーニス・グラッツァー・ローゼンタールが詳しく述べている[112]。ニーチェ思想と二〇世紀の大量殺戮とのつながりについてはいうまでもない。暴力と力の賛美、自由民主制を破壊しようとする意志、人間性のほとんどの部分に対する蔑視、人命への冷酷な無関心などを思い出してほしい。

あれほどの血の海を見たら、知識人や芸術家のニーチェ熱もすっかり冷めたにちがいない、と思うだろう。ところが信じがたいことに、ニーチェは今でも多くの人々から称賛されている。キャンパスの落書きにも、学生のTシャツにも、「Nietzsche《ニーチェ》 is《は》 pietzsche《いいね》」〔言葉遊びになっている〕の文字が躍っている。だがそれは、ニーチェ哲学に特別な説得力があるからではない。哲学者のバートランド・ラッセルが『西洋哲学史』（市井三郎訳、みすず書房）で指摘したように、ニーチェの言説は「もっと単純に、もっと正直に、次の一文で言い表せるかもしれない。『わたしはペリクレス時代のアテネか、メディチ家時代のフィレンツェに生きたかった』と」〔ラッセルはこの後「つまり哲学ではなく、一個人の伝記的事実のようなものだ」と続けた〕。

ニーチェの思想は、道徳的一貫性の最初の条件、すなわち「それを説く個人を超えて一般化できること」という条件さえ満たしていない。過去に移動できるなら、ニーチェに面と向かってこういってやりたい。「わたしはきみがいう超人だ。強く、無慈悲で、感情も良心もない。だからきみが勧めるように、英雄的栄光をつかむためにおしゃべりな小人どもを排除する。まずはきみから。きみのナチスかぶれの妹もこのまま放ってはおかないつもりだ。ただし、そんなことをすべきではないという〝理由〟を、きみが一つでも思いつくなら別だがね」

ニーチェに感化され独裁者を支持した知識人たち

ニーチェの思想が不快なうえに一貫性もないとしたら、なぜこれほど多くのファンがいるのだろうか。まず、芸術家を（戦士と並んで）生きるに値する特別な存在とする倫理が、多くの芸術家を惹きつけるのは当然のことだろう。ニーチェ好きの芸術家には、W・H・オーデン、アルベール・カミュ、アンドレ・ジッド、D・H・ローレンス、ジャック・ロンドン、トーマス・マン、三島由紀夫、ユージン・オニール、W・B・イェイツ、ウィンダム・ルイス、そして（条件付きだが）『人と超人』（市川又彦訳、岩波文庫）を書いたバーナード・ショーがいる（ジーヴズ・シリーズでおなじみのP・G・ウッドハウス〔イギリスのユーモア作家〕はその逆のニーチェ嫌いだ。その作中で、スピノザを愛する執事のジーヴズは、主人のバーティ・ウースターに向かってこういう。「ニーチェは旦那さまの好みに合いますまい。本質的に不健全ですから」)。

また、ニーチェ的価値観は第二の文化の人文系知識人にも受けが良く（世界の貧困と疾病の解決が重要だと考えるスノーの主張に対し、「偉大な文学こそ人が生きる糧」だといってこれを一蹴したリーヴィスのことを思い出してほしい）、一般庶民をばかにするのを好むような社会批評家からも好まれている（たとえば「アメリカのニーチェ」と呼ばれた社会批評家のH・L・メンケンは、庶民のことを「まぬけ階級（booboisie）」〔boob（まぬけ）とbourgeoisie（ブルジョワジー）の混成語〕と呼んだ）。またアイン・ランド〔アメリカの小説家、思想家〕の利己主義の賛美、英雄[113]的資本家の神格化、福祉全般への蔑視にも、ニーチェの影響がはっきりと見て取れる（ランド自身はあとから隠そうとした）。

ムッソリーニの例でもわかるように、ニーチェはあちらこちらの相対主義者に刺激を与えた。また真実を追求しようとする科学者や啓蒙主義者を軽蔑し、「事実などありはしない。あるのは解釈だけだ」[114]、「真実とは、ある種の生物がそれなしには生きていけないような誤謬のことだ」などと断言した（ニーチェのいうとおりだとしたら、これらの主張が真である理由も説明できなくなるはずだが）。この二点、およびその他の理由から、ニーチェはマルティン・ハイデガー、ジャン＝ポール・サルトル、ジャック・デリダ、ミシェル・フーコーらの思想家に大きな影響を与え、実存主義、批判理論、ポスト構造主義、脱構築主義、ポストモダニズムをはじめとして、科学と客観性を批判する二〇世紀のあらゆる知的運動の父となった。

正当な評価のためにいっておくが、ニーチェは語り口の巧みな名文家である。したがって、芸術家や知識人がニーチェを好むのが、彼の堂々たる文章を評価するとか、彼の思考の描写を風刺的に解釈するといった意味でのことならば、認めることもできるだろう。ところが困ったことに、あまりにも多くの人々が、ニーチェの物の見方そのものをあまりにも安易に受け入れてきた。たとえば、二〇世紀の驚くほど多くの芸術家、知識人が全体主義的独裁者について熱く語ったのも、ニーチェの影響である。この症候群のことを、政治哲学者のマーク・リラは「僭主制愛好症（tyrannophilia）」と呼んでいる。[115] マルクス主義者も僭主制愛好家（tyrannophiles）の一部で、昔ながらの「あいつはろくでなしかもしれないが、少なくとも〝こっちの〟ろくでなしだから」という考え方で独裁者を受け入れた。だが僭主制愛好家の中心を占めるのは、なんといってもニーチェ哲学の信奉者である。その点で最も有名なのはマルティン・ハイデガーと法哲学者のカール・シュミットで、二人はナチス支持者、ヒトラー信奉者だった。

実のところ、二〇世紀の独裁者に、知識人の支持を受けていなかった人物などいない。ムッソリーニ（支持者はエズラ・パウンド、ショー、イェイツ、ルイス）も、レーニン（ショー、H・G・ウェルズ）も、スターリン（ショー、サルトル、ベアトリスとシドニーのウェッブ夫妻、ブレヒト、W・E・B・デュボイス、パブロ・ピカソ、リリアン・ヘルマン）も、毛沢東（サルトル、フーコー、デュボイス、ルイ・アルチュセール、スティーヴン・ローズ、リチャード・レウォンティン）も、ルーホッラー・ホメイニー（フーコー）も、カストロ（サルトル、グレアム・グリーン、ギュンター・グラス、ノーマン・メイラー、ハロルド・ピンター、そして第二一章で触れたスーザン・ソンタグ）もそうである。

また西側の知識人は機会あるごとに、ホー・チ・ミン、ムアンマル・カッザーフィー、サダム・フセイン、金日成《キムイルソン》、ポル・ポト、ジュリウス・ニエレレ、オマル・トリホス、スロボダン・ミロシェヴィッチ、ウゴ・チャベスを賛美してきた。

それにしても、なぜよりによって知識人や芸術家が、血なまぐさい独裁者に媚びへつらわなければならないのか。知識人なら率先して力の行使の口実を切り崩してみせるべきだし、芸術家なら率先して人間の共感の範囲を広げようとするべきではないのだろうか（幸いなことに、多くの知識人、芸術家はそうしている）。

この疑問に対して、経済学者のトマス・ソーウェルと社会学者のポール・ホランダーが提示した答えは、職業的ナルシシズムだった。自由民主主義国では、市民が市場や民間組織で必要を満たすことができるので、知識人と芸術家は自分たちの真価が認められていないと感じるのではないか。それに対して独裁国家では、独裁者がトップダウンで政策を実行に移すので、知識人と芸術家にもその価値に見合った役割が与えられる、という説明である。しかしながら、僭主制愛好家が糧としているのは〝価値に見合った役割〟だけではない。彼らは大衆に対するニーチェ的蔑視も糧としている（彼らにとっては腹立たしいことに、大衆は高尚な芸術文化より低俗なものを好むから）、超人への崇拝も糧としている（超人は民主主義の面倒な交渉や妥協を超越し、理想の社会像を果敢に実現していくから）。

ニーチェからトランプに至る二つのイデオロギー

ニーチェのロマン主義的ヒロイズムは、いかなる集団よりも単独の「超人」を上に置いて賛美するものだが、ニーチェのいう「他に秀でて強い個々の人間種」が部族、人種、国家のことだと解釈されるまでにたいして時間はかからなかった。そしてこの置き換えによって、ニーチェの思想はナチズム、ファシズム、その他の「ロマン主義的ナショナリズム」に取り込まれ、ある種の政治劇で主役を務めるようになり、それが今日まで続いている。

わたしは当初トランピズムのことを、純粋なイド〔精神分析の用語で、本能的衝動の源泉のこと〕だと思っていた。つまり、精神の暗い奥底から部族主義と権威主義が噴出したのだと考えていた。しかし、「狂気じみた権力者も、実は数年前のどこかの学者の駄文から発想を得て、それを狂気に変えただけ」（ケインズ）だとすれば、「トランピズムの知的ルーツ」という言い方も矛盾とはいえない。二〇一六年の大統領選挙のさいには、一三六人の「アメリカのための学者と作家」たちが連名で「統一声明」なるものを出し、トランプ支持を表明した[116]。署名者の一部は「トランピズムの知的基盤」と呼ばれる保守系シンクタンク、クレアモント研究所と関係がある[117]。またトランプに綿密な助言を提供してきたのはスティーヴン・バノンとマイケル・アントンだが、どちらも記事や論文が広く読まれているとの評判で、自分のことを本格派知識人だと思っている。

こうした面々の人物像の分析で満足せず、「権威主義的ポピュリズム」を本当に理解しようと思うなら、彼らの背後にある二つのイデオロギーに目を向けなければならない。どちらも啓蒙主義ヒューマニズムと真っ向から対立するイデオロギーで、それぞれ異なる形でニーチェの影響を受けている。一つはファシズム、もう一つは反動主義である。後者はよく左派が使う「わたしより保守的な人々」という意味合いではなく、本来の専門的な意味でいっている[118]（後述する）。

まずファシズムだが、これはイタリア語の「ファッショ」（集団、結束などの意味）が語源で、「個人というのは神話にすぎず、人々を文化、血統、母国から切り離すことはできない」というロマン主義的な考えから生まれた。[119] 近年、ヨーロッパのネオナチ政党、アメリカのバノンならびにオルタナ右翼運動によって再発見された、ユリウス・エヴォラ（一八九八―一九七四）やシャルル・モーラス（一八六八―一九五二）などの初期のファシストは、皆ニーチェの影響を受けていた。[120] また、権威主義的ポピュリズムやロマン主義的ナショナリズムに形を変えつつある今日のファシズム・ライト（Fascism Lite）は、「淘汰の単位は集団である」とか、「進化とは集団同士の競争のなかで最適集団が生き残ることをいう」とか、「人間は自分が属している集団の優位性のために個人の利益を犠牲にするべく淘汰されてきた」などといった粗悪な進化心理学によって正当化されることがある（進化心理学の主流は淘汰の単位を遺伝子と考えるもので、これらとはまったく異なる[121]）。

こうした考え方に立つと、人間は国家の一部にすぎないことになり、誰一人コスモポリタンにも世界市民にもなれなくなってしまう。また多文化、多民族の社会は機能しえないことになる。なぜならファシズムのもとでそのような社会に生きる人々は、自分は根無し草で、疎外されていると感じるようになり、その文化は最小の共通項のレベルにまで引き下げられてしまうからだ。同様に、国家が国際合意のために国益の一部を譲るのは、偉大な国家を目指す生得権を放棄して、世界を舞台とする「万人の万人に対する闘争」〔ホッブズ〕でばかを見ることだ、となってしまう。さらに、国家は有機的統一体なので、人民の魂を直接言葉にできるような偉大な指導者がいれば、その指導者に国家の偉大さを託すことができるため、行政国家〔行政が肥大した「大きな政府」〕の重荷から解放される、となってしまう。

次に反動主義だが、ここでいう反動主義は「テオコンサバティズム（神権保守主義）」のことである。[122]呼び方はふざけているが（信仰を捨てたデイモン・リンカーによる造語で、「ネオコンサバティズム（新保守主義）」をもじったもの）〔theocracy（神権政治）とconservatism（保守主義）の組み合わせ〕、意味するところはおふざけではない。最初のテオコンサバティスト（神権保守主義者、テオコン）は、一九六〇年代の急進派が、革命的情熱を燃やす場を極左から極右に変更したことで誕生した。テオコンの主張は、アメリカの政治秩序の根源にある啓蒙主義の見直しにほかならない。

たとえば彼らは次のように考える。生命、自由、幸福追求の権利についての国民の認識は生ぬるく、これらの権利を保障するための政府の権限も中途半端で、このままではアメリカ社会の道徳的存続が危うい。現に、啓蒙主義のお粗末なビジョンがこの国を導いた先には、アノミーと快楽主義と不道徳の蔓延（非嫡出子、ポルノ、問題を抱えた学校、福祉依存、中絶などを含む）しかなかった。このような発育不全の個人主義に甘んじることなく、社会はもっと高みを目指すべきである。そのために、われわれより偉大な存在が指し示す、より厳格な道徳規範を奨励するべきである。ここで彼らがいう道徳規範とは、もちろん伝統的なキリスト教のことだ。

テオコンによれば、啓蒙時代に教会の権威が衰えて、西洋文明は確かな道徳基盤を失った。さらに一九六〇年代にいっそう権威が損なわれたため、西洋文明は今や危機に瀕している。そもそも彼らの当初の予想では、西洋文明はクリントン政権時代に破局を迎えるはずだった。ところがそうならなかったので、彼らはこんどはオバマ政権時代に破滅するといい、それも外れると、ヒラリー・クリントン時代こそ間違いなく破滅の時となるだろうといった（そこでマイケル・アントンが書いたのが、第二〇章で紹介したヒステリックなエッセイ『93便選挙』[123]で、そこでアントンは9・11でハイジャックされたユナイテッド航空93便に国をなぞらえ、投票者に「操縦桿を奪え！　さもないと死ぬぞ！」と呼びかけたわけである）。テオコンも、二〇一六年に自分たちが推すことになった大統領候補の俗悪さと、反民主主義的で異様な言動には不安を抱いたかもしれない。だがそれよりも、アメリカを破滅から救う大転換を成し遂げる人間は彼以外にいない、という思いのほうが強かったのだろう。

マーク・リラは、テオコンサバティズムの皮肉についてこう指摘している。テオコンサバティズムはイスラム過激派の動きに煽られているが（テオコンはイスラム過激派が第三次世界大戦を始めると思っている）、この二つの勢力の反動的精神はそっくりで、どちらも現代性と進歩を恐れている。[124]そしてどちらもこう考えている。過去のある時代には、秩序立った幸せな社会が存在し、そこでは徳のある人々が身のほどをわきまえた暮らしをしていた。ところがその後、敵対する非宗教勢力によって秩序が乱され、社会は退廃と衰退の道をたどることになった。したがって、今の社会を立て直して黄金時代を取り戻すことができるのは、古き良き時代のやり方を記憶にとどめている英雄的指導者だけである。

トランピズムの思想基盤は論理的に破綻している

以上の思想史が、現在の出来事につながっていることを忘れてはならない。そのためにも、トランプが二〇一七年にパリ協定離脱を決めたことを心に留めておいていただきたい。この件でプレッシャーをかけたのはバノンで、他国との連携は、偉大な国を目指す国際競争では負けを意味するといってトランプを説得した(125)（トランプの移民敵視と貿易敵視も、その土台に同じ考え方がある）。ここまでリスクが高まっている今だからこそ、「ネオ＝テオ＝反動＝ポピュリズム的ナショナリズム」の擁護論がなぜ論理的に破綻しているかについて、改めて頭に入れておくべきだろう。十字軍、異端審問、魔女狩り、ヨーロッパの宗教戦争などをもたらした制度に、道徳の基盤を求めるのはばかげているというのはすでに述べたが、世界秩序とは単一民族国家が互いに対立する状態であるべきだという考えも同じようにばかげている。

まず、人が国家に対して一体感をもつのは生得的な要求であるという主張（つまりコスモポリタニズムは人間の本性に反するという主張）は、進化心理学の誤用である。先に誤りを指摘した、宗教に属するのは生得的な要求だという主張と同じことで、こうした考え方は人間の弱点を欲求と取り違えている。もちろん人間は自分の部族に連帯感を抱くが、わたしたちが生まれ持っている「部族」についての直観がどのようなものであれ、それは一六四八年のヴェストファーレン条約の歴史的遺物の一つである「国家」ではありえない（また「人種」でもありえない。わたしたちの進化上の祖先が別の人種に出会うことはめったになかった）。実際には、部族、内集団、提携といった認知カテゴリーは、抽象的かつ多次元的なものである。[126] 人は自分が数多くの重なり合った部族に属していると感じている。たとえば次のような集団（あるいは次のものを共有する集団、次のものに帰属する集団）のことだ。氏族、故郷、母国、第二の祖国、宗教、民族、母校、学生クラブ、政党、雇用主（職場）、活動団体、スポーツチーム、果てはカメラまで（部族主義の最たるものを見たければ、インターネットの掲示板で交わされている「ニコン対キヤノン」の激論を覗いてみればいい）。

確かに〝政治のセールスマン〟は、神話や図像を売り込んで人々を誘導し、特定の宗教を、民族を、あるいは国家を基本的アイデンティティだと思い込ませることができる。洗脳と強制をうまい具合に組み合わせれば、人々を使い捨ての兵士に仕立て上げることさえできる[127]。だからといって、ナショナリズムが人間の本能的欲求だということにはならない。誇り高きフランス人であると同時に欧州人となり、世界市民ともなることを妨げるものなど、人間の本性のなかには一つもない[128]。

また、民族的統一性が文化的優越につながるという考えも、はなはだしい誤解である。洗練されていないものを英語でprovincial（田舎くさい）とかparochial（教区の、偏狭な）といい、洗練されたものをurbane（都会的）とかcosmopolitan（国際的）というのにはそれなりのわけがある。どれほど優秀な人間でも、たった一人で価値あるものを生み出せるほど優秀ではない。天才的な人、あるいは優れた文化というのは、物事を集約したり、何かを真似して工夫したり、どこかからいいアイデアを拾ってくることに長《た》けているものだ。文化が活気にあふれるのは、人や発想が広範囲から大量に集まってくる場所と決まっている。人類の最初の大文明が、オーストラリアでもアフリカでもアメリカでもなく、ユーラシア大陸で誕生した理由はそこにある（トマス・ソーウェルの文化史に関する三冊の本と、ジャレド・ダイアモンドの『銃・病原菌・鉄』〔倉骨彰訳、草思社〕が明らかにしている[129]）。これまでに新しい文化が芽生えた場所が、主要な陸路や海路・水路を擁する交易都市ばかりだったのも、同じ理由で説明できる[130]。また、人類が大昔から、より良い暮らしができるところを求めて移動しつづけてきた理由もそれでわかる。根を張るのは木だ。人間には足がある。

そしてもう一つ、そもそもなぜ国際組織やグローバル意識が生まれたのか、その背景も忘れてはならない。一八〇三年〔ナポレオン戦争〕から一九四五年まで、世界は「偉大さを求めて果敢に奮闘する」国民国家による国際秩序を築こうと試行錯誤した。だがあまりうまくいかず、西洋諸国は互いに戦争を繰り返すことになった（死者数千万人）。それにもかかわらず、反動的右派はそのような国際秩序に戻ろうとしていて、しかもそのための口実として、イスラム教徒が西洋に対して「戦争」（死者数百人）をしかけていると半狂乱になってわめいているのだから、これほどおかしな話はない。一九四五年以降、世界の指導者たちは「あんなことはもうやめよう」といい、ナショナリズムの重視をやめ、普遍的人権、国際法、国際組織へと舵を切った。その結果が、第一一章で見たあのヨーロッパの、またその他の地域へも徐々に広がっていった、七〇年に及ぶ平和と繁栄である。

では、啓蒙主義など「一瞬の幕間」にすぎないといったコラムニストたちの嘆きはどう考えればいいだろうか。ネオファシズム、新反動主義、その他の二一世紀初頭の反動的な動きについていえば、どうやら「一瞬の幕間」は彼らの墓碑銘に刻まれることになりそうだ。二〇一七年のヨーロッパ諸国の選挙と、トランプ政権の自滅的な暴走ぶりを見ると、ポピュリズムがすでにピークに達した可能性もある。また第二〇章で述べたように、人口動態から考えてもポピュリズム運動に未来はない。ニュースの見出しとは裏腹に、民主主義（第一四章）と解放的価値観（第一五章）に関する数字は長いエスカレーターに乗って良いほうへと向かっていて、にわかに後退する気配はない。人と思想の流れを止めることができない世界で、コスモポリタニズムと国際協力のメリットを長期にわたって否定しつづけることなどできはしない。

啓蒙主義の理念はつねに擁護を必要としている

ヒューマニズムの正当性の道徳的および理性的な裏付けは、すでに圧倒的なものだとわたしは考えている。だが人の心に訴えかけるという点では、宗教、ナショナリズム、ロマン主義的ヒロイズムに及ばないのではないかと危惧する人もいるだろう。

では啓蒙主義は、人間の基本的欲求に訴えかけられないから、いずれ負けてしまうのだろうか？　ヒューマニストも伝道集会を開き、スピノザの『エチカ』（畠中尚志訳、岩波文庫）で説教台を叩いたり〔本来の言い回しは「聖書で説教台を叩く」で、しつこく入信を勧めること〕、聴衆を恍惚とさせ白目をむかせたり、ラテン語ではなくエスペラント語〔母国語の違う人同士で話すため、一八八〇年代につくられた人工言語〕で何やら唱えたりするべきだろうか？　ヒューマニストも大決起集会を計画し、カラーシャツの若者がジョン・スチュアート・ミルの巨大なポスターに敬礼するような場をつくるべきなのだろうか？

わたしはそうは思わない。もう一度いうが、人間の弱点と欲求を取り違えてはいけない。デンマーク、ニュージーランドなどの幸福度の高い国々の市民は、そのような感情爆発の場がなくても幸せに暮らしている。国際的で非宗教的な民主主義の恩恵は、見ようと思えば誰にでも見えるし、誰にでもわかるはずである。

とはいえ、反動的精神が人々の心をつかみやすいのも事実なのだから、理性、科学、ヒューマニズム、進歩の擁護も手を抜くわけにはいかない。どれほど努力して得た進歩でも、人々がそれを認識しなくなると、いつのまにか当たり前のものになってしまう。そして、整った秩序や広範囲に行きわたった繁栄があまりにも当たり前になると、わたしたちは当たり前を奪うすべての問題に腹を立てるようになり、誰かのせいにして責め立てたり、制度を破壊したり、「この国の本来の偉大さを取り戻す」という指導者に権限を与えたくなったりする。わたしは本書でわたしなりに、進歩とそれを可能にした理念を擁護してきた。またジャーナリストや知識人、その他の思慮深い人々（本書の読者も含めて）に向けて、啓蒙主義の成果を無視する今の風潮にどうしたら手を貸さずにすむかについて、できるかぎりの示唆をしたつもりだ。

数学を忘れないでほしい――逸話が世界の趨勢を表しているとはかぎらない。歴史を忘れないでほしい――今何かがうまくいかないからといって、昔はもっとうまくいっていたとはかぎらない。哲学を忘れないでほしい——理性などないと論証することはできないし、神がそういったからという理由で、何かが真である、善であるということはできない。心理学を忘れないでほしい——知っていると思っていることが、すべて正しいとはかぎらない。誰もが知っているつもりになっていることなら、なおさらである。

事実を正しくとらえよう。すべての問題が「危機的状況、大災厄、異常発生、存亡の危機」というわけではない。すべての変化が「何々の終焉、何々の死、ポスト何とか時代の夜明け」というわけではない。悲観主義と洞察の深さを混同してはならない——問題は決してなくならないが、解決は可能である。一つ失敗するたびに社会が病んでいると診断するのは、冷静さを欠く大仰な振る舞いだ。そして、ニーチェを切り捨てること。彼の思想は先鋭的で、本物で、〝イケてる〟ように思え、一方ヒューマニズムは間が抜けて、時代遅れで、〝ダサい〟ように思えるかもしれない。しかし、平和と、愛と、理解の、いったいどこが滑稽だというのだろうか。

今この時代に啓蒙主義を擁護することは、誤りを指摘する、あるいはデータを広めるだけにとどまるものではない。それは人々を鼓舞することでもありうるので、わたしよりも芸術的才能や表現力のある人々が、もっとうまく語ってくれたら、そしてもっと多くの人に広めてくれたらと願っている。人類の進歩こそが真に英雄的な物語なのだから。この物語は壮大で、希望にあふれている。あえていうなら、スピリチュアルでさえある。その物語とは、つまり次のようなことだ。

わたしたちは無情な宇宙に生まれ、生存可能な秩序を維持できる確率が低すぎるという事実により、常に崩壊の危険にさらされている。わたしたちは容赦ない競争のなかで形作られてきた。そして、わたしたちは「曲がった木」でできていて〔カントの言葉。第二一章参照〕、幻想を抱きがちで、利己主義に走りがちで、時にあきれるほど愚かだ。

それでも人間の本性には、不利な条件のなかで道を切り開く能力が備わっている。わたしたちは思考をフィードバックさせて組み合わせることができ、自分の考えについて自分で考えることができる。わたしたちには言語を習得する本能があり、経験や発想を他者と共有することができる。わたしたちは共感力――他者を哀れみ、想像し、思いやり、同情する力――を備えていて、そのおかげで心に深みをもつ。

こうした資質のおかげで、わたしたちはこれらの資質そのものをさらに強化することもできた。たとえば、言語が及ぶ範囲は、文字、印刷、デジタル化によって広がってきた。共感の輪は、歴史、ジャーナリズム、物語芸術によって広がってきた。そして貧弱な理性能力も、理性が生み出した規範や制度によって――知的好奇心、開かれた議論、権威やドグマに対する懐疑的姿勢、考えを現実と突き合わせて確認する立証責任などによって――高められてきた。

わたしたちは常に、わたしたちを打ち砕こうとする力――なかでもわたしたち自身の本性の闇の部分――との戦いを強いられているが、改善のフィードバックに弾みをつけることによってどうにか勝ちを収めてきた。わたしたちはこの宇宙の数々の謎に分け入り、生命や心についても理解を深めつつある。わたしたちの寿命は延び、苦しみは軽減され、より多くを学ぶようになり、より賢くなり、そしてより多くの小さな喜びや豊かな経験を楽しむようになっている。他の人間に命を奪われ、襲われ、奴隷にされ、抑圧され、搾取される人は以前より少なくなった。わずかなオアシスから始まった平和と繁栄の地は、拡大し、地球の各地へと広がり、いつの日か地球全体を覆うことも考えられるほどになっている。無論、まだ多くの苦しみが残っているし、大きな危機もある。だがそれらについても対応策の一部はすでに考え出されているし、これからも次々と、無数の考えが生み出されることだろう。

わたしたちが完璧な世界を手に入れることは決してないし、そんなものを求めるのは危険だと考えるべきだ。だが、わたしたちが人類の繁栄のために知識を使うことをやめないかぎり、人類の向上に限界はない。

この英雄的な物語は、新たな神話ではない。神話はフィクションだが、これは真実の物語である。真実というのは、最善の知識という意味であり、それはわたしたちが手にできる唯一の真実でもある。そしてそれを信じるのは、わたしたちにそれを信じる「理性」があるからだ。これからさらに学ぶにつれて、わたしたちはこの物語のどこが真実でありつづけ、どこが誤りとして正されるべきかも示せるようになる。今の時点ではこの物語のどの部分も、前者あるいは後者になる可能性がある。

またこの物語は特定の部族のものではなく、人類全体の物語である。理性の力と、生きようとする衝動を備えた、すべての「感覚をもつ存在」のための物語である。なぜならこの物語に必要なのは、死より生が、病気より健康が、欠乏より潤沢が、抑圧より自由が、苦しみより幸福が、そして迷信や無知より知がいいという信念だけなのだから。

索　引

［カ行］

[サ行]

[タ行]

[ナ行]

[ハ行]

[マ行]

[ヤ行]

[ラ行]

[ワ行]

[A—Z]

参考文献

・Abrahms, M. 2006. Why terrorism does not work. *International Security, 31*, 42–78.
・Abrahms, M. 2012. The political effectiveness of terrorism revisited. *Comparative Political Studies, 45*, 366–93.
・Abrams, S. 2016. Professors moved left since 1990s, rest of country did not. *Heterodox Academy*. http://heterodoxacademy.org/2016/01/09/professors-moved-left-but-country-did-not/.
・Abt, T., & Winship, C. 2016. *What works in reducing community violence: A meta-review and field study for the Northern Triangle*. Washington: US Agency for International Development.
・Acemoglu, D., & Robinson, J. A. 2012. *Why nations fail: The origins of power, prosperity, and poverty*. New York: Crown.（ダロン・アセモグル／ジェイムズ・A・ロビンソン『国家はなぜ衰退するのか――権力・繁栄・貧困の起源』〈上・下巻〉鬼澤忍訳、早川書房、2016年）
・Achen, C. H., & Bartels, L. M. 2016. *Democracy for realists: Why elections do not produce responsive government*. Princeton, NJ: Princeton University Press.
・Adriaans, P. 2013. Information. In E. N. Zalta, ed., *Stanford Encyclopedia of Philosophy*. http://plato.stanford.edu/archives/fall2013/entries/information/.【スタンフォード哲学百科事典】
・Ægisdóttir, S., White, M. J., Spengler, P. M., Maugherman, A. S., Anderson, L. A., et al. 2006. The Meta-Analysis of Clinical Judgment Project: Fifty-six years of accumulated research on clinical versus statistical prediction. *The Counseling Psychologist, 34*, 341–82.
・Aguiar, M., & Hurst, E. 2007. Measuring trends in leisure: The allocation of time over five decades. *Quarterly Journal of Economics, 122*, 969–1006.
・Ajdacic-Gross, V., Bopp, M., Gostynski, M., Lauber, C., Gutzwiller, F., & Rössler, W. 2006. Age–period–cohort analysis of Swiss suicide data, 1881–2000. *European Archives of Psychiatry and Clinical Neuroscience, 256*, 207–14.
・Al-Khalili, J. 2010. *Pathfinders: The golden age of Arabic science*. New York: Penguin.
・Alesina, A., Glaeser, E. L., & Sacerdote, B. 2001. Why doesn't the United States have a European-style welfare state? *Brookings Papers on Economic Activity, 2*, 187–277.
・Alexander, A. C., & Welzel, C. 2011. Islam and patriarchy: How robust is

Muslim support for patriarchal values? *International Review of Sociology, 21*, 249–75.
・Alexander, S. 2016. You are still crying wolf. *Slate Star Codex*, Nov.16. http://slatestarcodex.com/2016/11/16/you-are-still-crying-wolf/.
・Alferov, Z. I., Altman, S., & 108 other Nobel Laureates. 2016. Laureates letter supporting precision agriculture (GMOs). http://supportprecisionagriculture.org/nobel-laureate-gmo-letter_rjr.html.
・Allen, P. G. 2011. The singularity isn't near. *Technology Review*, Oct. 12.
・Allen, W. 1987. *Hannah and her sisters*. New York: Random House.
・Alrich, M. 2001. History of workplace safety in the United States, 1880–1970. In R. Whaples, ed., *EH.net Encyclopedia*. http://eh.net/encyclopedia/history-of-workplace-safety-in-the-united-states-1880-1970/.
・Amabile, T. M. 1983. Brilliant but cruel: Perceptions of negative evaluators. *Journal of Experimental Social Psychology, 19*, 146–56.
・American Academy of Arts and Sciences. 2015. *The heart of the matter: The humanities and social sciences for a vibrant, competitive, and secure nation*. Cambridge, MA: American Academy of Arts and Sciences.
・American Association of University Professors. 2006. *Research on human subjects: Academic freedom and the institutional review board*. https://www.aaup.org/report/research-human-subjects-academic-freedom-and-institutional-review-board.
・American Humanist Association. 1933/1973. *Humanist Manifesto I*. https://americanhumanist.org/what-is-humanism/manifesto1/.
・American Humanist Association. 1973. *Humanist Manifesto II*. https://americanhumanist.org/what-is-humanism/manifesto2/.
・American Humanist Association. 2003. *Humanism and its aspirations: Humanist Manifesto III*. http://americanhumanist.org/humanism/humanist_manifesto_iii.
・Anderson, J. R. 2007. *How can the human mind occur in the physical universe?* New York: Oxford University Press.（Jhon R. Anderson『認知モデリング—— ACT-R 理論に基づく心の解明』林勇吾訳、共立出版、2021年）
・Anderson, R. L. 2017. Friedrich Nietzsche. In E. N. Zalta, ed., *Stanford Encyclopedia of Philosophy*. https://plato.stanford.edu/entries/nietzsche/.
・Appiah, K. A. 2006. *Cosmopolitanism: Ethics in a world of strangers*. New York: Norton.
・Appiah, K. A. 2010. *The honor code: How moral revolutions happen*. New York: Norton.
・Ariely, D. 2010. *Predictably irrational: The hidden forces that shape our decisions* (rev. ed.). New York: HarperCollins.（ダン・アリエリー『予想どおりに不合理——行動経済学が明かす「あなたがそれを選ぶわけ」』熊

谷淳子訳、早川書房、2008年／2013年）
・Armitage, D., Bhabha, H., Dench, E., Hamburger, J., Hamilton, J., et al. 2013. *The teaching of the arts and humanities at Harvard College: Mapping the future*. https://harvardmagazine.com/sites/default/files/Mapping%20the%20Future%20of%20the%20Humanities.pdf.
・Arrow, K., Jorgenson, D., Krugman, P., Nordhaus, W., & Solow, R. 1997. The economists' statement on climate change. *Redefining Progress*. http://rprogress.org/publications/1997/econstatement.htm.
・Asafu-djaye, J., Blomqvist, L., Brand, S., DeFries, R., Ellis, E., et al. 2015. *An Ecomodernist Manifesto*. http://www.ecomodernism.org/manifesto-english/.（現代的環境主義宣言https://ecomodernistmanifesto.squarespace.com/nihongo）
・Asal, V., & Pate, A. 2005. The decline of ethnic political discrimination, 1950–2003. In M. G. Marshall & T. R. Gurr, eds., *Peace and conflict 2005: A global survey of armed conflicts, self-determination movements, and democracy*. College Park: Center for International Development and Conflict Management, University of Maryland.
・Atkins, P. 2007. *Four laws that drive the universe*. New York: Oxford University Press.（ピーター・アトキンス『万物を駆動する四つの法則——科学の基本、熱力学を究める』斉藤隆央訳、早川書房、2009年）
・Atkinson, A. B., Hasell, J., Morelli, S., & Roser, M. 2017. *The chartbook of economic inequality*. https://www.chartbookofeconomicinequality.com/.
・Atran, S. 2002. *In gods we trust: The evolutionary landscape of religion*. New York: Oxford University Press.
・Atran, S. 2003. Genesis of suicide terrorism. *Science, 299*, 1534–39.
・Atran, S. 2007. Research police—how a university IRB thwarts understanding of terrorism. *Institutional Review Blog*. http://www.institutionalreviewblog.com/2007/05/scott-atran-research-police-how.html.
・Ausubel, J. H. 1996. The liberation of the environment. *Daedalus, 125*, 1–18.
・Ausubel, J. H. 2007. Renewable and nuclear heresies. *International Journal of Nuclear Governance, Economy, and Ecology, 1*, 229–43.
・Ausubel, J. H. 2015. *Nature rebounds*. San Francisco: Long Now Foundation. https://phe.rockefeller.edu/docs/Nature_Rebounds.pdf.
・Ausubel, J. H., & Grübler, A. 1995. Working less and living longer: Long-term trends in working time and time budgets. *Technological Forecasting and Social Change, 50*, 195–213.
・Ausubel, J. H., & Marchetti, C. 1998. Wood's H:C ratio. https://phe.rockefeller.edu/docs/WoodsHtoCratio.pdf.
・Ausubel, J. H., Wernick, I. K., & Waggoner, P. E. 2012. Peak farmland and the prospect for land sparing. *Population and Development Review, 38*,

221–242.
・Autor, D. H. 2014. Skills, education, and the rise of earnings inequality among the "other 99 percent." *Science, 344*, 843–51.
・Aviation Safety Network. 2017. Fatal airliner (14+ passengers) hull-loss accidents. https://aviation-safety.net/statistics/period/stats.php?cat=A1.
・Bailey, R. 2015. *The end of doom: Environmental renewal in the 21st century*. New York: St. Martin's Press.
・Balmford, A. 2012. *Wild hope: On the front lines of conservation success*. Chicago: University of Chicago Press.
・Balmford, A., & Knowlton, N. 2017. Why Earth Optimism? *Science, 356*, 225.
・Banerjee, A. V., & Duflo, E. 2011. *Poor economics: A radical rethinking of the way to fight global poverty*. New York: PublicAffairs.（アビジット・V・バナジー／エステル・デュフロ『貧乏人の経済学――もういちど貧困問題を根っこから考える』山形浩生訳、みすず書房、2012年）
・Barber, N. 2011. A cross-national test of the uncertainty hypothesis of religious belief. *Cross-Cultural Research, 45*, 318–33.
・Bardo, A. R., Lynch, S. M., & Land, K. C. 2017. The importance of the Baby Boom cohort and the Great Recession in understanding age, period, and cohort patterns in happiness. *Social Psychological and Personality Science, 8*, 341–50.
・Bardon, A. (Undated.) Transcendental arguments. *Internet Encyclopedia of Philosophy*. http://www.iep.utm.edu/trans-ar/.
・Barlow, D. H., Bullis, J. R., Comer, J. S., & Ametaj, A. A. 2013. Evidence-based psychological treatments: An update and a way forward. *Annual Review of Clinical Psychology, 9*, 1–27.
・Baron, J. 1993. Why teach thinking? *Applied Psychology, 42*, 191–237.
・Basu, K. 1999. Child labor: Cause, consequence, and cure, with remarks on international labor standards. *Journal of Economic Literature, 37*, 1083–1119.
・Bauman, Z. 1989. *Modernity and the Holocaust*. Cambridge, UK: Polity.（ジークムント・バウマン『近代とホロコースト』森田典正訳、大月書店、2006年）
・Baumard, N., Hyafil, A., Morris, I., & Boyer, P. 2015. Increased affluence explains the emergence of ascetic wisdoms and moralizing religions. *Current Biology, 25*, 10–15.
・Baumeister, R. 2015. Machines think but don't want, and hence aren't dangerous. *Edge*. https://www.edge.org/response-detail/26282.
・Baumeister, R., Bratslavsky, E., Finkenauer, C., & Vohs, K. D. 2001. Bad is stronger than good. *Review of General Psychology, 5*, 323–70.
・Baumeister, R., Vohs, K. D., Aaker, J. L., & Garbinsky, E. N. 2013. Some key

differences between a happy life and a meaningful life. *Journal of Positive Psychology, 8*, 505–16.
・Baxter, A. J., Scott, K. M., Ferrari, A. J., Norman, R. E., Vos, T., et al. 2014. Challenging the myth of an "epidemic" of common mental disorders: Trends in the global prevalence of anxiety and depression between 1990 and 2010. *Depression and Anxiety, 31*, 506–16.
・Bean, L., & Teles, S. 2016. God and climate. *Democracy: A Journal of Ideas, 40*.
・Beaver, K. M., Schwartz, J. A., Nedelec, J. L., Connolly, E. J., Boutwell, B. B., et al. 2013. Intelligence is associated with criminal justice processing: Arrest through incarceration. *Intelligence, 41*, 277–88.
・Beaver, K. M., Vaughn, M. G., DeLisi, M., Barnes, J. C., & Boutwell, B. B. 2012. The neuropsychological underpinnings to psychopathic personality traits in a nationally representative and longitudinal sample. *Psychiatric Quarterly, 83*, 145–59.
・Behavioral Insights Team. 2015. *EAST: Four simple ways to apply behavioral insights*. London: Behavioral Insights.
・Benda, J. 1927/2006. *The treason of the intellectuals*. New Brunswick, NJ: Transaction.（ジュリアン・バンダ『知識人の裏切り』宇京頼三訳、未來社、1990年）
・Benedek, T. G., & Erlen, J. 1999. The scientific environment of the Tuskegee Study of Syphilis, 1920–1960. *Perspectives in Biology and Medicine, 43*, 1–30.
・Berlin, I. 1979. The Counter-Enlightenment. In I. Berlin, ed., *Against the current: Essays in the history of ideas*. Princeton, NJ: Princeton University Press.（アイザイア・バーリン『ロマン主義と政治』〈バーリン選集３〉福田歓一・河合秀和編、岩波書店、2017年）
・Berlin, I. 1988/2013. The pursuit of the ideal. In I. Berlin, ed., *The crooked timber of humanity*. Princeton, NJ: Princeton University Press.（アイザイア・バーリン『理想の追求』〈バーリン選集４〉福田歓一・河合秀和・田中治男・松本礼二訳、岩波書店、2017年）
・Berman, P. 2010. *The flight of the intellectuals*. New York: Melville House.
・Bernanke, B. S. 2016. How do people really feel about the economy? *Brookings Blog*. https://www.brookings.edu/blog/ben-bernanke/2016/06/30/how-do-people-really-feel-about-the-economy/.
・Berry, K., Lewis, P., Pelopidas, B., Sokov, N., & Wilson, W. 2010. *Delegitimizing nuclear weapons: Examining the validity of nuclear deterrence*. Monterey, CA: Monterey Institute of International Studies.
・Besley, T. & Kudamatsu, M. 2006. Health and democracy. *American Economic Review, 96*, 313–18.
・Bettmann, O. L. 1974. *The good old days—they were terrible!* New York:

Random House.（オットー・L・ベットマン『目で見る金ぴか時代の民衆生活——古き良き時代の悲惨な事情』山越邦夫・斎藤美加訳、草風館、1999年）
・Betzig, L. 1986. *Despotism and differential reproduction*. Hawthorne, NY: Aldine de Gruyter.
・Bird, A. 2011. Thomas Kuhn. In E. N. Zalta, ed., *Stanford Encyclopedia of Philosophy*. https://plato.stanford.edu/entries/thomas-kuhn/.
・Blackmore, S. 1991. Near-death experiences: In or out of the body? *Skeptical Inquirer, 16*, 34–45.
・Blair, J. P., & Schweit, K. W. 2014. *A study of active shooter incidents, 2000–2013*. Washington: Federal Bureau of Investigation.
・Blees, T. 2008. *Prescription for the planet: The painless remedy for our energy and environmental crises*. North Charleston, SC: Booksurge.
・Blight, J. G., Nye, J. S., & Welch, D. A. 1987. The Cuban Missile Crisis revisited. *Foreign Affairs, 66*, 170–88.
・Blinkhorn, S. 1982. Review of S. J. Gould's "The mismeasure of man." *Nature, 296*, 506.
・Block, N. 1986. Advertisement for a semantics for psychology. In P. A. French, T. E. Uehling, & H. K. Wettstein, eds., *Midwest studies in philosophy: Studies in the philosophy of mind* (vol. 10). Minneapolis: University of Minnesota Press.
・Block, N. 1995. On a confusion about a function of consciousness. *Behavioral and Brain Sciences, 18*, 227–87.
・Bloom, P. 2012. Religion, morality, evolution. *Annual Review of Psychology, 63*, 179–99.
・Bloomberg, M., & Pope, C. 2017. *Climate of hope: How cities, businesses, and citizens can save the planet*. New York: St. Martin's Press.（マイケル・ブルームバーグ／カール・ポープ『HOPE——都市・企業・市民による気候変動総力戦』国谷裕子監訳、大里真理子訳、ダイヤモンド社、2018年）
・Bluth, C. 2011. *The myth of nuclear proliferation*. School of Politics and International Studies, University of Leeds.
・Bohle, R. H. 1986. Negativism as news selection predictor. *Journalism Quarterly, 63*, 789–96.
・Bond, M. 2009. Risk school. *Nature, 461*, 1189–92.
・Bostrom, A., Morgan, M. G., Fischhoff, B., & Read, D. 1994. What do people know about global climate change? 1. Mental models. *Risk Analysis, 14*, 959–71.
・Bostrom, N. 2016. *Superintelligence: Paths, dangers, strategies*. New York: Oxford University Press.（ニック・ボストロム『スーパーインテリジェンス——超絶AIと人類の命運』倉骨彰訳、日本経済新聞出版社、2017年）
・Botello, M. A. 2016. Mexico, tasa de homicidios por 100 mil habitantes desde

1931 a 2015. *MexicoMaxico*. http://www.mexicomaxico.org/Voto/Homicidios100M.htm.
· Bourget, D., & Chalmers, D. J. 2014. What do philosophers believe? *Philosophical Studies, 170*, 465-500.
· Bourguignon, F., & Morrisson, C. 2002. Inequality among world citizens, 1820-1992. *American Economic Review, 92*, 727-44.
· Bowering, G. 2015. *Islamic political thought: An introduction*. Princeton, NJ: Princeton University Press.
· Boyd, B., Carroll, J., & Gottschall, J., eds. 2010. *Evolution, literature, and film: A reader*. New York: Columbia University Press.
· Boyd, R. 1988. How to be a moral realist. In G. Sayre-McCord, ed., *Essays on moral realism*. Ithaca, NY: Cornell University Press.
· Boyer, Pascal. 2001. *Religion explained: The evolutionary origins of religious thought*. New York: Basic Books.（パスカル・ボイヤー『神はなぜいるのか？』鈴木光太郎・中村潔訳、NTT 出版、2008年）
· Boyer, Paul. 1985/2005. *By the bomb's early light: American thought and culture at the dawn of the Atomic Age*. Chapel Hill: University of North Carolina Press.
· Boyer, Paul. 1986. A historical view of scare tactics. *Bulletin of the Atomic Scientists*, 17-19.
· Braithwaite, J. 2008. Near death experiences: The dying brain. *Skeptic, 21* (2). http://www.critical-thinking.org.uk/paranormal/near-death-experiences/the-dying-brain.php.
· Braman, D., Kahan, D. M., Slovic, P., Gastil, J., & Cohen, G. L. 2007. The Second National Risk and Culture Study: Making sense of — and making progress in—the American culture war of fact. *GW Law Faculty Publications and Other Works, 211*. http://scholarship.law.gwu.edu/faculty_publications/211.
· Branch, T. 1988. *Parting the waters: America in the King years, 1954-63*. New York: Simon & Schuster.
· Brand, S. 2009. *Whole Earth discipline: Why dense cities, nuclear power, transgenic crops, restored wildlands, and geoengineering are necessary*. New York: Penguin.（スチュアート・ブランド『地球の論点——現実的な環境主義者のマニフェスト』仙名紀訳、英治出版、2011年）
· Branwen, G. 2016. Terrorism is not effective. *Gwern.net*. https://www.gwern.net/Terrorism-is-not-Effective.
· Braudel, F. 2002. *Civilization and capitalism, 15th-18th century* (vol. 1: *The structures of everyday life*). London: Phoenix Press.（フェルナン・ブローデル『日常性の構造 1——物質文明・経済・資本主義——15-18世紀』村上光彦訳、みすず書房、1985年）
· Bregman, A. S. 1990. *Auditory scene analysis: The perceptual organization*

of sound. Cambridge, MA: MIT Press.
・Bregman, R. 2016. *Utopia for realists: The case for a universal basic income, open borders, and a 15-hour workweek*. Boston: Little, Brown.（ルトガー・ブレグマン『隷属なき道—— AIとの競争に勝つベーシックインカムと一日三時間労働』野中香方子訳、文藝春秋、2017年）
・Brennan, J. 2016. Against democracy. *National Interest*, Sept. 7.
・Brickman, P., & Campbell, D. T. 1971. Hedonic relativism and planning the good society. In M. H. Appley, ed., *Adaptation-level theory: A symposium*. New York: Academic Press.
・Briggs, J. C. 2015. Re: Accelerated modern human-induced species losses: Entering the sixth mass extinction. *Science*. http://advances.sciencemag.org/content/1/5/e1400253.e-letters.
・Briggs, J. C. 2016. Global biodiversity loss: Exaggerated versus realistic estimates. *Environmental Skeptics and Critics, 5*, 20–27.
・Brink, D. O. 1989. *Moral realism and the foundations of ethics*. New York: Cambridge University Press.
・British Petroleum. 2016. *BP Statistical Review of World Energy 2016*, June.
・Brockman, J. 1991. The third culture. *Edge*. https://www.edge.org/conversation/john_brockman-the-third-culture.
・Brockman, J., ed. 2003. *The new humanists: Science at the edge*. New York: Sterling.
・Brockman, J., ed. 2015. *What to think about machines that think? Today's leading thinkers on the age of machine intelligence*. New York: HarperPerennial.
・Brooks, R. 2015. Mistaking performance for competence misleads estimates of AI's 21st century promise and danger. *Edge*. https://www.edge.org/response-detail/26057.
・Brooks, R. 2016. Artificial intelligence. *Edge*. https://www.edge.org/response-detail/26678.
・Brown, A., & Lewis, J. 2013. Reframing the nuclear de-alerting debate: Towards maximizing presidential decision time. *Nuclear Threat Initiative*. http://nti.org/3521A.
・Brown, D. E. 1991. *Human universals*. New York: McGraw-Hill.（ドナルド・E・ブラウン『ヒューマン・ユニヴァーサルズ——文化相対主義から普遍性の認識へ』鈴木光太郎・中村潔訳、新曜社、2002年）
・Brown, D. E. 2000. Human universals and their implications. In N. Roughley, ed., *Being humans: Anthropological universality and particularity in transdisciplinary perspectives*. New York: Walter de Gruyter.
・Brunnschweiler, C. N., & Lujala, P. 2015. Economic backwardness and social tension. University of East Anglia. https://ideas.repec.org/p/uea/aepppr/2012_72.html.

· Bryce, R. 2014. *Smaller faster lighter denser cheaper: How innovation keeps proving the catastrophists wrong*. New York: Perseus.

· Brynjolfsson, E., & McAfee, A. 2015. Will humans go the way of horses? *Foreign Affairs*, July/Aug.

· Brynjolfsson, E., & McAfee, A. 2016. *The Second Machine Age: Work, progress, and prosperity in a time of brilliant technologies*. New York: Norton.（エリック・ブリニョルフソン／アンドリュー・マカフィー『ザ・セカンド・マシン・エイジ』村井章子訳、日経 BP 社、2015年）

· *Bulletin of the Atomic Scientists*. 2017. Doomsday Clock timeline. http://thebulletin.org/timeline.

· Bunce, V. 2017. The prospects for a color revolution in Russia. *Daedalus, 146*, 19–29.

· Bureau of Labor Statistics. 2016a. Census of fatal occupational injuries. https://www.bls.gov/iif/oshcfoi1.htm.

· Bureau of Labor Statistics. 2016b. Charts from the American Time Use Survey. https://www.bls.gov/tus/charts/.

· Bureau of Labor Statistics. 2016c. Time spent in primary activities and percent of the civilian population engaging in each activity, averages per day by sex, 2015. https://www.bls.gov/news.release/atus.t01.htm.

· Bureau of Labor Statistics. 2017. College enrollment and work activity of 2016 high school graduates. https://www.bls.gov/news.release/hsgec.nr0.htm.

· Buringh, E., & van Zanden, J. 2009. Charting the "rise of the West": Manuscripts and printed books in Europe, a long-term perspective from the sixth through eighteenth centuries. *Journal of Economic History, 69*, 409–45.

· Burney, D. A., & Flannery, T. F. 2005. Fifty millennia of catastrophic extinctions after human contact. *Trends in Ecology and Evolution, 20*, 395–401.

· Burns, J. 2009. *Goddess of the market: Ayn Rand and the American right*. New York: Oxford University Press.

· Burtless, G. 2014. Income growth and income inequality: The facts may surprise you. *Brookings Blog*. https://www.brookings.edu/opinions/income-growth-and-income-inequality-the-facts-may-surprise-you/.

· Buturovic, Z., & Klein, D. B. 2010. Economic enlightenment in relation to college-going, ideology, and other variables: A Zogby survey of Americans. *Economic Journal Watch, 7*, 174–96.

· Caplan, B. 2007. *The myth of the rational voter: Why democracies choose bad policies*. Princeton, NJ: Princeton University Press.（ブライアン・カプラン『選挙の経済学――投票者はなぜ愚策を選ぶのか』長峯純一・奥井克美監訳、日経 BP 社、2009年）

・Caplow, T., Hicks, L., & Wattenberg, B. 2001. *The first measured century: An illustrated guide to trends in America, 1900-2000*. Washington: AEI Press.
・CarbonBrief. 2016. Explainer: 10 ways "negative emissions" could slow climate change. https://www.carbonbrief.org/explainer-10-ways-negative-emissions-could-slow-climate-change.
・Carey, J. 1993. *The intellectuals and the masses: Pride and prejudice among the literary intelligentsia, 1880-1939*. New York: St. Martin's Press.（ジョン・ケアリ『知識人と大衆——文人インテリゲンチャにおける高慢と偏見——1880-1939年』東郷秀光訳、大月書店、2000年）
・Carey, M., Jackson, M., Antonello, A., & Rushing, J. 2016. Glaciers, gender, and science. *Progress in Human Geography, 40,* 770-93.
・Carey, S. 2009. *The origin of concepts*. Cambridge, MA: MIT Press.
・Carlson, R. H. 2010. *Biology is technology: The promise, peril, and new business of engineering life*. Cambridge, MA: Harvard University Press.
・Carroll, S. M. 2016. *The big picture: On the origins of life, meaning, and the universe itself*. New York: Dutton.（ショーン・キャロル『この宇宙の片隅に——宇宙の始まりから生命の意味を考える50章』松浦俊輔訳、青土社、2017年）
・Carter, R. 1966. *Breakthrough: The saga of Jonas Salk*. Trident Press.
・Carter, S. B., Gartner, S. S., Haines, M. R., Olmstead, A. L., Sutch, R., et al., eds. 2006. *Historical statistics of the United States: Earliest times to the present* (vol. 1, part A: Population). New York: Cambridge University Press.
・Case, A., & Deaton, A. 2015. Rising morbidity and mortality in midlife among white non-Hispanic Americans in the 21st century. *Proceedings of the National Academy of Sciences, 112,* 15078-83.
・Center for Systemic Peace. 2015. Integrated network for societal conflict research data page. http://www.systemicpeace.org/inscrdata.html.
・Centers for Disease Control. 1999. Improvements in workplace safety—United States, 1900-1999. *CDC Morbidity and Mortality Weekly Report, 48,* 461-69.
・Centers for Disease Control. 2015. Injury prevention and control: Data and statistics (WISQARS). https://www.cdc.gov/injury/wisqars/.
・Central Intelligence Agency. 2016. The world factbook. https://www.cia.gov/library/publications/the-world-factbook/.
・Chalk, F., & Jonassohn, K. 1990. *The history and sociology of genocide: Analyses and case studies*. New Haven: Yale University Press.
・Chalmers, D. J. 1996. *The conscious mind: In search of a fundamental theory*. New York: Oxford University Press.（デイヴィッド・J・チャーマーズ『意識する心——脳と精神の根本理論を求めて』林一訳、白揚社、

2001年）
· Chang, L. T. 2009. *Factory girls: From village to city in a changing China.* New York: Spiegel & Grau.（レフリー・T・チャン『現代中国女工哀史』栗原泉訳、白水社、2010年）
· Chen, D. H. C., & Dahlman, C. J. 2006. *The knowledge economy, the KAM methodology and World Bank operations.* Washington: World Bank. http://documents.worldbank.org/curated/en/695211468153873436/The-knowledge-economy-the-KAM-methodology-and-World-Bank-operations.
· Chenoweth, E. 2016. Why is nonviolent resistance on the rise? *Diplomatic Courier.* http://www.diplomaticourier.com/2016/06/28/nonviolent-resistance-rise/.
· Chenoweth, E., & Stephan, M. J. 2011. *Why civil resistance works: The strategic logic of nonviolent conflict.* New York: Columbia University Press.
· Chernew, M., Cutler, D. M., Ghosh, K., & Landrum, M. B. 2016. *Understanding the improvement in disability free life expectancy in the U.S. elderly population.* Cambridge, MA: National Bureau of Economic Research.
· Chirot, D. 1996. *Modern tyrants.* Princeton, NJ: Princeton University Press.
· Cipolla, C. 1994. *Before the Industrial Revolution: European society and economy, 1000-1700* (3rd ed.). New York: Norton.
· Clark, A. M., & Sikkink, K. 2013. Information effects and human rights data: Is the good news about increased human rights information bad news for human rights measures? *Human Rights Quarterly, 35,* 539–68.
· Clark, D. M. T., Loxton, N. J., & Tobin, S. J. 2015. Declining loneliness over time: Evidence from American colleges and high schools. *Personality and Social Psychology Bulletin, 41,* 78–89.
· Clark, G. 2007. *A farewell to alms: A brief economic history of the world.* Princeton, NJ: Princeton University Press.（グレゴリー・クラーク『10万年の世界経済史』〈上・下巻〉久保恵美子訳、日経 BP 社、2009年）
· Cohen, G. L. 2003. Party over policy: The dominating impact of group influence on political beliefs. *Journal of Personality and Social Psychology, 85,* 808–22.
· Collier, P. 2007. *The bottom billion: Why the poorest countries are failing and what can be done about it.* New York: Oxford University Press.（ポール・コリアー『最底辺の10億人――最も貧しい国々のために本当になすべきことは何か？』中谷和男訳、日経 BP 社、2008年）
· Collier, P., & Rohner, D. 2008. Democracy, development and conflict. *Journal of the European Economic Association, 6,* 531–40.
· Collini, S. 1998. Introduction. In C. P. Snow, *The two cultures.* New York: Cambridge University Press.

- Collini, S. 2013. Introduction. In F. R. Leavis, *Two cultures? The significance of C. P. Snow*. New York: Cambridge University Press.
- Combs, B., & Slovic, P. 1979. Newspaper coverage of causes of death. *Journalism & Mass Communication Quarterly, 56,* 837–43.
- Connor, S. 2014. *The horror of number: Can humans learn to count?* Paper presented at the Alexander Lecture. http://stevenconnor.com/horror.html.
- Connor, S. 2016. *Living by numbers: In defence of quantity*. London: Reaktion Books.
- Conrad, S. 2012. Enlightenment in global history: A historiographical critique. *American Historical Review, 117,* 999–1027.
- Cook, M. 2014. *Ancient religions, modern politics: The Islamic case in comparative perspective*. Princeton, NJ: Princeton University Press.
- Coontz, S. 1992/2016. *The way we never were: American families and the nostalgia trap* (rev. ed.). New York: Basic Books.（ステファニー・クーンツ『家族という神話――アメリカン・ファミリーの夢と現実』岡村ひとみ訳、筑摩書房、1998年）
- Corlett, A. 2016. *Examining an elephant: Globalisation and the lower middle class of the rich world*. London: Resolution Foundation.
- Cornwall Alliance for the Stewardship of Creation. 2000. The Cornwall Declaration on Environmental Stewardship. http://cornwallalliance.org/landmark-documents/the-cornwall-declaration-on-environmental-stewardship/.
- Cosmides, L., & Tooby, J. 1992. Cognitive adaptations for social exchange. In J. H. Barkow, L. Cosmides, & J. Tooby, eds., *The adapted mind: Evolutionary psychology and the generation of culture*. New York: Oxford University Press.
- Costa, D. L. 1998. *The evolution of retirement: An American economic history, 1880-1990*. Chicago: University of Chicago Press.
- Costa, P. T., & McCrae, R. R. 1982. An approach to the attribution of aging, period, and cohort effects. *Psychological Bulletin, 92,* 238–50.
- Costello, E. J., Erkanli, A., & Angold, A. 2006. Is there an epidemic of child or adolescent depression? *Journal of Child Psychology and Psychiatry, 47,* 1263–71.
- Costello, M. J., May, R. M., & Stork, N. E. 2013. Can we name Earth's species before they go extinct? *Science, 339,* 413–16.
- Council for Secular Humanism. 1980. *A Secular Humanist Declaration*. https://www.secularhumanism.org/index.php/11.
- Council for Secular Humanism. 2000. *Humanist Manifesto 2000*. https://www.secularhumanism.org/index.php/1169.
- Council on Foreign Relations. 2009. World opinion on proliferation of

weapons of mass destruction. http://www.cfr.org/backgrounder/world-opinion-proliferation-weapons-mass-destruction.
・Council on Foreign Relations. 2011. World opinion on human rights. *Public Opinion on Global Issues*. https://www.cfr.org/backgrounder/world-opinion-human-rights.
・Courtois, S., Werth, N., Panné, J.-L., Paczkowski, A., Bartosek, K., et al. 1999. *The Black Book of Communism: Crimes, terror, repression*. Cambridge, MA: Harvard University Press.（ステファヌ・クルトワ／ニコラ・ヴェルト／ジャン＝ルイ・マルゴラン『共産主義黒書』〈全２巻〉外川継男・高橋武智訳、筑摩書房、2016–2017年）
・Courtwright, D. 2010. *No right turn: Conservative politics in a liberal America*. Cambridge, MA: Harvard University Press.
・Cowen, T. 2017. *The complacent class: The self-defeating quest for the American dream*. New York: St. Martin's Press.（タイラー・コーエン『大分断――格差と停滞を生んだ「現状満足階級」の実像』池村千秋訳、ＮＴＴ出版、2019年）
・Coyne, J. A. 2015. *Faith versus fact: Why science and religion are incompatible*. New York: Penguin.
・Cravens, G. 2007. *Power to save the world: The truth about nuclear energy*. New York: Knopf.
・Cronin, A. K. 2009. *How terrorism ends: Understanding the decline and demise of terrorist campaigns*. Princeton, NJ: Princeton University Press.
・Cronon, W. 1995. The trouble with wilderness; or, getting back to the wrong nature. In W. Cronon, ed., *Uncommon ground: Rethinking the human place in nature*. New York: Norton.
・Cunningham, H. 1996. Combating child labour: The British experience. In H. Cunningham & P. P. Viazzo, eds., *Child labour in historical perspective, 1800-1985: Case studies from Europe, Japan and Colombia*. Florence: UNICEF.
・Cunningham, T. J., Croft, J. B., Liu, Y., Lu, H., Eke, P. I., et al. 2017. Vital signs: Racial disparities in age-specific mortality among Blacks or African Americans — United States, 1999–2015. *Morbidity and Mortality Weekly Report, 66*, 444–56.
・Daly, M. C., Oswald, A. J., Wilson, D., & Wu, S. 2010. The happiness-suicide paradox. *Federal Reserve Bank of San Francisco Working Papers, 2010*.
・Davis, B. D. 1983. Neo-Lysenkoism, IQ, and the press. *Public Interest, 73*, 41–59.
・Davis, E., & Marcus, G. F. 2015. Commonsense reasoning and commonsense knowledge in artificial intelligence. *Communications of the ACM, 58*, 92–103.
・Dawes, R. M., Faust, D., & Meehl, P. E. 1989. Clinical versus actuarial

judgment. *Science, 243*, 1668–74.
・Dawkins, R. 1976/1989. *The selfish gene* (new ed.). New York: Oxford University Press.（リチャード・ドーキンス『利己的な遺伝子』日高敏隆・岸由二・羽田節子・垂水雄二訳、紀伊國屋書店、2018年）
・Dawkins, R. 1983. Universal Darwinism. In D. S. Bendall, ed., *Evolution from molecules to men*. New York: Cambridge University Press.
・Dawkins, R. 1986. *The blind watchmaker: Why the evidence of evolution reveals a universe without design*. New York: Norton.（リチャード・ドーキンス『盲目の時計職人』日高敏隆・中島康裕・遠藤彰・遠藤知二・疋田努訳、早川書房、2004年）
・Dawkins, R. 2006. *The God delusion*. New York: Houghton Mifflin.（リチャード・ドーキンス『神は妄想である——宗教との決別』垂水雄二訳、早川書房、2007年）
・de Lazari-Radek, K., & Singer, P. 2012. The objectivity of ethics and the unity of practical reason. *Ethics, 123*, 9–31.
・de Ribera, O. S., Kavish, N., & Boutwell, B. B. 2017. On the relationship between psychopathy and general intelligence: A meta-analytic review. *bioRχiv*, doi: https://doi.org/10.1101/100693.
・Deary, I. J. 2001. *Intelligence: A very short introduction*. New York: Oxford University Press.（イアン・ディアリ『知能』繁桝算男訳・松原達哉解説、岩波書店、2004年）
・Death Penalty Information Center. 2017. Facts about the death penalty. http://www.deathpenaltyinfo.org/documents/FactSheet.pdf.
・Deaton, A. 2011. The financial crisis and the well-being of Americans. *Oxford Economic Papers*, 1–26.
・Deaton, A. 2013. *The Great Escape: Health, wealth, and the origins of inequality*. Princeton, NJ: Princeton University Press.（アンガス・ディートン『大脱出——健康、お金、格差の起原』松本裕訳、みすず書房、2014年）
・Deaton, A. 2017. Thinking about inequality. *Cato's Letter, 15*, 1–5.
・Deep Decarbonization Pathways Project 2015. *Pathways to deep decarbonization*. Paris: Institute for Sustainable Development and International Relations.
・DeFries, R. 2014. *The big ratchet: How humanity thrives in the face of natural crisis*. New York: Basic Books.（ルース・ドフリース『食糧と人類——飢餓を克服した大増産の文明史』小川敏子訳、日本経済新聞出版社、2016年）
・Degler, C. N. 1991. *In search of human nature: The decline and revival of Darwinism in American social thought*. New York: Oxford University Press.
・Dehaene, S. 2009. Signatures of consciousness. *Edge*. http://www.edge.

org/3rd_culture/dehaene09/dehaene09_index.html.
· Dehaene, S., & Changeux, J.-P. 2011. Experimental and theoretical approaches to conscious processing. *Neuron, 70*, 200–227.
· Delamontagne, R. G. 2010. High religiosity and societal dysfunction in the United States during the first decade of the twenty-first century. *Evolutionary Psychology, 8*, 617–57.
· Denkenberger, D., & Pearce, J. 2015. *Feeding everyone no matter what: Managing food security after global catastrophe*. New York: Academic Press.
· Dennett, D. C. 2006. *Breaking the spell: Religion as a natural phenomenon*. New York: Penguin Books.（ダニエル・C・デネット『解明される宗教——進化論的アプローチ』阿部文彦訳、青土社、2010年）
· DeScioli, P. 2016. The side-taking hypothesis for moral judgment. *Current Opinion in Psychology, 7*, 23–27.
· DeScioli, P., & Kurzban, R. 2009. Mysteries of morality. *Cognition, 112*, 281–99.
· Desvousges, W. H., Johnson, F. R., Dunford, R. W., Boyle, K. J., Hudson, S. P., et al. 1992. *Measuring nonuse damages using contingent valuation: An experimental evaluation of accuracy*. Research Triangle Park, NC: RTI International.
· Deutsch, D. 2011. *The beginning of infinity: Explanations that transform the world*. New York: Viking.（デイヴィッド・ドイッチュ『無限の始まり——ひとはなぜ限りない可能性をもつのか』熊谷玲美・田沢恭子・松井信彦訳、インターシフト、2013年）
· Devereux, S. 2000. *Famine in the twentieth century*. Sussex, UK: Institute of Development Studies. http://www.ids.ac.uk/publication/famine-in-the-twentieth-century.
· Diamandis, P., & Kotler, S. 2012. *Abundance: The future is better than you think*. New York: Free Press.（ピーター・H・ディアマンディス／スティーヴン・コトラー『楽観主義者の未来予測——テクノロジーの爆発的進化が世界を豊かにする』〈上・下巻〉熊谷玲美訳、早川書房、2014年）
· Diamond, J. M. 1997. *Guns, germs, and steel: The fates of human societies*. New York: Norton.（ジャレド・ダイアモンド『銃・病原菌・鉄——1万3000年にわたる人類史の謎』〈上・下巻〉倉骨彰訳、草思社、2012年）
· Dinda, S. 2004. Environmental Kuznets curve hypothesis: A survey. *Ecological Economics, 49*, 431–55.
· Dobbs, R., Madgavkar, A., Manyika, J., Woetzel, J., Bughin, J., et al. 2016. *Poorer than their parents? Flat or falling incomes in advanced economies*. McKinsey Global Institute.
· Dreger, A. 2008. The controversy surrounding "The man who would be queen": A case history of the politics of science, identity, and sex in the

Internet age. *Archives of Sexual Behavior, 37*, 366–421.
・Dreger, A. 2015. *Galileo's middle finger: Heretics, activists, and the search for justice in science*. New York: Penguin.（アリス・ドレガー『ガリレオの中指――科学的研究とポリティクスが衝突するとき』鈴木光太郎訳、みすず書房、2022年）
・Dretske, F. I. 1981. *Knowledge and the flow of information*. Cambridge, MA: MIT Press.
・Duarte, J. L., Crawford, J. T., Stern, C., Haidt, J., Jussim, L., & Tetlock, P. E. 2015. Political diversity will improve social psychological science. *Behavioral and Brain Sciences, 38*, 1–13.
・Dunlap, R. E., Gallup, G. H., & Gallup, A. M. 1993. Of global concern. *Environment: Science and Policy for Sustainable Development, 35*, 7–39.
・Duntley, J. D., & Buss, D. M. 2011. Homicide adaptations. *Aggression and Violent Behavior, 16*, 399–410.
・Dutton, D. 2009. *The art instinct: Beauty, pleasure, and human evolution*. New York: Bloomsbury Press.
・Eagan, K., Stolzenberg, E. B., Lozano, J. B., Aragon, M. C., Suchard, M. R., et al. 2014. *Undergraduate teaching faculty: The 2013-2014 HERI faculty survey*. Los Angeles: Higher Education Research Institute at UCLA.
・Easterbrook, G. 2003. *The progress paradox: How life gets better while people feel worse*. New York: Random House.
・Easterlin, R. A. 1973. Does money buy happiness? *Public Interest, 30*, 3–10.
・Easterlin, R. A. 1981. Why isn't the whole world developed? *Journal of Economic History, 41*, 1–19.
・Easterly, W. 2006. *The white man's burden: Why the West's efforts to aid the rest have done so much ill and so little good*. New York: Penguin.（ウィリアム・イースタリー『傲慢な援助』小浜裕久・織井啓介・冨田陽子訳、東洋経済新報社、2009年）
・Eastop, E.-R. 2015. *Subcultural cognition: Armchair oncology in the age of misinformation*. Master's thesis, University of Oxford.
・Eberstadt, N., & Shah, A. 2011. *Fertility decline in the Muslim world: A veritable sea-change, still curiously unnoticed*. Washington: American Enterprise Institute.
・Eddington, A. S. 1928/2015. *The nature of the physical world*. Andesite Press.
・Eibach, R. P., & Libby, L. K. 2009. Ideology of the good old days: Exaggerated perceptions of moral decline and conservative politics. In J. T. Jost, A. Kay, & H. Thorisdottir, eds., *Social and psychological bases of ideology and system justification*. New York: Oxford University Press.
・Eichengreen, B. 2014. Secular stagnation: A review of the issues. In C. Teulings & R. Baldwin, eds., *Secular stagnation: Facts, causes and cures*.

London: Centre for Economic Policy Research.

· Eisner, M. 2001. Modernization, self-control and lethal violence: The long-term dynamics of European homicide rates in theoretical perspective. *British Journal of Criminology, 41*, 618–38.

· Eisner, M. 2003. Long-term historical trends in violent crime. *Crime and Justice, 30*, 83–142.

· Eisner, M. 2014a. From swords to words: Does macro-level change in self-control predict long-term variation in levels of homicide? *Crime and Justice, 43*, 65–134.

· Eisner, M. 2014b. *Reducing homicide by 50% in 30 years: Universal mechanisms and evidence-based public policy*. In M. Krisch, M. Eisner, C. Mikton, & A. Butchart, eds., *Global strategies to reduce violence by 50% in 30 years: Findings from the WHO and University of Cambridge Global Violence Reduction Conference 2014*. Cambridge, UK: Institute of Criminology, University of Cambridge.

· Eisner, M. 2015. *How to reduce homicide by 50% in the next 30 years*. Rio de Janeiro: Igarapé Institute.

· Elias, N. 1939/2000. *The Civilizing Process: Sociogenetic and psychogenetic investigations* (rev. ed.). Cambridge, MA: Blackwell.（ノルベルト・エリアス『文明化の過程』〈上・下巻〉赤井慧爾・中村元保・吉田正勝・波田節夫・溝辺敬一・羽田洋・藤平浩之訳、法政大学出版局、2010年）

· England, J. L. 2015. Dissipative adaptation in driven self-assembly. *Nature Nanotechnology, 10*, 919–23.

· Epstein, A. 2014. *The moral case for fossil fuels*. New York: Penguin.

· Epstein, G. 2009. *Good without God: What a billion nonreligious people do believe*. New York: William Morrow.

· Ericksen, R. P., & Heschel, S. 1999. *Betrayal: German churches and the Holocaust*. Minneapolis: Fortress Press.

· Erwin, D. 2015. *Extinction: How life on Earth nearly ended 250 million years ago* (updated ed.). Princeton, NJ: Princeton University Press.（ダグラス・アーウィン『大絶滅――２億５千万年前、終末寸前まで追い詰められた地球生命の物語』大野照文・沼波信・一田昌宏訳、共立出版、2009年）

· Esposito, J. L., & Mogahed, D. 2007. *Who speaks for Islam? What a billion Muslims really think*. New York: Gallup Press.

· Evans, D. 2015. The great AI swindle. *Edge*. https://www.edge.org/response-detail/26073.

· Evans, G. 2015. Challenges for the *Bulletin of the Atomic Scientists* at 70: Restoring reason to the nuclear debate. Paper presented at the Annual Clock Symposium, *Bulletin of the Atomic Scientists*.

· Evans, G., Ogilvie-White, T., & Thakur, R. 2015. *Nuclear weapons: The state of play 2015*. Canberra: Centre for Nuclear Non-proliferation and

Disarmament, Australian National University.
- Everett, D. 2008. *Don't sleep, there are snakes: Life and language in the Amazonian jungle*. New York: Vintage.（ダニエル・エヴェレット『ピダハン――「言語本能」を超える文化と世界観』屋代通子訳、みすず書房、2012年）
- Ewald, P. 2000. *Plague time: The new germ theory of disease*. New York: Anchor.
- Faderman, L. 2015. *The Gay Revolution: The story of the struggle*. New York: Simon & Schuster.
- Fariss, C. J. 2014. Respect for human rights has improved over time: Modeling the changing standard of accountability. *American Political Science Review, 108*, 297–318.
- Fawcett, A. A., Iyer, G. C., Clarke, L. E., Edmonds, J. A., Hultman, N. E., et al. 2015. Can Paris pledges avert severe climate change? *Science, 350*, 1168–69.
- Fearon, J. D., & Laitin, D. D. 1996. Explaining interethnic cooperation. *American Political Science Review, 90*, 715–35.
- Fearon, J. D., & Laitin, D. D. 2003. Ethnicity, insurgency, and civil war. *American Political Science Review, 97*, 75–90.
- Federal Bureau of Investigation. 2016a. Crime in the United States by volume and rate, 1996–2015. https://ucr.fbi.gov/crime-in-the-u.s/2015/crime-in-the-u.s.-2015/tables/table-1.
- Federal Bureau of Investigation. 2016b. Hate crime. *FBI Uniform Crime Reports*. https://ucr.fbi.gov/hate-crime.
- Federal Highway Administration. 2003. *A review of pedestrian safety research in the United States and abroad: Final report*. Washington: US Department of Transportation. https://www.fhwa.dot.gov/publications/research/safety/pedbike/03042/part2.cfm.
- Federation of American Scientists. (Undated.) Nuclear weapons. https://fas.org/issues/nuclear-weapons/.
- Feinberg, M., & Willer, R. 2011. Apocalypse soon? Dire messages reduce belief in global warming by contradicting just-world beliefs. *Psychological Science, 22*, 34–38.
- Feldstein, M. 2017. Underestimating the real growth of GDP, personal income, and productivity. *Journal of Economic Perspectives, 31*, 145–64.
- Ferreira, F., Jolliffe, D. M., & Prydz, E. B. 2015. The international poverty line has just been raised to $1.90 a day, but global poverty is basically unchanged. How is that even possible? http://blogs.world bank.org/developmenttalk/international-poverty-line-has-just-been-raised-190-day-global-poverty-basically-unchanged-how-even.
- Finkelhor, D. 2014. Trends in child welfare. Paper presented at the Carsey

Institute Policy Series, Department of Sociology, University of New Hampshire.
- Finkelhor, D., Shattuck, A., Turner, H. A., & Hamby, S. L. 2014. Trends in children's exposure to violence, 2003–2011. *JAMA Pediatrics, 168*, 540–46.
- Fischer, C. S. 2005. Bowling alone: What's the score? *Social Networks, 27*, 155–67.
- Fischer, C. S. 2009. The 2004 GSS finding of shrunken social networks: An artifact? *American Sociological Review, 74*, 657–69.
- Fischer, C. S. 2011. *Still connected: Family and friends in America since 1970*. New York: Russell Sage Foundation.
- Fiske, A. P., & Rai, T. 2015. *Virtuous violence: Hurting and killing to create, sustain, end, and honor social relationships*. New York: Cambridge University Press.
- Fletcher, J. 1997. *Violence and civilization: An introduction to the work of Norbert Elias*. Cambridge, UK: Polity.
- Flynn, J. R. 2007. *What is intelligence?* New York: Cambridge University Press.
- Flynn, J. R. 2012. *Are we getting smarter? Rising IQ in the twenty-first century*. New York: Cambridge University Press.（ジェームズ・R・フリン『なぜ人類のIQは上がり続けているのか？——人種、性別、老化と知能指数』水田賢政訳、太田出版、2015年）
- Foa, R. S., & Mounk, Y. 2016. The danger of deconsolidation: The democratic disconnect. *Journal of Democracy, 27*, 5–17.
- Fodor, J. A. 1987. *Psychosemantics: The problem of meaning in the philosophy of mind*. Cambridge, MA: MIT Press.
- Fodor, J. A. 1994. *The elm and the expert: Mentalese and its semantics*. Cambridge, MA: MIT Press.
- Fogel, R. W. 2004. *The escape from hunger and premature death, 1700-2100*. New York: Cambridge University Press.
- Food Marketing Institute. 2017. Supermarket facts. https://www.fmi.org/our-research/supermarket-facts.
- Foreman, C. 2013. On justice movements: Why they fail the environment and the poor. *The Breakthrough*, http://thebreakthrough.org/index.php/journal/past-issues/issue-3/on-justice-movements.
- Fortna, V. P. 2008. *Does peacekeeping work? Shaping belligerents' choices after civil war*. Princeton, NJ: Princeton University Press.
- Fortna, V. P. 2015. Do terrorists win? Rebels' use of terrorism and civil war outcomes. *International Organization, 69*, 519–56.
- Foucault, M. 1999. *The history of sexuality*. New York: Vintage.（ミシェル・フーコー『性の歴史』〈全3巻〉渡辺守章・田村俶訳、新潮社、1986–1987年）

・Fouquet, R., & Pearson, P. J. G. 2012. The long run demand for lighting: Elasticities and rebound effects in different phases of economic development. *Economics of Energy and Environmental Policy, 1*, 83–100.

・Francisci, 2015. *Laudato Si': Encyclical letter of the Holy Father Francis on care for our common home*. Vatican City: The Vatican. http://w2.vatican.va/content/francesco/en/encyclicals/documents/papa-francesco_20150524_enciclica-laudato-si.html.（教皇フランシスコ『回勅 ラウダート・シ――ともに暮らす家を大切に』瀬本正之・吉川まみ訳、カトリック中央協議会、2016年）

・Frankel, M. 2004. *High noon in the Cold War: Kennedy, Khrushchev, and the Cuban Missile Crisis*. New York: Ballantine Books.

・Frankfurt, H. G. 2015. *On inequality*. Princeton, NJ: Princeton University Press.（ハリー・G・フランクファート『不平等論――格差は悪なのか？』山形浩生訳、筑摩書房、2016年）

・Freed, J. 2014. *Back to the future: Advanced nuclear energy and the battle against climate change*. Washington: Brookings Institution.

・Freilich, J. D., Chermak, S. M., Belli, R., Gruenewald, J., & Parkin, W. S. 2014. Introducing the United States Extremist Crime Database (ECDB). *Terrorism and Political Violence, 26*, 372–84.

・Friedman, J. 1997. What's wrong with libertarianism. *Critical Review, 11*, 407–67.

・Fryer, R. G. 2016. An empirical analysis of racial differences in police use of force. *National Bureau of Economic Research Working Papers*, 1–63.

・Fukuda, Kosei 2013. A happiness study using age-period-cohort framework. *Journal of Happiness Studies, 14*, 135–53.

・Fukuyama, F. 1989. The end of history? *National Interest*, Summer.（フランシス・フクヤマ『歴史の終わり』〈上・下巻〉渡部昇一訳、三笠書房、1992年）

・Furman, J. 2005. Wal-Mart: A Progressive Success Story. https://www.mackinac.org/archives/2006/walmart.pdf.

・Furman, J. 2014. Poverty and the tax code. *Democracy: A Journal of Ideas, 32*, 8–22.

・Future of Life Institute. 2017. Accidental nuclear war: A timeline of close calls. https://futureoflife.org/background/nuclear-close-calls-a-timeline/.

・Fyfe, J. J. 1988. Police use of deadly force: Research and reform. *Justice Quarterly, 5*, 165–205.

・Gaillard, R., Dehaene, S., Adam, C., Clémenceau, S., Hasboun, D., et al. 2009. Converging intracranial markers of conscious access. *PLOS Biology, 7*, 472–92.

・Gallup. 2002. Acceptance of homosexuality: A youth movement. http://www.gallup.com/poll/5341/Acceptance-Homosexuality-Youth-Movement.

aspx.
・Gallup. 2010. Americans' acceptance of gay relations crosses 50% threshold. http://www.gallup.com/poll/135764/Americans-Acceptance-Gay-Relations-Crosses-Threshold.aspx.
・Gallup. 2016. Death penalty. http://www.gallup.com/poll/1606/death-penalty.aspx.
・Galor, O., & Moav, O. 2007. The neolithic origins of contemporary variations in life expectancy. http://dx.doi.org/10.2139/ssrn.1012650.
・Galtung, J., & Ruge, M. H. 1965. The structure of foreign news. *Journal of Peace Research, 2*, 64–91.
・Gardner, D. 2008. *Risk: The science and politics of fear*. London: Virgin Books.（ダン・ガードナー『リスクにあなたは騙される』田淵健太訳、早川書房、2014年）
・Gardner, D. 2010. *Future babble: Why expert predictions fail — and why we believe them anyway*. New York: Dutton.（ダン・ガードナー『専門家の予測はサルにも劣る』川添節子訳、飛鳥新社、2012年）
・Garrard, G. 2006. *Counter-enlightenments: From the eighteenth century to the present*. New York: Routledge.
・Gash, T. 2016. *Criminal: The truth about why people do bad things*. London: Allen Lane.
・Gat, A. 2015. Proving communal warfare among hunter-gatherers: The quasi-Rousseauan error. *Evolutionary Anthropology, 24*, 111–26.
・Gauchat, G. 2012. Politicization of science in the public sphere: A study of public trust in the United States, 1974 to 2010. *American Sociological Review, 77*, 167–87.
・Gell-Mann, M. 1994. *The quark and the jaguar: Adventures in the simple and the complex*. New York: W. H. Freeman.（マレイ・ゲルマン『クォークとジャガー——たゆみなく進化する複雑系』野本陽代訳、草思社、1997年）
・Gentzkow, M., & Shapiro, J. M. 2010. What drives media slant? Evidence from U.S. daily newspapers. *Econometrica, 78*, 35–71.
・Gervais, W. M., & Najle, M. B. 2018. How many atheists are there? *Social Psychological and Personality Science, 9*, 3–10.
・Ghitza, Y., & Gelman, A. 2014. The Great Society, Reagan's revolution, and generations of presidential voting. http://www.stat.columbia.edu/~gelman/research/unpublished/cohort_voting_20140605.pdf.
・Gigerenzer, G. 1991. How to make cognitive illusions disappear: Beyond "heuristics and biases". *European Review of Social Psychology, 2*, 83–115.
・Gigerenzer, G. 2015. *Simply rational: Decision making in the real world*. New York: Oxford University Press.
・Gigerenzer, G. 2016. Fear of dread risks. *Edge*. https://www.edge.org/

response-detail/26645.
・Gigerenzer, G., & Hoffrage, U. 1995. How to improve Bayesian reasoning without instruction: Frequency formats. *Psychological Review, 102*, 684–704.
・Gilbert, D. T. 2006. *Stumbling on happiness*. New York: Knopf.（ダニエル・ギルバート『明日の幸せを科学する』熊谷淳子訳、早川書房、2013年）
・Giles, J. 2005. Internet encyclopaedias go head to head. *Nature, 438*, 900–901.
・Glaeser, E. L. 2011. *Triumph of the city: How our greatest invention makes us richer, smarter, greener, healthier, and happier*. New York: Penguin.（エドワード・グレイザー『都市は人類最高の発明である』山形浩生訳、NTT 出版、2012年）
・Glaeser, E. L. 2014. *Secular joblessness*. London: Centre for Economic Policy Research.
・Glaeser, E. L., Ponzetto, G. A. M., & Shleifer, A. 2007. Why does democracy need education? *Journal of Economic Growth, 12*, 77–99.
・Glaeser, E. L., La Porta, R., Lopez-de-Silanes, F., & Shleifer, A. 2004. Do institutions cause growth? *Journal of Economic Growth*, 9, 271–303.
・Gleditsch, N. P. 2008. The liberal moment fifteen years on. *International Studies Quarterly, 52*, 691–712.
・Gleditsch, N. P., & Rudolfsen, I. 2016. Are Muslim countries more prone to violence? Paper presented at the 57th Annual Convention of the International Studies Association, Atlanta.
・Gleditsch, N. P., Wallensteen, P., Eriksson, M., Sollenberg, M., & Strand, H. 2002. Armed conflict, 1946–2001: A new dataset. *Journal of Peace Research, 39*, 615–37.
・Gleick, J. 2011. *The information: A history, a theory, a flood*. New York: Pantheon.（ジェイムズ・グリック『インフォメーション——情報技術の人類史』楡井浩一訳、新潮社、2013年）
・Glendon, M. A. 1998. Knowing the Universal Declaration of Human Rights. *Notre Dame Law Review, 73*, 1153–90.
・Glendon, M. A. 1999. Foundations of human rights: The unfinished business. *American Journal of Jurisprudence, 44*, 1–14.
・Glendon, M. A. 2001. *A world made new: Eleanor Roosevelt and the Universal Declaration of Human Rights*. New York: Random House.
・Global Zero Commission. 2010. Global Zero action plan. https://www.globalzero.org/files/gzap_6.0.pdf.
・Global Zero Commission. 2016. US adoption of no-first-use and its effects on nuclear proliferation by allies. http://www.globalzero.org/files/nfu_ally_proliferation.pdf.
・Glover, J. 1998. Eugenics: Some lessons from the Nazi experience. In J. R.

Harris & S. Holm, eds., *The future of human reproduction: Ethics, choice, and regulation*. New York: Oxford University Press.
· Glover, J. 1999. *Humanity: A moral history of the twentieth century*. London: Jonathan Cape.
· Goertz, G., Diehl, P. F., & Balas, A. 2016. *The puzzle of peace: The evolution of peace in the international system*. New York: Oxford University Press.
· Goklany, I. M. 2007. *The improving state of the world: Why we're living longer, healthier, more comfortable lives on a cleaner planet*. Washington: Cato Institute.
· Goldin, C., & Katz, L. F. 2010. *The race between education and technology*. Cambridge, MA: Harvard University Press.
· Goldstein, J. S. 2011. *Winning the war on war: The decline of armed conflict worldwide*. New York: Penguin.
· Goldstein, J. S. 2015. Is the current refugee crisis the worst since World War II? (Unpublished manuscript.) http://www.joshuagoldstein.com/.
· Goldstein, R. N. 1976. *Reduction, realism, and the mind*. Ph.D. dissertation, Princeton University.
· Goldstein, R. N. 2006. *Betraying Spinoza: The renegade Jew who gave us modernity*. New York: Nextbook/Schocken.
· Goldstein, R. N. 2010. *Thirty-six arguments for the existence of God: A work of fiction*. New York: Pantheon.
· Goldstein, R. N. 2013. *Plato at the Googleplex: Why philosophy won't go away*. New York: Pantheon.
· Gómez, J. M., Verdú, M., González-Megías, A., & Méndez, M. 2016. The phylogenetic roots of human lethal violence. *Nature, 538*, 233–37.（抄訳「人間行動：対人暴力の起源は進化系統樹の中にあるかもしれない」*Nature*, https://www.natureasia.com/ja-jp/nature/pr-highlights/11228）
· Gordon, R. J. 2014. The turtle's progress: Secular stagnation meets the headwinds. In C. Teulings & R. Baldwin, eds., *Secular stagnation: Facts, causes and cures*. London: Centre for Economic Policy Research.
· Gordon, R. J. 2016. *The rise and fall of American growth*. Princeton, NJ: Princeton University Press.（ロバート・J・ゴードン『アメリカ経済——成長の終焉』〈上・下巻〉高遠裕子・山岡由美訳、日経BP社、2018年）
· Gottfredson, L. S. 1997. Why *g* matters: The complexity of everyday life. *Intelligence, 24*, 79–132.
· Gottlieb, A. 2016. *The dream of enlightenment: The rise of modern philosophy*. New York: Norton.
· Gottschall, J. 2012. *The storytelling animal: How stories make us human*. Boston: Houghton Mifflin Harcourt.
· Gottschall, J., & Wilson, D. S., eds. 2005. *The literary animal: Evolution and the nature of narrative*. Evanston, IL: Northwestern University Press.

・Graham, P. 2016. The refragmentation. *Paul Graham Blog*. http://www.paulgraham.com/re.html.
・Grayling, A. C. 2007. *Toward the light of liberty: The struggles for freedom and rights that made the modern Western world*. New York: Walker.
・Grayling, A. C. 2013. *The God argument: The case against religion and for humanism*. London: Bloomsbury.
・Greene, J. 2013. *Moral tribes: Emotion, reason, and the gap between us and them*. New York: Penguin.（ジョシュア・グリーン『モラル・トライブズ――共存の道徳哲学へ』〈上・下巻〉竹田円訳、岩波書店、2015年）
・Greenstein, S., & Zhu, F. 2014. Do experts or collective intelligence write with more bias? Evidence from *Encyclopædia Britannica* and Wikipedia. *Harvard Business School Working Paper, 15-23*.
・Greenwood, J., Seshadri, A., & Yorukoglu, M. 2005. Engines of liberation. *Review of Economic Studies, 72*, 109-33.
・Gregg, B. 2003. *Thick moralities, thin politics: Social integration across communities of belief*. Durham, NC: Duke University Press.
・Gross, N., & Simmons, S. 2014. The social and political views of American college and university professors. In N. Gross & S. Simmons, eds., *Professors and their politics*. Baltimore: Johns Hopkins University Press.
・Guerrero Velasco, R. 2015. An antidote to murder. *Scientific American, 313*, 46-50.（R・ゲレーロ・ベラスコ「疫学の手法で殺人を減らす」『日経サイエンス』https://www.nikkei-science.com/201601_096.）
・Gunsalus, C. K., Bruner, E. M., Burbules, N., Dash, L. D., Finkin, M., et al. 2006. *Improving the system for protecting human subjects: Counteracting IRB mission creep* (No. LE06-016). University of Illinois, Urbana. https://papers.ssrn.com/sol3/papers2.cfm?abstractid=902995.
・Gurr, T. R. 1981. Historical trends in violent crime: A critical review of the evidence. In N. Morris & M. Tonry, eds., *Crime and Justice*. (vol. 3). Chicago: University of Chicago Press.
・Gyldensted, C. 2015. *From mirrors to movers: Five elements of positive psychology in constructive journalism*. GGroup Publishers.
・Hafer, R. W. 2017. New estimates on the relationship between IQ, economic growth and welfare. *Intelligence, 61*, 92-101.
・Hahn, R., Bilukha, O., Crosby, A., Fullilove, M. T., Liberman, A., et al. 2005. Firearms laws and the reduction of violence: A systematic review. *American Journal of Preventive Medicine, 28*, 40-71.
・Haidt, J. 2006. *The happiness hypothesis: Finding modern truth in ancient wisdom*. New York: Basic Books.（ジョナサン・ハイト『しあわせ仮説――古代の知恵と現代科学の知恵』藤澤隆史・藤澤玲子訳、新曜社、2011年）
・Haidt, J. 2012. *The righteous mind: Why good people are divided by politics*

and religion. New York: Pantheon.（ジョナサン・ハイト『社会はなぜ左と右にわかれるのか——対立を超えるための道徳心理学』高橋洋訳、紀伊國屋書店、2014年）
- Halpern, D., & Mason, D. 2015. Radical incrementalism. *Evaluation, 21*, 143–49.
- Hammel, A. 2010. *Ending the death penalty: The European experience in global perspective*. Basingstoke: Palgrave Macmillan.
- Hammond, S. 2017. The future of liberalism and the politicization of everything. *Niskanen Center Blog*. https://niskanencenter.org/blog/future-liberalism-politicization-everything/.
- Hampton, K., Goulet, L. S., Rainie, L., & Purcell, K. 2011. *Social networking sites and our lives*. Washington: Pew Research Center.
- Hampton, K., Rainie, L., Lu, W., Shin, I., & Purcell, K. 2015. *Social media and the cost of caring*. Washington: Pew Research Center.
- Hanson, R., & Yudkowsky, E. 2008. *The Hanson-Yudkowsky AI-foom debate ebook*. Machine Intelligence Research Institute, Berkeley.
- Harff, B. 2003. No lessons learned from the Holocaust? Assessing risks of genocide and political mass murder since 1955. *American Political Science Review, 97*, 57–73.
- Harff, B. 2005. Assessing risks of genocide and politicide. In M. G. Marshall & T. R. Gurr, eds., *Peace and conflict 2005: A global survey of armed conflicts, self-determination movements, and democracy*. College Park, MD: Center for International Development and Conflict Management, University of Maryland.
- Hargraves, R. 2012. *Thorium: Energy cheaper than coal*. North Charleston, SC: CreateSpace.
- Hasegawa, T. 2006. *Racing the enemy: Stalin, Truman, and the surrender of Japan*. Cambridge, MA: Harvard University Press.（長谷川毅『暗闘——スターリン、トルーマンと日本降伏』〈上・下巻〉中央公論新社、2006年／2011年の英訳）
- Hasell, J., & Roser, M. 2017. Famines. *Our World in Data*. https://ourworldindata.org/famines/.
- Haskins, R., & Margolis, G. 2014. *Show me the evidence: Obama's fight for rigor and results in social policy*. Washington: Brookings Institution.
- Haslam, N. 2016. Concept creep: Psychology's expanding concepts of harm and pathology. *Psychological Inquiry, 27*, 1–17.
- Hassett, K. A., & Mathur, A. 2012. *A new measure of consumption inequality*. Washington: American Enterprise Institute.
- Hastorf, A. H., & Cantril, H. 1954. They saw a game; a case study. *Journal of Abnormal and Social Psychology, 49*, 129–34.
- Hathaway, O., & Shapiro, S. 2017. *The internationalists: How a radical plan*

to outlaw war remade the world. New York: Simon & Schuster.（オーナ・ハサウェイ／スコット・シャピーロ『逆転の大戦争史』野中香方子訳、文藝春秋、2018年）
・Haybron, D. M. 2013. *Happiness: A very short introduction*. New York: Oxford University Press.
・Hayek, F. A. 1945. The use of knowledge in society. *American Economic Review, 35*, 519–30.
・Hayek, F. A. 1960/2011. *The constitution of liberty: The definitive edition*. Chicago: University of Chicago Press.（ハイエク『自由の条件』〈全3巻〉気賀健三・古賀勝次郎訳、春秋社、2007年）
・Hayflick, L. 2000. The future of aging. *Nature, 408*, 267–69.
・Hedegaard, H., Chen, L.-H., & Warner, M. 2015. Drug-poisoning deaths involving heroin: United States, 2000–2013. *NCHS Data Brief, 190*.
・Hegre, H. 2014. Democracy and armed conflict. *Journal of Peace Research, 51*, 159–72.
・Hegre, H., Karlsen, J., Nygård, H. M., Strand, H., & Urdal, H. 2013. Predicting armed conflict, 2010–2050. *International Studies Quarterly, 57*, 250–70.
・Hellier, C. 2011. Nazi racial ideology was religious, creationist and opposed to Darwinism. *Coelsblog: Defending scientism*. https://coelsblog.wordpress.com/2011/11/08/nazi-racial-ideology-was-religious-creationist-and-opposed-to-darwinism/#sec4.
・Helliwell, J. F., Layard, R., & Sachs, J., eds. 2016. *World Happiness Report 2016*. New York: Sustainable Development Solutions Network.
・Henao-Restrepo, A. M., Camacho, A., Longini, I. M., Watson, C. H., Edmunds, W. J., et al. 2017. Efficacy and effectiveness of an rVSV-vectored vaccine in preventing Ebola virus disease: Final results from the Guinea ring vaccination, open-label, cluster-randomised trial. *The Lancet, 389*, 505–18.
・Henry, M., Shivji, A., de Sousa, T., & Cohen, R. 2015. *The 2015 annual homeless assessment report to Congress*. Washington: US Department of Housing and Urban Development.
・Herman, A. 1997. *The idea of decline in Western history*. New York: Free Press.
・Heschel, S. 2008. *The Aryan Jesus: Christian theologians and the Bible in Nazi Germany*. Princeton, NJ: Princeton University Press.
・Hidaka, B. H. 2012. Depression as a disease of modernity: Explanations for increasing prevalence. *Journal of Affective Disorders, 140*, 205–14.
・Hidalgo, C. A. 2015. *Why information grows: The evolution of order, from atoms to economies*. New York: Basic Books.（セザー・ヒダルゴ『情報と秩序――原子から経済までを動かす根本原理を求めて』千葉敏生訳、早川書房、2017年）

- Hirschl, T. A., & Rank, M. R. 2015. The life course dynamics of affluence. *PLOS ONE, 10* (*1*): e0116370/.
- Hirschman, A. O. 1971. *A bias for hope: Essays on development and Latin America*. New Haven: Yale University Press.
- Hirschman, A. O. 1991. *The rhetoric of reaction: Perversity, futility, jeopardy*. Cambridge, MA: Harvard University Press.（アルバート・O・ハーシュマン『反動のレトリック――逆転、無益、危険性』岩崎稔訳、法政大学出版局、1997年）
- Hirsi Ali, A. 2015a. *Heretic: Why Islam needs a reformation now*. New York: HarperCollins.
- Hirsi Ali, A. 2015b. Islam is a religion of violence. *Foreign Policy*, Nov. 9.
- Hoffmann, M., Hilton-Taylor, C., Angulo, A., Böhm, M., Brooks, T. M., et al. 2010. The impact of conservation on the status of the world's vertebrates. *Science, 330*, 1503–9.
- Hollander, P. 1981/2014. *Political pilgrims: Western intellectuals in search of the good society*. New Brunswick, NJ: Transaction.
- Horkheimer, M., & Adorno, T. W. 1947/2007. *Dialectic of Enlightenment*. Stanford: Stanford University Press.（ホルクハイマー／アドルノ『啓蒙の弁証法――哲学的断想』徳永恂訳、岩波書店、2007年）
- Horwitz, A. V., & Wakefield, J. C. 2007. *The loss of sadness: How psychiatry transformed normal sorrow into depressive disorder*. New York: Oxford University Press.（アラン・V・ホーウィッツ／ジェローム・C・ウェイクフィールド『それは「うつ」ではない――どんな悲しみも「うつ」にされてしまう理由』伊藤和子訳、阪急コミュニケーションズ、2011年）
- Horwitz, S. 2015. Inequality, mobility, and being poor in America. *Social Philosophy and Policy, 31*, 70–91.
- Housel, M. 2013. Everything is amazing and nobody is happy. *The Motley Fool*. http://www.fool.com/investing/general/2013/11/29/everything-is-great-and-nobody-is-happy.aspx.
- Hout, M., & Fischer, C. S. 2014. Explaining why more Americans have no religious preference: Political backlash and generational succession, 1987–2012. *Sociological Science, 1*, 423–47.
- Howard, M. 2001. *The invention of peace and the reinvention of war*. London: Profile Books.
- Howson, C., & Urbach, P. 1989/2006. *Scientific reasoning: The Bayesian approach* (3rd ed.). Chicago: Open Court Publishing.
- Hu, G., & Baker, S. P. 2012. An explanation for the recent increase in the fall death rate among older Americans: A subgroup analysis. *Public Health Reports, 127*, 275–81.
- Hu, G., & Mamady, K. 2014. Impact of changes in specificity of data recording on cause-specific injury mortality in the United States, 1999–

2010. *BMC Public Health, 14*, 1010.

・Huberman, M., & Minns, C. 2007. The times they are not changin': Days and hours of work in old and new worlds, 1870–2000. *Explorations in Economic History, 44*, 538–67.

・Huff, T. E. 1993. *The rise of early modern science: Islam, China, and the West*. New York: Cambridge University Press.

・Hultman, L., Kathman, J., & Shannon, M. 2013. United Nations peacekeeping and civilian protection in civil war. *American Journal of Political Science, 57*, 875–91.

・Human Security Centre. 2005. *Human Security Report 2005: War and peace in the 21st century*. New York: Oxford University Press.

・Human Security Report Project. 2007. *Human Security Brief 2007*. Vancouver, BC: Human Security Report Project.

・Human Security Report Project. 2009. *Human Security Report 2009: The shrinking costs of war*. New York: Oxford University Press.

・Human Security Report Project. 2011. *Human Security Report 2009/2010: The causes of peace and the shrinking costs of war*. New York: Oxford University Press.

・Humphrys, M. (Undated.) The left's historical support for tyranny and terrorism. http://markhumphrys.com/left.tyranny.html.

・Hunt, L. 2007. *Inventing human rights: A history*. New York: Norton.（リン・ハント『人権を創造する』松浦義弘訳、岩波書店、2011年）

・Huntington, S. P. 1991. *The third wave: Democratization in the late twentieth century*. Norman: University of Oklahoma Press.（サミュエル・P・ハンチントン『第三の波——20世紀後半の民主化』坪郷実・藪野祐三・中道寿一訳、三嶺書房、1995年）

・Hyman, D. A. 2007. The pathologies of institutional review boards. *Regulation, 30*, 42–49.

・Inglehart, R. 1997. *Modernization and postmodernization: Cultural, economic, and political change in 43 societies*. Princeton, NJ: Princeton University Press.（ロナルド・イングルハート「近代化とポスト近代化——経済発展と文化変化と政治変動の相互の関係の変化」真鍋一史訳、関西学院大学社会学部紀要、通号77、1997年3月）

・Inglehart, R. 2016. How much should we worry? *Journal of Democracy, 27*, 18–23.

・Inglehart, R. 2017. Changing values in the Islamic world and the West. In M. Moaddel & M. J. Gelfand, eds., *Values, political action, and change in the Middle East and the Arab Spring*. New York: Oxford University Press.

・Inglehart, R., Foa, R., Peterson, C., & Welzel, C. 2008. Development, freedom, and rising happiness: A global perspective (1981–2007). *Perspectives on*

Psychological Science, 3, 264–85.
· Inglehart, R., & Norris, P. 2016. *Trump, Brexit, and the rise of populism: Economic have-nots and cultural backlash*. Paper presented at the Annual Meeting of the American Political Science Association, Philadelphia.
· Inglehart, R., & Welzel, C. 2005. *Modernization, cultural change, and democracy*. New York: Cambridge University Press.
· Institute for Economics and Peace. 2016. *Global Terrorism Index 2016*. New York: Institute for Economics and Peace.
· Instituto Nacional de Estadística y Geografía. 2016. Registros administrativos: Mortalidad. http://www.inegi.org.mx/est/contenidos/proyectos/registros/vitales/mortalidad/default.aspx.
· Insurance Institute for Highway Safety. 2016. General statistics. http://www.iihs.org/iihs/topics/t/general-statistics/fatalityfacts/overview-of-fatality-facts.
· Intergovernmental Panel on Climate Change. 2014. Climate change 2014: *Synthesis report. Contribution of working groups I, II and III to the fifth assessment report of the Intergovernmental Panel on Climate Change*. Geneva: IPCC.（「気候変動 2014 統合報告書」http://www.env.go.jp/earth/ipcc/5th_pdf/ar5_syr_longer.pdf.）
· International Humanist and Ethical Union. 2002. The Amsterdam Declaration. http://iheu.org/humanism/the-amsterdam-declaration/.
· International Labour Organization. 2013. *Marking progress against child labour: Global estimates and trends 2000-2012*. Geneva: International Labour Organization.
· Ipsos. 2016. The perils of perception 2016. https://perils.ipsos.com/.
· Irwin, D. A. 2016. The truth about trade. *Foreign Affairs*, June 13.（ダグラス・アーウィン「貿易叩きという歴史的な間違い――なぜ真実が見えなくなってしまったか」フォーリン・アフェアーズ・リポート、2016年９月号、https://www.foreignaffairsj.co.jp/articles/201609_irwin/）
· Israel, J. I. 2001. *Radical enlightenment: Philosophy and the making of modernity 1650-1750*. New York: Oxford University Press.
· Jackson, J. 2016. Publishing the positive: Exploring the motivations for and the consequences of reading solutions-focused journalism. https://www.constructivejournalism.org/wp-content/uploads/2016/11/Publishing-the-Positive_MA-thesis-research-2016_Jodie-Jackson.pdf.
· Jacobs, A. 2011. Introduction. In W. H. Auden, *The age of anxiety: A Baroque eclogue*. Princeton, NJ: Princeton University Press.（W・H・オーデン『不安の時代――バロック風田園詩』大橋勇ほか訳、国文社、1993年）
· Jacobson, M. Z., & Delucchi, M. A. 2011. Providing all global energy with

wind, water, and solar power. *Energy Policy, 39*, 1154–69.
・Jacoby, S. 2005. *Freethinkers: A history of American secularism*. New York: Henry Holt.
・Jamison, D. T., Summers, L. H., Alleyne, G., Arrow, K. J., Berkley, S., et al. 2013. Global health 2035: A world converging within a generation. *The Lancet, 382*, 1898–1955.
・Jefferson, T. 1785/1955. *Notes on the state of Virginia*. Chapel Hill: University of North Carolina Press.（T・ジェファソン『ヴァジニア覚え書』中屋健一訳、岩波書店、1975年）
・Jensen, R. 2007. The digital provide: Information (technology), market performance, and welfare in the South Indian fisheries sector. *Quarterly Journal of Economics, 122*, 879–924.
・Jervis, R. 2011. Force in our times. *International Relations, 25*, 403–25.
・Johnson, D. D. P. 2004. *Overconfidence and war: The havoc and glory of positive illusions*. Cambridge, MA: Harvard University Press.
・Johnson, E. M. 2009. Darwin's connection to Nazi eugenics exposed. *The Primate Diaries*. http://scienceblogs.com/primatediaries/2009/07/14/darwins-connection-to-nazi-eug/.
・Johnson, E. M. 2010. Deconstructing social Darwinism: Parts I–IV. *The Primate Diaries*. http://scienceblogs.com/primatediaries/2010/01/05/deconstructing-social-darwinis/.
・Johnson, N. F., Spagat, M., Restrepo, J. A., Becerra, O., Bohorquez, J. C., et al. 2006. Universal patterns underlying ongoing wars and terrorism. *arXiv.org*. http://arxiv.org/abs/physics/0605035.
・Johnston, W. M., & Davey, G. C. L. 1997. The psychological impact of negative TV news bulletins: The catastrophizing of personal worries. *British Journal of Psychology, 88*, 85–91.
・Jones, R. P., Cox, D., Cooper, B., & Lienesch, R. 2016a. *The divide over America's future: 1950 or 2050? Findings from the 2016 American Values Survey*. Washington: Public Religion Research Institute.
・Jones, R. P., Cox, D., Cooper, B., & Lienesch, R. 2016b. *Exodus: Why Americans are leaving religion — and why they're unlikely to come back*. Washington: Public Religion Research Institute.
・Jones, R. P., Cox, D., & Navarro-Rivera, J. 2014. *Believers, sympathizers, and skeptics: Why Americans are conflicted about climate change, environmental policy, and science*. Washington: Public Religion Research Institute.
・Jussim, L., Krosnick, J., Vazire, S., Stevens, S., Anglin, S., et al. 2017. Political bias. *Best Practices in Science*. https://bps.stanford.edu/?pageid=3371.
・Kahan, D. M. 2012. Cognitive bias and the constitution of the liberal republic of science. Yale Law School, Public Law Working Paper 270.

https://papers.ssrn.com/sol3/papers.cfm?abstract_id=2174032.
・Kahan, D. M. 2015. Climate-science communication and the measurement problem. *Political Psychology, 36*, 1–43.
・Kahan, D. M., Braman, D., Slovic, P., Gastil, J., & Cohen, G. 2009. Cultural cognition of the risks and benefits of nanotechnology. *Nature Nanotechnology, 4*, 87–90.
・Kahan, D. M., Jenkins-Smith, H., & Braman, D. 2011. Cultural cognition of scientific consensus. *Journal of Risk Research, 14*, 147–74.
・Kahan, D. M., Jenkins-Smith, H., Tarantola, T., Silva, C. L., & Braman, D. 2012. Geoengineering and climate change polarization: Testing a two-channel model of science communication. *Annals of the American Academy of Political and Social Science, 658*, 193–222.
・Kahan, D. M., Peters, E., Dawson, E. C., & Slovic, P. 2013. Motivated numeracy and enlightened self-government. https://papers.ssrn.com/sol3/papers.cfm?abstractid=2319992.
・Kahan, D. M., Peters, E., Wittlin, M., Slovic, P., Ouellette, L. L., et al. 2012. The polarizing impact of science literacy and numeracy on perceived climate change risks. *Nature Climate Change, 2*, 732–35.
・Kahan, D. M., Wittlin, M., Peters, E., Slovic, P., Ouellette, L. L., et al. 2011. The tragedy of the risk-perception commons: Culture conflict, rationality conflict, and climate change. Cultural Cognition Project Working Paper 89. https://papers.ssrn.com/sol3/papers.cfm?abstractid=1871503.
・Kahneman, D. 2011. *Thinking, fast and slow*. New York: Farrar, Straus & Giroux.（ダニエル・カーネマン『ファスト＆スロー――あなたの意思はどのように決まるか？』〈上・下巻〉村井章子訳、早川書房、2014年）
・Kahneman, D., Krueger, A., Schkade, D., Schwarz, N., & Stone, A. 2004. A survey method for characterizing daily life experience: The day reconstruction method. *Science, 3*, 1776–80.
・Kanazawa, S. 2010. Why liberals and atheists are more intelligent. *Social Psychology Quarterly, 73*, 33–57.
・Kane, T. 2016. Piketty's crumbs. *Commentary*, April 14.
・Kant, I. 1784/1991. *An answer to the question: What is enlightenment?* London: Penguin.（イマヌエル・カント「啓蒙とは何か」『永遠平和のために／啓蒙とは何か　他３編』中山元訳、光文社、2006年）
・Kant, I. 1795/1983. Perpetual peace: A philosophical sketch. In I. Kant, *Perpetual peace and other essays*. Indianapolis: Hackett. http://www.mtholyoke.edu/acad/intrel/kant/kant1.htm.（イマヌエル・カント「永遠平和のために」『永遠平和のために／啓蒙とは何か　他３編』中山元訳、光文社、2006年）
・Kasturiratne, A., Wickremasinghe, A. R., de Silva, N., Gunawardena, N. K., Pathmeswaran, A., et al. 2008. The global burden of snakebite: A

literature analysis and modelling based on regional estimates of envenoming and deaths. *PLOS Medicine, 5*, e218.
・Keith, D. 2013. *A case for climate engineering*. Cambridge, MA: MIT Press.
・Keith, D. 2015. Patient geoengineering. Paper presented at the Seminars About Long-Term Thinking, San Francisco. http://longnow.org/seminars/02015/feb/17/patient-geoengineering/.
・Keith, D., Weisenstein, D., Dykema, J., & Keutsch, F. 2016. Stratospheric solar geoengineering without ozone loss. *Proceedings of the National Academy of Sciences, 113*, 14910–14.
・Kelley, J., & Evans, M. D. R. 2017. Societal inequality and individual subjective well-being: Results from 68 societies and over 200,000 individuals, 1981–2008. *Social Science Research, 62*, 1–23.
・Kelly, K. 2010. *What technology wants*. New York: Penguin.（ケヴィン・ケリー『テクニウム――テクノロジーはどこへ向かうのか？』服部桂訳、みすず書房、2014年）
・Kelly, K. 2013. Myth of the lone villain. *The Technium*. http://kk.org/thetechnium/myth-of-the-lon/.（ケヴィン・ケリー「単独犯行による人類破滅はありうるか？」堺屋七左衛門訳、http://memo7.sblo.jp/article/68899043.html.）
・Kelly, K. 2016. *The inevitable: Understanding the 12 technological forces that will shape our future*. New York: Viking.（ケヴィン・ケリー『〈インターネット〉の次に来るもの――未来を決める12の法則』服部桂訳、NHK出版、2016年）
・Kelly, K. 2017. The AI cargo cult: The myth of a superhuman AI. *Wired*. https://www.wired.com/2017/04/the-myth-of-a-superhuman-ai/.（ケヴィン・ケリー「AIカーゴカルト 超人的人工知能の神話」渡辺遼遠訳、http://skeptics.hatenadiary.jp/entry/2018/03/28/213521.）
・Kennedy, D. 2011. *Don't shoot: One man, a street fellowship, and the end of violence in inner-city America*. New York: Bloomsbury.
・Kenny, C. 2011. *Getting better: Why global development is succeeding— and how we can improve the world even more*. New York: Basic Books.
・Kessler, R. C., Berglund, P., Demler, O., Jin, R., Koretz, D., et al. 2003. The epidemiology of major depressive disorder: Results from the National Comorbidity Survey Replication (NCS-R). *Journal of the American Medical Association, 289*, 3095–3105.
・Kessler, R. C., Berglund, P., Demler, O., Jin, R., Merikangas, K. R., et al. 2005. Lifetime prevalence and age-of-onset distributions of DSM-IV disorders in the National Comorbidity Survey Replication. *Archives of General Psychiatry, 62*, 593–602.
・Kevles, D. J. 1985. *In the name of eugenics: Genetics and the uses of human heredity*. Cambridge, MA: Harvard University Press.（ダニエル・J・ケ

ヴルズ『優生学の名のもとに——「人類改良」の悪夢の百年』西俣総平訳、朝日新聞社、1993年）
· Kharecha, P. A., & Hansen, J. E. 2013. Prevented mortality and greenhouse gas emissions from historical and projected nuclear power. *Environmental Science & Technology, 47*, 4889–95.
· Kharrazi, R. J., Nash, D., & Mielenz, T. J. 2015. Increasing trend of fatal falls in older adults in the United States, 1992 to 2010: Coding practice or reporting quality? *Journal of the American Geriatrics Society, 63*, 1913–17.
· Kim, J., Smith, T. W., & Kang, J.-H. 2015. Religious affiliation, religious service attendance, and mortality. *Journal of Religion and Health, 54*, 2052–72.
· King, D., Schrag, D., Dadi, Z., Ye, Q., & Ghosh, A. 2015. *Climate change: A risk assessment*. Cambridge, UK: University of Cambridge Centre for Science and Policy.
· Kitcher, P. 1990. *Kant's transcendental psychology*. New York: Oxford University Press.
· Klein, D. B., & Buturovic, Z. 2011. Economic enlightenment revisited: New results again find little relationship between education and economic enlightenment but vitiate prior evidence of the left being worse. *Economic Journal Watch, 8*, 157–73.
· Klitzman, R. L. 2015. *The ethics police? The struggle to make human research safe*. New York: Oxford University Press.
· Kochanek, K. D., Murphy, S. L., Xu, J., & Tejada-Vera, B. 2016. Deaths: Final data for 2014. *National Vital Statistics Reports, 65* (4). http://www.cdc.gov/nchs/data/nvsr/nvsr65/nvsr65_04.pdf.
· Kohut, A., Taylor, P. J., Keeter, S., Doherty, C., Dimock, M., et al. 2011. *The generation gap and the 2012 election*. Washington: Pew Research Center. http://www.people-press.org/files/legacy-pdf/11-3-11%20Generations%20Release.pdf.
· Kolosh, K. 2014. Injury facts statistical highlights. http://www.nsc.org/SafeCommunitiesDocuments/Conference-2014/Injury-Facts-Statistical-Analysis-Kolosh.pdf.
· Koningstein, R., & Fork, D. 2014. What it would really take to reverse climate change. *IEEE Spectrum*. http://spectrum.ieee.org/energy/renewables/what-it-would-really-take-to-reverse-climate-change.
· Kräenbring, J., Monzon Penza, T., Gutmann, J., Muehlich, S., Zolk, O., et al. 2014. Accuracy and completeness of drug information in Wikipedia: A comparison with standard textbooks of pharmacology. *PLOS ONE, 9*, e106930.
· Krauss, L. M. 2012. *A universe from nothing: Why there is something rather*

than nothing. New York: Free Press.（ローレンス・クラウス『宇宙が始まる前には何があったのか？』青木薫訳、文藝春秋、2017年）

・Krisch, M., Eisner, M., Mikton, C., & Butchart, A., eds. 2015. *Global strategies to reduce violence by 50% in 30 years: Findings from the WHO and University of Cambridge Global Violence Reduction Conference 2014*. Cambridge, UK: Institute of Criminology, University of Cambridge.

・Kristensen, H. M. 2016. U.S. nuclear stockpile numbers published enroute to Hiroshima. *Federation of American Scientists Strategic Security Blog*. https://fas.org/blogs/security/2016/05/hiroshima-stockpile/.

・Kristensen, H. M., & Norris, R. S. 2016a. Status of world nuclear forces. *Federation of American Scientists*. https://fas.org/issues/nuclear-weapons/status-world-nuclear-forces/.

・Kristensen, H. M., & Norris, R. S. 2016b. United States nuclear forces, 2016. *Bulletin of the Atomic Scientists, 72*, 63–73.

・Krug, E. G., Dahlberg, L. L., Mercy, J. A., Zwi, A. B., & Lozano, R., eds. 2002. *World report on violence and health*. Geneva: World Health Organization.

・Kuhn, D. 1991. *The skills of argument*. New York: Cambridge University Press.

・Kuncel, N. R., Klieger, D. M., Connelly, B. S., & Ones, D. S. 2013. Mechanical versus clinical data combination in selection and admissions decisions: A meta-analysis. *Journal of Applied Psychology, 98*, 1060–72.

・Kunda, Z. 1990. The case for motivated reasoning. *Psychological Bulletin, 108*, 480–98.

・Kuran, T. 2004. Why the Middle East is economically underdeveloped: Historical mechanisms of institutional stagnation. *Journal of Economic Perspectives, 18*, 71–90.

・Kurlansky, M. 2006. *Nonviolence: Twenty-five lessons from the history of a dangerous idea*. New York: Modern Library.（マーク・カーランスキー『非暴力――武器を持たない闘士たち』小林朋則訳、ランダムハウス講談社、2007年）

・Kurzban, R., Tooby, J., & Cosmides, L. 2001. Can race be erased? Coalitional computation and social categorization. *Proceedings of the National Academy of Sciences, 98*, 15387–92.

・Kuznets, S. 1955. Economic growth and income inequality. *American Economic Review, 45*, 1–28.

・Lacina, B. 2006. Explaining the severity of civil wars. *Journal of Conflict Resolution, 50*, 276–89.

・Lacina, B., & Gleditsch, N. P. 2005. Monitoring trends in global combat: A new dataset in battle deaths. *European Journal of Population, 21*, 145–66.

・Lake, B. M., Ullman, T. D., Tenenbaum, J. B., & Gershman, S. J. 2017. Building machines that learn and think like people. *Behavioral and Brain*

Sciences, 39, 1–101.
・Lakner, C., & Milanović, B. 2016. Global income distribution: From the fall of the Berlin Wall to the Great Recession. *World Bank Economic Review, 30*, 203–232.
・Lampert, L. 1996. *Leo Strauss and Nietzsche*. Chicago: University of Chicago Press.
・Lancet Infectious Diseases Editors. 2005. Clearing the myths of time: Tuskegee revisited. *The Lancet Infectious Diseases, 5*, 127.
・Land, K. C., Michalos, A. C., & Sirgy, J., eds. 2012. *Handbook of social indicators and quality of life research*. New York: Springer.
・Lane, N. 2015. *The vital question: Energy, evolution, and the origins of complex life*. New York: Norton.（ニック・レーン『生命、エネルギー、進化』斉藤隆央訳、みすず書房、2016年）
・Lanier, J. 2014. The myth of AI. *Edge*. https://www.edge.org/conversation/jaron_lanier-the-myth-of-ai.
・Lankford, A. 2013. *The myth of martyrdom*. New York: Palgrave Macmillan.
・Lankford, A., & Madfis, E. 2018. Don't name them, don't show them, but report everything else: A pragmatic proposal for denying mass killers the attention they seek and deterring future offenders. *American Behavioral Scientist, 62*, 260–279.
・Latzer, B. 2016. *The rise and fall of violent crime in America*. New York: Encounter Books.
・Laudan, R. 2016. Was the agricultural revolution a terrible mistake? Not if you take food processing into account. http://www.rachellaudan.com/2016/01/was-the-agricultural-revolution-a-terrible-mistake.html.
・Law, S. 2011. *Humanism: A very short introduction*. New York: Oxford University Press.
・Lawson, S. 2013. Beyond cyber-doom: Assessing the limits of hypothetical scenarios in the framing of cyber-threats. *Journal of Information Technology & Politics, 10*, 86–103.
・Layard, R. 2005. *Happiness: Lessons from a new science*. New York: Penguin.
・Le Quéré, C., Andrew, R. M., Canadell, J. G., Sitch, S., Korsbakken, J. I., et al. 2016. Global carbon budget 2016. *Earth System Science Data, 8*, 605–49.
・Leavis, F. R. 1962/2013. *Two cultures? The significance of C. P. Snow*. New York: Cambridge University Press.
・Lee, J.-W., & Lee, H. 2016. Human capital in the long run. *Journal of Development Economics, 122*, 147–69.
・Leetaru, K. 2011. Culturomics 2.0: Forecasting large-scale human behavior using global news media tone in time and space. *First Monday, 16* (9). http://firstmonday.org/article/view/3663/3040.

・Leon, C. B. 2016. The life of American workers in 1915. *Monthly Labor Review*. http://www.bls.gov/opub/mlr/2016/article/the-life-of-american-workers-in-1915.htm.
・Leonard, T. C. 2009. Origins of the myth of social Darwinism: The ambiguous legacy of Richard Hofstadter's "Social Darwinism in American thought." *Journal of Economic Behavior & Organization, 71*, 37–51.
・Lerdahl, F., & Jackendoff, R. 1983. *A generative theory of tonal music*. Cambridge, MA: MIT Press.
・Levin, Y. 2017. Conservatism in an age of alienation. *Modern Age*, Spring. https://eppc.org/publications/conservatism-in-an-age-of-alienation/.
・Levinson, A. 2008. Environmental Kuznets curve. In S. N. Durlauf & L. E. Blume, eds., *The New Palgrave Dictionary of Economics* (2nd ed.). New York: Palgrave Macmillan.
・Levitsky, S., & Way, L. 2015. Myth of the democratic recession. *Journal of Democracy, 26*, 45–58.
・Levitt, S. D. 2004. Understanding why crime fell in the 1990s: Four factors that explain the decline and six that do not. *Journal of Economic Perspectives, 18*, 163–90.
・Levy, J. S. 1983. *War in the modern great power system 1495-1975*. Lexington: University Press of Kentucky.
・Levy, J. S., & Thompson, W. R. 2011. *The arc of war: Origins, escalation, and transformation*. Chicago: University of Chicago Press.
・Lewinsohn, P. M., Rohde, P., Seeley, J. R., & Fischer, S. A. 1993. Age-cohort changes in the lifetime occurrence of depression and other mental disorders. *Journal of Abnormal Psychology, 102*, 110–20.
・Lewis, B. 1990/1992. *Race and slavery in the Middle East: An historical enquiry*. New York: Oxford University Press.
・Lewis, B. 2002. *What went wrong? The clash between Islam and modernity in the Middle East*. New York: HarperPerennial.（バーナード・ルイス『イスラム世界はなぜ没落したか？——西洋近代と中東』臼杵陽監訳、今松泰・福田義昭訳、日本評論社、2003年）
・Lewis, J. E., DeGusta, D., Meyer, M. R., Monge, J. M., Mann, A. E., et al. 2011. The mismeasure of science: Stephen Jay Gould versus Samuel George Morton on skulls and bias. *PLOS Biology, 9*, e1001071.
・Lewis, M. 2016. *The undoing project: A friendship that changed our minds*. New York: Norton.（マイケル・ルイス『かくて行動経済学は生まれり』渡会圭子訳、文藝春秋、2017年）
・Liebenberg, L. 1990. *The art of tracking: The origin of science*. Cape Town: David Philip.
・Liebenberg, L. 2014. *The origin of science: On the evolutionary roots of science and its implications for self-education and citizen science*. Cape

Town: CyberTracker. http://www.cybertracker.org/science/the-origin-of-science.

· Lilienfeld, S. O., Ammirati, R., & Landfield, K. 2009. Giving debiasing away. *Perspectives on Psychological Science, 4*, 390–98.

· Lilienfeld, S. O., Ritschel, L. A., Lynn, S. J., Cautin, R. L., & Latzman, R. D. 2013. Why many clinical psychologists are resistant to evidence-based practice: Root causes and constructive remedies. *Clinical Psychology Review, 33*, 883–900.

· Lilla, M. 2001. *The reckless mind: Intellectuals in politics*. New York: New York Review of Books.（マーク・リラ『シュラクサイの誘惑——現代思想にみる無謀な精神』佐藤貴史・高田宏史・中金聡訳、日本経済評論社、2005年）

· Lilla, M. 2016. *The shipwrecked mind: On political reaction*. New York: New York Review of Books.（マーク・リラ『難破する精神——世界はなぜ反動化するのか』会田弘継監訳、山本久美子訳、NTT 出版、2017年）

· Lindert, P. 2004. *Growing public: Social spending and economic growth since the eighteenth century* (vol. 1: *The story*). New York: Cambridge University Press.

· Linker, D. 2007. *The theocons: Secular America under siege*. New York: Random House.

· Liu, L., Oza, S., Hogan, D., Perin, J., Rudan, I., et al. 2014. Global, regional, and national causes of child mortality in 2000–13, with projections to inform post-2015 priorities: An updated systematic analysis. *The Lancet, 385*, 430–40.

· Livingstone, M. S. 2014. *Vision and art: The biology of seeing* (updated ed.). New York: Harry Abrams.

· Lloyd, S. 2006. *Programming the universe: A quantum computer scientist takes on the cosmos*. New York: Vintage.（セス・ロイド『宇宙をプログラムする宇宙——いかにして「計算する宇宙」は複雑な世界を創ったか？』水谷淳訳、早川書房、2007年）

· Lodge, D. 2002. *Consciousness and the novel*. Cambridge, MA: Harvard University Press.

· López, R. E., & Holle, R. L. 1998. Changes in the number of lightning deaths in the United States during the twentieth century. *Journal of Climate, 11*, 2070–77.

· Lord, C. G., Ross, L., & Lepper, M. R. 1979. Biased assimilation and attitude polarization: The effects of prior theories on subsequently considered evidence. *Journal of Personality and Social Psychology, 37*, 2098–2109.

· Lovering, J., Trembath, A., Swain, M., & Lavin, L. 2015. Renewables and nuclear at a glance. *The Breakthrough*. http://thebreakthrough.org/index.php/issues/energy/renewables-and-nuclear-at-a-glance.

- Luard, E. 1986. *War in international society*. New Haven: Yale University Press.
- Lucas, R. E. 1988. On the mechanics of economic development. *Journal of Monetary Economics, 22*, 3-42.
- Lukianoff, G. 2012. *Unlearning liberty: Campus censorship and the end of American debate*. New York: Encounter Books.
- Lukianoff, G. 2014. *Freedom from speech*. New York: Encounter Books.
- Luria, A. R. 1976. *Cognitive development: Its cultural and social foundations*. Cambridge, MA: Harvard University Press.
- Lutz, W., Butz, W. P., & Samir, K. C., eds. 2014. *World population and human capital in the twenty-first century*. New York: Oxford University Press.
- Lutz, W., Cuaresma, J. C., & Abbasi-Shavazi, M. J. 2010. Demography, education, and democracy: Global trends and the case of Iran. *Population and Development Review, 36*, 253-81.
- Lynn, R., Harvey, J., & Nyborg, H. 2009. Average intelligence predicts atheism rates across 137 nations. *Intelligence, 37*, 11-15.
- MacAskill, W. 2015. *Doing good better:How effective altruism can help you make a difference*. New York: Penguin.（ウィリアム・マッカスキル『〈効果的な利他主義〉宣言！——慈善活動への科学的アプローチ』千葉敏生訳、みすず書房、2018年）
- Mackay, C. 1841/1995. *Extraordinary popular delusions and the madness of crowds*. New York: Wiley.（チャールズ・マッケイ『狂気とバブル——なぜ人は集団になると愚行に走るのか』塩野未佳・宮口尚子訳、パンローリング、2004年）
- Macnamara, J. 1999. *Through the rearview mirror: Historical reflections on psychology*. Cambridge, MA: MIT Press. Maddison Project. 2014.
- Maddison Project. http://www.ggdc.net/maddison/maddison-project/home.htm.
- Mahbubani, K. 2013. *The great convergence: Asia, the West, and the logic of one world*. New York: PublicAffairs.（キショール・マブバニ『大収斂——膨張する中産階級が世界を変える』山本文史訳、中央公論新社、2015年）
- Mahbubani, K., & Summers, L. H. 2016. The fusion of civilizations. *Foreign Affairs*, May/June.
- Makari, G. 2015. *Soul machine: The invention of the modern mind*. New York: Norton.
- Makel, M. C., Kell, H. J., Lubinski, D., Putallaz, M., & Benbow, C. P. 2016. When lightning strikes twice: Profoundly gifted, profoundly accomplished. *Psychological Science, 27*, 1004-18.
- Mankiw, G. 2013. Defending the one percent. *Journal of Economic*

Perspectives, 27, 21–34.
· Mann, T. E., & Ornstein, N. J. 2012/2016. *It's even worse than it looks: How the American constitutional system collided with the new politics of extremism* (new ed.). New York: Basic Books.
· Marcus, G. 2015. Machines won't be thinking anytime soon. *Edge*. https://www.edge.org/response-detail/26175.
· Marcus, G. 2016. Is big data taking us closer to the deeper questions in artificial intelligence? *Edge*. https://www.edge.org/conversation/gary_marcus-is-big-data-taking-us-closer-to-the-deeper-questions-in-artificial.
· Maritain, J. 1949. Introduction. In UNESCO, *Human rights: Comments and interpretations*. New York: Columbia University Press.
· Marlowe, F. 2010. *The Hadza: Hunter-gatherers of Tanzania*. Berkeley: University of California Press.
· Marshall, M. G. 2016. Major episodes of political violence, 1946–2015. Vienna, VA: Center for Systemic Peace. http://www.systemicpeace.org/warlist/warlist.htm.
· Marshall, M. G., & Gurr, T. R. 2014. Polity IV individual country regime trends, 1946–2013. Vienna, VA: Center for Systemic Peace. http://www.systemicpeace.org/polity/polity4x.htm.
· Marshall, M. G., Gurr, T. R., & Harff, B. 2009. *PITF State Failure Problem Set: Internal wars and failures of governance, 1955-2008. Dataset and coding guidelines*. Vienna, VA: Center for Systemic Peace. http://www.systemicpeace.org/inscr/PITFProbSetCodebook2014.pdf.
· Marshall, M. G., Gurr, T. R., & Jaggers, K. 2016. *Polity IV project: Political regime characteristics and transitions, 1800-2015, dataset users' manual*. Vienna, VA: Center for Systemic Peace. http://systemicpeace.org/inscrdata.html.
· Mathers, C. D., Sadana, R., Salomon, J. A., Murray, C. J. L., & Lopez, A. D. 2001. Healthy life expectancy in 191 countries, 1999. *The Lancet, 357*, 1685–91.
· Mattisson, C., Bogren, M., Nettelbladt, P., Munk-Jörgensen, P., & Bhugra, D. 2005. First incidence depression in the Lundby study: A comparison of the two time periods 1947–1972 and 1972–1997. *Journal of Affective Disorders, 87*, 151–60.
· McCloskey, D. N. 1994. Bourgeois virtue. *American Scholar, 63*, 177–91.
· McCloskey, D. N. 1998. Bourgeois virtue and the history of P and S. *Journal of Economic History, 58*, 297–317.
· McCloskey, D. N. 2014. Measured, unmeasured, mismeasured, and unjustified pessimism: A review essay of Thomas Piketty's "Capital in the twenty-first century." *Erasmus Journal for Philosophy and Economics, 7*, 73–115.

- McCullough, M. E. 2008. *Beyond revenge: The evolution of the forgiveness instinct.* San Francisco: Jossey-Bass.
- McEvedy, C., & Jones, R. 1978. *Atlas of world population history.* London: Allen Lane.
- McGinn, C. 1993. *Problems in philosophy: The limits of inquiry.* Cambridge, MA: Blackwell.
- McGinnis, J. O. 1996. The original constitution and our origins. *Harvard Journal of Law and Public Policy, 19,* 251–61.
- McGinnis, J. O. 1997. The human constitution and constitutive law: A prolegomenon. *Journal of Contemporary Legal Issues, 8,* 211–39.
- McMahon, D. M. 2001. *Enemies of the Enlightenment: The French counter-Enlightenment and the making of modernity.* New York: Oxford University Press.
- McMahon, D. M. 2006. *Happiness: A history.* New York: Grove/Atlantic.
- McNally, R. J. 2016. The expanding empire of psychopathology: The case of PTSD. *Psychological Inquiry, 27,* 46–49.
- McNaughton-Cassill, M. E. 2001. The news media and psychological distress. *Anxiety, Stress, and Coping, 14,* 193–211.
- McNaughton-Cassill, M. E., & Smith, T. 2002. My world is OK, but yours is not: Television news, the optimism gap, and stress. *Stress and Health, 18,* 27–33.
- Meehl, P. E. 1954/2013. *Clinical versus statistical prediction: A theoretical analysis and a review of the evidence.* Brattleboro, VT: Echo Point Books.
- Meeske, A. J., Riley, E. P., Robins, W. P., Uehara, T., Mekalanos, J. J., et al. 2016. SEDS proteins are a widespread family of bacterial cell wall polymerases. *Nature, 537,* 634–38.
- Melander, E., Pettersson, T., & Themnér, L. 2016. Organized violence, 1989–2015. *Journal of Peace Research, 53,* 727–42.
- Mellers, B. A., Hertwig, R., & Kahneman, D. 2001. Do frequency representations eliminate conjunction effects? An exercise in adversarial collaboration. *Psychological Science, 12,* 269–75.
- Mellers, B. A., Ungar, L., Baron, J., Ramos, J., Gurcay, B., et al. 2014. Psychological strategies for winning a geopolitical forecasting tournament. *Psychological Science, 25,* 1106–1115.
- Menschenfreund, Y. 2010. The Holocaust and the trial of modernity. *Azure, 39,* 58–83. http://azure.org.il/include/print.php?id=526.
- Mercier, H., & Sperber, D. 2011. Why do humans reason? Arguments for an argumentative theory. *Behavioral and Brain Sciences, 34,* 57–111.
- Mercier, H., & Sperber, D. 2017. *The enigma of reason.* Cambridge, MA: Harvard University Press.
- Merquior, J. G. 1985. *Foucault.* Berkeley: University of California Press. (J ・

G・メルキオール『フーコー――全体像と批判』財津理訳、河出書房新社、1995年）
・Merton, R. K. 1942/1973. The normative structure of science. In R. K. Merton, ed., *The sociology of science: Theoretical and empirical investigations*. Chicago: University of Chicago Press.
・Meyer, B. D., & Sullivan, J. X. 2011. The material well-being of the poor and middle class since 1980. Washington: American Enterprise Institute.
・Meyer, B. D., & Sullivan, J. X. 2012. Winning the war: Poverty from the Great Society to the Great Recession. *Brookings Papers on Economic Activity*, 133–200.
・Meyer, B. D., & Sullivan, J. X. 2017a. Consumption and income inequality in the U.S. since the 1960s. NBER Working Paper 23655. https://www3.nd.edu/~jsulliv4/jxs_papers/Inequality6.5.pdf.
・Meyer, B. D., & Sullivan, J. X. 2017b. Annual report on U.S. consumption poverty: 2016. http://www.aei.org/publication/annual-report-on-us-consumption-poverty-2016/.
・Michel, J.-B., Shen, Y. K., Aiden, A. P., Veres, A., Gray, M. K., The Google Books Team, Pickett, J. P., Hoiberg, D., Clancy, D., Norvig, P., Orwant, J., Pinker, S., Nowak, M., & Lieberman-Aiden, E. 2011. Quantitative analysis of culture using millions of digitized books. *Science, 331*, 176–82.
・Milanović, B. 2012. *Global income inequality by the numbers: In history and now—an overview*. Washington: World Bank Development Research Group.
・Milanović, B. 2016. *Global inequality: A new approach for the age of globalization*. Cambridge, MA: Harvard University Press.（ブランコ・ミラノヴィッチ『大不平等――エレファントカーブが予測する未来』立木勝訳、みすず書房、2017年）
・Miller, M., Azrael, D., & Barber, C. 2012. Suicide mortality in the United States: The importance of attending to method in understanding population-level disparities in the burden of suicide. *Annual Review of Public Health, 33*, 393–408.
・Miller, R. A., & Albert, K. 2015. If it leads, it bleeds (and if it bleeds, it leads): Media coverage and fatalities in militarized interstate disputes. *Political Communication, 32*, 61–82.
・Miller, T. R., Lawrence, B. A., Carlson, N. N., Hendrie, D., Randall, S., et al. 2016. Perils of police action: A cautionary tale from US data sets. *Injury Prevention*.
・Moatsos, M., Baten, J., Foldvari, P., van Leeuwen, B., & van Zanden, J. L. 2014. Income inequality since 1820. In J. van Zanden, J. Baten, M. M. d'Ercole, A. Rijpma, C. Smith, & M. Timmer, eds., *How was life? Global well-being since 1820*. Paris: OECD Publishing.

- Mokyr, J. 2012. *The enlightened economy: An economic history of Britain, 1700–1850*. New Haven: Yale University Press.
- Mokyr, J. 2014. Secular stagnation? Not in your life. In C. Teulings & R. Baldwin, eds., *Secular stagnation: Facts, causes and cures*. London: Centre for Economic Policy Research.
- Montgomery, S. L., & Chirot, D. 2015. *The shape of the new: Four big ideas and how they made the modern world*. Princeton, NJ: Princeton University Press.
- Mooney, C. 2005. *The Republican war on science*. New York: Basic Books.
- Morewedge, C. K., Yoon, H., Scopelliti, I., Symborski, C. W., Korris, J. H., et al. 2015. Debiasing decisions: Improved decision making with a single training intervention. *Policy Insights from the Behavioral and Brain Sciences, 2*, 129–40.
- Morton, O. 2015. *The planet remade: How geoengineering could change the world*. Princeton, NJ: Princeton University Press.
- Moss, J. 2005. Could Morton do it today? *University of Chicago Record, 40*, 27–28.
- Mozgovoi, A. 2002. Recollections of Vadim Orlov (USSR submarine B-59). *The Cuban Samba of the Quartet of Foxtrots: Soviet submarines in the Caribbean crisis of 1962*. http://nsarchive.gwu.edu/nsa/cuba_mis_cri/020000%20Recollections%20of%20Vadim%20Orlov.pdf.
- Mueller, J. 1989. *Retreat from doomsday: The obsolescence of major war*. New York: Basic Books.
- Mueller, J. 1999. *Capitalism, democracy, and Ralph's Pretty Good Grocery*. Princeton, NJ: Princeton University Press.
- Mueller, J. 2004a. *The remnants of war*. Ithaca, NY: Cornell University Press.
- Mueller, J. 2004b. Why isn't there more violence? *Security Studies, 13*, 191–203.
- Mueller, J. 2006. *Overblown: How politicians and the terrorism industry inflate national security threats, and why we believe them*. New York: Free Press.
- Mueller, J. 2009. War has almost ceased to exist: An assessment. *Political Science Quarterly, 124*, 297–321.
- Mueller, J. 2010a. *Atomic obsession: Nuclear alarmism from Hiroshima to Al-Qaeda*. New York: Oxford University Press.
- Mueller, J. 2010b. Capitalism, peace, and the historical movement of ideas. *International Interactions, 36*, 169–84.
- Mueller, J. 2012. Terror predictions. https://politicalscience.osu.edu/faculty/jmueller/PREDICT.PDF.
- Mueller, J. 2014. Did history end? Assessing the Fukuyama thesis. *Political*

Science Quarterly, 129, 35–54.
· Mueller, J. 2016. Embracing threatlessness: US military spending, Newt Gingrich, and the Costa Rica option. https://politicalscience.osu.edu/faculty/jmueller/CNArestraintCato16.pdf.
· Mueller, J., & Friedman, B. 2014. The cyberskeptics. https://www.cato.org/research/cyberskeptics.
· Mueller, J., & Stewart, M. G. 2010. Hardly existential: Thinking rationally about terrorism. *Foreign Affairs*, April 2.
· Mueller, J., & Stewart, M. G. 2016a. *Chasing ghosts: The policing of terrorism*. New York: Oxford University Press.
· Mueller, J., & Stewart, M. G. 2016b. Conflating terrorism and insurgency. *Lawfare*. https://www.lawfareblog.com/conflating-terrorism-and-insurgency.
· Muggah, R. 2015. Fixing fragile cities. *Foreign Affairs*, Jan. 15.（R・マッガー「急速な都市化の光と影――スマートシティと脆弱都市」フォーリン・アフェアーズ・リポート、2015年2月号）
· Muggah, R. 2016. Terrorism is on the rise—but there's a bigger threat we're not talking about. *World Economic Forum Global Agenda*. https://www.weforum.org/agenda/2016/04/terrorism-is-on-the-rise-but-there-s-a-bigger-threat-we-re-not-talking-about/.
· Muggah, R., & Szabo de Carvalho, I. 2016. The end of homicide. *Foreign Affairs*, Sept. 7.
· Müller, J-W. 2016. *What is populism?* Philadelphia: University of Pennsylvania Press.（ヤン＝ヴェルナー・ミュラー『ポピュリズムとは何か』板橋拓己訳、岩波書店、2017年）
· Müller, V. C., & Bostrom, N. 2014. Future progress in artificial intelligence: A survey of expert opinion. In V. C. Müller, ed., *Fundamental issues of artificial intelligence*. New York: Springer.
· Mulligan, C. B., Gil, R., & Sala-i-Martin, X. 2004. Do democracies have different public policies than nondemocracies? *Journal of Economic Perspectives, 18*, 51–74.
· Munck, G. L., & Verkuilen, J. 2002. Conceptualizing and measuring democracy: Evaluating alternative indices. *Comparative Political Studies, 35*, 5-34.（G・L・マンク／J・ヴェルクイレン「国際問題文献紹介『フリーダムハウス』は信用できるか――デモクラシー・データセットの評価ランキング」『国際問題』通号506、2002年5月）
· Murphy, J. M., Laird, N. M., Monson, R. R., Sobol, A. M., & Leighton, A. H. 2000. A 40- year perspective on the prevalence of depression: The Stirling County study. *Archives of General Psychiatry, 57*, 209–215.
· Murphy, J. P. M. 1999. Hitler was not an atheist. *Free Inquiry, 19* (2).
· Murphy, S. K., Zeng, M., & Herzon, S. B. 2017. A modular and

enantioselective synthesis of the pleuromutilin antibiotics. *Science, 356*, 956–59.
· Murray, C. 2003. *Human accomplishment: The pursuit of excellence in the arts and sciences, 800 B.C. to 1950*. New York: HarperPerennial.
· Murray, C. J. L., et al. (487 coauthors). 2012. Disability-adjusted life years (DALYs) for 291 diseases and injuries in 21 regions, 1990–2010: A systematic analysis for the Global Burden of Disease study 2010. *The Lancet, 380*, 2197–2223.
· Musolino, J. 2015. *The soul fallacy: What science shows we gain from letting go of our soul beliefs*. Amherst, NY: Prometheus Books.
· Myhrvold, N. 2014. Commentary on Jaron Lanier's "The myth of AI." *Edge*. https://www.edge.org/conversation/jaron_lanier-the-myth-of-ai#25983.
· Naam, R. 2010. Top five reasons "the singularity" is a misnomer. *Humanity+*. http://hplusmagazine.com/2010/11/11/top-five-reasons-singularity-misnomer/.
· Naam, R. 2013. *The infinite resource: The power of ideas on a finite planet*. Lebanon, NH: University Press of New England.
· Nadelmann, E. A. 1990. Global prohibition regimes: The evolution of norms in international society. *International Organization, 44*, 479–526.
· Nagdy, M., & Roser, M. 2016a. Military spending. *Our World in Data*. https://ourworldindata.org/military-spending/.
· Nagdy, M., & Roser, M. 2016b. Optimism and pessimism. *Our World in Data*. https://ourworldindata.org/optimism-pessimism/.
· Nagdy, M., & Roser, M. 2016c. Projections of future education. *Our World in Data*. https://ourworldindata.org/projections-of-future-education/.
· Nagel, T. 1970. *The possibility of altruism*. Princeton, NJ: Princeton University Press.
· Nagel, T. 1974. What is it like to be a bat? *Philosophical Review, 83*, 435–50. (トマス・ネーゲル『コウモリであるとはどのようなことか』永井均訳、勁草書房、1989年)
· Nagel, T. 1997. *The last word*. New York: Oxford University Press.(トマス・ネーゲル『理性の権利』大辻正晴訳、春秋社、2015年)
· Nagel, T. 2012. *Mind and cosmos: Why the materialist neo-Darwinian conception of nature is almost certainly false*. New York: Oxford University Press.
· Nash, G. H. 2009. *Reappraising the right: The past and future of American conservatism*. Wilmington, DE: Intercollegiate Studies Institute.
· National Assessment of Adult Literacy. (Undated.) Literacy from 1870 to 1979. https://nces.ed.gov/naal/lit_history.asp.
· National Center for Health Statistics. 2014. *Health, United States, 2013*. Hyattsville, MD: National Center for Health Statistics.

· National Center for Statistics and Analysis. 1995. *Traffic safety facts 1995—pedestrians*. Washington: National Highway Traffic Safety Administration. https://crashstats.nhtsa.dot.gov/Api/Public/ViewPublication/95F9.
· National Center for Statistics and Analysis. 2006. *Pedestrians: 2005 data*. Washington: National Highway Traffic Safety Administration. https://crashstats.nhtsa.dot.gov/Api/Public/ViewPublication/810624.
· National Center for Statistics and Analysis. 2016. *Pedestrians: 2014 data*. Washington: National Highway Traffic Safety Administration. https://crashstats.nhtsa.dot.gov/Api/Public/ViewPublication/812270.
· National Center for Statistics and Analysis. 2017. *Pedestrians: 2015 data*. Washington: National Highway Traffic Safety Administration. https://crashstats.nhtsa.dot.gov/Api/Public/Publication/812375.
· National Consortium for the Study of Terrorism and Responses to Terrorism. 2016. *Global Terrorism Database*. https://www.start.umd.edu/gtd/.
· National Institute on Drug Abuse. 2016. DrugFacts: High school and youth trends. https://www.drugabuse.gov/publications/drugfacts/high-school-youth-trends.
· National Safety Council. 2011. *Injury facts, 2011 edition*. Itasca, IL: National Safety Council.
· National Safety Council. 2016. *Injury facts, 2016 edition*. Itasca, IL: National Safety Council.
· Nemirow, J., Krasnow, M., Howard, R., & Pinker, S. 2016. Ineffective charitable altruism suggests adaptations for partner choice. Presented at the Annual Meeting of the Human Behavior and Evolution Society, Vancouver.
· *New York Times*. 2016. Election 2016: Exit polls. https://www.nytimes.com/interactive/2016/11/08/us/politics/election-exit-polls.html?_r=0.
· Newman, M. E. J. 2005. Power laws, Pareto distributions and Zipf's law. *Contemporary Physics, 46*, 323–51.
· Nietzsche, F. 1887/2014. *On the genealogy of morals*. New York: Penguin.（ニーチェ『道徳の系譜学』中山元訳、光文社、2009年）
· Nisbet, R. 1980/2009. *History of the idea of progress*. New Brunswick, NJ: Transaction.
· Norberg, J. 2016. *Progress: Ten reasons to look forward to the future*. London: Oneworld.（ヨハン・ノルベリ『進歩――人類の未来が明るい10の理由』山形浩生訳、晶文社、2018年）
· Nordhaus, T. 2016. Back from the energy future: What decades of failed forecasts say about clean energy and climate change. *Foreign Affairs*, Oct. 18.
· Nordhaus, T., & Lovering, J. 2016. Does climate policy matter? Evaluating

the efficacy of emissions caps and targets around the world. *The Breakthrough*. http://thebreakthrough.org/issues/Climate-Policy/does-climate-policy-matter.
・Nordhaus, T., & Shellenberger, M. 2007. *Break through: From the death of environmentalism to the politics of possibility*. Boston: Houghton Mifflin.
・Nordhaus, T., & Shellenberger, M. 2011. The long death of environmentalism. *The Breakthrough*. http://thebreakthrough.org/archive/the_long_death_of_environmenta.
・Nordhaus, T., & Shellenberger, M. 2013. How the left came to reject cheap energy for the poor: The great progressive reversal, part two. *The Breakthrough*. https://thebreakthrough.org/articles/the-great-progressive-reversal.
・Nordhaus, W. 1974. Resources as a constraint on growth. *American Economic Review, 64*, 22-26.
・Nordhaus, W. 1996. Do real-output and real-wage measures capture reality? The history of lighting suggests not. In T. F. Bresnahan & R. J. Gordon, eds., *The economics of new goods*. Chicago: University of Chicago Press.
・Nordhaus, W. 2013. *The climate casino: Risk, uncertainty, and economics for a warming world*. New Haven: Yale University Press.（ウィリアム・ノードハウス『気候カジノ——経済学から見た地球温暖化問題の最適解』藤﨑香里訳、日経 BP 社、2015年）
・Norenzayan, A. 2015. *Big gods: How religion transformed cooperation and conflict*. Princeton, NJ: Princeton University Press.（アラ・ノレンザヤン『ビッグ・ゴッド——変容する宗教と協力・対立の心理学』藤井修平・松島公望・荒川歩監訳、誠信書房、2022年）
・Norman, A. 2016. Why we reason: Intention-alignment and the genesis of human rationality. *Biology and Philosophy, 31*, 685-704.
・Norris, P., & Inglehart, R. 2016. Populist-authoritarianism. https://www.electoralintegrityproject.com/populistauthoritarianism/.
・North, D. C., Wallis, J. J., & Weingast, B. R. 2009. *Violence and social orders: A conceptual framework for interpreting recorded human history*. New York: Cambridge University Press.（ダグラス・C・ノース／ジョン・J・ウォリス／バリー・R・ワインガスト『暴力と社会秩序——制度の歴史学のために』杉之原真子訳、NTT 出版、2017年）
・Norvig, P. 2015. Ask not can machines think, ask how machines fit into the mechanisms we design. *Edge*. https://www.edge.org/response-detail/26055.
・Nozick, R. 1974. *Anarchy, state, and utopia*. New York: Basic Books.（ロバート・ノージック『アナーキー・国家・ユートピア——国家の正当性とその限界』嶋津格訳、木鐸社、1995年）
・Nussbaum, M. 2000. *Women and human development: The capabilities*

approach. New York: Cambridge University Press.（マーサ・C・ヌスバウム『女性と人間開発――潜在能力アプローチ』池本幸生・田口さつき・坪井ひろみ訳、岩波書店、2005年）

- Nussbaum, M. 2008. Who is the happy warrior? Philosophy poses questions to psychology. *Journal of Legal Studies, 37*, 81–113.
- Nussbaum, M. 2016. *Not for profit: Why democracy needs the humanities* (updated ed.). Princeton, NJ: Princeton University Press.（マーサ・C・ヌスバウム『経済成長がすべてか？――デモクラシーが人文学を必要とする理由』小沢自然・小野正嗣訳、岩波書店、2013年）
- Nyhan, B. 2013. Building a better correction. *Columbia Journalism Review*, http://archives.cjr.org/united_states_project/building_a_better_correction_nyhan_new_misperception_ research.php.
- Ó Gráda, C. 2009. *Famine: A short history*. Princeton, NJ: Princeton University Press.
- O'Neill, S., & Nicholson-Cole, S. 2009. "Fear won't do it": Promoting positive engagement with climate change through visual and iconic representations. *Science Communication, 30*, 355–79.
- O'Neill, W. L. 1989. *American high: The years of confidence, 1945-1960*. New York: Simon & Schuster.
- OECD. 1985. *Social expenditure 1960-1990: Problems of growth and control*. Paris: OECD Publishing.
- OECD. 2014. Social expenditure update—social spending is falling in some countries, but in many others it remains at historically high levels. https://www.oecd.org/els/soc/OECD2014-SocialExpenditure_Update19Nov_Rev.pdf.
- OECD. 2015a. *Education at a glance 2015: OECD indicators*. Paris: OECD Publishing.（経済協力開発機構（OECD）編著『図表でみる教育――OECDインディケータ2015年版』徳永優子・稲田智子・西村美由起・矢倉美登里訳、明石書店、2015年）
- OECD. 2015b. Suicide rates. https://data.oecd.org/healthstat/suicide-rates.htm.
- OECD. 2016. Income distribution and poverty. http://stats.oecd.org\/Index.aspx?DataSetCode=IDD.
- OECD. 2017. Social expenditure: Aggregated data. http://stats.oecd.org/Index.aspx?datasetcode=SOCX_AGG.
- Oeppen, J., & Vaupel, J. W. 2002. Broken limits to life expectancy. *Science, 296*, 1029–31.
- Oesterdiekhoff, G. W. 2015. The nature of "premodern" mind: Tylor, Frazer, Lévy-Bruhl, Evans-Pritchard, Piaget, and beyond. *Anthropos, 110*, 15–25.
- Office for National Statistics. 2016. UK environmental accounts: How much material is the UK consuming? https://www.ons.gov.uk/economy/

environmentalaccounts/articles/ukenvironmentalaccountshowmuchmaterialistheukconsuming/ukenvironmentalaccountshowmuchmaterialistheukconsuming.
・Office for National Statistics. 2017. Homicide. https://www.ons.gov.uk/peoplepopulationandcommunity/crimeandjustice/compendium/focusonviolentcrimeandsexualoffences/yearendingmarch2016/homicide.
・Ohlander, J. 2010. *The decline of suicide in Sweden: 1950-2000*. Ph.D. dissertation, Pennsylvania State University.
・Olfson, M., Druss, B. G., & Marcus, S. C. 2015. Trends in mental health care among children and adolescents. *New England Journal of Medicine, 372*, 2029–38.
・Omohundro, S. M. 2008. The basic AI drives. In P. Wang, B. Goertzel, & S. Franklin, eds., *Artificial general intelligence 2008: Proceedings of the first AGI conference*. Amsterdam: IOS Press.
・Oreskes, N., & Conway, E. 2010. *Merchants of doubt: How a handful of scientists obscured the truth on issues from tobacco smoke to global warming*. New York: Bloomsbury Press.（ナオミ・オレスケス／エリック・M・コンウェイ『世界を騙しつづける科学者たち』〈上・下巻〉福岡洋一訳、楽工社、2011年）
・Ortiz-Ospina, E., Lee, L., & Roser, M. 2016. Suicide. *Our World in Data*. https://ourworldindata.org/suicide/.
・Ortiz-Ospina, E., & Roser, M. 2016a. Child labor. *Our World in Data*. https://ourworldindata.org/child-labor/.
・Ortiz-Ospina, E., & Roser, M. 2016b. Public spending. *Our World in Data*. https://ourworldindata.org/public-spending/.
・Ortiz-Ospina, E., & Roser, M. 2016c. Trust. *Our World in Data*. https://ourworldindata.org/trust/.
・Ortiz-Ospina, E., & Roser, M. 2016d. World population growth. *Our World in Data*. https://ourworldindata.org/world-population-growth/.
・Ortiz-Ospina, E., & Roser, M. 2017. Happiness and life satisfaction. *Our World in Data*. https://ourworldindata.org/happiness-and-ife-satisfaction/.
・Osgood, C. E. 1962. *An alternative to war or surrender*. Urbana: University of Illinois Press.（チャールス・オスグッド『戦争と平和の心理学』田中靖政・南博訳、岩波書店、1968年）
・Otieno, C., Spada, H., & Renkl, A. 2013. Effects of news frames on perceived risk, emotions, and learning. *PLOS ONE, 8*, 1–12.
・Otterbein, K. F. 2004. *How war began*. College Station: Texas A&M University Press.
・Ottosson, D. 2006. *LGBT world legal wrap up survey*. Brussels: International Lesbian and Gay Association.

- Ottosson, D. 2009. *State-sponsored homophobia*. Brussels: International Lesbian, Gay, Bisexual, Trans, and Intersex Association.
- Pacala, S., & Socolow, R. 2004. Stabilization wedges: Solving the climate problem for the next 50 years with current technologies. *Science, 305*, 968–72.
- Pagden, A. 2013. *The Enlightenment: And why it still matters*. New York: Random House.
- Pagel, M. 2015. Machines that can think will do more good than harm. *Edge*. https://www.edge.org/response-detail/26038.
- Paine, T. 1782 /2016. *Thomas Paine ultimate collection: Political works, philosophical writings, speeches, letters and biography*. Prague: e-artnow.
- Papineau, D. 2015. Naturalism. In E. N. Zalta, ed., *Stanford Encyclopedia of Philosophy*. https://plato.stanford.edu/entries/naturalism/.
- Parachini, J. 2003. Putting WMD terrorism into perspective. *Washington Quarterly, 26*, 37–50.
- Parfit, D. 1997. Equality and priority. *Ratio, 10*, 202–21.
- Parfit, D. 2011. *On what matters*. New York: Oxford University Press.（デレク・パーフィット『重要なことについて』全２巻、森村進・奥野久美恵訳、勁草書房、2022年）
- Patel, A. 2008. *Music, language, and the brain*. New York: Oxford University Press.
- Patterson, O. 1985. *Slavery and social death*. Cambridge, MA: Harvard University Press.（オルランド・パターソン『世界の奴隷制の歴史』奥田暁子訳、明石書店、2001年）
- Paul, G. S. 2009. The chronic dependence of popular religiosity upon dysfunctional psychosociological conditions. *Evolutionary Psychology, 7*, 398–441.
- Paul, G. S. 2014. The health of nations. *Skeptic, 19*, 10–16.
- Paul, G. S., & Zuckerman, P. 2007. Why the gods are not winning. *Edge*. https://www.edge.org/conversation/gregory_paul-phil_zuckerman-why-the-gods-are-not-winning.
- Payne, J. L. 2004. *A history of force: Exploring the worldwide movement against habits of coercion, bloodshed, and mayhem*. Sandpoint, ID: Lytton Publishing.
- Payne, J. L. 2005. The prospects for democracy in high-violence societies. *Independent Review, 9*, 563–72.
- PBL Netherlands Environmental Assessment Agency. (Undated.) *History database of the global environment:* Population. http://themasites.pbl.nl/tridion/en/themasites/hyde/basicdrivingfactors/population/index-2.html.
- Pegula, S., & Janocha, J. 2013. Death on the job: Fatal work injuries in 2011. *Beyond the Numbers, 2* (22). http://www.bls.gov/opub/btn/volume-2/

death-on-the-job-fatal-work-injuries-in-2011.htm.

・Pelham, N. 2016. *Holy lands: Reviving pluralism in the Middle East.* New York: Columbia Global Reports.

・Pentland, A. 2007. The human nervous system has come alive. *Edge.* https://www.edge.org/response-detail/11497.

・Perlman, J. E. 1976. *The myth of marginality: Urban poverty and politics in Rio de Janeiro.* Berkeley: University of California Press.

・Peterson, M. B. 2015. Evolutionary political psychology: On the origin and structure of heuristics and biases in politics. *Advances in Political Psychology, 36,* 45–78.

・Pettersson, T., & Wallensteen, P. 2015. Armed conflicts, 1946–2014. *Journal of Peace Research, 52,* 536–50.

・Pew Research Center. 2010. *Gender equality universally embraced, but inequalities acknowledged.* Washington: Pew Research Center.

・Pew Research Center. 2012a. *The global religious landscape.* Washington: Pew Research Center.

・Pew Research Center. 2012b. *Trends in American values, 1987-2012.* Washington: Pew Research Center.

・Pew Research Center. 2012c. *The world's Muslims: Unity and diversity.* Washington: Pew Research Center.

・Pew Research Center. 2013. *The world's Muslims: Religion, politics, and society.* Washington: Pew Research Center.

・Pew Research Center. 2014. *Political polarization in the American public.* Washington: Pew Research Center.

・Pew Research Center. 2015a. *America's changing religious landscape.* Washington: Pew Research Center.

・Pew Research Center. 2015b. *The Future of World Religions: Population Growth Projections, 2010-2050.* Washington: Pew Research Center.

・Pew Research Center. 2015c. *Views about climate change, by education and science knowledge.* Washington: Pew Research Center.

・Phelps, E. S. 2013. *Mass flourishing: How grassroots innovation created jobs, challenge, and change.* Princeton, NJ: Princeton University Press.（エドマンド・S・フェルプス『なぜ近代は繁栄したのか――草の根が生みだすイノベーション』小坂恵理訳、みすず書房、2016年）

・Phillips, J. A. 2014. A changing epidemiology of suicide? The influence of birth cohorts on suicide rates in the United States. *Social Science and Medicine, 114,* 151–60.

・Pietschnig, J., & Voracek, M. 2015. One century of global IQ gains: A formal meta- analysis of the Flynn effect (1909–2013). *Perspectives on Psychological Science, 10,* 282–306.

・Piketty, T. 2013. *Capital in the twenty-first century.* Cambridge, MA:

Harvard University Press.（トマ・ピケティ『21世紀の資本』山形浩生・守岡桜・森本正史訳、みすず書房、2014年）
· Pinker, S. 1994/2007. *The language instinct.* New York: HarperCollins.（スティーブン・ピンカー『言語を生みだす本能』〈上・下巻〉椋田直子訳、NHK 出版、1995年）
· Pinker, S. 1997/2009. *How the mind works.* New York: Norton.（スティーブン・ピンカー『心の仕組み』〈上・下巻〉椋田直子・山下篤子訳、筑摩書房、2013年）
· Pinker, S. 1999 /2011. *Words and rules: The ingredients of language.* New York: HarperCollins.
· Pinker, S. 2002 /2016. *The blank slate: The modern denial of human nature.* New York: Penguin.（スティーブン・ピンカー『人間の本性を考える――心は「空白の石版」か』〈全３巻〉山下篤子訳、NHK 出版、2004年）
· Pinker, S. 2005. The evolutionary psychology of religion. *Freethought Today.* https://ffrf.org/about/getting-acquainted/item/13184-the-evolutionary-psychology-of-religion.
· Pinker, S. 2006. Preface to "Dangerous ideas" *Edge.* https://www.edge.org/conversation/steven_pinker-preface-to-dangerous-ideas.
· Pinker, S. 2007a. *The stuff of thought: Language as a window into human nature.* New York: Penguin.（スティーブン・ピンカー『思考する言語――「ことばの意味」から人間性に迫る』〈全３巻〉幾島幸子・桜内篤子訳、NHK 出版、2009年）
· Pinker, S. 2007b. Toward a consilient study of literature: Review of J. Gottschall & D. S. Wilson's "The literary animal: Evolution and the nature of narrative." *Philosophy and Literature, 31*, 162–78.
· Pinker, S. 2008a. The moral instinct. *New York Times Magazine*, Jan. 13.
· Pinker, S. 2008b. The stupidity of dignity. *New Republic*, May 28.
· Pinker, S. 2010. The cognitive niche: Coevolution of intelligence, sociality, and language. *Proceedings of the National Academy of Sciences, 107*, 8993–99.
· Pinker, S. 2011. *The better angels of our nature: Why violence has declined.* New York: Penguin.（スティーブン・ピンカー『暴力の人類史』〈上・下巻〉幾島幸子・塩原通緒訳、青土社、2015年）
· Pinker, S. 2012. The false allure of group selection. *Edge.* http://edge.org/conversation/steven_pinker-the-false-allure-of-group-selection.
· Pinker, S. 2013a. George A. Miller (1920–2012). *American Psychologist, 68*, 467–68.
· Pinker, S. 2013b. Science is not your enemy. *New Republic*, Aug. 6.
· Pinker, S., & Wieseltier, L. 2013. Science vs. the humanities, round III. *New Republic*, Sept. 26.
· Pinker, Susan. 2014. *The village effect: How face-to-face contact can make us*

healthier, happier, and smarter. New York: Spiegel & Grau.
・Plomin, R., & Deary, I. J. 2015. Genetics and intelligence differences: Five special findings. *Molecular Psychiatry, 20*, 98–108.
・PLOS Medicine Editors. 2013. The paradox of mental health: Over-treatment and under-recognition. *PLOS Medicine, 10*, e1001456.
・Plumer, B. 2015. Global warming, explained. *Vox*. http://www.vox .com/cards/global-warming/what-is-global-warming.
・Popper, K. 1945/2013. *The open society and its enemies*. Princeton, NJ: Princeton University Press.（カール・R・ポパー『開かれた社会とその敵』〈全２巻〉内田詔夫・小河原誠訳、未來社、1980年）
・Popper, K. 1983. *Realism and the aim of science*. London: Routledge.（カール・R・ポパー『実在論と科学の目的』〈上・下巻〉小河原誠・蔭山泰之・篠崎研二訳、岩波書店、2002年）
・Porter, M. E., Stern, S., & Green, M. 2016. *Social Progress Index 2016*. Washington: Social Progress Imperative.
・Porter, R. 2000. *The creation of the modern world: The untold story of the British Enlightenment*. New York: Norton.
・Potts, M., & Hayden, T. 2008. *Sex and war: How biology explains warfare and terrorism and offers a path to a safer world*. Dallas, TX: Benbella Books.
・Powell, J. L. 2015. Climate scientists virtually unanimous: Anthropogenic global warming is true. *Bulletin of Science, Technology & Society, 35*, 121–24.
・Prados de la Escosura, L. 2015. World human development, 1870–2007. *Review of Income and Wealth, 61*, 220–47.
・Pratto, F., Sidanius, J., & Levin, S. 2006. Social dominance theory and the dynamics of intergroup relations: Taking stock and looking forward. *European Review of Social Psychology, 17*, 271–320.
・Preble, C. 2004. *John F. Kennedy and the missile gap*. DeKalb: Northern Illinois University Press.
・Price, R. G. 2006. The mis-portrayal of Darwin as a racist. *RationalRevolution.net*. http://www.rationalrevolution.net/articles/darwin_nazism.htm.
・Proctor, B. D., Semega, J. L., & Kollar, M. A. 2016. *Income and poverty in the United States: 2015*. Washington: United States Census Bureau. http://www.census.gov/content/dam/Census/library/publications/2016/demo/p60-256.pdf.
・Proctor, R. N. 1988. *Racial hygiene: Medicine under the Nazis*. Cambridge, MA: Harvard University Press.
・Pronin, E., Lin, D. Y., & Ross, L. 2002. The bias blind spot: Perceptions of bias in self versus others. *Personality and Social Psychology Bulletin, 28*,

369–81.
· Pryor, F. L. 2007. Are Muslim countries less democratic? *Middle East Quarterly, 14*, 53–58.
· Publius Decius Mus (Michael Anton). 2016. The flight 93 election. *Claremont Review of Books Digital*. http://www.claremont.org/crb/basicpage/the-flight-93-election/.
· Putnam, R. D., & Campbell, D. E. 2010. *American grace: How religion divides and unites us*. New York: Simon & Schuster.（ロバート・D・パットナム／デヴィッド・E・キャンベル『アメリカの恩寵——宗教は社会をいかに分かち、結びつけるのか』柴内康文訳、柏書房、2019年）
· Quarantelli, E. L. 2008. Conventional beliefs and counterintuitive realities. *Social Research, 75*, 873–904.
· Rachels, J., & Rachels, S. 2010. *The elements of moral philosophy*. Columbus, OH: McGraw-Hill.（ジェームズ・レイチェルズ／スチュアート・レイチェルズ『新版 現実をみつめる道徳哲学』次田憲和訳、晃洋書房、2017年）
· Radelet, S. 2015. *The great surge: The ascent of the developing world*. New York: Simon & Schuster.
· Railton, P. 1986. Moral realism. *Philosophical Review, 95*, 163–207.
· Randle, M., & Eckersley, R. 2015. Public perceptions of future threats to humanity and different societal responses: A cross-national study. *Futures, 72*, 4–16.
· Rawcliffe, C. 1998. *Medicine and society in later medieval England*. Stroud, UK: Sutton.
· Rawls, J. 1976. *A theory of justice*. Cambridge, MA: Harvard University Press.（ジョン・ロールズ『正義論』川本隆史・福間聡・神島裕子訳、紀伊國屋書店、2010年）
· Ray, J. L. 1989. The abolition of slavery and the end of international war. *International Organization, 43*, 405–39.
· Redlawsk, D. P., Civettini, A. J. W., & Emmerson, K. M. 2010. The affective tipping point: Do motivated reasoners ever "get it"? *Political Psychology, 31*, 563–93.
· Reese, B. 2013. *Infinite progress: How the internet and technology will end ignorance, disease, poverty, hunger, and war*. Austin, TX: Greenleaf Book Group Press.
· Reverby, S. M., ed. 2000. *Tuskegee's truths: Rethinking the Tuskegee syphilis study*. Chapel Hill: University of North Carolina Press.
· Rhodes, R. 2010. *The twilight of the bombs*. New York: Knopf.
· Rice, J. W., Olson, J. K., & Colbert, J. T. 2011. University evolution education: The effect of evolution instruction on biology majors' content knowledge, attitude toward evolution, and theistic position. *Evolution: Education and Outreach, 4*, 137–44.

・Richards, R. J. 2013. *Was Hitler a Darwinian? : Disputed questions in the history of evolutionary theory*. Chicago: University of Chicago Press.
・Rid, T. 2012. Cyber war will not take place. *Journal of Strategic Studies, 35*, 5–32.
・Ridley, M. 2000. *Genome: The autobiography of a species in 23 chapters*. New York: HarperCollins.（マット・リドレー『ゲノムが語る23の物語』中村桂子・斉藤隆央訳、紀伊國屋書店、2000年）
・Ridley, M. 2010. *The rational optimist: How prosperity evolves*. New York: HarperCollins.（マット・リドレー『繁栄――明日を切り拓くための人類10万年史』大田直子・鍛原多惠子・柴田裕之訳、早川書房、2013年）
・Ridout, T. N., Grosse, A. C., & Appleton, A. M. 2008. News media use and Americans' perceptions of global threat. *British Journal of Political Science, 38*, 575–93.
・Rijpma, A. 2014. A composite view of well-being since 1820. In J. van Zanden, J. Baten, M. M. d'Ercole, A. Rijpma, C. Smith, & M. Timmer, eds., *How was life? : Global well- being since 1820*. Paris: OECD Publishing.（OECD開発センター編著『幸福の世界経済史――1820年以降、私たちの暮らしと社会はどのような進歩を遂げてきたのか』徳永優子訳、明石書店、2016年）
・Riley, J. C. 2005. Estimates of regional and global life expectancy, 1800–2001. *Population and Development Review, 31*, 537–43.
・Rindermann, H. 2008. Relevance of education and intelligence for the political development of nations: Democracy, rule of law and political liberty. *Intelligence, 36*, 306–22.
・Rindermann, H. 2012. Intellectual classes, technological progress and economic development: The rise of cognitive capitalism. *Personality and Individual Differences, 53*, 108–13.
・Risso, M. I. 2014. Intentional homicides in São Paulo city: A new perspective. *Stability: International Journal of Security & Development, 3*, art. 19.
・Ritchie, H., & Roser, M. 2017. CO2 and other greenhouse gas emissions. *Our World in Data*. https://ourworldindata.org/co2-and-other-greenhouse-gas-emissions/.
・Ritchie, S. 2015. *Intelligence: All that matters*. London: Hodder & Stoughton.
・Ritchie, S., Bates, T. C., & Deary, I. J. 2015. Is education associated with improvements in general cognitive ability, or in specific skills? *Developmental Psychology, 51*, 573–82.
・Rizvi, A. A. 2016. *The atheist Muslim: A journey from religion to reason*. New York: St. Martin's Press.
・Robinson, F. S. 2009. *The case for rational optimism*. New Brunswick, NJ: Transaction.

· Robinson, J. 2013. Americans less rushed but no happier: 1965–2010 trends in subjective time and happiness. *Social Indicators Research, 113*, 1091–1104.

· Robock, A., & Toon, O. B. 2012. Self-assured destruction: The climate impacts of nuclear war. *Bulletin of the Atomic Scientists, 68*, 66–74.

· Romer, P. 2016. Conditional optimism about progress and climate. *Paul Romer.net*. https://paulromer.net/conditional-optimism-about-progress-and-climate/.

· Romer, P., & Nelson, R. R. 1996. Science, economic growth, and public policy. In B. L. R. Smith & C. E. Barfield, eds., *Technology, R&D, and the economy*. Washington: Brookings Institution.

· Roos, J. M. 2014. Measuring science or religion? A measurement analysis of the National Science Foundation sponsored Science Literacy Scale, 2006–2010. *Public Understanding of Science, 23*, 797–813.

· Ropeik, D., & Gray, G. 2002. *Risk: A practical guide for deciding what's really safe and what's really dangerous in the world around you*. Boston: Houghton Mifflin.（David Ropeik、George Gray『リスクメーターではかるリスク！――アスベスト、水銀、…の危険度』安井至監訳、原美永子訳、丸善、2005年）

· Rose, S. J. 2016. *The growing size and incomes of the upper middle class*. Washington: Urban Institute.

· Rosen, J. 2016. Here's how the world could end—and what we can do about it. *Science*. http://www.sciencemag.org/news/2016/07/here-s-how-world-could-end-and-what-we-can-do-about-it.

· Rosenberg, N., & Birdzell, L. E., Jr. 1986. *How the West grew rich: The economic transformation of the industrial world*. New York: Basic Books.

· Rosenthal, B. G. 2002. *New myth, new world: From Nietzsche to Stalinism*. University Park: Penn State University Press.

· Roser, M. 2016a. Child mortality. *Our World in Data*. https://ourworldindata.org/child-mortality/.

· Roser, M. 2016b. Democracy. *Our World in Data*. https://ourworldindata.org/democracy/.

· Roser, M. 2016c. Economic growth. *Our World in Data*. https://ourworldindata.org/economic-growth/.

· Roser, M. 2016d. Food per person. *Our World in Data*. https://ourworldindata.org/food-per-person/.

· Roser, M. 2016e. Food prices. *Our World in Data*. https://ourworldindata.org/food-prices/.

· Roser, M. 2016f. Forests. *Our World in Data*. https://ourworldindata.org/forests/.

· Roser, M. 2016g. Global economic inequality. *Our World in Data*. https://

ourworldindata.org/global-economic-inequality/.
· Roser, M. 2016h. Human Development Index (HDI). *Our World in Data.* https://ourworldindata.org/human-development-index/.
· Roser, M. 2016i. Human rights. *Our World in Data.* https://ourworldindata.org/human-rights/.
· Roser, M. 2016j. Hunger and undernourishment. *Our World in Data.* https://ourworldindata.org/hunger-and-undernourishment/.
· Roser, M. 2016k. Income inequality. *Our World in Data.* https://ourworldindata.org/income-inequality/.
· Roser, M. 2016l. Indoor air pollution. *Our World in Data.* https://ourworldindata.org/indoor-air-pollution/.
· Roser, M. 2016m. Land use in agriculture. *Our World in Data.* https://ourworldindata.org/yields-and-land-use-in-agriculture/.
· Roser, M. 2016n. Life expectancy. *Our World in Data.* https://ourworldindata.org /life- expectancy/.
· Roser, M. 2016o. Light. *Our World in Data.* https://ourworldindata.org/light/.
· Roser, M. 2016p. Maternal mortality. *Our World in Data.* https://ourworldindata.org/maternal-mortality/.
· Roser, M. 2016q. Natural catastrophes. *Our World in Data.* https://ourworldindata.org/natural-catastrophes/.
· Roser, M. 2016r. Oil spills. *Our World in Data.* https://ourworldindata.org/oil-spills/.
· Roser, M. 2016s. Treatment of minorities. *Our World in Data.* https://ourworldindata.org/treatment-of-minorities/.
· Roser, M. 2016t. Working hours. *Our World in Data.* https://ourworldindata.org/working-hours/.
· Roser, M. 2016u. Yields. *Our World in Data.* https://ourworldindata.org/yields-and-land-use-in-agriculture/.
· Roser, M., & Ortiz-Ospina, E. 2016a. Global rise of education. *Our World in Data.* https://ourworldindata.org/global-rise-of-education/.
· Roser, M., & Ortiz-Ospina, E. 2016b. Literacy. *Our World in Data.* https://ourworldindata.org/literacy/.
· Roser, M., & Ortiz-Ospina, E. 2017. Global extreme poverty. *Our World in Data.* https://ourworldindata.org/extreme-poverty/.
· Roser, M., & Ortiz-Ospina, E. 2018. Primary and secondary education. *Our World in Data.* https://ourworldindata.org/primary-and-secondary-education/.
· Roth, R. 2009. *American homicide.* Cambridge, MA: Harvard University Press.
· Rozenblit, L., & Keil, F. C. 2002. The misunderstood limits of folk science:

An illusion of explanatory depth. *Cognitive Science, 26*, 521–62.
· Rozin, P., & Royzman, E. B. 2001. Negativity bias, negativity dominance, and contagion. *Personality and Social Psychology Review, 5*, 296–320.
· Ruddiman, W. F., Fuller, D. Q., Kutzbach, J. E., Tzedakis, P. C., Kaplan, J. O., et al. 2016. Late Holocene climate: Natural or anthropogenic? *Reviews of Geophysics, 54*, 93–118.
· Rummel, R. J. 1994. *Death by government*. New Brunswick, NJ: Transaction.
· Rummel, R. J. 1997. *Statistics of democide*. New Brunswick, NJ: Transaction.
· Russell, B. 1945/1972. *A history of Western philosophy*. New York: Simon & Schuster.（バートランド・ラッセル『西洋哲学史』〈全３巻〉市井三郎訳、みすず書房、1970–1985年）
· Russell, S. 2015. Will they make us better people? *Edge*. https://www.edge.org/response-detail/26157.
· Russett, B. 2010. Capitalism *or* democracy? Not so fast. *International Interactions, 36*, 198–205.
· Russett, B., & Oneal, J. 2001. *Triangulating peace: Democracy, interdependence, and international organizations*. New York: Norton.
· Sacerdote, B. 2017. *Fifty years of growth in American consumption, income, and wages*. Cambridge, MA: National Bureau of Economic Research. http://www.nber.org/papers/w23292.
· Sacks, D. W., Stevenson, B., & Wolfers, J. 2012. *The new stylized facts about income and subjective well-being*. Bonn: IZA Institute for the Study of Labor.
· Sagan, S. D. 2009a. The case for No First Use. *Survival, 51*, 163–82.
· Sagan, S. D. 2009b. The global nuclear future. *Bulletin of the American Academy of Arts and Sciences, 62*, 21–23.
· Sagan, S. D. 2009c. Shared responsibilities for nuclear disarmament. *Daedalus, 138*, 157–68.
· Sagan, S. D. 2010. Nuclear programs with sources. Center for International Security and Cooperation, Stanford University.
· Sage, J. C. 2010. *Birth cohort changes in anxiety from 1993-2006: A cross-temporal meta-analysis*. Master's thesis, San Diego State University, San Diego.
· Sanchez, D. L., Nelson, J. H., Johnston, J. C., Mileva, A., & Kammen, D. M. 2015. Biomass enables the transition to a carbon-negative power system across western North America. *Nature Climate Change, 5*, 230–34.
· Sandman, P. M., & Valenti, J. M. 1986. Scared stiff—or scared into action. *Bulletin of the Atomic Scientists, 42*, 12–16.
· Satel, S. L. 2000. *PC, M.D.: How political correctness is corrupting medicine*. New York: Basic Books.
· Satel, S. L. 2010. The limits of bioethics. *Policy Review*, Feb. & March.

・Satel, S. L. 2017. Taking on the scourge of opioids. *National Affairs*, Summer, 1–19.
・Saunders, P. 2010. *Beware false prophets: Equality, the good society and the spirit level*. London: Policy Exchange.
・Savulescu, J. 2015. Bioethics: Why philosophy is essential for progress. *Journal of Medical Ethics, 41*, 28–33.
・Sayer, L. C., Bianchi, S. M., & Robinson, J. P. 2004. Are parents investing less in children? Trends in mothers' and fathers' time with children. *American Journal of Sociology, 110*, 1–43.
・Sayre-McCord, G. 1988. *Essays on moral realism*. Ithaca, NY: Cornell University Press.
・Sayre-McCord, G. 2015. Moral realism. In E. N. Zalta, ed., *Stanford Encyclopedia of Philosophy*. https://plato.stanford.edu/entries/moral-realism/.
・Schank, R. C. 2015. Machines that think are in the movies. *Edge*. https://www.edge.org/response-detail/26037.
・Scheidel, W. 2017. *The great leveler: Violence and the history of inequality from the Stone Age to the twenty-first century*. Princeton, NJ: Princeton University Press.（ウォルター・シャイデル『暴力と不平等の人類史――戦争・革命・崩壊・疫病』鬼澤忍・塩原通緒訳、東洋経済新報社、2019年）
・Schelling, T. C. 1960. *The strategy of conflict*. Cambridge, MA: Harvard University Press.（トーマス・シェリング『紛争の戦略――ゲーム理論のエッセンス』河野勝監訳、勁草書房、2008年）
・Schelling, T. C. 2009. A world without nuclear weapons? *Daedalus, 138*, 124–29.
・Schlosser, E. 2013. *Command and control: Nuclear weapons, the Damascus accident, and the illusion of safety*. New York: Penguin.（エリック・シュローサー『核は暴走する――アメリカ核開発と安全性をめぐる闘い』上下巻、布施由紀子、河出書房新社、2018年）
・Schneider, C. E. 2015. *The censor's hand: The misregulation of human-subject research*. Cambridge, MA: MIT Press.
・Schneider, G., & Gleditsch, N. P. 2010. The capitalist peace: The origins and prospects of a liberal idea. *International Interactions, 36*, 107–14.
・Schneier, B. 2008. *Schneier on security*. New York: Wiley.
・Schrag, D. 2009. Coal as a low-carbon fuel? *Nature Geoscience, 2*, 818–20.
・Schrag, Z. M. 2010. *Ethical imperialism: Institutional review boards and the social sciences, 1965-2009*. Baltimore: Johns Hopkins University Press.
・Schrauf, R. W., & Sanchez, J. 2004. The preponderance of negative emotion words in the emotion lexicon: A cross-generational and cross-linguistic study. *Journal of Multilingual and Multicultural Development, 25*, 266–84.
・Schuck, P. H. 2015. *Why government fails so often: And how it can do better*.

Princeton, NJ: Princeton University Press.
・Scoblic, J. P. 2010. What are nukes good for? *New Republic*, April 7.
・Scott, J. C. 1998. *Seeing like a state: How certain schemes to improve the human condition failed*. New Haven: Yale University Press.
・Scott, R. A. 2010. *Miracle cures: Saints, pilgrimage, and the healing powers of belief*. Berkeley: University of California Press.
・Sechser, T. S., & Fuhrmann, M. 2017. *Nuclear weapons and coercive diplomacy*. New York: Cambridge University Press.
・Sehu, Y., Chen, L.-H., & Hedegaard, H. 2015. Death rates from unintentional falls among adults aged ≥ 65 years, by sex—United States, 2000–2013. *CDC Morbidity and Mortality Weekly Report, 64*, 450.
・Seiple, I. B., Zhang, Z., Jakubec, P., Langlois-Mercier, A., Wright, P. M., et al. 2016. A platform for the discovery of new macrolide antibiotics. *Nature, 533*, 338–45.
・Semega, J. L., Fontenot, K. R., & Kollar, M. A. 2017. Income and poverty in the United States: 2016. Washington: United States Census Bureau. https://www.census.gov/library/publications/2017/demo/p60-259.html.
・Sen, A. 1984. *Poverty and famines: An essay on entitlement and deprivation*. New York: Oxford University Press.（アマルティア・セン『貧困と飢饉』黒崎卓・山崎幸治訳、岩波書店、2000年／2017年）
・Sen, A. 1987. *On ethics and economics*. Oxford: Blackwell.（アマルティア・セン『経済学の再生――道徳哲学への回帰』徳永澄憲・松本保美・青山治城訳、麗澤大学出版会、2002年）
・Sen, A. 1999. *Development as freedom*. New York: Knopf.（アマルティア・セン『自由と経済開発』石塚雅彦訳、日本経済新聞社、2000年）
・Sen, A. 2000. East and West: The reach of reason. *New York Review of Books*, July 20.
・Sen, A. 2005. *The argumentative Indian: Writings on Indian history, culture and identity*. New York: Farrar, Straus & Giroux.（アマルティア・セン『議論好きなインド人――対話と異端の歴史が紡ぐ多文化世界』佐藤宏・粟屋利江訳、明石書店、2008年）
・Sen, A. 2009. *The idea of justice*. Cambridge, MA: Harvard University Press.（アマルティア・セン『正義のアイデア』池本幸生訳、明石書店、2011年）
・Service, R. F. 2017. Fossil power, guilt free. *Science, 356*, 796–99.
・Sesardić, N. 2016. *When reason goes on holiday: Philosophers in politics*. New York: Encounter.
・Sheehan, J. J. 2008. *Where have all the soldiers gone? : The transformation of modern Europe*. Boston: Houghton Mifflin.
・Shellenberger, M. 2017. Nuclear technology, innovation and economics. *Environmental Progress*. http://www.environmentalprogress.org/

nuclear-technology-innovation-economics/.
・Shellenberger, M., & Nordhaus, T. 2013. Has there been a great progressive reversal? How the left abandoned cheap electricity. AlterNet. https://www.alternet.org/environment/how-progressives-abandoned-cheap-electricity.
・Shermer, M., ed. 2002. *The Skeptic Encyclopedia of Pseudoscience* (vols. 1 and 2). Denver: ABC-CLIO.
・Shermer, M. 2015. *The moral arc: How science and reason lead humanity toward truth, justice, and freedom*. New York: Henry Holt.
・Shermer, M. 2018. *Heavens on earth: The scientific search for the afterlife, immortality, and utopia*. New York: Henry Holt.
・Shields, J. A., & Dunn, J. M. 2016. *Passing on the right: Conservative professors in the progressive university*. New York: Oxford University Press.
・Shtulman, A. 2006. Qualitative differences between naive and scientific theories of evolution. *Cognitive Psychology, 52*, 170–94.
・Shweder, R. A. 2004. Tuskegee re-examined. *Spiked*. http://www.spiked-online.com/newsite /article/14972#.WUdPYOvysYM.
・Sidanius, J., & Pratto, F. 1999. *Social dominance*. New York: Cambridge University Press.
・Siebens, J. 2013. *Extended measures of well-being: Living conditions in the United States, 2011*. Washington: US Census Bureau. https://www.census.gov/prod/2013pubs/p70-36.pdf.
・Siegel, R., Naishadham, D., & Jemal, A. 2012. Cancer statistics, 2012. *CA: A Cancer Journal for Clinicians, 62*, 10–29.
・Sikkink, K. 2017. *Evidence for hope: Making human rights work in the 21st century*. Princeton, NJ: Princeton University Press.
・Silver, N. 2015. *The signal and the noise: Why so many predictions fail—but some don't*. New York: Penguin.（ネイト・シルバー『シグナル&ノイズ——天才データアナリストの「予測学」』川添節子訳、日経BP社、2013年）
・Simon, J. 1981. *The ultimate resource*. Princeton, NJ: Princeton University Press.
・Singer, P. 1981/2011. *The expanding circle: Ethics and sociobiology*. Princeton, NJ: Princeton University Press.
・Singer, P. 2010. *The life you can save: How to do your part to end world poverty*. New York: Random House.（ピーター・シンガー『あなたが救える命——世界の貧困を終わらせるために今すぐできること』児玉聡・石川涼子訳、勁草書房、2014年）
・Singh, J. P., Grann, M., & Fazel, S. 2011. A comparative study of violence risk assessment tools: A systematic review and metaregression analysis of 68 studies involving 25,980 participants. *Clinical Psychology Review,*

31, 499–513.
· Slingerland, E. 2008. *What science offers the humanities: Integrating body and culture*. New York: Cambridge University Press.
· Sloman, S., & Fernbach, P. 2017. *The knowledge illusion: Why we never think alone*. New York: Penguin.（スティーブン・スローマン／フィリップ・ファーンバック『知ってるつもり――無知の科学』土方奈美訳、早川書房、2018年）
· Slovic, P. 1987. Perception of risk. *Science, 236*, 280–85.
· Slovic, P., Fischhoff, B., & Lichtenstein, S. 1982. Facts versus fears: Understanding perceived risk. In D. Kahneman, P. Slovic, & A. Tversky, eds., *Judgment under uncertainty: Heuristics and biases*. New York: Cambridge University Press.
· Smart, J. J. C., & Williams, B. 1973. *Utilitarianism: For and against*. New York: Cambridge University Press.
· Smith, A. 1776 /2009. *The wealth of nations*. New York: Classic House Books.（アダム・スミス『国富論――国の豊かさの本質と原因についての研究』〈上・下巻〉山岡洋一訳、日本経済新聞出版社、2007年）
· Smith, E. A., Hill, K., Marlowe, F., Nolin, D., Wiessner, P., et al. 2010. Wealth transmission and inequality among hunter-gatherers. *Current Anthropology, 51*, 19–34.
· Smith, H. L. 2008. Advances in age-period-cohort analysis. *Sociological Methods and Research, 36*, 287–96.
· Smith, T. W., Son, J., & Schapiro, B. 2015. *General Social Survey final report: Trends in psychological well-being, 1972-2014*. Chicago: National Opinion Research Center at the University of Chicago.
· Snow, C. P. 1959/1998. *The two cultures*. New York: Cambridge University Press.（C・P・スノー『二つの文化と科学革命』松井巻之助・増田珠子訳、みすず書房、2011年）
· Snow, C. P. 1961. The moral un-neutrality of science. *Science, 133*, 256–59.
· Snowdon, C. 2010. *The spirit level delusion: Fact-checking the left's new theory of everything*. Ripon, UK: Little Dice.
· Snowdon, C. 2016. *The Spirit Level Delusion* (blog). http://spiritleveldelusion.blogspot.co.uk/.
· Snyder, T. D., ed. 1993. *120 years of American education: A statistical portrait*. Washington: National Center for Education Statistics.
· Somin, I. 2016. *Democracy and political ignorance: Why smaller government is smarter* (2nd ed.). Stanford, CA: Stanford University Press.（イリヤ・ソミン『民主主義と政治的無知――小さな政府の方が賢い理由』森村進訳、信山社、2016年）
· Sowell, T. 1980. *Knowledge and decisions*. New York: Basic Books.
· Sowell, T. 1987. *A conflict of visions: Ideological origins of political struggles.*

New York: Quill.
- Sowell, T. 1994. *Race and culture: A world view*. New York: Basic Books.
- Sowell, T. 1995. *The vision of the anointed: Self-congratulation as a basis for social policy*. New York: Basic Books.
- Sowell, T. 1996. *Migrations and cultures: A world view*. New York: Basic Books.
- Sowell, T. 1998. *Conquests and cultures: An international history*. New York: Basic Books.（トマス・ソーウェル『征服と文化の世界史――民族と文化変容』内藤嘉昭訳、明石書店、2004年）
- Sowell, T. 2010. *Intellectuals and society*. New York: Basic Books.
- Sowell, T. 2015. *Wealth, poverty, and politics: An international perspective*. New York: Basic Books.
- Spagat, M. 2015. Is the risk of war declining? *Sense About Science USA*. http://www.senseaboutscienceusa.org/is-the-risk-of-war-declining/.
- Spagat, M. 2017. Pinker versus Taleb: A non-deadly quarrel over the decline of violence. *War, Numbers, and Human Losses*. http://personal.rhul.ac.uk/uhte/014/York%20talk%20Spagat.pdf.
- Stansell, C. 2010. *The feminist promise: 1792 to the present*. New York: Modern Library.
- Stanton, S. J., Beehner, J. C., Saini, E. K., Kuhn, C. M., & LaBar, K. S. 2009. Dominance, politics, and physiology: Voters' testosterone changes on the night of the 2008 United States presidential election. *PLOS ONE, 4*, e7543.
- Starmans, C., Sheskin, M., & Bloom, P. 2017. Why people prefer unequal societies. *Nature Human Behavior, 1*, 1-7.
- Statistics Times. 2015. List of European countries by population (2015). http://statisticstimes.com/population/european-countries-by-population.php.
- Steigmann-Gall, R. 2003. *The Holy Reich: Nazi conceptions of Christianity, 1919-1945*. New York: Cambridge University Press.
- Stein, G., ed. 1996. *The Encyclopedia of the Paranormal*. Amherst, NY: Prometheus Books.
- Stenger, V. J. 2011. *The fallacy of fine-tuning: Why the universe is not designed for us*. Amherst, NY: Prometheus Books.
- Stephens-Davidowitz, S. 2014. The cost of racial animus on a black candidate: Evidence using Google search data. *Journal of Public Economics, 118*, 26-40.
- Stephens-Davidowitz, S. 2017. *Everybody lies: Big data, new data, and what the internet reveals about who we really are*. New York: HarperCollins.（セス・スティーヴンズ＝ダヴィドウィッツ『誰もが嘘をついている――ビッグデータ分析が暴く人間のヤバい本性』酒井泰介訳、光文社、2018年）

· Stern, D. 2014. The environmental Kuznets curve: A primer. Centre for Climate Economics and Policy, Crawford School of Public Policy, Australian National University.
· Sternhell, Z. 2010. *The anti-Enlightenment tradition*. New Haven: Yale University Press.
· Stevens, J. A., & Rudd, R. A. 2014. Circumstances and contributing causes of fall deaths among persons aged 65 and older: United States, 2010. *Journal of the American Geriatrics Society, 62*, 470–75.
· Stevenson, B., & Wolfers, J. 2008a. Economic growth and subjective well-being: Reassessing the Easterlin paradox. *Brookings Papers on Economic Activity*, Spring, 1–87.
· Stevenson, B., & Wolfers, J. 2008b. Happiness inequality in the United States. *Journal of Legal Studies, 37*, S33–S79.
· Stevenson, B., & Wolfers, J. 2009. The paradox of declining female happiness. *American Economic Journal: Economic Policy, 1*, 190–225.
· Stevenson, L., & Haberman, D. L. 1998. *Ten theories of human nature*. New York: Oxford University Press.
· Stokes, B. 2007. *Happiness is increasing in many countries—but why?* Washington: Pew Research Center. http://www.pewglobal.org/2007/07/24/happiness-is-increasing-in-many-countries-but-why/#rich-and-happy.
· Stork, N. E. 2010. Re-assessing current extinction rates. *Biodiversity and Conservation, 19*, 357–71.
· Stuermer, M., & Schwerhoff, G. 2016. Non-renewable resources, extraction technology, and endogenous growth. National Bureau of Economic Research. https://paulromer.net/wp-content/uploads/2016/07/Stuermer-Schwerhoff-160716.pdf.
· Suckling, K., Mehrhof, L. A., Beam, R., & Hartl, B. 2016. *A wild success: A systematic review of bird recovery under the Endangered Species Act*. Tucson, AZ: Center for Biological Diversity. http://www.esasuccess.org/pdfs/WildSuccess.pdf.
· Summers, L. H. 2014a. The inequality puzzle. *Democracy: A Journal of Ideas, 33*.
· Summers, L. H. 2014b. Reflections on the "new secular stagnation hypothesis." In C. Teulings & R. Baldwin, eds., *Secular stagnation: Facts, causes and cures*. London: Centre for Economic Policy Research.
· Summers, L. H. 2016. The age of secular stagnation. *Foreign Affairs*, Feb. 15.
· Summers, L. H., & Balls, E. 2015. *Report of the Commission on Inclusive Prosperity*. Washington: Center for American Progress.
· Sunstein, C. R. 2013. *Simpler: The future of government*. New York: Simon

& Schuster.（キャス・サンスティーン『シンプルな政府――“規制”をいかにデザインするか』田総恵子訳、NTT 出版、2017年）
・Sutherland, R. 2016. The dematerialization of consumption. *Edge*. https://www.edge.org/response-detail/26750.
・Sutherland, S. 1992. *Irrationality: The enemy within*. London: Penguin.（スチュアート・サザーランド『不合理――誰もがまぬがれない思考の罠100』伊藤和子・杉浦茂樹訳、CCC メディアハウス、2013年）
・Sutin, A. R., Terracciano, A., Milaneschi, Y., An, Y., Ferrucci, L., et al. 2013. The effect of birth cohort on well-being: The legacy of economic hard times. *Psychological Science, 24*, 379–85.
・Taber, C. S., & Lodge, M. 2006. Motivated skepticism in the evaluation of political beliefs. *American Journal of Political Science, 50*, 755–69.
・Tannenwald, N. 2005. Stigmatizing the bomb: Origins of the nuclear taboo. *International Security, 29*, 5–49.
・Taylor, P. 2016a. *The next America: Boomers, millennials, and the looming generational showdown*. Washington: PublicAffairs.
・Taylor, P. 2016b. *The demographic trends shaping American politics in 2016 and beyond*. Washington: Pew Research Center.
・Tebeau, M. 2016. Accidents. *Encyclopedia of Children and Childhood in History and Society*. http://www.faqs.org/childhood/A-Ar/Accidents.html.（ポーラ・S・ファス編『世界子ども学大事典』北本正章監訳、原書房、2016年）
・Tegmark, M. 2003. Parallel universes. *Scientific American, 288*, 41–51.
・Teixeira, R., Halpin, J., Barreto, M., & Pantoja, A. 2013. *Building an all-in nation: A view from the American public*. Washington: Center for American Progress.
・Terracciano, A. 2010. Secular trends and personality: Perspectives from longitudinal and cross-cultural studies—commentary on Trzesniewski & Donnellan (2010). *Perspectives on Psychological Science, 5*, 93–96.
・Terry, Q. C. 2008. *Golden Rules and Silver Rules of humanity: Universal wisdom of civilization*. Berkeley: AuthorHouse.
・Tetlock, P. E. 2002. Social functionalist frameworks for judgment and choice: Intuitive politicians, theologians, and prosecutors. *Psychological Review, 109*, 451–71.
・Tetlock, P. E. 2015. All it takes to improve forecasting is keep score. Paper presented at the Seminars About Long-Term Thinking, San Francisco. http://longnow.org/seminars/02015/nov/23/superforecasting/.
・Tetlock, P. E., & Gardner, D. 2015. *Superforecasting: The art and science of prediction*. New York: Crown.（フィリップ・E・テトロック／ダン・ガードナー『超予測力――不確実な時代の先を読む10カ条』土方奈美訳、早川書房、2016年）

- Tetlock, P. E., Mellers, B. A., & Scoblic, J. P. 2017. Bringing probability judgments into policy debates via forecasting tournaments. *Science, 355,* 481–83.
- Teulings, C., & Baldwin, R., eds. 2014. *Secular stagnation: Facts, causes and cures.* London: Centre for Economic Policy Research.
- Thomas, C. D. 2017. *Inheritors of the Earth: How nature is thriving in an age of extinction.* New York: PublicAffairs.（クリス・D・トマス『なぜわれわれは外来生物を受け入れる必要があるのか』上原ゆうこ訳、原書房、2018年）
- Thomas, K. A., DeScioli, P., Haque, O. S., & Pinker, S. 2014. The psychology of coordination and common knowledge. *Journal of Personality and Social Psychology, 107,* 657–76.
- Thomas, K. A., DeScioli, P., & Pinker, S. 2018. Common knowledge, coordination, and the logic of self-conscious emotions. Department of Psychology, Harvard University.
- Thomas, K. H., & Gunnell, D. 2010. Suicide in England and Wales 1861–2007: A time trends analysis. *International Journal of Epidemiology, 39,* 1464–75.
- Thompson, D. 2013. How airline ticket prices fell 50% in 30 years (and why nobody noticed). *The Atlantic,* Feb. 28.
- Thyne, C. L. 2006. ABC's, 123's, and the Golden Rule: The pacifying effect of education on civil war, 1980–1999. *International Studies Quarterly, 50,* 733–54.
- Toniolo, G., & Vecchi, G. 2007. Italian children at work, 1881–1961. *Giornale degli Economisti e Annali di Economia, 66,* 401–27.
- Tooby, J. 2015. The iron law of intelligence. *Edge.* https://www.edge.org/response-detail/26197.
- Tooby, J. 2017. Coalitional instincts. *Edge.* https://www.edge.org/response-detail/27168.
- Tooby, J., Cosmides, L., & Barrett, H. C. 2003. The second law of thermodynamics is the first law of psychology: Evolutionary developmental psychology and the theory of tandem, coordinated inheritances. *Psychological Bulletin, 129,* 858–65.
- Tooby, J., & DeVore, I. 1987. The reconstruction of hominid behavioral evolution through strategic modeling. In W. G. Kinzey, ed., *The evolution of human behavior: Primate models.* Albany, NY: SUNY Press.
- Topol, E. 2012. *The creative destruction of medicine: How the digital revolution will create better health care.* New York: Basic Books.
- Trivers, R. L. 2002. *Natural selection and social theory: Selected papers of Robert Trivers.* New York: Oxford University Press.
- Trzesniewski, K. H., & Donnellan, M. B. 2010. Rethinking "generation me":

A study of cohort effects from 1976–2006. *Perspectives on Psychological Science, 5*, 58–75.

・Tupy, M. L. 2016. We work less, have more leisure time and earn more money. *HumanProgress*. http://humanprogress.org/blog/we-work-less-have-more-leisure-time-and-earn-more-money.

・Tversky, A., & Kahneman, D. 1973. Availability: A heuristic for judging frequency and probability. *Cognitive Psychology, 4*, 207–32.

・Twenge, J. M. 2000. The age of anxiety? The birth cohort change in anxiety and neuroticism, 1952–1993. *Journal of Personality and Social Psychology, 79*, 1007–21.

・Twenge, J. M. 2015. Time period and birth cohort differences in depressive symptoms in the U.S., 1982–2013. *Social Indicators Research, 121*, 437–54.

・Twenge, J. M., Campbell, W. K., & Carter, N. T. 2014. Declines in trust in others and confidence in institutions among American adults and late adolescents, 1972–2012. *Psychological Science, 25*, 1914–23.

・Twenge, J. M., Gentile, B., DeWall, C. N., Ma, D., Lacefield, K., et al. 2010. Birth cohort increases in psychopathology among young Americans, 1938–2007: A cross-temporal meta-analysis of the MMPI. *Clinical Psychology Review, 30*, 145–54.

・Twenge, J. M., & Nolen-Hoeksema, S. 2002. Age, gender, race, socioeconomic status, and birth cohort differences on the children's depression inventory: A meta-analysis. *Journal of Abnormal Psychology, 111*, 578–88.

・Twenge, J. M., Sherman, R. A., & Lyubomirsky, S. 2016. More happiness for young people and less for mature adults: Time period differences in subjective well-being in the United States, 1972–2014. *Social Psychological and Personality Science, 7*, 131–41.

・ul Haq, M. 1996. *Reflections on human development*. New York: Oxford University Press.（マブーブル・ハク『人間開発戦略——共生への挑戦』植村和子ほか訳、日本評論社、1997年）

・UNAIDS: Joint United Nations Program on HIV/AIDS. 2016. *Fast-track: Ending the AIDS epidemic by 2030*. Geneva: UNAIDS.

・Union of Concerned Scientists. 2015a. Close calls with nuclear weapons. http://www.ucsusa.org/sites/default/files/attach/2015/04/Close%20Calls%20with%20Nuclear%20Weapons.pdf.

・Union of Concerned Scientists. 2015b. Leaders urge taking weapons off hair-trigger alert. http://www.ucsusa.org/nuclear-weapons/hair-trigger-alert/leaders#.WUXs6evysYN.

・United Nations. 1948. Universal Declaration of Human Rights. http://www.un.org/en/universal-declaration-human-rights/index.html.（外務省仮訳：http://www.mofa.go.jp/mofaj/gaiko/udhr/1b_001.html）

· United Nations. 2015a. *The Millennium Development Goals Report 2015*. New York: United Nations.（概要訳：http://www.unic.or.jp/files/e530aa2b8e54dca3f48fd84004cf8297.pdf）
· United Nations. 2015b. Millennium Development Goals, goal 3: Promote gender equality and empower women. http://www.un.org/millenniumgoals/gender.shtml.
· United Nations Children's Fund. 2014. *Female genital mutilation/cutting: What might the future hold?* New York: UNICEF.
· United Nations Development Programme. 2003. *Arab Human Development Report 2002: Creating opportunities for future generations*. New York: Oxford University Press.
· United Nations Development Programme. 2011. *Human Development Report 2011*. New York: United Nations.（国連開発計画『人間開発報告書2011：持続可能性と公平性――より良い未来をすべての人に』横田洋三ほか監修、阪急コミュニケーションズ、2012年）
· United Nations Development Programme. 2016. Human Development Index (HDI). http://hdr.undp.org/en/content/human-development-index-hdi.
· United Nations Economic and Social Council. 2014. World crime trends and emerging issues and responses in the field of crime prevention and criminal justice. https://www.unodc.org/documents/data-and-analysis/statistics/crime/ECN.1520145_EN.pdf.
· United Nations Food and Agriculture Organization. 2012. *State of the world's forests 2012*. Rome: FAO.
· United Nations Food and Agriculture Organization. 2014. *The state of food insecurity in the world*. Rome: FAO.
· United Nations Office for Disarmament Affairs. (Undated.) Treaty on the non-proliferation of nuclear weapons (NPT). https://www.un.org/disarmament/wmd/nuclear/npt/text.
· United Nations Office of the High Commissioner for Human Rights. 1966. International covenant on economic, social and cultural rights. http://www.ohchr.org/EN/ProfessionalInterest/Pages/CESCR.aspx.
· United Nations Office on Drugs and Crime. 2013. Global study on homicide. https://www.unodc.org/gsh/en/data.html.
· United Nations Office on Drugs and Crime. 2014. *Global study on homicide 2013*. Vienna: United Nations.
· United States Census Bureau. 2016. Educational attainment in the United States, 2015. https://www.census.gov/content/dam/Census/library/publications/2016/demo/p20-578.pdf.
· United States Census Bureau. 2017. Population and housing unit estimates. https://www.census.gov/programs-surveys/popest/data.html.
· United States Department of Defense. 2016. Stockpile numbers, end of fiscal

years 1962-2015. http://open.defense.gov/Portals/23/Documents/frddwg/2015_Tables_UNCLASS.pdf.
- United States Department of Labor. 2016. Women in the labor force. https://www.dol.gov/wb/stats/NEWSTATS/facts.htm.
- United States Environmental Protection Agency. 2016. Air quality—national summary. https://www.epa.gov/air-trends/air-quality-national-summary.
- Unz, D., Schwab, F., & Winterhoff-Spurk, P. 2008. TV news—the daily horror? Emotional effects of violent television news. *Journal of Media Psychology, 20*, 141-55.
- Uppsala Conflict Data Program. 2017. UCDP datasets. http://ucdp.uu.se/downloads/.
- van Bavel, B., & Rijpma, A. 2016. How important were formalized charity and social spending before the rise of the welfare state? A long-run analysis of selected Western European cases, 1400-1850. *Economic History Review, 69*, 159-87.
- van Leeuwen, B., & van Leeuwen-Li, J. 2014. Education since 1820. In J. van Zanden, J. Baten, M. M. d'Ercole, A. Rijpma, C. Smith, & M. Timmer, eds., *How was life? Global well-being since 1820*. Paris: OECD Publishing.
- van Zanden, J., Baten, J., d'Ercole, M. M., Rijpma, A., Smith, C., & Timmer, M., eds. 2014. *How was life? Global well-being since 1820*. Paris: OECD Publishing.
- Värnik, P. 2012. Suicide in the world. *International Journal of Environmental Research and Public Health, 9*, 760-71.
- Veenhoven, R. 2010. Life is getting better: Societal evolution and fit with human nature. *Social Indicators Research 97*, 105-22.
- Veenhoven, R. (Undated.) World Database of Happiness. http://worlddatabaseofhappiness.eur.nl/.
- Verhulst, B., Eaves, L., & Hatemi, P. K. 2016. Erratum to "Correlation not causation: The relationship between personality traits and political ideologies." *American Journal of Political Science, 60*, E3-E4.
- Voas, D., & Chaves, M. 2016. Is the United States a counterexample to the secularization thesis? *American Journal of Sociology, 121*, 1517-56.
- Walther, B. A., & Ewald, P. W. 2004. Pathogen survival in the external environment and the evolution of virulence. *Biological Review, 79*, 849-69.
- Watson, W. 2015. *The inequality trap: Fighting capitalism instead of poverty*. Toronto: University of Toronto Press.
- Weaver, C. L. 1987. Support of the elderly before the Depression: Individual and collective arrangements. *Cato Journal, 7*, 503-25.
- Welch, D. A., & Blight, J. G. 1987-88. The eleventh hour of the Cuban

Missile Crisis: An introduction to the ExComm transcripts. *International Security, 12*, 5–29.
· Welzel, C. 2013. *Freedom rising: Human empowerment and the quest for emancipation*. New York: Cambridge University Press.
· Whaples, R. 2005. Child labor in the United States. In R. Whaples, ed., *EH.net Encyclopedia*. http://eh.net/encyclopedia/child-labor-in-the-united-states/.
· White, M. 2011. *Atrocities: The 100 deadliest episodes in human history*. New York: Norton.（マシュー・ホワイト『殺戮の世界史――人類が犯した100の大罪』住友進訳、早川書房、2013年）
· Whitman, D. 1998. *The optimism gap: The I'm OK—They're Not syndrome and the myth of American decline*. New York: Bloomsbury USA.
· Wieseltier, L. 2013. Crimes against humanities. *New Republic*, Sept. 3.
· Wilkinson, R., & Pickett, K. 2009. *The spirit level: Why more equal societies almost always do better*. London: Allen Lane.（リチャード・ウィルキンソン／ケイト・ピケット『平等社会――経済成長に代わる、次の目標』酒井泰介訳、東洋経済新報社、2010年）
· Wilkinson, W. 2016a. Revitalizing liberalism in the age of Brexit and Trump. *Niskanen Center Blog*. https://niskanencenter.org/blog/revitalizing-liberalism-age-brexit-trump/.
· Wilkinson, W. 2016b. What if we can't make government smaller? *Niskanen Center Blog*. https://niskanencenter.org/blog/cant-make-government-smaller/.
· Williams, J. H., Haley, B., Kahrl, F., Moore, J., Jones, A. D., et al. 2014. *Pathways to deep decarbonization in the United States* (rev. ed.). San Francisco: Institute for Sustainable Development and International Relations.
· Willingham, D. T. 2007. Critical thinking: Why is it so hard to teach? *American Educator*, Summer, 8–19.
· Willnat, L., & Weaver, D. H. 2014. *The American journalist in the digital age*. Bloomington: Indiana University School of Journalism.
· Wilson, E. O. 1998. *Consilience: The unity of knowledge*. New York: Knopf.（エドワード・O・ウィルソン『知の挑戦――科学的知性と文化的知性の統合』山下篤子訳、角川書店、2002年）
· Wilson, M., & Daly, M. 1992. The man who mistook his wife for a chattel. In J. H. Barkow, L. Cosmides, & J. Tooby, eds., *The adapted mind: Evolutionary psychology and the generation of culture*. New York: Oxford University Press.
· Wilson, W. 2007. The winning weapon? Rethinking nuclear weapons in light of Hiroshima. *International Security, 31*, 162–79.
· WIN-Gallup International. 2012. Global Index of Religiosity and Atheism.

https://sidmennt.is/wp-content/uploads/Gallup-International-um-tr%C3%BA-og-tr%C3%BAleysi-2012.pdf.
・Winship, S. 2013. Overstating the costs of inequality. *National Affairs*, Spring.
・Wolf, M. 2007. *Proust and the squid: The story and science of the reading brain*. New York: HarperCollins.（メアリアン・ウルフ『プルーストとイカ――読書は脳をどのように変えるのか？』小松淳子訳、インターシフト、2008年）
・Wolin, R. 2004. *The seduction of unreason: The intellectual romance with fascism from Nietzsche to postmodernism*. Princeton, NJ: Princeton University Press.
・Wood, G. 2017. *The way of the strangers: Encounters with the Islamic State*. New York: Random House.
・Woodley, M. A., te Nijenhuis, J., & Murphy, R. 2013. Were the Victorians cleverer than us? The decline in general intelligence estimated from a meta-analysis of the slowing of simple reaction time. *Intelligence, 41*, 843–50.
・Woodward, B., Shurkin, J., & Gordon, D. 2009. *Scientists greater than Einstein: The biggest lifesavers of the twentieth century*. Fresno, CA: Quill Driver.
・Woolf, A. F. 2017. *The New START treaty: Central limits and key provisions*. Washington: Congressional Research Service. https://fas.org/sgp/crs/nuke/R41219.pdf.
・Wootton, D. 2015. *The invention of science: A new history of the Scientific Revolution*. New York: HarperCollins.
・World Bank. 2012a. *Turn down the heat: Why a 4°C warmer world must be avoided*. Washington: World Bank.
・World Bank. 2012b. *World Development Report 2013: Jobs*. Washington: World Bank.
・World Bank. 2016a. Adult literacy rate, population 15+ years, both sexes (%). http://data.worldbank.org/indicator/SE.ADT.LITR.ZS.
・World Bank. 2016b. Air transport, passengers carried. http://data.worldbank.org/indicator/IS.AIR.PSGR.
・World Bank. 2016c. GDP per capita growth (annual %). http://data.worldbank.org/indicator/NY.GDP.PCAP.KD.ZG.
・World Bank. 2016d. Gini index (World Bank estimate). http://data.worldbank.org/indicator/SI.POV.GINI?locations=US.
・World Bank. 2016e. International tourism, number of arrivals. http://data.worldbank.org/indicator/ST.INT.ARVL.
・World Bank. 2016f. Literacy rate, youth (ages 15–24), gender parity index (GPI). http://data.worldbank.org/indicator/SE.ADT.1524.LT.FM.ZS.

- World Bank. 2016g. PovcalNet: An online analysis tool for global poverty monitoring. http://iresearch.worldbank.org/PovcalNet/home.aspx.
- World Bank. 2016h. Terrestrial protected areas (% of total land area). http://data.worldbank.org/indicator/ER.LND.PTLD.ZS.
- World Bank. 2016i. Youth literacy rate, population 15–24 years, both sexes (%). http://data.worldbank.org/indicator/SE.ADT.1524.LT.ZS.
- World Bank. 2017. World development indicators: Deforestation and biodiversity. http://wdi.worldbank.org/table/3.4.
- World Health Organization. 2014. *Injuries and violence: The facts 2014*. Geneva: World Health Organization. http://www.who.int/violence_injury_prevention/media/news/2015/Injury_violence_facts_2014/en/.
- World Health Organization. 2015a. European Health for All database (HFA-DB). https://gateway.euro.who.int/en/datasets/european-health-for-all-database/.
- World Health Organization. 2015b. *Global technical strategy for malaria, 2016-2030*. Geneva: World Health Organization. http://apps.who.int/iris/bitstream/10665/176712/1/9789241564991_eng.pdf?ua=1&ua=1.
- World Health Organization. 2015c. *Trends in maternal mortality, 1990 to 2015*. Geneva: World Health Organization. http://apps.who.int/iris/bitstream/10665/194254/1/9789241565141_eng.pdf?ua=1.（邦訳：https://www.joicfp.or.jp/jpn/2015/11/17/31090/）
- World Health Organization. 2016a. Global Health Observatory (GHO) data. http://www.who.int/gho/mortality_burden_disease/life_tables/situation_trends/en/.
- World Health Organization. 2016b. A research and development blueprint for action to prevent epidemics. http://www.who.int/blueprint/en/.
- World Health Organization. 2016c. Road safety: Estimated number of road traffic deaths, 2013. http://gamapserver.who.int/gho/interactive_charts/road_safety/road_traffic_deaths/atlas.html.
- World Health Organization. 2016d. Suicide. http://www.who.int/mediacentre/factsheets/fs398/en/.
- World Health Organization. 2017a. European health information gateway: Deaths (#), all causes. https://gateway.euro.who.int/en/indicators/hfamdb-indicators/hfamdb_98-deaths-all-causes/.
- World Health Organization. 2017b. Suicide rates, crude: Data by country. http://apps.who.int/gho/data/node.main.MHSUICIDE?lang=en.
- World Health Organization. 2017c. The top 10 causes of death. http://www.who.int/mediacentre/fact sheets/fs310/en/.
- Wrangham, R. W. 2009. *Catching fire: How cooking made us human*. New York: Basic Books.（リチャード・ランガム『火の賜物――ヒトは料理で進化した』依田卓巳訳、NTT 出版、2010年）

- Wrangham, R. W., & Glowacki, L. 2012. Intergroup aggression in chimpanzees and war in nomadic hunter-gatherers. *Human Nature, 23,* 5–29.
- Young, O. R. 2011. Effectiveness of international environmental regimes: Existing knowledge, cutting-edge themes, and research strategies. *Proceedings of the National Academy of Sciences, 108,* 19853–60.
- Yudkowsky, E. 2008. Artificial intelligence as a positive and negative factor in global risk. In N. Bostrom & M. Ćirković, eds., *Global catastrophic risks.* New York: Oxford University Press.
- Zelizer, V. A. 1985. *Pricing the priceless child: The changing social value of children.* New York: Basic Books.
- Zimring, F. E. 2007. *The Great American Crime Decline.* New York: Oxford University Press.
- Zuckerman, P. 2007. Atheism: Contemporary numbers and patterns. In M. Martin, ed., *The Cambridge Companion to Atheism.* New York: Cambridge University Press.

原　注

第16章

（1）ホモ・サピエンス：Pinker 1997/2009, 2010; Tooby & DeVore 1987.
（2）教育を受けていない人々は具体的なものを志向：Everett 2008; Flynn 2007; Luria 1976; Oesterdiekhoff 2015; Everettの著書については、わたしのコメントも参照〈https://www.edge.org/conversation/daniel_l_everett-recursion-and-human-thought#22005〉。
（3）*Encyclopedia of the Social Sciences*, 1931, vol. 5, p. 410, Easterlin 1981で引用。
（4）United Nations Office of the High Commissioner for Human Rights 1966.
（5）教育は経済成長の要因である：Easterlin 1981; Glaeser et al. 2004; Hafer 2017; Rindermann 2012; Roser & Ortiz-Ospina 2016a; van Leeuwen & van Leeuwen-Li 2014; van Zanden et al. 2014.
（6）I. N. Thut and D. Adams, *Educational Patterns in Contemporary Societies* (New York: McGraw-Hill, 1964), p. 62, Easterlin 1981, p. 10で引用。
（7）アラブ諸国の経済成長の遅れ：Lewis 2002; United Nations Development Programme 2003.
（8）教育は平和をもたらす：Hegre et al. 2011; Thyne 2006. 教育は民主主義をもたらす：Glaeser, Ponzetto, & Shleifer 2007; Hafer 2017; Lutz, Cuaresma, & Abbasi-Shavazi 2010; Rindermann 2008.
（9）若年妊娠と暴力：Potts & Hayden 2008.
（10）教育によって人種差別、性差別、同性愛嫌悪が減る：Rindermann 2008; Teixeira et al. 2013; Welzel 2013.
（11）教育によって言論の自由や想像力を尊重するようになる：Welzel 2013.
（12）教育と市民活動への参加：Hafer 2017; OECD 2015a; Ortiz-Ospina & Roser 2016c; World Bank 2012b.
（13）教育と信頼：Ortiz-Ospina & Roser 2016c.
（14）Roser & Ortiz-Ospina 2016b（UNESCO Institute for Statistics 2016aのデータに基づく。図はWorld Bank 2016aを参照）。
（15）UNESCO Institute for Statistics（図はWorld Bank 2016iを参照）。
（16）UNESCO Institute for Statistics, 〈http://data.uis.unesco.org/〉
（17）読み書き能力と基礎教育の関係については、van Leeuwen & van Leeuwen-Li 2014, pp. 88-93を参照。
（18）Lutz, Butz, & Samir 2014, International Institute for Applied Systems Analysis, 〈http://www.iiasa.ac.at/〉のモデルに基づく。Nagdy & Roser 2016cで要約されている。

(19) コヘレトの言葉、12章12節。
(20) 教育への関心の高まり：Autor 2014.
(21) 1920年と1930年のアメリカの高校進学率：Leon 2016. 2011年の高校卒業率：A. Duncan, "Why I Wear 80," *Huffington Post*, Feb. 14, 2014. 2016年の高校卒業後の大学進学者数：Bureau of Labor Statistics 2017.
(22) United States Census Bureau 2016.
(23) Nagdy & Roser 2016c, International Institute for Applied Systems Analysis, 〈http://www.iiasa.ac.at/〉; Lutz, Butz, & Samir 2014のモデルに基づく。
(24) S. F. Reardon, J. Waldfogel, & D. Bassok, "The Good News About Educational Inequality," *New York Times*, Aug. 26, 2016.
(25) 女子教育の効果：Deaton 2013; Nagdy & Roser 2016c; Radelet 2015.
(26) United Nations 2015b.
(27) アフガニスタンの最初のデータポイントはタリバンが支配する15年前、第2のデータポイントはタリバン支配の10年後のものである。そのため、アフガニスタンの状況が改善したのは、2001年のNATOの介入でタリバンが追放されたおかげとは単純にいえない。
(28) フリン効果：Deary 2001; Flynn 2007, 2012. このほかPinker 2011, pp. 650–60も参照。
(29) 知能の遺伝：Pinker 2002/2016, chap. 19 and afterword; Deary 2001; Plomin & Deary 2015; Ritchie 2015.
(30) フリン効果は雑種強勢では説明できない：Flynn 2007; Pietschnig & Voracek 2015.
(31) フリン効果に関するメタ分析：Pietschnig & Voracek 2015.
(32) フリン効果の終わり：Pietschnig & Voracek 2015.
(33) フリン効果の考えられる原因：Flynn 2007; Pietschnig & Voracek 2015.
(34) 栄養と健康はフリン効果の一部しか説明できない：Flynn 2007, 2012; Pietschnig & Voracek 2015.
(35) 一般知能因子の存在と遺伝：Deary 2001; Plomin & Deary 2015; Ritchie 2015.
(36) フリン効果と分析的思考力の向上：Flynn 2007, 2012; Ritchie 2015; Pinker 2011, pp. 650–60.
(37) 教育は分析的思考に影響を与える（ただし一般知能因子には影響しない）：Ritchie, Bates, & Deary 2015.
(38) IQは人生の追い風：Deary 2001; Gottfredson 1997; Makel et al. 2016; Pinker 2002/2016; Ritchie 2015.
(39) フリン効果と道徳感覚：Flynn 2007; Pinker 2011, pp. 656–70.
(40) フリン効果と実在の天才：反対意見 Woodley, te Nijenhuis, & Murphy 2013; 賛成意見 Pietschnig & Voracek 2015, p. 283.
(41) 発展途上地域のハイテク産業：Diamandis & Kotler 2012; Kenny 2011; Radelet 2015.

(42) IQ上昇の恩恵：Hafer 2017.
(43) 潜在変数としての進歩：Land, Michalos, & Sirgy 2012; Prados de la Escosura 2015; van Zanden et al. 2014; Veenhoven 2010.
(44) 人間開発指数：United Nations Development Programme 2016を参照。人間開発指数の考案：Sen 1999; ul Haq 1996.
(45) 最も貧しい国も良くなっている：Prados de la Escosura 2015, p. 222. この参考文献で「西洋」とみなしているのは1994年以前のOECD加盟国、つまりヨーロッパ諸国、アメリカ、カナダ、オーストラリア、ニュージーランド、日本である。また2007年のサハラ以南のアフリカの指数は0.22で、1950年代の世界および1890年代のOECD加盟国と同水準であることも指摘されている。「幸福の度合い」の場合も、2000年のサハラ以南のアフリカの数値は約－0.3で（現在はもっと高いだろう）、1910年頃の世界および1875年頃の西ヨーロッパと同水準である。
(46) 詳細と必要条件については、Rijpma 2014とPrados de la Escosura 2015を参照。

第17章

(1)『知識人と大衆』：Carey 1993.
(2) 由来は、ユダヤのジョーク、ボードビル〔大衆向けのショー〕の定番、ブロードウェイ・ミュージカル『Ballyhoo of 1932』の会話などいろいろである。
(3) 潜勢能力：Nussbaum 2000.
(4) 食物の加工にかける時間：Laudan 2016.
(5) 労働時間の短縮：Roser 2016t , Huberman & Minns 2007のデータに基づく。世界全体の労働時間が週7.2時間減少したことを示すデータについては、Tupy 2016および "Hours Worked Per Worker," *HumanProgress*, 〈http://humanprogress.org/f1/2246〉を参照。
(6) Housel 2013.
(7) この表現はWeaver 1987, p. 505で引用されている。
(8) 生産性と労働時間の短縮：Roser 2016t. シニア層における貧困の減少：Deaton 2013, p. 180. ただし貧困層の絶対的な割合は、貧困をどう定義するかで変化することに注意が必要である。たとえば［図9―6］と比較してほしい。
(9) アメリカにおける有給休暇のデータは、Housel 2013にまとめられている。労働統計局のデータに基づく。
(10) イギリスのデータ：ジェシー・オースベルが計算し、〈http://www.humanprogress.org/static/3261〉でグラフ化されている。
(11) いくつかの発展途上国における労働時間の傾向：Roser 2016t.
(12) 時間短縮のために家電が買われるようになった：M. Tupy, "Cost of Living and Wage Stagnation in the United States, 1979-2015," *HumanProgress*, 〈https://www.cato.org/projects/humanprogress/

cost-of-living〉; Greenwood, Seshadri, & Yorukoglu 2005.
(13) いちばん嫌いな時間の使い方：Kahneman et al. 2004. 家事に費やす時間：Greenwood, Seshadri, & Yorukoglu 2005; Roser 2016t.
(14) 洗濯に使う時間：*HumanProgress*, 〈http://humanprogress.org/static/3264〉, S. Skwire, "How Capitalism Has Killed Laundry Day," *CapX*, April 11, 2016, 〈https://iea.org.uk/blog/how-capitalism-has-killed-laundry-day〉, および労働統計局のデータに基づく。
(15) 洗濯機は産業革命の最も偉大な発明：H.Rosling, "The Magic Washing Machine," TED talk, Dec. 2010, 〈https://www.ted.com/talks/hans_rosling_and_the_magic_washing_machine〉
(16) *Good Housekeeping*, vol. 55, no. 4, Oct. 1912, p. 436, Greenwood, Seshadri, & Yorukoglu 2005で引用されている。
(17)『国富論』から。
(18) 明かりの価格の低下：Nordhaus 1996.
(19) Kelly 2016, p. 189.
(20) ヤッピーのぼやき：E. Kolbertの "No Time," *New Yorker*, May 26, 2014. で引用されたDaniel HamermeshとJungmin Leeの説を参照。1965年から2003年の余暇の傾向：Aguiar & Hurst 2007. 2015年の余暇の時間：Bureau of Labor Statistics 2016c. 詳細は［図17―6］の「情報源」を参照。
(21) ノルウェーの余暇の増加：Aguiar & Hurst 2007, p. 1001, note 24. イギリスの余暇の増加：Ausubel & Grübler 1995.
(22) 常に急かされている？：Robinson 2013; J. Robinson, "Happiness Means Being Just Rushed Enough," *Scientific American*, Feb.19, 2013.
(23) 1969年から1999年の家族の夕食：K. Bowman, "The Family Dinner, Alive and Well," *New York Times*, Aug. 25, 1999. 2014年の家族の夕食：J. Hook, "WSJ/NBC Poll Suggests Social Media Aren't Replacing Direct Interactions," *Wall Street Journal*, May 2, 2014. ギャラップの世論調査：L. Saad, "Most U.S. Families Still Routinely Dine Together at Home," *Gallup*, Dec. 26, 2013, 〈http://www.gallup.com/poll/166628/families-routinely-dine-together-home.aspx〉. Fischer 2011も同様の結論に至っている。
(24) 親が子どもと過ごす時間は増加している：Sayer, Bianchi, & Robinson 2004. このあとの「原注25―27」も参照。
(25) 両親と子ども：Caplow, Hicks, & Wattenberg 2001, pp. 88-89.
(26) 母親と子ども：Coontz 1992/2016, p. 24.
(27) 子どもの相手をする時間の増加と余暇の減少：Aguiar & Hurst 2007, pp. 980-82.
(28) 電子メディア vs 直接会う友人：Susan Pinker 2014.
(29) 豚肉とでんぷん質：N. Irwin, "What Was the Greatest Era for Innovation? A Brief Guided Tour," *New York Times*, May 13, 2016. このほかD. Thompson, "America in 1915: Long Hours, Crowded Houses,

Death by Trolley," *The Atlantic*, Feb. 11, 2016も参照。
(30) 1920年代から1980年代の食料品店の品揃え：N. Irwin, "What Was the Greatest Era for Innovation? A Brief Guided Tour," *New York Times*, May 13, 2016. 2015年の品揃え：Food Marketing Institute 2017.
(31) 孤立と退屈：Bettmann 1974, pp. 62–63.
(32) 新聞と酒場：N. Irwin, "What Was the Greatest Era for Innovation? A Brief Guided Tour," *New York Times*, May 13, 2016.
(33) ウィキペディアの正確さ：Giles 2005; Greenstein & Zhu 2014; Kräenbring et al. 2014.

第18章
(1) 〈https://www.youtube.com/watch?v=q8LaT5Iiwo4〉およびその他のインターネット上の動画を参考にして文字に起こし、少々編集を加えた。
(2) Mueller 1999, p. 14.
(3) Easterlin 1973.〔1974年のイースタリンの論文 "Does Economic Growth Improve the Human Lot? Some Empirical Evidence" も参照〕
(4) ヘドニック・トレッドミル現象：Brickman & Campbell 1971.
(5) 社会的比較理論：第9章の「原注11」を参照；Kelley & Evans 2016.
(6) G. Monbiot, "Neoliberalism Is Creating Loneliness. That's What's Wrenching Society Apart," *The Guardian*, Oct. 12, 2016.
(7) 枢軸時代と幸福の問いの起源：Goldstein 2013. 哲学と幸福の歴史：Haidt 2006; Haybron 2013; McMahon 2006. 幸福を科学的にとらえる：Gilbert 2006; Haidt 2006; Helliwell, Layard, & Sachs 2016; Layard 2005; Ortiz-Ospina & Roser 2017.
(8) 基本的な人間の潜勢能力：Nussbaum 2000, 2008; Sen 1987, 1999.
(9) 幸せにならない選択をする：Gilbert 2006.
(10) 自由は人間を幸福にする：Helliwell, Layard, & Sachs 2016; Inglehart et al. 2008.
(11) 自由は人生を意味あるものにする：Baumeister, Vohs, et al. 2013.
(12) 幸せの他者による報告の妥当性：Gilbert 2006; Helliwell, Layard, & Sachs 2016; Layard 2005.
(13) 幸福感の経験的側面と評価的側面：Baumeister, Vohs, et al. 2013; Helliwell, Layard, & Sachs 2016; Kahneman 2011; Veenhoven 2010.
(14) 状況に依存する幸福感 vs 人生の満足度 vs 良い人生：Deaton 2011; Helliwell, Layard, & Sachs 2016; Veenhoven 2010. 平均するのが最も簡単な方法：Helliwell, Layard, & Sachs 2016; Kelley & Evans 2016; Stevenson & Wolfers 2009.
(15) Helliwell, Layard, & Sachs 2016, p. 4, table 2.1, pp. 16, 18.
(16)「エウダイモニア」すなわち「意義がある」ということについて：Baumeister, Vohs, et al. 2013; Haybron 2013; McMahon 2006; R. Baumeister, "The Meanings of Life," *Aeon*, Sept. 16, 2013.

(17) 幸福感の適応機能：Pinker 1997/2009, chap. 6.「幸福感」と「意義があること」の適応機能の違い：R. Baumeister, “The Meanings of Life,” *Aeon*, Sept. 16, 2013.
(18) 幸せと回答する割合：Ipsos 2016で引用されている。このほかVeenhoven 2010も参照。平均的な幸福感：回答者の平均は1から10段階中5.4。Helliwell, Layard, & Sachs 2016, p. 3.
(19) 幸福感の楽観主義バイアス：Ipsos 2016.
(20) 豊かになると幸せになる：Deaton 2013; Helliwell, Layard, & Sachs 2016; Inglehart et al. 2008; Stevenson & Wolfers 2008a; Ortiz-Ospina & Roser 2017.
(21) 不平等は幸福に関係しない：Kelley & Evans 2016.
(22) Helliwell, Layard, & Sachs 2016, pp. 12-13.
(23) 宝くじの当選：Stephens-Davidowitz 2017, p. 229.
(24) 国の幸福感は時とともに上昇：Sacks, Stevenson, & Wolfers 2012; Stevenson & Wolfers 2008a; Stokes 2007; Veenhoven 2010; Ortiz-Ospina & Roser 2017.
(25) 世界価値観調査も幸福感の上昇を示す：Inglehart et al. 2008.
(26) 幸福感と健康、自由：Helliwell, Layard, & Sachs 2016; Inglehart et al. 2008; Veenhoven 2010.
(27) 文化と幸福感：Inglehart et al. 2008.
(28) 幸福感に寄与する非金銭的要因：Helliwell, Layard, & Sachs 2016.
(29) アメリカの幸福感：Deaton 2011; Helliwell, Layard, & Sachs 2016; Inglehart et al. 2008; Sacks, Stevenson, & Wolfers 2012; Smith, Son, & Schapiro 2015.
(30) 2016年の世界幸福度報告ランキングは次のとおり：1位デンマーク（10段階中7.5を超えている）、2位スイス、3位アイスランド、4位ノルウェー、5位フィンランド、6位カナダ、7位オランダ、8位ニュージーランド、9位オーストラリア、10位スウェーデン、11位イスラエル、12位オーストリア、13位アメリカ、14位コスタリカ、15位プエルトリコ。ワースト5はベナン、アフガニスタン、トーゴ、シリア、ブルンジ（最下位の157位はブルンジで10段階中約2.9）。
(31) アメリカの幸福感：World Database of Happinessでは、アメリカの幸福感は上下している（Veenhoven、日付なし）。このデータには、世界価値観調査のデータも含まれている。Inglehart et al. 2008のオンラインの補遺（appendix）も参照。また、総合的社会調査（gss.norc.org）では、わずかな減少が見られる。Smith, Son, & Schapiro 2015および本章の［図18－4］（「とても幸福」の傾向を提示）も参照。
(32) アメリカの幸福感の限られた範囲を覗く：Deaton 2011.
(33) アメリカの幸福感の停滞を格差から説明する：Sacks, Stevenson, & Wolfers 2012.
(34) アメリカは世界的傾向の外れ値：Inglehart et al. 2008; Sacks, Stevenson,

& Wolfers 2012.
(35) アフリカ系アメリカ人の幸福感の上昇：Stevenson & Wolfers 2009; Twenge, Sherman, & Lyubomirsky 2016.
(36) 女性の幸福感の低下：Stevenson & Wolfers 2009.
(37) 年齢、時代、コホートの区別：Costa & McCrae 1982; Smith 2008.
(38) 年を重ねた人々は全体的に幸福：Deaton 2011; Smith, Son, & Schapiro 2015; Sutin et al. 2013.
(39) 中年層と高齢層における幸福感の低下：Bardo, Lynch, & Land, 2017; Fukuda 2013.
(40) 大不況と景気低迷：Bardo, Lynch, & Land 2017.
(41) ベビーブーム世代まで手前までは前の世代より幸福感が高かった：Sutin et al. 2013.
(42) ジェネレーションXとミレニアル世代はベビーブーム世代よりも幸せを感じている：Bardo, Lynch, & Land 2017; Fukuda 2013; Stevenson & Wolfers 2009; Twenge, Sherman, & Lyubomirsky 2016.
(43) 孤独と寿命と健康：Susan Pinker 2014.
(44) どちらも Fischer 2011, p. 110から引用した。
(45) Fischer 2011, p. 114を参照。このほか、変わるものと変わらないものに関する洞察に満ちた分析については Susan Pinker 2014を参照。
(46) Fischer 2011, p. 114を参照。フィッシャーは広く報道された2006年のある報告を意識し、「社会的支援のいくつかの源」について言及している。2006年のその報告によると、1985年から2004年にかけてアメリカでは大事なことを話せる相手が３分の１減少し、さらにアメリカ人の４分の１には大事なことを話せる相手が一人もいないとされた。フィッシャーはこの結果を調査方法の不備によるものと結論している。Fischer 2009参照。
(47) Fischer 2011, p. 112.
(48) Hampton, Rainie, et al. 2015.
(49) ソーシャル・メディア利用者のつながり：Hampton, Goulet, et al. 2011.
(50) ソーシャル・メディア利用者のストレス：Hampton, Rainie, et al. 2015.
(51) 社会的交流において変化したことと変わらないこと：Fischer 2005, 2011; Susan Pinker 2014.
(52) 自殺率は自殺手段が入手しやすいかどうかに左右される：Miller, Azrael, & Barber 2012; Thomas & Gunnell 2010.
(53) 自殺の危険因子：Ortiz-Ospina, Lee, & Roser 2016; World Health Organization 2016d.
(54) 幸福度と自殺のパラドックス：Daly et al. 2010.
(55) 2014年のアメリカの自殺者数（正確には42,773人）：National Vital Statistics および Kochanek et al. 2016, Table B のデータ。2012年の世界の自殺者数：世界保健機関および Värnik 2012 and World Health Organization 2016d のデータ。
(56) 女性の自殺の減少："Twenty graphs to celebrate women's progress

around the world," *HumanProgress*, 〈http://humanprogress.org/article.php/p=238〉

(57) 年齢と時代から見たイングランドの自殺者：Thomas & Gunnell 2010. 年齢、コホート、時代から見たスイスの自殺者：Ajdacic-Gross et al. 2006. アメリカ：Phillips 2014.

(58) 思春期の自殺率の低下：Costello, Erkanli, & Angold 2006; Twenge 2015.

(59) 自殺に関する数字をネガティブに解釈する：M. Nock, "Five Myths About Suicide," *Washington Post*, May 6, 2016.

(60) アイゼンハワーとスウェーデンの自殺率：〈http://fed.wiki.org/journal.hapgood.net/eisenhower-on-sweden〉

(61) 1960年の自殺率は Ortiz-Ospina, Lee, & Roser 2016のデータ。2012年の自殺率（年齢効果は調整）は World Health Organization 2017b のデータ。

(62) 西ヨーロッパの自殺率は中位：Värnik 2012, p. 76. スウェーデンの自殺率の低下：Ohlander 2010.

(63) 世代が進むにつれて抑鬱傾向が強まる：Lewinsohn et al. 1993.

(64) PTSD（心的外傷後ストレス障害）の引き金：McNally 2016.

(65) 精神病理という帝国の拡大：Haslam 2016; Horwitz & Wakefield 2007; McNally 2016; PLOS Medicine Editors 2013.

(66) R. Rosenberg, "Abnormal Is the New Normal," *Slate*, April 12, 2013. Kessler et al. 2005に基づく。

(67) 道徳的進歩としての害悪の概念の拡大：Haslam 2016.

(68) エビデンスに基づく心理療法：Barlow et al. 2013.

(69) 世界の鬱病負担：Murray et al. 2012. 成人のリスク：Kessler et al. 2003.

(70) メンタルヘルスのパラドックス：PLOS Medicine Editors 2013.

(71) 究極の基準を満たすものはない：Twenge 2015.

(72) 長期的な鬱病増加の兆候は見られない：Mattisson et al. 2005; Murphy et al. 2000.

(73) Twenge et al. 2010.

(74) Twenge & Nolen-Hoeksema 2002：1980年から1998年にかけて、ジェネレーションXとミレニアル世代に属する８歳から16歳の男子に、抑鬱状態の低下が見られた。一方で女子には変化はなかった。Twenge 2015：1980年代から2010年代にかけて、自殺願望をもつティーンエイジャーは少なくなった。大学生と成人も鬱症状を訴える傾向が低下した。Olfson, Druss, & Marcus 2015：子どもと思春期の若者の精神疾患の有病率は低下している。

(75) Costello, Erkanli, & Angold 2006.

(76) Baxter et al. 2014.

(77) Jacobs 2011.

(78) Baxter et al. 2014; Twenge 2015; Twenge et al. 2010.

(79) スタインの法則と不安：Sage 2010.

(80) Terracciano 2010; Trzesniewski & Donnellan 2010.

(81) Baxter et al. 2014.
(82) たとえば "Depression as a Disease of Modernity: Explanations for Increasing Prevalence," Hidaka 2012がある。
(83) Stevenson & Wolfers 2009.
(84) Allen 1987, pp. 131–33（書籍版より抜粋）。
(85) Johnston & Davey 1997; このほか、Jackson 2016; Otieno, Spada, & Renkl 2013; Unz, Schwab, & Winterhoff-Spurk 2008も参照。
(86) コーンウォール宣言：Cornwall Alliance for the Stewardship of Creation 2000.「いわゆる地球温暖化の危機」：Cornwall Alliance, "Sin, Deception, and the Corruption of Science: A Look at the So-Called Climate Crisis" 2016, 〈http://cornwallalliance.org/2016/07/sin-deception-and-the-corruption-of-science-a-look-at-the-so-called-climate-crisis/〉. このほか Bean & Teles 2016; L. Vox, "Why Don't Christian Conservatives Worry About Climate Change? God," *Washington Post*, June 2, 2017を参照。
(87) ごみを積んだ荷船：M. Winerip, "Retro Report: Voyage of the Mobro 4000," *New York Times*, May 6, 2013.
(88) 埋立地の環境への配慮：J. Tierney, "The Reign of Recycling," *New York Times*, Oct. 3, 2015. 一般に危機報告の追跡記事はないことが多いが、『ニューヨーク・タイムズ』の「Retro Report シリーズ」はその例外になる。「原注87」の内容もこのシリーズから引用した。
(89) 退屈の危機：Nisbet 1980/2009, pp. 349–51. 中心となって警鐘を鳴らしたのは Dennis Gabor と Harlow Shapley という2人の科学者だった。
(90) 本章の「原注15と16」の参考文献を参照。
(91) ライフサイクルから見た不安：Baxter et al. 2014.

第19章

(1) 根拠のないミサイル・ギャップ論：Berry et al. 2010; Preble 2004.
(2) サイバー攻撃に核で報復する：Sagan 2009c, p. 164. このほか、P. Sonne, G. Lubold, & C. E. Lee, " 'No First Use' Nuclear Policy Proposal Assailed by U.S. Cabinet Officials, Allies," *Wall Street Journal*, Aug. 12, 2016で引用されている Keith Payne のコメントを参照。
(3) K. Bird, "How to Keep an Atomic Bomb from Being Smuggled into New York City? Open Every Suitcase with a Screwdriver," *New York Times*, Aug. 5, 2016.
(4) Randle & Eckersley 2015.
(5) Ocean Optimism のホームページ〈http://www.oceanoptimism.org/about/〉に掲載されている。
(6) 2012年のイプソス世論調査：C. Michaud, "One in Seven Thinks End of World Is Coming: Poll," *Reuters*, May 1, 2012〈http://www.reuters.com/article/us-mayancalendar-poll-idUSBRE8400XH20120501〉。イプソス世論調査では、世界の終わりを信じるアメリカ人の割合は22%、2015年の

YouGov 世論調査では31%だった。〈http://cdn.yougov.com/cumulus_uploads/document/i7p20mektl/toplines_OPI_disaster_20150227.pdf〉

(7) べき分布：Johnson et al. 2006; Newman 2005; この考察については Pinker 2011, pp. 210-22を参照。データからリスクを推定する難しさについては、第11章「原注17」の参考文献を参照。

(8) 極端なリスクの確率を過大評価する：Pinker 2011, pp. 368-73.

(9) 世界の終末の予言："Doomsday Forecasts," *The Economist*, Oct. 7, 2015, 〈http://www.economist.com/blogs/graphicdetail/2015/10/predicting-end-world〉

(10) 世界の終わりを描いた映画："List of Apocalyptic Films" *Wikipedia*, 〈https://en.wikipedia.org/wiki/List_of_apocalyptic_films〉（2016年12月15日検索）。

(11) Ronald Bailey, "Everybody Loves a Good Apocalypse," *Reason*, Nov. 2015で引用されていた。

(12) 2000年問題：M. Winerip, "Revisiting Y2K: Much Ado About Nothing?," *New York Times*, May 27, 2013.

(13) G. Easterbrook, "We're All Gonna Die!," *Wired*, July 1, 2003.

(14) P. Ball, "Gamma-Ray Burst Linked to Mass Extinction," *Nature*, Sept. 24, 2003.

(15) Denkenberger & Pearce 2015.

(16) Rosen 2016.

(17) D. Cox, "NASA's Ambitious Plan to Save Earth from a Supervolcano," *BBC Future*, Aug. 17, 2017, 〈http://www.bbc.com/future/article/20170817-nasas-ambitious-plan-to-save-earth-from-a-supervolcano〉

(18) Deutsch 2011, p. 207.

(19)「核よりも危険」：2014年８月のツイート。A. Elkus, "Don't Fear Artificial Intelligence," *Slate*, Oct. 31, 2014で引用されていた。人類の終焉：R. Cellan-Jones の "Stephen Hawking Warns Artificial Intelligence Could End Mankind," *BBC News*, Dec. 2, 2014, 〈http://www.bbc.com/news/technology-30290540〉

(20) 最も引用される数が多い100の研究を2014年に調べたところ、高水準のAIが「存亡に関わる大惨事」の脅威をもたらすとするものはわずか８%だった。Müller & Bostrom 2014を参照。AI脅威論に懐疑的な姿勢を表明しているAIの専門家には、ポール・アレン（Paul Allen 2011）、ロドニー・ブルックス（Rodney Brooks 2015）、ケヴィン・ケリー（Kevin Kelly 2017）、ジャロン・ラニアー（Jaron Lanier 2014）、ネイサン・ミルボルト（Nathan Myhrvold 2014）、ラメズ・ナム（Ramez Naam 2010）、ピーター・ノーヴィグ（Peter Norvig 2015）、スチュアート・ラッセル（Stuart Russell 2015）、ロジャー・シャンク（Roger Schank 2015）がいる。また懐疑的な心理学者や生物学者には、ロイ・バウマイスター（Roy Baumeister 2015）、ディラン・エヴァンス（Dylan Evans 2015）、ゲアリー・

マーカス（Gary Marcus 2015）、マーク・ペイゲル（Mark Pagel 2015）、ジョン・トゥービー（John Tooby 2015）がいる。このほか、A. Elkus, "Don't Fear Artificial Intelligence," *Slate*, Oct. 31, 2014と M. Chorost, "Let Artificial Intelligence Evolve," *Slate*, April 18, 2016も参照。

(21) 近代科学の知能の認識：Pinker 1997/2009, chap. 2; Kelly 2017.

(22) フーム：Hanson & Yudkowsky 2008.

(23) テクノロジーに関する専門家 Kevin Kelly（2017）も近年同様の議論をしている。

(24) 装置としての知能：Brooks 2015, Kelly 2017, Pinker 1997/2009, 2007a; Tooby 2015.

(25) AI はムーアの法則に従って進化しない：Allen 2011; Brooks 2015; Deutsch 2011; Kelly 2017; Lanier 2014; Naam 2010. Lanier 2014と Brockman 2015の解説者の多くもこれと同様の主張をしている。

(26) AI の研究者と AI の誇大宣伝：Brooks 2015; Davis & Marcus 2015; Kelly 2017; Lake et al. 2017; Lanier 2014; Marcus 2016; Naam 2010; Schank 2015. このほか上記の「原注25」を参照。

(27) 現在の AI に完璧な対処能力はない：Brooks 2015; Davis & Marcus 2015; Lanier 2014; Marcus 2016; Schank 2015.

(28) Naam 2010.

(29) 人工知能が人間をペーパークリップの材料にするなどのバリュー・アラインメント問題：Bostrom 2016; Hanson & Yudkowsky 2008; Omohundro 2008; Yudkowsky 2008; P. Torres, "Fear Our New Robot Overlords: This Is Why You Need to Take Artificial Intelligence Seriously," *Salon*, May 14, 2016.

(30) AI が人間をペーパークリップに変えない理由：B. Hibbard, "Reply to AI Risk"〈http://www.ssec.wisc.edu/~billh/g/AIRisk_Reply.html〉; R. Loosemore, "The Maverick Nanny with a Dopamine Drip: Debunking Fallacies in the Theory of AI Motivation," *Institute for Ethics and Emerging Technologies*, July 24, 2014,〈http://ieet.org/index.php/IEET2/more/loosemore20140724〉; A. Elkus, "Don't Fear Artificial Intelligence," *Slate*, Oct. 31, 2014; R. Hanson, "I Still Don't Get Foom," *Humanity+*, July 29, 2014,〈http://hplusmagazine.com/2014/07/29/i-still-dont-get-foom/〉; Hanson & Yudkowsky 2008. このほか Kelly 2017、本章の「原注26と27」も参照。

(31) J. Bohannon, "Fears of an AI Pioneer," *Science*, July 17, 2015で引用されていた。

(32) Brynjolfsson & McAfee 2015で引用されていた。

(33) 自動運転車実用化への準備はまだ不十分：Brooks 2016.

(34) ロボットと仕事：Brynjolfsson & McAfee 2016; 第 9 章の「原注67と68」も参照。

(35) この賭けは "Long Bets" のウェブサイト〈http://longbets.org /9/〉に掲

載されている。
(36) コンピューター・セキュリティの改善：Schneier 2008; B. Schneier, "Lessons from the Dyn DDoS Attack," *Schneier on Security*, Nov. 8, 2016, 〈https://www.schneier.com/blog/archives/2016/11/lessons_from_th_5.html〉
(37) 生物兵器のセキュリティを強化する：Bradford Project on Strengthening the Biological and Toxin Weapons Convention, 〈http://www.bradford.ac.uk/acad/sbtwc/〉
(38) 感染症対策はバイオテロ対策にもなる：Carlson 2010. 大流行への備え：Bill & Melinda Gates Foundation, "Preparing for Pandemics," 〈http://nyti.ms/256CNNc〉; World Health Organization 2016b.
(39) 標準的なテロ対策：Mueller 2006, 2010a; Mueller & Stewart 2016a; Schneier 2008.
(40) Kelly 2010, 2013.
(41) 個人的なやりとり（2017年5月21日）; Kelly 2013, 2016も参照。
(42) 殺人や騒乱は簡単に起こせる：Branwen 2016.
(43) Branwen 2016には、製品に不正な工作をした実例が列挙されている。その被害額は1億5000万ドルから15億ドルに及ぶ。
(44) B. Schneier, "Where Are All the Terrorist Attacks?," *Schneier on Security*, 〈https://www.schneier.com/essays/archives/2010/05/where_are_all_the_te.html〉. 次のものも同様の観点：Mueller 2004b; M. Abrahms, "A Few Bad Men: Why America Doesn't Really Have a Terrorist Problem," *Foreign Policy*, April 17, 2013.
(45) ほとんどのテロリストはどじな人間：Mueller 2006; Mueller & Stewart 2016a, chap. 4; Branwen 2016; M. Abrahms, "Does Terrorism Work as a Political Strategy? The Evidence Says No," *Los Angeles Times*, April 1, 2016; J. Mueller & M. Stewart, "Hapless, Disorganized, and Irrational: What the Boston Bombers Had in Common with Most Would-Be Terrorists," *Slate*, April 22, 2013; D. Kenner, "Mr. Bean to Jihadi John," *Foreign Policy*, Sept. 12, 2014.
(46) D. Adnan & T. Arango, "Suicide Bomb Trainer in Iraq Accidentally Blows Up His Class," *New York Times*, Feb. 10, 2014.
(47) "Saudi Suicide Bomber Hid IED in His Anal Cavity," *Homeland Security News Wire*, Sept. 9, 2009, 〈http://www.homelandsecuritynewswire.com/saudi-suicide-bomber-hid-ied-his-anal-cavity〉
(48) テロに効果はない：Abrahms 2006, 2012; Branwen 2016; Cronin 2009; Fortna 2015; Mueller 2006; Mueller & Stewart 2010. このほか本章の「原注45」も参照。IQと犯罪・精神病質との負の相関関係：Beaver, Schwartz, et al. 2013; Beaver, Vaughn, et al. 2012; de Ribera, Kavish, & Boutwell 2017.
(49) 大きなテロ計画ほど遂行への道は険しい：Mueller 2006.
(50) 国が関わらなければ深刻なサイバー犯罪は起こせない：B. Schneier,

"Someone Is Learning How to Take Down the Internet," *Lawfare*, Sept. 13, 2016.

(51) サイバー戦争への疑念：Lawson 2013; Mueller & Friedman 2014; Rid 2012; B. Schneier, "Threat of 'Cyberwar' Has Been Hugely Hyped," *CNN.com*, July 7, 2010, 〈http://www.cnn.com/2010/OPINION/07/07/schneier.cyberwar.hyped/〉; E. Morozov, "Cyber-Scare: The Exaggerated Fears over Digital Warfare," *Boston Review*, July/Aug. 2009; E. Morozov, "Battling the Cyber Warmongers," *Wall Street Journal*, May 8, 2010; R. Singel, "Cyberwar Hype Intended to Destroy the Open Internet," *Wired*, March 1, 2010; R. Singel, "Richard Clarke's Cyberwar: File Under Fiction," *Wired*, April 22, 2010; P. W. Singer, "The Cyber Terror Bogeyman," *Brookings*, Nov. 1, 2012, 〈https://www.brookings.edu/articles/the-cyber-terror-bogeyman/〉

(52) 上記の「原注51」の Schneier の記事から。

(53) 回復力：Lawson 2013; Quarantelli 2008.

(54) Quarantelli 2008, p. 899.

(55) 社会は崩壊しない：Lawson 2013; Quarantelli 2008.

(56) 現代社会にも回復力はある：Lawson 2013.

(57) 生物兵器とテロリズム：Ewald 2000; Mueller 2006.

(58) 演劇的効果としてのテロリズム：Abrahms 2006; Branwen 2016; Cronin 2009; Ewald 2000; Y. N. Harari, "The Theatre of Terror," *The Guardian*, Jan. 31, 2015.

(59) 病原体の進化と殺傷力・感染力との関係：Ewald 2000; Walther & Ewald 2004.

(60) バイオテロは起こりにくい：Mueller 2006; Parachini 2003.

(61) 遺伝子操作による病原体の改変も難しい：Paul Ewald, personal communication, Dec. 27, 2016.

(62) Kelly 2013内のコメント。Carlson 2010の議論を要約している。

(63) 新しい抗生物質：Meeske et al. 2016; Murphy, Zeng, & Herzon 2017; Seiple et al. 2016. 潜在的に危険な病原体の特定：Walther & Ewald 2004.

(64) エボラワクチン：Henao-Restrepo et al. 2017. 壊滅的な大流行の誤った予測：Norberg 2016; Ridley 2010; M. Ridley, "Apocalypse Not: Here's Why You Shouldn't Worry About End Times," *Wired*, Aug. 17, 2012; D. Bornstein & T. Rosenberg, "When Reportage Turns to Cynicism," *New York Times*, Nov. 14, 2016.

(65) マーティン・リースのバイオテロに関する賭けは〈http://longbets.org/9/〉を参照。

(66) 現在の核兵器についての考察：Evans, Ogilvie-White, & Thakur 2015; Federation of American Scientists (undated); Rhodes 2010; Scoblic 2010.

(67) 世界の核兵器保有量：Kristensen & Norris 2016a. 本章の「原注113」も参照。

（68） 核の冬：Robock & Toon 2012; A. Robock & O. B. Toon, "Let's End the Peril of a Nuclear Winter," *New York Times*, Feb. 11, 2016. 核の冬（秋）の論争の歴史：Morton 2015.
（69） 世界終末時計：*Bulletin of the Atomic Scientists* 2017.
（70） ユージン・ラビノウィッチの言葉。Mueller 2010a, p. 26で引用されている。
（71） 世界終末時計：*Bulletin of the Atomic Scientists*, "A Timeline of Conflict, Culture, and Change," Nov. 13, 2013, 〈http://thebulletin.org/multimedia/timeline-conflict-culture-and-change〉
（72） Mueller 1989, p. 98で引用されている。
（73） Mueller 1989, p. 271, note 2で引用されている。
（74） Snow 1961, p. 259.
（75） ハーバード大学文理学部大学院の入学生への言葉（1976年9月）。
（76） Mueller 1989, p. 271, note 2で引用されている。
（77） 危機一髪だった事例のリスト：Future of Life Institute 2017; Schlosser 2013; Union of Concerned Scientists 2015a.
（78） 憂慮する科学者同盟による "To Russia with Love," 〈http://www.ucsusa.org/nuclear-weapons/close-calls#.WGQC1lMrJEY〉
（79）「危機一髪リスト」への疑念：Mueller 2010a; J. Mueller, "Fire, Fire (Review of E. Schlosser's 'Command and Control')," *Times Literary Supplement*, March 7, 2014.
（80） Google Ngram Viewer 〈https://books.google.com/ngrams〉 で調べたところ、2008年（検索できた最新の年）、出版された本のなかで「核戦争（nuclear war）」という言葉が出現する頻度は「人種差別（racism）」と「テロ（terrorism）」よりも少なく、「不平等（inequality）」と比べると10分の1から20分の1だった。また、COCA 〈http://corpus.byu.edu /coca/〉 で調べたところ、2015年のアメリカの新聞で「核戦争」が使われた回数は100万ワード当たり0.65回、対して「不平等」は13.13回、「人種差別」は19.5回、「テロ」は30.93回だった。
（81） Morton 2015, p. 324より引用。
（82） アメリカの国連大使だったジョン・ネグロポンテが国連安保理に宛てて書いた手紙（2003年4月17日付）。Mueller 2012で引用されている。
（83） 恐怖の予言の数々：Mueller 2012.
（84） ウォーレン・B・ラドマン、スティーヴン・E・フリン、レスリー・H・ゲルブ、ゲーリー・ハートの4人（2004年12月16日）。Mueller 2012で引用されている。
（85） Boyer 1985/2005, p. 72で引用されている。
（86） 怖がらせる戦略は逆効果：Boyer 1986.
（87） 1951年発行の『原子力科学者会報』から。Boyer 1986で引用されている。
（88） 行動を促すもの：Sandman & Valenti 1986. 気候変動に関する同様の見解については第10章「原注55」を参照。
（89） Mueller 2016で引用されている。

(90) Mueller 2016で引用されている。「核の形而上学」という表現は政治学者のロバート・ジョンソンに拠る。
(91) 公式協議なしで核兵器を一部廃棄：Kristensen & Norris 2016a; Mueller 2010a を参照。
(92) 確率はゼロに近い：Welch & Blight 1987–88, p. 27; see also Blight, Nye, & Welch 1987, p. 184; Frankel 2004; Mueller 2010a, pp. 38–40, p. 248, notes 31–33.
(93) 核の安全保障対策は事故防止につながる：Mueller 2010a, pp. 100–102; Evans, Ogilvie-White, & Thakur 2015, p. 56; J. Mueller, "Fire, Fire (Review of E. Schlosser's 'Command and Control')," *Times Literary Supplement*, March 7, 2014. 一般に、キューバ危機では、ソ連海軍のヴァシーリイ・アルヒーポフが「世界を救った」といわれている（追い込まれた艦長がアメリカの艦隊に核魚雷を発射しようとしたところ、副艦長のアルヒーポフがそれに異議を唱えた）。だが2002年にロシアで出版されたアレクサンドル・モズゴヴォイ著『フォックストロット・カルテットのキューバのサンバ（*Kubinskaya Samba Kvarteta Fokstrotov*）』はこの説に疑問を投げかけ、同書のなかで当時その議論に参加していた通信担当将校ヴァディム・パブローヴィッチ・オルローフが「艦長は衝動的に核魚雷を発射しようとしていたが、その意向を自分からとりさげた」と述べている。Mozgovoi 2002を参照。また海上で兵器を一つ使用したからといって、全面戦争に発展するわけではないことも指摘しておきたい。Mueller 2010a, pp. 100–102を参照。
(94) Union of Concerned Scientists 2015a.
(95) 第一次世界大戦後に禁止されたあとの化学兵器の歴史を見ると、偶発的に１度だけ使用されたからといって、当事国の双方が化学兵器の使用を自動的に激化させるわけではない。Pinker 2011, pp. 273–74を参照。
(96) 核兵器拡散の予測：Mueller 2010a, p. 90; T. Graham, "Avoiding the Tipping Point," *Arms Control Today*, 2004, 〈https://www.armscontrol.org/act/2004_11/BookReview〉. 核は拡散していない：Bluth 2011; Sagan 2009b, 2010.
(97) 核を放棄した国々：Sagan 2009b, 2010と個人的なやりとり（2016年12月30日）。このほか Pinker 2011, pp. 272–73も参照。
(98) G. Evans 2015.
(99) Pinker 2013a で引用している。
(100) 毒ガスをまく飛行部隊：Mueller 1989. 地球物理学戦争：Morton 2015, p. 136.
(101) 原爆投下ではなくソ連の参戦が日本を降伏させた：Berry et al. 2010; Hasegawa 2006; Mueller 2010a; Wilson 2007.
(102) 核兵器にノーベル賞を与える：エルスペス・ロストウが提言している。Pinker 2011, p. 268で引用した。核兵器は抑止力に乏しい：Pinker 2011, p. 269; Berry et al. 2010; Mueller 2010a; Ray 1989.

(103) 核兵器のタブー：Mueller 1989; Sechser & Fuhrmann 2017; Tannenwald 2005; Ray 1989, pp. 429–31; Pinker 2011, chap. 5, "Is the Long Peace a Nuclear Peace?" pp. 268–78.
(104) 従来型兵器の抑止力の有効性：Mueller 1989, 2010a.
(105) 核保有国と武装した強盗：Schelling 1960.
(106) Berry et al. 2010, pp. 7–8.
(107) George Shultz, William Perry, Henry Kissinger, & Sam Nunn, "A World Free of Nuclear Weapons," *Wall Street Journal*, Jan. 4, 2007; William Perry, George Shultz, Henry Kissinger, & Sam Nunn, "Toward a Nuclear-Free World," *Wall Street Journal*, Jan. 15, 2008.
(108) "Remarks by President Barack Obama in Prague as Delivered," White House, April 5, 2009, 〈https://obamawhitehouse.archives.gov/the-press-office/remarks-president-barack-obama-prague-delivered〉
(109) United Nations Office for Disarmament Affairs (undated).
(110) グローバル・ゼロに関する世論：Council on Foreign Relations 2009.
(111)「ゼロ」への道のり：Global Zero Commission 2010.
(112) グローバル・ゼロに懐疑的な人々：H. Brown & J. Deutch, "The Nuclear Disarmament Fantasy," *Wall Street Journal*, Nov. 19, 2007; Schelling 2009.
(113) 国防総省の報告によると、2015年にアメリカが保有する核兵器の数は4571基である（United States Department of Defense 2016）。米国科学者連盟の推計によると（Kristensen & Norris 2016b, Kristensen 2016で更新されている）、そのうち約1700基は核弾頭として弾道ミサイルに搭載されミサイル基地に配備されている。また、180基は爆撃機に搭載可能な核爆弾としてヨーロッパに配備され、残りの2700基は備蓄されている（ちなみに「備蓄」というと、通常は配備されたミサイルと備蓄されたミサイルの両方のことを指す。ただし、備蓄されたミサイルのみ指す場合もある）。これに加えて、約2340の核弾頭が役目を終え、解体を待っている。
(114) A. E. Kramer, "Power for U.S. from Russia's Old Nuclear Weapons," *New York Times*, Nov. 9, 2009.
(115) 米国科学者連盟の推計では、2015年にロシアが保有する核弾頭の数は4500（Kristensen & Norris 2016b 参照）。新戦略兵器削減条約：Woolf 2017.
(116) 核兵器の削減は軍備の近代化とともに進む：Kristensen 2016.
(117) 核保有量：Kristensen 2016の推計。推計には配備された核弾頭と備蓄されていて配備される可能性のある核弾頭が含まれている。使用を放棄した核弾頭と国の運搬プラットフォームで配備できない核ミサイルは含まれていない。
(118) 新規の核保有国が出現していない：Sagan 2009b, 2010および個人的なやりとり（2016年12月30日）。このほか Pinker 2011, pp. 272–73も参照。核分裂性物質を保有する国の減少："Sam Nunn Discusses Today's

Nuclear Risks" Foreign Policy Association blogs, 〈http://foreignpolicyblogs.com/2016/04/06/sam-nunn-discusses-todays-nuclear-risks/〉

(119) 条約を介さない軍縮：Kristensen & Norris 2016a; Mueller 2010a.

(120) GRIT：Osgood 1962.

(121) 核兵器を削減すれば核の冬は来ない：A. Robock & O. B. Toon, "Let's End the Peril of a Nuclear Winter," *New York Times*, Feb. 11, 2016. このなかで著者たちはアメリカの核弾頭を1000基に縮小することを提言しているが、その縮小が核の冬を起こさない可能性については述べていない。200基という数字はロボックが2016年４月２日にマサチューセッツ工科大学（MIT）で行った発表からとった。"Climatic Consequences of Nuclear War," 〈http://futureoflife.org/wp-content/uploads/2016/04/Alan_Robock_MIT_April2.pdf〉 を参照。

(122) 引き金はついていない：Evans, Ogilvie-White, & Thakur 2015, p. 56.

(123) 警報即時発射システムへの反対：Evans, Ogilvie-White, & Thakur 2015; J. E. Cartwright & V. Dvorkin, "How to Avert a Nuclear War," *New York Times*, April 19, 2015; B. Blair, "How Obama Could Revolutionize Nuclear Weapons Strategy Before He Goes," *Politico*, June 22, 2016. 忍耐強い方針：Brown & Lewis 2013.

(124) 核兵器の警報即時発射システムをやめる：Union of Concerned Scientists 2015b.

(125) 先制不使用：Sagan 2009a; J. E. Cartwright & B. G. Blair, "End the First-Use Policy for Nuclear Weapons," *New York Times*, Aug. 14, 2016. 先制不使用への反論：Global Zero Commission 2016; B. Blair, "The Flimsy Case Against No-First-Use of Nuclear Weapons," *Politico*, Sept. 28, 2016.

(126) 段階的な約束：J. G. Lewis & S. D. Sagan, "The Common-Sense Fix That American Nuclear Policy Needs," *Washington Post*, Aug. 24, 2016.

(127) D. Sanger & W. J. Broad, "Obama Unlikely to Vow No First Use of Nuclear Weapons," *New York Times*, Sept. 5, 2016.

第20章

(１) ここからの数段落で紹介するデータは、第５章から第19章ですでに言及したものになる。

(２) 減少幅はすべて20世紀のピーク時に対する割合として計算した。

(３) 特に戦争は循環型ではないというエビデンスについては、Pinker 2011, p. 207を参照。

(４)『サウジーの社会対話について』から。Ridley 2010, chap. 1で引用されていた。

(５) 第８章と第16章の最後の原注にある参考文献を参照。このほか第10章と第15章、第18章のイースタリンの逆説についての議論も参照。

(6) 1961年から1973年にかけての平均：World Bank 2016c.
(7) 1974年から2015年の平均：World Bank 2016c. アメリカにおけるこの二つの年代の成長率はそれぞれ3.3％と1.7％だった。
(8) 推定値は全要素生産性で、Gordon 2014, fig. 1からとった。
(9) 長期停滞論：Summers 2014b, 2016. 分析と批評については Teulings & Baldwin 2014を参照。
(10) 誰にもわからない：M. Levinson, "Every US President Promises to Boost Economic Growth. The Catch: No One Knows How," *Vox*, Dec. 22, 2016; G. Ip, "The Economy's Hidden Problem: We're Out of Big Ideas," *Wall Street Journal*, Dec. 20, 2016; Teulings & Baldwin 2014.
(11) Gordon 2014, 2016.
(12) アメリカの活力が失われてきた：Cowen 2017; Glaeser 2014; F. Erixon & B. Weigel, "Risk, Regulation, and the Innovation Slowdown," *Cato Policy Report*, Sept./Oct. 2016; G. Ip, "The Economy's Hidden Problem: We're Out of Big Ideas," *Wall Street Journal*, Dec. 20, 2016.
(13) World Bank 2016c. アメリカの国民1人当たりのGDPは過去55年間、8年間を除き、成長を続けている。
(14) 技術の発展の効果は遅れて表れる：G. Ip, "The Economy's Hidden Problem: We're Out of Big Ideas," *Wall Street Journal*, Dec. 20, 2016; Eichengreen 2014.
(15) 技術があと押しする豊かな時代：Brand 2009; Bryce 2014; Brynjolfsson & McAfee 2016; Diamandis & Kotler 2012; Eichengreen 2014; Mokyr 2014; Naam 2013; Reese 2013.
(16) エズラ・クラインによるビル・ゲイツへのインタビュー記事。"Bill Gates: The Energy Breakthrough That Will 'Save Our Planet' Is Less Than 15 Years Away," *Vox*, Feb. 24, 2016, 〈http://www.vox.com/2016/2/24/11100702/bill-gates-energy〉を参照。このなかで、ゲイツは「1940年に書かれた『平和が発生する』本」のことをさりげなくほのめかしているが、おそらくそれはラルフ・ノーマン・エンジェルの『大いなる幻想（*The Great Illusion*）』のことだと思われる。『大いなる幻想』は一般に、戦争が起こりえないことを第一次世界大戦前夜に予測したものだと誤って記憶されているが、実際には、1909年の初版では「戦争は採算がとれない」と主張しており、「戦争が起こらない」とはいっていない。
(17) Diamandis & Kotler 2012, p. 11.
(18) 罪悪感なく使える化石燃料：Service 2017.
(19) Jane Langdale, "Radical Ag: C4 Rice and Beyond" Seminars About Long-Term Thinking, Long Now Foundation, March 14, 2016.
(20) 第二の機械時代：Brynjolfsson & McAfee 2016. このほか Diamandis & Kotler 2012も参照。
(21) Mokyr 2014, p. 88; このほか Feldstein 2017; T. Aeppel, "Silicon Valley Doesn't Believe U.S. Productivity Is Down," *Wall Street Journal*, July 16,

2015; K. Kelly, "The Post-Productive Economy," *The Technium*, Jan. 1, 2013も参照。
(22) モノやサービスの脱金銭化プロセス：Diamandis & Kotler 2012.
(23) G. Ip, "The Economy's Hidden Problem: We're Out of Big Ideas," *Wall Street Journal*, Dec. 20, 2016.
(24) 権威主義的ポピュリズム：Inglehart & Norris 2016; Norris & Inglehart 2016. 本書の第23章も参照。
(25) Norris & Inglehart 2016.
(26) トランプの大統領選挙時のエピソード：J. Fallows, "The Daily Trump: Filling a Time Capsule" (*The Atlantic*, Nov. 20, 2016), 〈http://www.theatlantic.com/notes/2016/11/on-the-future-of-the-time-capsules/508268/〉. トランプが大統領に就任してからの半年：E. Levitz, "All the Terrifying Things That Donald Trump Did Lately," *New York*, June 9, 2017.
(27) "Donald Trump's File" *PolitiFact*, 〈http://www.politifact.com/personalities/donald-trump/〉を参照。このほか、D. Dale, "Donald Trump: The Unauthorized Database of False Things," *The Star*, Nov. 4, 2016も参照。ここでは、2カ月間でトランプが主張した560個の嘘が列挙されている。1日当たり約10もの嘘をついていることになる。M. Yglesias, "The Bullshitter-in-Chief," *Vox*, May 30, 2017; D. Leonhardt & S. A. Thompson, "Trump's Lies," *New York Times*, June 23, 2017も参照。
(28) SF作家フィリップ・K・ディックの言葉「現実はたとえあなたが信じることをやめても、消え去ったりしない」を借用した。
(29) S. Kinzer, "The Enlightenment Had a Good Run," *Boston Globe*, Dec. 23, 2016.
(30) オバマ支持については、J. McCarthy, "President Obama Leaves White House with 58% Favorable Rating" (*Gallup*, Jan. 16, 2017), 〈http://www.gallup.com/poll/202349/president-obama-leaves-white-house-favorable-rating.aspx〉を参照。オバマは退任演説で「建国の民を導いた革新や実践的な問題解決などの根本的な精神」は「啓蒙主義によって培われた」と述べ、啓蒙主義を「合理性への信仰や、冒険心や、権力を超える権利の優位性」だと形容した（"President Obama's Farewell Address, Jan. 10, 2017" *The White House*, 〈https://www.whitehouse.gov/farewell〉）。
(31) トランプの支持率：J. McCarthy, "Trump's Pre-Inauguration Favorables Remain Historically Low," *Gallup*, Jan. 16, 2017; "How Unpopular Is Donald Trump?" *FiveThirtyEight*, 〈https://projects.fivethirtyeight.com/trump-approval-ratings/〉; "Presidential Approval Ratings—Donald Trump," *Gallup*, Aug. 25, 2017.
(32) G. Aisch, A. Pearce, & B. Rousseau, "How Far Is Europe Swinging to the Right?," *New York Times*, Dec. 5, 2016. 議会選挙が追跡された20カ国のうち、9カ国で前回の選挙よりも右派政党の立候補が増加、その他9カ

国では低下が見られ、２カ国（スペインとポルトガル）は右派政党の立候補がなかった。

(33) A. Chrisafis, "Emmanuel Macron Vows Unity After Winning French Presidential Election," *The Guardian*, May 8, 2017.

(34) アメリカ大統領選挙の出口調査のデータ：*New York Times* 2016. N. Carnes & N. Lupu, "It's Time to Bust the Myth: Most Trump Voters Were Not Working Class," *Washington Post*, June 5, 2017. このほか下記の「原注35と36」の参考文献を参照。

(35) N. Silver, "Education, Not Income, Predicted Who Would Vote for Trump," *FiveThirtyEight*, Nov. 22, 2016, 〈http://fivethirtyeight.com/features/education-not-income-predicted-who-would-vote-for-trump/〉; N. Silver, "The Mythology of Trump's 'Working Class' Support: His Voters Are Better Off Economically Compared with Most Americans," *FiveThirtyEight*, May 3, 2016, 〈https://fivethirtyeight.com/features/the-mythology-of-trumps-working-class-support/〉. ギャラップ調査からの立証：J. Rothwell, "Economic Hardship and Favorable Views of Trump," *Gallup*, July 22, 2016, 〈http://www.gallup.com/opinion/polling-matters/193898/economic-hardship-favorable-views-trump.aspx〉

(36) N. Silver, "Strongest correlate I've found for Trump support is Google searches for the n-word. Others have reported this too," *Twitter*,〈https://twitter.com/natesilver538/status/703975062500732932〉; N. Cohn, "Donald Trump's Strongest Supporters: A Certain Kind of Democrat," *New York Times*, Dec. 31, 2015; Stephens-Davidowitz 2017. このほか、G. Lopez, "Polls Show Many—Even Most—Trump Supporters Really Are Deeply Hostile to Muslims and Nonwhites," *Vox*, Sept. 12, 2016も参照。

(37) 出口調査のデータ：*New York Times* 2016.

(38) ヨーロッパのポピュリズム：Inglehart & Norris 2016.

(39) Inglehart & Norris 2016を参照。彼らの提示したＣモデルに基づく。著者によると、Ｃモデルは予測因子が少なく、最も理にかなっている。

(40) A. B. Guardia, "How Brexit Vote Broke Down," *Politico*, June 24, 2016.

(41) Inglehart & Norris 2016, p. 4.

(42) I. Lapowsky, "Don't Let Trump's Win Fool You—America's Getting More Liberal," *Wired*, Dec. 19, 2016で引用されていた。

(43) 各国のポピュリスト政党の議席配分：Inglehart & Norris 2016; G. Aisch, A. Pearce, & B. Rousseau, "How Far Is Europe Swinging to the Right?," *New York Times*, Dec. 5, 2016.

(44) オルタナ右翼は規模が小さい：Alexander 2016. セス・スティーヴンズ＝ダヴィドウィッツによると、白人国家主義者の最も著名なインターネット・フォーラム「Stormfront」のグーグルでの検索数は、2008年以降、（ニュース関連での一時的な急上昇を除いて）着実に低下している。

(45) 加齢により政治的価値観が変化するという主張：G. O'Toole, "If You Are

Not a Liberal at 25, You Have No Heart. If You Are Not a Conservative at 35 You Have No Brain," *Quote Investigator*, Feb. 24, 2014, 〈http://quoteinvestigator.com/2014/02/24 /heart-head/〉; B. Popik, "If You're Not a Liberal at 20 You Have No Heart, If Not a Conservative at 40 You Have No Brain," *BarryPopik.com*, 〈http://www.barrypopik.com/index.php/new_york_city/entry/if_youre_not_a_liberal_at_20_you_have_no_heart_if_not_a_conservative_at_40〉

(46) Ghitza & Gelman 2014. このほか Kohut et al. 2011; Taylor 2016a, 2016b も参照。

(47) 物理学者マックス・プランクがこのような趣旨のことを述べた。

(48) 投票率：H. Enten, "Registered Voters Who Stayed Home Probably Cost Clinton the Election," *FiveThirtyEight*, Jan. 5, 2017, 〈https://fivethirtyeight.com/features/registered-voters-who-stayed-home-probably-cost-clinton-the-election/〉. A. Payne, "Brits Who Didn't Vote in the EU Referendum Now Wish They Voted Against Brexit," *Business Insider*, Sept. 23, 2016. A. Rhodes, "Young People—If You're So Upset by the Outcome of the EU Referendum, Then Why Didn't You Get Out and Vote?," *The Independent*, June 27, 2016.

(49) Publius Decius Mus 2016. ペンネームで執筆していたマイケル・アントンは2017年、国家安全保障会議の報道官としてトランプ政権に迎えられた。

(50) C. R. Ketcham, "Anarchists for Donald Trump—Let the Empire Burn," *Daily Beast*, June 9, 2016, 〈http://www.thedailybeast.com/articles/2016/06/09/anarchists-for-donald-trump-let-the-empire-burn.html〉

(51) 同様の議論は、D. Bornstein & T. Rosenberg, "When Reportage Turns to Cynicism," *New York Times*, Nov. 14, 2016でも見られる。第４章で引用した。

(52) Berlin 1988/2013, p. 15.

(53) 個人的なやりとりでの話から抜粋した。Kelly 2016, pp. 13–14にも書かれている。

(54)「希望に満ちた悲観主義」は、ジャーナリストのユヴァル・レヴィン（2017）の言葉。「急進的漸進主義」は、もともとは政治学者のアーロン・ワイルダスキーが唱えたもので、近年 Halpern & Mason 2015で復活した。

(55) ポシビリズム（可能主義）は経済学者アルバート・O・ハーシュマンによる造語（1971）。ロスリングはこれを "Making Data Dance," *The Economist*, Dec. 9, 2010で引用した。

第21章

(１) 最近の例（心理学者のものではないが）：J. Gray, "The Child-Like Faith in Reason," *BBC News Magazine*, July 18, 2014; C. Bradatan, "Our Delight in Destruction," *New York Times*, March 27, 2017.

（2） Nagel 1997, pp. 14-15, 20.
（3） 超越論的論証：Bardon（日付なし）。
（4） Nagel 1997, p. 35. ネーゲルは哲学者のバーナード・ウィリアムズから「そこまで行くと考えすぎ」を借りてきたのだが、ウィリアムズは理性とは別の論点で使っている。なお、なぜ「理性を信じようとすること」が考えすぎになるのか、またなぜ演繹をどこかで止めなければならないかについては Pinker 1997/2009, pp. 98-99を参照。
（5） 第2章の「原注22－25」に挙げた文献を参照。
（6） 第1章の「原注4と9」に挙げた文献を参照。カントの喩えは人間の「非社交的な社交性」を意味していて、鬱蒼とした森のなかでも、互いの陰にならずにまっすぐ伸びているような木々とは異なる。曲がった木は、相互協力に利点を見出せずにいる理性に当てはまると解釈されてきた（このことを指摘してくれたアンソニー・パグデンに感謝する）。
（7） 合理性への淘汰圧：Pinker 1997/2009, chaps. 2 and 5; Pinker 2010; Tooby & DeVore 1987; Norman 2016.
（8） 2017年1月5日の個人的なやりとり。これに関する例証は Liebenberg 1990, 2014を参照。
（9） Liebenberg 2014, pp. 191-92.
（10） Shtulman 2005. Rice, Olson, & Colbert 2011も参照。
（11） 信仰心を問う試金石としての進化論：Roos 2012.
（12） Kahan 2015.
（13） 気候リテラシー：Kahan 2015, Kahan, Wittlin, et al. 2011. オゾンホール、有害廃棄物、気候変動：Bostrom et al. 1994.
（14） Pew Research Center 2015b. 類似のデータについては Jones, Cox, & Navarro-Rivera 2014を参照。
（15） Kahan, Braman, et al. 2009; Eastop 2015; Kahan 2015; Kahan, Jenkins-Smith, & Braman 2011; Kahan, Jenkins-Smith, et al. 2012; Kahan, Wittlin, et al. 2011.
（16） Kahan, Wittlin, et al. 2011, p. 15.
（17） 信念の共有地の悲劇：Kahan 2012; Kahan, Wittlin, et al. 2011. カハンはこれを「危険認識の共有地の悲劇」と呼んでいる。
（18） A. Marcotte, "It's Science, Stupid: Why Do Trump Supporters Believe So Many Things That Are Crazy and Wrong?" *Salon*, Sept. 27, 2016.
（19） 青い嘘：J. A. Smith, "How the Science of 'Blue Lies' May Explain Trump's Support," *Scientific American*, March 24, 2017.
（20） Tooby 2017.
（21） 動機づけられた推論：Kunda 1990. マイサイドバイアス：Baron 1993. 評価バイアス：Lord, Ross, & Lepper 1979; Taber & Lodge 2006. 文献レビューは Mercier & Sperber 2011.
（22） Hastorf & Cantril 1954.
（23） テストステロンと選挙：Stanton et al. 2009.

(24) エビデンスによる二極化：Lord, Ross, & Lepper 1979. 最新情報は Taber & Lodge 2006と Mercier & Sperber 2011を参照。
(25) 政治とスポーツ観戦：Somin 2016.
(26) Kahan, Peters, et al. 2012; Kahan, Wittlin, et al. 2011.
(27) Kahan, Braman, et al. 2009.
(28) M. Kaplan, "The Most Depressing Discovery About the Brain, Ever," *Alternet*, Sept. 16, 2013, 〈http://www.alternet.org/2013/09/most-depressing-discovery-about-brain-ever〉. 研究そのものは Kahan, Peters, et al. 2013を参照。
(29) E. Klein, "How Politics Makes Us Stupid," *Vox*, April 6, 2014; C. Mooney, "Science Confirms: Politics Wrecks Your Ability to Do Math," *Grist*, Sept. 8, 2013.
(30) バイアスのバイアス（実際は「バイアス盲点」と呼ばれている）：Pronin, Lin, & Ross 2002.
(31) Verhulst, Eaves, & Hatemi 2016.
(32) 偏見に関する都合のいい研究：Duarte et al. 2015.
(33) 左派は経済に疎い？：Buturovic & Klein 2010. Caplan 2007も参照。
(34) 左派は経済に疎い？ 追加調査と撤回：Klein & Buturovic 2011.
(35) D. Klein, "I Was Wrong, and So Are You," *The Atlantic*, Dec. 2011.
(36) Pinker 2011, chaps. 3–5.
(37) 共産主義による死者：Courtois et al. 1999; Rummel 1997; White 2011. Pinker 2011, chaps. 4–5も参照。
(38) 社会科学者のなかのマルクス主義者：Gross & Simmons 2014.
(39)『ウォール・ストリート・ジャーナル』とヘリテージ財団〈http://www.heritage.org/index/ranking〉がまとめた2016年の経済自由度指数によれば、ニュージーランド、カナダ、アイルランド、イギリス、デンマークの経済自由度は、アメリカと同等あるいはこれを上回る。またカナダ以外のこれらの国々は社会的支出の GDP 比でもアメリカを上回る（OECD 2014）。
(40) 右派リバタリアニズムの問題：Friedman 1997; J. Taylor, "Is There a Future for Libertarianism?" *RealClearPolicy*, Feb. 22, 2016, 〈https://www.realclearpolicy.com/blog/2016/02/23/is_there_a_future_for_libertarianism_1563.html〉; M. Lind, "The Question Libertarians Just Can't Answer," *Salon*, June 4, 2013; B. Lindsey, "Liberaltarians," *New Republic*, Dec. 4, 2006; W. Wilkinson, "Libertarian Principles, Niskanen, and Welfare Policy," Niskanen blog, March 29, 2016, 〈https://niskanencenter.org/blog/libertarian-principles-niskanen-and-welfare-policy/〉
(41) 全体主義への道：Payne 2005.
(42) アメリカは GDP こそ世界１位だが、幸福度は13位（Helliwell, Layard, & Sachs 2016）、国連の人間開発指数は８位（Roser 2016h）、社会進歩指標は19位（Porter, Stern, & Green 2016）である。社会移転が対 GDP 比25～30% あたりになるまでは、その増加が人間開発指数を押し上げること

を追記しておく（Prados de la Escosura 2015）。アメリカは19% 前後。
(43) 左派と右派それぞれの物の見方：Pinker 2002/2016, Sowell 1987, chap. 16.
(44) 予測の諸問題：Gardner 2010; Mellers et al. 2014; Silver 2015; Tetlock & Gardner 2015; Tetlock, Mellers, & Scoblic 2017.
(45) N. Silver, "Why FiveThirtyEight Gave Trump a Better Chance Than Almost Anyone Else," *FiveThirtyEight*, Nov. 11, 2016, 〈http://fivethirtyeight.com/features/why-fivethirtyeight-gave-trump-a-better-chance-than-almost-anyone-else/〉
(46) Tetlock & Gardner 2015, p. 68.
(47) Tetlock & Gardner 2015, p. 69.
(48) 積極的柔軟性：Baron 1993.
(49) Tetlock 2015.
(50) 政治の二極化の進展：Pew Research Center 2014.
(51) Abrams 2016にまとめられている総合社会動向調査〈http://gss.norc.org〉のデータによる。
(52) Abrams 2016.
(53) 大学の政治化：Eagan et al. 2014; Gross & Simmons 2014; E. Schwitzgebel, "Political Affiliations of American Philosophers, Political Scientists, and Other Academics," *Splintered Mind*, 〈http://schwitzsplinters.blogspot.hk/2008/06/political-affiliations-of-american.html〉. N. Kristof, "A Confession of Liberal Intolerance," *New York Times*, May 7, 2016も参照。
(54) ジャーナリズムのリベラル傾向：2013年の数字で、アメリカのジャーナリストの民主党支持者と共和党支持者の割合は４対１だった。またそれ以外も多く、無党派層が50.2%、その他が14.6% だった。Willnat & Weaver 2014, p. 11. 最近のコンテンツ分析によると新聞はやや左寄りだが、読者も同様である。Gentzkow & Shapiro 2010.
(55) 本質的にリベラル寄りあるいは保守寄りの社会的勢力：Sowell 1987.
(56) 先頭に立つ知的リベラリズム：Grayling 2007; Hunt 2007.
(57) 誰もがリベラルである：Courtwright 2010; Nash 2009; Welzel 2013.
(58) 科学の政治的偏向：Jussim et al. 2017. 医療の政治的偏向：Satel 2000.
(59) Duarte et al. 2015.『人間の本性を考える』はアメリカ心理学会賞を二部門で受賞した。
(60)「外見は異なるが考え方は近い」は、人権擁護専門の弁護士ハーベイ・シルバーグレイトの言葉。
(61) Duarte et al. 2015に33件の例（反論が多いがすべて礼儀はわきまえている）とドゥアルテらによる返答が紹介されている。
(62) N. Kristof, "A Confession of Liberal Intolerance," *New York Times*, May 7, 2016; N. Kristof, "The Liberal Blind Spot," *New York Times*, May 28, 2016.

(63) J. McWhorter, "Antiracism, Our Flawed New Religion," *Daily Beast*, July 27, 2015.
(64) 大学における反自由主義と社会正義の戦士：Lukianoff 2012, 2014; G. Lukianoff & J. Haidt, "The Coddling of the American Mind," *The Atlantic*, Sept. 2015; L. Jussim, "Mostly Leftist Threats to Mostly Campus Speech," *Psychology Today* blog, Nov. 23, 2015, 〈https://www.psychologytoday.com/us/blog/rabble-rouser/201511/mostly-leftist-threats-mostly-campus-speech〉
(65) 公的な場での辱め：D. Lat, "The Harvard Email Controversy: How It All Began," *Above the Law*, May 3, 2010, 〈http://abovethelaw.com/2010/05/the-harvard-email-controversy-how-it-all-began/〉
(66) スターリン時代のような取り調べ：Dreger 2015; A. Reese & C. Maltby, "In Her Own Words: L. Kipnis' 'Title IX Inquisition' at Northwestern," *TheFire.org*, 〈https://www.thefire.org/in-her-own-words-laura-kipnis-title-ix-inquisition-at-northwestern-video/〉.「原注64」も参照。
(67) 思いがけず喜劇になる：G. Lukianoff & J. Haidt, "The Coddling of the American Mind," *The Atlantic*, Sept. 2015; C. Friedersdorf, "The New Intolerance of Student Activism," *The Atlantic*, Nov. 9, 2015; J. W. Moyer, "University Yoga Class Canceled Because of 'Oppression, Cultural Genocide,' " *Washington Post*, Nov. 23, 2015.
(68) コメディアンも参っている：G. Lukianoff & J. Haidt, "The Coddling of the American Mind," *The Atlantic*, Sept. 2015; T. Kingkade, "Chris Rock Stopped Playing Colleges Because They're 'Too Conservative,' " *Huffington Post*, Dec. 2, 2014. 2015年のドキュメンタリー映画「*Can We Take a Joke?*」も参照。
(69) 大学における多様な意見：Shields & Dunn 2016.
(70) 記述としてはサミュエル・ジョンソンがいちばん古い。G. O'Toole, "Academic Politics Are So Vicious Because the Stakes Are So Small," *Quote Investigator*, Aug. 18, 2013, 〈http://quoteinvestigator.com/2013/08/18/acad-politics/〉を参照。
(71) 過激で反民主主義的な共和党：Mann & Ornstein 2012/2016.
(72) 民主主義への不信感：Foa & Mounk 2016; Inglehart 2016.
(73) 右派の反知性主義に関しては保守派自身も本のなかで嘆いている。チャーリー・サイクスの *How the Right Lost Its Mind*（2017）、マット・ルイスの *Too Dumb to Fail*（2016）など。
(74) 核となる理性の重要性：Nagel 1997; Norman 2016.
(75) 驚くべき集団妄想：Mackay 1841/1995. K. Malik, "All the Fake News That Was Fit to Print," *New York Times*, Dec. 4, 2016も参照。
(76) A. D. Holan, "All Politicians Lie. Some Lie More Than Others," *New York Times*, Dec. 11, 2015.
(77) 史上最悪レベルの戦争・蛮行の歴史を振り返って分析したマシュー・ホ

ワイトは、「誤解、根拠のない疑惑、あるいは噂が引き金になったものがあまりにも多くて驚いた」と書いている。本書に挙げた米西戦争、ベトナム戦争、イラク戦争以外に、第一次世界大戦、日清戦争、七年戦争、フランスの第二次宗教戦争、中国の安史の乱、インドネシアの粛清、ロシアの動乱時代もその例として挙がっている。White 2011, p. 537.

(78) 判事レオン・バジルの見解：Leon M. Bazile, Jan. 22, 1965, *Encyclopedia Virginia*, 〈http://www.encyclopediavirginia.org/opinion_of_judge_leon_m_bazile_january_22_1965〉

(79) S. Sontag, "Some Thoughts on the Right Way (for Us) to Love the Cuban Revolution," *Ramparts*, April 1969, pp. 6-19. ソンタグは続けて「同性愛者たちはとっくに家に帰された」と述べているが、実際には1960年代から1970年代にかけて強制労働収容所に送られつづけた。"Concentration Camps in Cuba: The UMAP," *Totalitarian Images*, Feb. 6, 2010, 〈http://totalitarianimages.blogspot.com/2010/02/concentration-camps-in-cuba-umap.html〉, J. Halatyn, "From Persecution to Acceptance? The History of LGBT Rights in Cuba," *Cutting Edge*, Oct. 24, 2012, 〈http://www.thecuttingedgenews.com/index.php?article=76818〉

(80) 感情の転換点：Redlawsk, Civettini, & Emmerson 2010.

(81) 裸の王様と公然の事実：Pinker 2007a; Thomas et al. 2014; Thomas, DeScioli, & Pinker 2018.

(82) 論理的誤謬についてはウェブサイト "Thou shalt not commit logical fallacies," 〈https://yourlogicalfallacyis.com/〉にうまくまとめられている（ポスターもある）。批判的思考のカリキュラム：Willingham 2007.

(83) 脱バイアス：Bond 2009; Gigerenzer 1991; Gigerenzer & Hoffrage 1995; Lilienfeld, Ammirati, & Landfield 2009; Mellers et al. 2014; Morewedge et al. 2015.

(84) 批判的思考のカリキュラムの問題点：Willingham 2007.

(85) 効果的な脱バイアス：Bond 2009; Gigerenzer 1991; Gigerenzer & Hoffrage 1995; Lilienfeld, Ammirati, & Landfield 2009; Mellers et al. 2014; Mercier & Sperber 2011; Morewedge et al. 2015; Tetlock & Gardner 2015; Willingham 2007.

(86) 脱バイアスの手法を広める：Lilienfeld, Ammirati, & Landfield 2009.

(87) 誰がいったのかはわからない。P. Voosen, "Striving for a Climate Change," *Chronicle of Higher Education*, Nov. 3, 2014に引用されている。

(88) 議論の改善：Kuhn 1991; Mercier & Sperber 2011, 2017; Sloman & Fernbach 2017.

(89) 真実が勝つ：Mercier & Sperber 2011.

(90) 敵対的コラボレーション：Mellers, Hertwig, & Kahneman 2001.

(91) 説明深度の錯覚：Rozenblit & Keil 2002. この錯覚を切り口にした脱バイアス：Sloman & Fernbach 2017.

(92) Mercier & Sperber 2011, p. 72; Mercier & Sperber 2017.

(93) より合理的なジャーナリズム：Silver 2015; A. D. Holan, "All Politicians Lie. Some Lie More Than Others," *New York Times*, Dec. 11, 2015.
(94) より合理的な情報収集：Tetlock & Gardner 2015; Tetlock, Mellers, & Scoblic 2017.
(95) より合理的な医療：Topol 2012.
(96) より合理的な心理療法：T. Rousmaniere, "What Your Therapist Doesn't Know," *The Atlantic*, April 2017.
(97) より合理的な犯罪対策：Abt & Winship 2016; Latzer 2016.
(98) より合理的な開発支援：Banerjee & Duflo 2011.
(99) より合理的な利他主義：MacAskill 2015.
(100) より合理的なスポーツ：Lewis 2016.
(101) "What Exactly Is the 'Rationality Community' ?" *LessWrong*, 〈http://lesswrong.com/posts/s8yvtCbbZW2S4WnhE/what_exactly_is_the_rationality_community/〉
(102) より合理的な行政：Behavioural Insights Team 2015; Haskins & Margolis 2014; Schuck 2015; Sunstein 2013; D. Leonhardt, "The Quiet Movement to Make Government Fail Less Often," *New York Times*, July 15, 2014.
(103) 合理性 vs 民主主義：Achen & Bartels 2016; Brennan 2016; Caplan 2007; Mueller 1999; Somin 2016.
(104) プラトンと民主主義：Goldstein 2013.
(105) Kahan, Wittlin, et al. 2011, p. 16.
(106) HPV ワクチンと B 型肝炎ワクチン：E. Klein, "How Politics Makes Us Stupid," *Vox*, April 6, 2014.
(107) 政策より政党：Cohen 2003.
(108) 同じ側の人間に説得されると考えを変えられる場合があるという証拠：Nyhan 2013.
(109) Kahan, Jenkins-Smith, et al. 2012.
(110) 非政治化で成功したフロリダの事例：Kahan 2015.
(111) シカゴ流：1987年の映画『アンタッチャブル』でショーン・コネリーが演じたジム・マローンのセリフ。GRIT：Osgood 1962.

第22章

(1) この例は Murray 2003に載っている。
(2) Carroll 2016, p. 426.
(3) 生物種の命名：Costello, May, & Stork 2013. この推測数は真核生物（細胞核を有する生物）のもので、ウイルスやバクテリアは含まれていない。
(4) 愚かな党：第21章の「原注71・73」を参照。
(5) Mooney 2005. Pinker 2008b も参照。
(6) ラマー・スミスと下院科学宇宙技術委員会：J. D. Trout, "The House Science Committee Hates Science and Should Be Disbanded," *Salon*, May

14, 2016.

（7）J. Mervis, “Updated: U.S. House Passes Controversial Bill on NSF Research,” *Science*, Feb. 11, 2016.

（8）Note-book of Anton Chekhov からの引用（チェーホフ『チェーホフの手帖』神西清訳、新潮社、1958年）。この続きは「国別になったものはもはや科学ではない」。

（9）J. Lears, “Same Old New Atheism: On Sam Harris,” *The Nation*, April 27, 2011.

（10）L. Kass, “Keeping Life Human: Science, Religion, and the Soul,” Wriston Lecture, Manhattan Institute, Oct. 18, 2007, 〈https://www.manhattan-institute.org/html/2007-wriston-lecture-keeping-life-human-science-religion-and-soul-8894.html〉. L. Kass, “Science, Religion, and the Human Future,” *Commentary*, April 2007, pp. 36–48も参照。

（11）「二つの文化」の二という数：第3章の「原注12」を参照。

（12）D. Linker, “Christopher Hitchens's ‘And Yet ...’ and Roger Scruton's ‘Fools, Frauds and Firebrands,’” *New York Times Book Review*, Jan. 8, 2016.

（13）スノーは『二つの文化』の「その後の考察」と題した「あとがき」のなかで「第三の文化」という言葉を使っている。スノーが具体的にどういう人々を念頭に置いていたかは定かではないが、「社会史学者（social historians）」という言葉が出てくるので、社会科学者のことをいいたかったのではないかと思われる。Snow 1959/1998, pp. 70, 80を参照。

（14）「第三の文化」の復活：“Third Culture”: Brockman 1991. コンシリエンス：Wilson 1998.

（15）L. Wieseltier, “Crimes Against Humanities,” *New Republic*, Sept. 4, 2013.

（16）認知心理学者としてのヒューム：Pinker 2007a 第4章の「原注」に挙げた文献を参照。認知心理学者としてのカント：Kitcher 1990.

（17）この定義は *Stanford Encyclopedia of Philosophy*, Papineau 2015から引いたもので、そこにはさらに「この意味の自然主義は、現代の哲学者の大多数に受け入れられるだろう」とも書かれている。931人の哲学教授（主として分析哲学ないし現代英米哲学）を対象にしたある調査では、50%が「自然主義を支持」、26%が「非自然主義を支持」、その他が24%で、その他には「質問が曖昧で答えられない」(10%)、「こうした問題には詳しくない」(7%)、「わからない／何ともいえない」(3%）などが含まれる。Bourget & Chalmers 2014を参照。

（18）「科学的手法」を用いるかどうかではない：Popper 1983.

（19）反証主義かベイズ推定か：Howson & Urbach 1989/2006; Popper 1983.

（20）2012－2013年に科学主義を批判する論評を掲載した雑誌は、以下のとおりである。*The New Republic*（4回）, *Bookforum*, the *Claremont Review*, the *Huffington Post*, *The Nation*, *National Review Online*, the *New Atlantis*, the *New York Times*, そして *Standpoint*。

（21）100万件以上の大学シラバスを収集・公開した Open Syllabus Project

〈http://opensyllabus.org/〉によれば、トーマス・クーンの『科学革命の構造』(中山茂訳、みすず書房、1971年)は全分野の指定図書ランキングで『種の起源』をはるかに凌いで12位に入っている。これに対し、科学のプロセスをもっと現実的に説いたカール・ポパーの『科学的発見の論理』(大内義一・森博訳、恒星社厚生閣、1971－1972年)は、200位にも入っていない。

(22) クーンの主張(並びにポパー・クーン論争):Bird 2011.

(23) Wootton 2015, p. 16, note ii.

(24) J. De Vos, "The Iconographic Brain. A Critical Philosophical Inquiry into (the Resistance of) the Image," *Frontiers in Human Neuroscience*, May 15, 2014からの引用。わたしが聴いた講演(記録が残っていない)とは別のものだが、内容は本質的に同じである。

(25) Carey et al. 2016. 同様の例はツイッターのストリーム *New Real PeerReview*, @RealPeerReview で見つかるかもしれない。

(26) Horkheimer & Adorno 1947/2007の最初のページから引用。

(27) Foucault 1999; Menschenfreund 2010; Merquior 1985.

(28) Bauman 1989, p. 91. 分析は Menschenfreund 2010を参照。

(29) 大虐殺や独裁政治の近代以前の遍在と1945年以降の減少:第11章と第14章の「原注」で挙げた参考文献と、Pinker 2011第4－6章を参照。フーコーは啓蒙主義以前の全体主義に目を向けていない:Merquior 1985を参照。

(30) 奴隷制の遍在:Patterson 1985; Payne 2004. Pinker 2011第4章も参照。宗教による奴隷制の正当化:Price 2006.

(31) アフリカ人についての古代ギリシャや中世アラブの記述:Lewis 1990/1992. キケロによるブリトン人評:"Cicero: The Britons Are Too Stupid to Make Good Slaves,"〈http://www.bradford-delong.com/2009/06/cicero-the-britons-are-too-stupid-to-make-good-slaves.html〉

(32) ゴビノー、ワーグナー、チェンバレン、ヒトラー:Herman 1997, chap. 2. Hellier 2011; Richards 2013も参照。生物学者スティーヴン・ジェイ・グールドの偏った内容の著書、『人間の測りまちがい――差別の科学史』(鈴木善次・森脇靖子訳、河出書房新社、1998年)が1981年にベストセラーになり、人種科学とダーウィニズムを結びつける数多くの誤解が一気に広まった。Blinkhorn 1982; Davis 1983; Lewis et al. 2011.

(33) 伝統的、宗教的、ロマン主義的人種理論とダーウィンの考え方の違い:Hellier 2011; Johnson 2009; Price 2006.

(34) ヒトラーはダーウィン主義者ではなかった:Richards 2013. Hellier 2011; Price 2006も参照。

(35) ロールシャッハ・テストとしての進化論:Montgomery & Chirot 2015. 社会進化論:Degler 1991; Leonard 2009; Richards 2013.

(36) 右派のさまざまな運動を批判するのに「社会進化論」という言葉が流用されるようになったのは、1944年に出版された歴史学者のリチャード・ホ

フスタッターの『アメリカの社会進化思想』（後藤昭次訳、研究社出版、1973年）が始まりである。Johnson 2010; Leonard 2009; Price 2006.
(37) 進化心理学に関するジョン・ホーガンの次の論文もその一例で、タイトルが「新社会進化論者」となっている。John Horgan, "The New Social Darwinists," *Scientific American*, Oct. 1995.
(38) Glover 1998, 1999; Proctor 1988.
(39) 同じくジョン・ホーガンの論文に、「優生学ふたたび」というタイトルのものもある。John Horgan, "Eugenics Revisited: Trends in Behavioral Genetics," *Scientific American*, June 1993.
(40) Degler 1991; Kevles 1985; Montgomery & Chirot 2015; Ridley 2000.
(41) タスキギー梅毒実験の再調査結果：Benedek & Erlen 1999; Reverby 2000; Shweder 2004; Lancet Infectious Diseases Editors 2005.
(42) 倫理審査委員会による言論の自由の制限：American Association of University Professors 2006; Schneider 2015; C. Shea, "Don't Talk to the Humans: The Crackdown on Social Science Research," *Lingua Franca*, Sept. 2000, 〈http://linguafranca.mirror.theinfo.org/print/0009/humans.html〉. 意見を封じる武器：Dreger 2008. 研究を滞らせるばかりか、被験者を保護できていない：Atran 2007; Gunsalus et al. 2006; Hyman 2007; Klitzman 2015; Schneider 2015; Schrag 2010.
(43) Moss 2005.
(44) 自爆テロリストの保護：Atran 2007.
(45) 生命倫理に苦言を呈する哲学者：Glover 1998; Savulescu 2015. 現代の生命倫理へのその他の批判：Pinker 2008b; Satel 2010; S. Pinker, "The Case Against Bioethocrats and CRISPR Germline Ban," *The Niche*, Aug. 10, 2015, 〈https://ipscell.com/2015/08/stevenpinker/〉; S. Pinker, "The Moral Imperative for Bioethics," *Boston Globe*, Aug. 1, 2015; H. Miller, "When 'Bioethics' Harms Those It Is Meant to Protect," *Forbes*, Nov. 9, 2016.「原注42」の参考文献も参照。
(46) 第21章の「原注93－102」に挙げた参考文献を参照。
(47) Dawes, Faust, & Meehl 1989; Meehl 1954/2013. 最近の研究例：Ægisdóttir et al. 2006; Lilienfeld et al. 2013（メンタルヘルス）; Kuncel et al. 2013（選択決定と合否判定）; Singh, Grann, & Fazel 2011（暴力）.
(48) PKO には意味がある：Fortna 2008, p. 173. Hultman, Kathman, & Shannon 2013, Goldstein 2011 も参照。ゴールドスタインは、1945年以降の戦争の減少は PKO に負うところが大きいといっている。
(49) 隣接する民族同士はめったに争わない：Fearon & Laitin 1996, 2003; Mueller 2004a.
(50) Chenoweth 2016; Chenoweth & Stephan 2011.
(51) 革命の指導者は高等教育を受けている：Chirot 1996. 自爆テロリストは教育を受けている：Atran 2003.
(52) 人文学が陥っている苦境：American Academy of Arts and Sciences

2015; Armitage et al. 2013. それ以前の指摘については Pinker 2002/2016 第20章冒頭部分を参照。
(53) 民主主義はなぜ人文学を必要とするか：Nussbaum 2016.
(54) 人文学における文化悲観主義：Herman 1997; Lilla 2001, 2016; Nisbet 1980/2009; Wolin 2004.
(55) アメリカ合衆国憲法起草者と人間の本性：McGinnis 1996, 1997. 政治と人間の本性：Pinker 2002/2016第16章；Pinker 2011第8－9章; Haidt 2012; Sowell 1987.
(56) 芸術と科学：Dutton 2009; Livingstone 2014.
(57) 音楽と科学：Bregman 1990; Lerdahl & Jackendoff 1983; Patel 2008. Pinker 1997/2009第8章も参照。
(58) 文学と科学：Boyd, Carroll, & Gottschall 2010; Connor 2016; Gottschall 2012; Gottschall & Wilson 2005; Lodge 2002; Pinker 2007b; Slingerland 2008. Pinker 1997/2009第8章と、ウィリアム・ベンゾンのブログ *New Savanna*, 〈http://new-savanna.blogspot.com/〉 も参照。
(59) デジタル人文学：Michel et al. 2010. *Digital Humanities Now* 〈http://digitalhumanitiesnow.org/〉, the Stanford Humanities Center 〈http://shc.stanford.edu/digital-humanities〉, *Digital Humanities Quarterly* 〈http://www.digitalhumanities.org/dhq/〉 も参照。
(60) Gottschall 2012; A. Gopnik, "Can Science Explain Why We Tell Stories?" *New Yorker*, May 18, 2012.
(61) Wieseltier 2013, "Crimes Against Humanities". これはわたしの "Science Is Not Your Enemy" (Pinker 2013b) に対する反論である。また "Science vs. the Humanities, Round III" (Pinker & Wieseltier 2013) も参照。
(62) ダーウィン以前、コペルニクス以前：L. Wieseltier, "Among the Disrupted," *New York Times*, Jan. 7, 2015.
(63) "A Letter Addressed to the Abbe Raynal," Paine 1778/2016. Shermer 2015に引用されている。

第23章

(1)「神のない良心」は19世紀の言葉だが、ハーバード大学のヒューマニストの牧師、グレッグ・エプスタインが復活させた (Epstein 2009)。その他の最近のヒューマニズム解釈：Grayling 2013; Law 2011. アメリカのヒューマニズムの歴史：Jacoby 2005. 主なヒューマニスト組織に、アメリカ・ヒューマニスト協会〈https://americanhumanist.org/〉をはじめとするアメリカ世俗連盟〈https://www.secular.org/member_orgs〉所属の諸組織、英国ヒューマニスト協会〈https://humanism.org.uk/〉、インターナショナル・ヒューマニスト・アンド・エシカル・ユニオン (IHEU) 〈http://iheu.org/〉、信教からの自由連盟〈http://ffrf.org〉などがある。
(2) 第三マニフェスト *Humanist Manifesto III*：American Humanist Association 2003. それ以前のもの：第一マニフェスト *Humanist*

Manifesto I（レイモンド・B・ブラッグらによる）, American Humanist Association 1933/1973. 第二マニフェスト *Humanist Manifesto II*（ポール・カーツ、エドウィン・H・ウィルソンらによる）, American Humanist Association 1973. その他のマニフェストに、ポール・カーツの *Secular Humanist Declaration*, Council for Secular Humanism 1980と *Humanist Manifesto 2000*, Council for Secular Humanism 2000、また IHEU の1952年と2002年のアムステルダム宣言などがある。

（3）R. Goldstein, "Speaking Prose All Our Lives," *The Humanist*, Dec. 21, 2012, 〈https://thehumanist.com/magazine/january-february-2013/features/speaking-prose-all-our-lives〉

（4）1689年、1776年、1789年、1948年の権利宣言：Hunt 2007.

（5）公平性という道徳：de Lazari-Radek & Singer 2012; Goldstein 2006; Greene 2013; Nagel 1970; Railton 1986; Singer 1981/2011; Smart & Williams 1973.「公平性」のアンブレラ・レビューとしては、哲学者のヘンリー・シジウィック（1838－1900）の論述が最も明快である。

（6）さまざまな時代や文化の黄金律、白銀律、白金律等々の網羅的な（ちょっと変わっているが）一覧については、Terry 2008を参照。

（7）エントロピーの法則に逆らって心が存在することを、進化が説明する：Tooby, Cosmides, & Barrett 2003. ランダムではない構造を説明できるのは自然淘汰だけである：Dawkins 1983.

（8）知性の進化に付随する好奇心と社会性：Pinker 2010; Tooby & DeVore 1987.

（9）個人の心のなかの、あるいは個人間の利害の対立の進化：Pinker 1997/2009, chaps. 6 and 7; Pinker 2002/2016, chap. 14; Pinker 2011, chaps. 8 and 9. こうした考え方の多くは生物学者のロバート・トリヴァースが提唱したものである（Trivers 2002）。

（10）平和主義者のジレンマと歴史上の暴力の減少：Pinker 2011, chap. 10.

（11）DeScioli 2016.

（12）共感の進化：Dawkins 1976/1989; McCullough 2008; Pinker 1997/2009; Trivers 2002; Pinker 2011, chap. 9.

（13）共感の輪の広がり：Pinker 2011; Singer 1981/2011.

（14）たとえば T. Nagel, "The Facts Fetish（サム・ハリスの *The Moral Landscape* の書評）," *New Republic*, Oct. 20, 2010.

（15）功利主義についての賛成論と反対論：Rachels & Rachels 2010; Smart & Williams 1973.

（16）義務論的道徳哲学と帰結主義的道徳哲学の両立性：Parfit 2011.

（17）功利主義の功績：Pinker 2011, chaps. 4 and 6; Greene 2013.

（18）*Notes on the State of Virginia*, Jefferson 1785/1955, p. 159から引用。

（19）古典的自由主義の非直観性：Fiske & Rai 2015; Haidt 2012; Pinker 2011, chap. 9.

（20）Greene 2013.

(21) 哲学の「薄さ」の重要性：Berlin 1988/2013; Gregg 2003; Hammond 2017.
(22) Hammond 2017.
(23) Maritain 1949. ユネスコのウェブサイト〈http://unesdoc.unesco.org/images/0015/001550/155042eb.pdf〉でタイプ原稿が見られる。
(24) 世界人権宣言：United Nations 1948. 世界人権宣言の歴史：Glendon 1999, 2001; Hunt 2007.
(25) Glendon 1999に引用されている。
(26) 人権は西洋のものとはかぎらない：Glendon 1998; Hunt 2007; Sikkink 2017.
(27) R. Cohen, "The Death of Liberalism," *New York Times*, April 14, 2016.
(28) S. Kinzer, "The Enlightenment Had a Good Run," *Boston Globe*, Dec. 23, 2016.
(29) 啓蒙主義よりISISのほうが人を惹きつける：R. Douthat, "The Islamic Dilemma," *New York Times*, Dec. 13, 2015; R. Douthat, "Among the Post-Liberals," *New York Times*, Oct. 8, 2016; M. Khan, "This Is What Happens When Modernity Fails All of Us," *New York Times*, Dec. 6, 2015; P. Mishra, "The Western Model Is Broken," *The Guardian*, Oct. 14, 2014.
(30) 殺人、強姦、暴力等の禁止の普遍性：Brown 2000.
(31) 法の施行者としての神：Atran 2002; Norenzayan 2015.
(32) 神の存在証明の致命的欠陥：Goldstein 2010. Dawkins 2006とCoyne 2015も参照。
(33) コインは天文学者のカール・セーガン、哲学者のヨナタン・フィッシュマンとマルテン・ブードリーの論証も引き合いに出している。レビュー論文としては、S. Pinker, "The Untenability of Faitheism," *Current Biology*, Aug. 23, 2015, pp. R638-640を参照。
(34) 魂の正体を暴く：Blackmore 1991; Braithwaite 2008; Musolino 2015; Shermer 2002; Stein 1996. *Skeptical Inquirer*〈http://www.csicop.org/si〉と*The Skeptic*〈http://www.skeptic.com/〉は定期的に最新情報を掲載している。
(35) Stenger 2011.
(36) 多元宇宙論：Carroll 2016; Tegmark 2003; B. Greene, "Welcome to the Multiverse," *Newsweek*, May 21, 2012.
(37) 無から生まれる宇宙：Krauss 2012.
(38) B. Greene, "Welcome to the Multiverse," *Newsweek*, May 21, 2012.
(39) 意識のハードプロブレムとイージープロブレム：Block 1995; Chalmers 1996; McGinn 1993; Nagel 1974. Pinker 1997/2009, chaps. 2 and 8とS. Pinker, "The Mystery of Consciousness," *Time*, Jan. 29, 2007も参照。
(40) 意識は適応の結果である：Pinker, 1997/2009, chap. 2.
(41) Dehaene 2009; Dehaene & Changeux 2011; Gaillard et al. 2009.

(42) この違いについては Goldstein 1976を参照。
(43) Nagel 1974, p. 441. 40年ほどのちにネーゲルは意見を変えたが（Nagel 2012参照)、多くの哲学者や科学者と同じく、わたしも彼の最初の考えのほうが正しかったと思っている。たとえば、S. Carroll, Review of *Mind and Cosmos*, 〈http://www.preposterousuniverse.com/blog/2013/08/22/mind-and-cosmos/〉; E. Sober, “Remarkable Facts: Ending Science as We Know It,” *Boston Review*, Nov. 7, 2012; B. Leiter & M. Weisberg, “Do You Only Have a Brain?” *The Nation*, Oct. 3, 2012を参照。
(44) McGinn 1993.
(45) 道徳的実在論：Sayre-McCord 1988, 2015. 道徳的実在論者：Boyd 1988; Brink 1989; de Lazari-Radek & Singer 2012; Goldstein 2006, 2010; Nagel 1970; Parfit 2011; Railton 1986; Singer 1981/2011.
(46) ヨーロッパの数々の宗教戦争がそうであり（Pinker 2011, pp. 234, 676-77)、アメリカの南北戦争の長期化もその例である（Montgomery & Chirot 2015, p. 350)。
(47) White 2011, pp. 107-11.
(48) スティーヴン・バノンの2014年夏のバチカン会議に向けた演説を記事にした J. L. Feder, “This Is How Steve Bannon Sees the Entire World,” *BuzzFeed*, Nov. 16, 2016より〈https://www.buzzfeed.com/lesterfeder/this-is-how-steve-bannon-sees-the-entire-world〉
(49) ナチスのキリスト教への同調、キリスト教のナチスへの同調：Ericksen & Heschel 1999; Hellier 2011; Heschel 2008; Steigmann-Gall 2003; White 2011. ヒトラーは無神論者ではなかった：Hellier 2011; Murphy 1999; Richards 2013. “Hitler Was a Christian,” 〈http://www.evilbible.com/evil-bible-home-page/hitler-was-a-christian/〉も参照。
(50)『わが闘争』第１巻第２章の最後。同様の引用については「原注49」に挙げた文献を参照。
(51) Sam Harris, *The End of Faith* (2004); Richard Dawkins, *The God Delusion* (2006); Daniel Dennett, *Breaking the Spell* (2006); Christopher Hitchens, *God Is Not Great* (2007).
(52) Randall Munroe, “Atheists,” 〈https://xkcd.com/774/〉
(53) 人々が聖書を寓意的にとらえているという主張（たとえば Wieseltier 2013）は間違っている。2005年のラスムセン社の世論調査では、アメリカ人の63%が「聖書は文字どおり正しい」と信じていたし〈http://legacy.rasmussenreports.com/2005/Bible.htm〉、2014年のギャラップ社の世論調査でも、アメリカ人の28%が「聖書は神が実際に語った言葉であり、一言一句を文字どおりに受け取るべきだ」と信じていて、47%は「聖書は神の啓示を受けて書かれたものだ」と信じていた(L. Saad, “Three in Four in U.S. Still See the Bible as Word of God,” *Gallup*, June 4, 2014, 〈http://www.gallup.com/poll/170834/three-four-bible-word-god.aspx〉)。
(54) 宗教の心理学：Pinker 1997/2009, chap. 8; Atran 2002; Bloom 2012;

Boyer 2001; Dawkins 2006; Dennett 2006; Goldstein 2010.
(55) なぜ「神のモジュール」はないのか：Pinker 1997/2009, chap. 8; Bloom 2012; Pinker 2005.
(56) 宗教がもたらす恩恵とは、信仰ではなくコミュニティへの参加である：Putnam & Campbell 2010. レビュー論文としては Bloom 2012, Susan Pinker 2014を参照。最近の研究で死亡率にも同様のパターンが見られることがわかった：Kim, Smith, & Kang 2015.
(57) 宗教の退嬰性：Coyne 2015.
(58) 神と気候変動：Bean & Teles 2016. 第18章の「原注86」も参照。
(59) 福音派のトランプ支持：*New York Times* 2016, および第20章の「原注34」。
(60) A. Wilkinson, "Trump Wants to 'Totally Destroy' a Ban on Churches Endorsing Political Candidates," *Vox*, Feb. 7, 2017.
(61) "*The Oprah Winfrey Show Finale*," *oprah.com*, 〈http://www.oprah.com/oprahshow/the-oprah-winfrey-show-finale_1〉
(62) "The Universe — Uncensored," *Inside Amy Schumer*, 〈https://www.youtube.com/watch?v=6eqCaiwmr_M〉から抜粋（若干編集）したもの。
(63) 無神論者に対する敵意：G. Paul & P. Zuckerman, "Don't Dump On Us Atheists," *Washington Post*, April 30, 2011; Gervais & Najle 2018.
(64) *World Christian Encyclopedia* (2001) のデータ。Paul & Zuckerman 2007に引用されている。
(65) 信仰心と無神論の世界指数：WIN-Gallup International 2012を参照。2005年の調査は2012年より対象国が少なく（39カ国）、この時点では信仰心をもつ人がもっと多かった（自分は「信心深い」と回答した人が2005年には68%いたが、2012年には59%まで下がっていた）。両方のデータがある国だけで比べると、無神論者の割合は4%から7%へと7年間で75%も増加している。だがこの増加率は小さいパーセンテージでの非線形性の問題があるので、このまま全体に広げて考えることはできない。そこで、同期間の57カ国での無神論者の割合の変化は、控えめに30%の増加と見積もった。
(66) 世俗化論：Inglehart & Welzel 2005; Voas & Chaves 2016.
(67) 所得・教育と無宗教の関係：Barber 2011; Lynn, Harvey, & Nyborg 2009; WIN-Gallup International 2012.
(68) WIN-Gallup International 2012. そのほかオーストリアとチェコでも「信心深い」人が少数派だった。フィンランド、ドイツ、スペイン、スイスは、「信心深い」人が50%をわずかに超える程度だった。デンマーク、ニュージーランド、ノルウェー、イギリスも世俗化が進んでいるが、調査対象国に入っていない。また、2004年前後に行われた別の調査（Zuckerman 2007参照。Lynn, Harvey, & Nyborg 2009にも取り上げられている）によれば、先進15カ国では回答者の4分の1以上が「神を信じていない」と答えていて、チェコ、日本、スウェーデンではそれが半数を超えていた。

(69) Pew Research Center 2012a and 2015b.

(70) Pew Research Center 2015b の Methodology Appendix。なかでも注85に、試算に使われた推定出生率は現時点のもので、今後予想される変化を考慮していないと書かれている。イスラム諸国の出生率低下：Eberstadt & Shah 2011.

(71) 英語文化圏における宗教意識の変化：Voas & Chaves 2016.

(72) 信仰心に関するアメリカという例外：Paul 2014; Voas & Chaves 2016. ここで挙げた数字は WIN-Gallup International 2012による。

(73) Lynn, Harvey, & Nyborg 2009; Zuckerman 2007.

(74) アメリカの世俗化：Hout & Fischer 2014; Jones et al. 2016b; Pew Research Center 2015a; Voas & Chaves 2016.

(75) 以上の数字は Jones et al. 2016b による。この調査では「白人のプロテスタント福音派」の割合が2012年の20%から2016年の16%へと低下していて、ここからもアメリカの状況が " 宗教復興 " の逆であることがわかる。

(76) 若い世代ほど年をとっても無宗教のままでいる割合が高い：Hout & Fischer 2014; Jones et al. 2016b; Voas & Chaves 2016.

(77) 無信仰を自認する人々：D. Leonhardt, "The Rise of Young Americans Who Don't Believe in God," *New York Times*, May 12, 2015（Pew Research Center 2015a のデータに基づく）を参照。1950年代には無神論者はほとんどいなかった：Voas & Chaves 2016（General Social Survey のデータに基づく）を参照。

(78) Gervais & Najle 2017.

(79) Jones et al. 2016b, p. 18.

(80) 世俗化の説明：Hout & Fischer 2014; Inglehart & Welzel 2005; Jones et al. 2016b; Paul & Zuckerman 2007; Voas & Chaves 2016.

(81) 世俗化と制度への信頼の低下：Twenge, Campbell, & Carter 2014. 制度への信頼のピークは1960年代だった：Mueller 1999, pp. 167–68.

(82) 世俗化と解放的価値観：Hout & Fischer 2014; Inglehart & Welzel 2005; Welzel 2013.

(83) 世俗化と暮らしの安定：Inglehart & Welzel 2005; Welzel 2013. 世俗化とセーフティーネット：Barber 2011; Paul 2014; Paul & Zuckerman 2007.

(84) アメリカ人が宗教を捨てた理由：Jones et al. 2016b.「原注53」で紹介したギャラップ世論調査の結果では、「聖書は神が実際に語った言葉であり、一言一句を文字どおりに受け取るべきだ」と答えた人の割合は、1981年の40%から2014年の28%へと年々減少している。逆に、「聖書は人間が記録した寓話、伝説、歴史、道徳的教訓を集めた本である」と答えた人の割合は1981年の10%から2014年の21%へと上がっている。

(85) 世俗化と IQ の上昇：Kanazawa 2010; Lynn, Harvey, & Nyborg 2009.

(86) 諸価値の喪失：フリードリヒ・ニーチェの言葉。

(87) 幸福：第18章および Helliwell, Layard, & Sachs 2016を参照。社会の良好性の指標：Porter, Stern, & Green 2016および第21章の「原注42」と下記「原

注90」を参照。キハップ・ヨンとわたしで116カ国の回帰分析をしたところ、社会進歩指標と「神を信じていない」人の割合（Lynn, Harvey, & Nyborg 2009からの数字）の相関係数は0.63だった。これは１人当たりGDPを一定とした場合、統計的に有意な値である（p <.0001）。

(88) アメリカ例外論の不幸：第21章の「原注42」およびPaul 2009, 2014を参照。

(89) 信心深くて機能不全の州：Delamontagne 2010.

(90) イスラム主流国は世界195カ国の４分の１以上を占めるが、そのなかに社会進歩指標で「非常に高い」あるいは「高い」と評価された38カ国に入っている国はなく（Porter, Stern, & Green 2016, pp. 19–20）、幸福度が高い25カ国に入っている国もない（Helliwell, Layard, & Sachs 2016）。また民主主義指数では、いずれも「完全な民主主義」ではなく、「欠陥のある民主主義」もわずかに３カ国で、40カ国以上が「混合政治体制」あるいは「独裁政治体制」である。*The Economist* Intelligence Unit, 〈https://infographics.economist.com/2017/DemocracyIndex/〉. 類似の評価については Marshall & Gurr 2014; Marshall, Gurr, & Jaggers 2016; Pryor 2007を参照。

(91) 2016年の戦争・紛争：第11章の「原注９」および Gleditsch & Rudolfsen 2016を参照。テロリズム：Institute for Economics and Peace 2016（データは、the National Consortium for the Study of Terrorism and Responses to Terrorism, 〈http://www.start.umd.edu/〉のもの）。

(92) 早期の科学革命：Al-Khalili 2010; Huff 1993. アラブ世界とオスマン帝国における寛容：Lewis 2002; Pelham 2016.

(93) コーラン、ハディース、スンナの退行的な内容：Rizvi 2016, chap. 2; Hirsi Ali 2015a, 2015b; S. Harris, "Verses from the Koran," *Truthdig*, 〈http://www.truthdig.com/images/diguploads/verses.html〉; *The Skeptic's Annotated Quran*, 〈http://skepticsannotatedbible.com/quran/int/long.html〉. 最近のジャーナリストによる議論に、R. Callimachi, "ISIS Enshrines a Theology of Rape," *New York Times*, Aug. 13, 2015; G. Wood, "What ISIS Really Wants," *The Atlantic*, March 2015; Wood 2017などがある。最近の学術的な議論としては Cook 2014 and Bowering 2015がある。

(94) Alexander & Welzel 2011, pp. 256–58.

(95) アレクサンダーとヴェルツェルはベルテルスマン財団の *Religious Monitor* に言及している。比較可能な数字（地域の範囲は異なるが）については Pew Research Center 2012c; WIN-Gallup International 2012を参照。

(96) Pew Research Center 2013, pp. 24 and 15、Pew Research Center 2012c, pp. 11 and 12からの引用。「コーランを一字一句文字どおりに解釈するべきだと思うか」という質問が調査項目に入っていたのはアメリカとサハラ以南のアフリカ15カ国で、そのせいで数値の幅が広いのかもしれない。「シャリーアを国法に」については、トルコ、レバノン、旧共産圏の国々ではそれを望まない人のほうが多い。

(97) Welzel 2013. Alexander & Welzel 2011. Inglehart 2017も参照。

(98) Alexander & Welzel 2011. Pew Research Center 2013も参照。後者では敬虔なイスラム教徒ほどシャリーアを強く支持するという結果が出ている。
(99) 宗教による抑圧：Huff 1993; Kuran 2004; Lewis 2002; United Nations Development Programme 2003; Montgomery & Chirot 2015, chap. 7. イスラム教徒自身による論述は Rizvi 2016と Hirsi Ali 2015a を参照。
(100) 反動的なイスラム主義：Montgomery & Chirot 2015, chap. 7; Lilla 2016; Hathaway & Shapiro 2017.
(101) イスラム世界の抑圧を擁護する西側知識人：Berman 2010; J. Palmer, "The Shame and Disgrace of the Pro-Islamist Left," *Quillette*, Dec. 6, 2015; J. Tayler, "The Left Has Islam All Wrong," *Salon*, May 10, 2015; J. Tayler, "On Betrayal by the Left—Talking with Ex-Muslim Sarah Haider," *Quillette*, March 16, 2017.
(102) J. Tayler, "On Betrayal by the Left—Talking with Ex-Muslim Sarah Haider," *Quillette*, March 16, 2017に引用されている。
(103) Al-Khalili 2010; Huff 1993.
(104) Sen 2000, 2005, 2009. オスマン帝国の例は Pelham 2016も参照。
(105) Esposito & Mogahed 2007; Inglehart 2017; Welzel 2013.
(106) イスラム世界の近代化：Mahbubani & Summers 2016. イスラム世界の世代交代：第15章、特に［図15－7］; Inglehart 2017; Welzel 2013. ただし政治学者のイングルハートによれば、世界価値観調査の結果を見ると、イスラム主流国のうち13カ国は世代交代とともに男女平等へ向かっているが、14カ国は向かっていないそうだ。その理由はよくわかっていない。
(107) J. Burke, "Osama bin Laden's bookshelf: Noam Chomsky, Bob Woodward, and Jihad," *The Guardian*, May 20, 2015.
(108) 道徳の進歩を外から促す：Appiah 2010; Hunt 2007.
(109) ニーチェの著書のなかには、タイトルそのものが知識人の思想的因子となったものが何冊もある。『悲劇の誕生』、『善悪の彼岸』、『ツァラトゥストラはかく語りき』、『道徳の系譜』、『偶像の黄昏』、『この人を見よ』、『力への意志』など。批判的考察は、Anderson 2017; Glover 1999; Herman 1997; Russell 1945/1972; Wolin 2004を参照。
(110) 最初の三つは Russell 1945/1972, pp. 762–66に、残りの二つは Wolin 2004, pp. 53, 57に引用されている。
(111) 相対主義とファシズム：Wolin 2004, p. 27に引用されている。
(112) Rosenthal 2002.
(113) ランドに見られるニーチェの影響と、ランドがそれを隠そうとしたこと：Burns 2009.
(114)『道徳の系譜』と『力への意志』より。Wolin 2004, pp. 32–33に引用されている。
(115) 僭主制愛好症：Lilla 2001. この症候群を最初に紹介したのは、フランスの哲学者ジュリアン・バンダの *The Treason of the Intellectuals*（*La trahison des clercs*）だった（Benda 1927/2006)。最近の記述には Berman

2010; Herman 1997; Hollander 1981/2014; Sesardić 2016; Sowell 2010; Wolin 2004がある。Humphrys（年号の記載なし）も参照。

(116) Scholars and Writers for America, "Statement of Unity," Oct. 30, 2016, 〈https://scholarsandwritersforamerica.org/〉

(117) J. Baskin, "The Academic Home of Trumpism," *Chronicle of Higher Education*, March 17, 2017.

(118) ニーチェの影響を受けたのはムッソリーニだけではなく、ファシズムの理論家であるユリウス・エヴォラもそうだった（本文の次の段落に出てくる）。また反動的なテオコンサバティズム（本文にこのあと説明がある）を掲げる哲学者で、新保守主義派に影響を与えたレオ・シュトラウスも、ニーチェから多大な影響を受けている。J. Baskin, "The Academic Home of Trumpism," *Chronicle of Higher Education*, March 17, 2017; Lampert 1996を参照。

(119) ナショナリズムと反啓蒙主義的ロマン主義：Berlin 1979; Garrard 2006; Herman 1997; Howard 2001; McMahon 2001; Sternhell 2010; Wolin 2004.

(120) 初期のファシストの再発見：J. Horowitz, "Steve Bannon Cited Italian Thinker Who Inspired Fascists," *New York Times*, Feb. 10, 2017; P. Levy, "Stephen Bannon Is a Fan of a French Philosopher ... Who Was an Anti-Semite and a Nazi Supporter," *Mother Jones*, March 16, 2017; M. Crowley, "The Man Who Wants to Unmake the West," *Politico*, March/April 2017. オルタナ右翼：A. Bokhari & M. Yiannopoulos, "An Establishment Conservative's Guide to the Alt-Right," *Breitbart.com*, March 29, 2016, 〈http://www.breitbart.com/tech/2016/03/29/an-establishment-conservatives-guide-to-the-alt-right/〉. オルタナ右翼にみられるニーチェの影響：G. Wood, "His Kampf," *The Atlantic*, June 2017; S. Illing, "The Alt-Right Is Drunk on Bad Readings of Nietzsche. The Nazis Were Too," *Vox*, Aug. 17, 2017, 〈https://www.vox.com/2017/8/17/16140846/nietzsche-richard-spencer-alt-right-nazism〉

(121) ナショナリズムによる稚拙な進化心理学とその問題：Pinker 2012.

(122) テオコンサバティズム：Lilla 2016; Linker 2007; Pinker 2008b.

(123) プブリウス・デキウス・ムスというペンネームで書かれたもの。Publius Decius Mus 2016参照。M. Warren, "The Anonymous Pro-Trump 'Decius' Now Works Inside the White House," *Washington Examiner*, Feb. 2, 2017も参照。

(124) 反動的精神：Lilla 2016. 反動的なイスラム教については Montgomery & Chirot 2015、Hathaway & Shapiro 2017が詳しい。

(125) A. Restuccia & J. Dawsey, "How Bannon and Pruitt Boxed In Trump on Climate Pact," *Politico*, May 31, 2017.

(126)「部族」の認知的柔軟性：Kurzban, Tooby, & Cosmides 2001; Sidanius & Pratto 1999. Center for Evolutionary Psychology, UCSB, Erasing Race FAQ, 〈http://www.cep.ucsb.edu/erasingrace.htm〉も参照。

（127）集団の直観の操作：Pinker 2012.
（128）部族主義とコスモポリタニズム：Appiah 2006.
（129）Diamond 1997; Sowell 1994, 1996, 1998.
（130）Glaeser 2011; Sowell 1996.

＊本書は、二〇一九年に当社より刊行された著作を文庫化したものです。

草思社文庫

21世紀の啓蒙 下巻
理性、科学、ヒューマニズム、進歩

2023年2月8日　第1刷発行

著　者　スティーブン・ピンカー
訳　者　橘 明美、坂田雪子
発行者　藤田 博
発行所　株式会社 草思社
〒160-0022　東京都新宿区新宿 1-10-1
電話　03(4580)7680(編集)
　　　03(4580)7676(営業)
　　　http://www.soshisha.com/

本文組版　株式会社 キャップス
本文印刷　株式会社 三陽社
付物印刷　中央精版印刷 株式会社
製本所　大口製本印刷 株式会社
本体表紙デザイン　間村俊一

ISBN978-4-7942-2631-0　Printed in Japan

草思社文庫既刊

銃・病原菌・鉄（上・下）

ジャレド・ダイアモンド　倉骨 彰＝訳

なぜ、アメリカ先住民は旧大陸を征服できなかったのか。現在の世界に広がる〝格差〟を生み出したのは何だったのか。人類の歴史に隠された壮大な謎を、最新科学による研究成果をもとに解き明かす。

文明崩壊（上・下）

ジャレド・ダイアモンド　楡井浩一＝訳

繁栄を極めた文明はなぜ消滅したのか。古代マヤ文明やイースター島、北米アナサジ文明などのケースを解析、社会発展と環境負荷との相関関係から「崩壊の法則」を導き出す。現代世界への警告の書。

人間の性はなぜ奇妙に進化したのか

ジャレド・ダイアモンド　長谷川寿一＝訳

まわりから隠れてセックスそのものを楽しむ——これって人間だけだった⁉　ヒトの性は動物と比べて実に奇妙である。動物の性と対比しながら、人間の奇妙なセクシャリティの進化を解き明かす、性の謎解き本。

草思社文庫既刊

ジャレド・ダイアモンド　R・ステフォフ＝編著
秋山　勝＝訳
若い読者のための 第三のチンパンジー
人間という動物の進化と未来

『銃・病原菌・鉄』の著者の最初の著作を読みやすく凝縮。チンパンジーとわずかな遺伝子の差しかない「人間」について様々な角度から考察する。ダイアモンド博士の思想のエッセンスがこの一冊に！

パブロ・セルヴィーニュ、ラファエル・スティーヴンス
鳥取絹子＝訳
崩壊学
人類が直面している脅威の実態

近年の世界的な異常気象で注目を浴び、フランスでベストセラーとなった警世の書。自然環境、エネルギー、農業、金融など多くの分野で、現行の枠組が持続不可能になっている現状をデータで示す。

デヴィッド・スタックラー、サンジェイ・バス
橘　明美、臼井美子＝訳
経済政策で人は死ぬか？
公衆衛生学から見た不況対策

緊縮財政は国の死者数を増加させてしまう！　二十世紀初頭の世界大恐慌からソヴィエト連邦崩壊後の不況、サブプライム危機後の大不況まで、世界各国の統計を公衆衛生学者が比較分析した最新研究。

草思社文庫既刊

ジェイミー・バートレット　秋山 勝＝訳

操られる民主主義
デジタル・テクノロジーはいかにして社会を破壊するか

ビッグデータで選挙民の投票行動が操れる？　デジタル・テクノロジーの進化は、人間の自由意志を揺るがし、共有される匿名の怒りが社会を断片化・部族化させ、民主主義の根幹をゆさぶると指摘する衝撃的な書。

アンヌ・モレリ　永田千奈＝訳

戦争プロパガンダ10の法則

「戦争を望んだのは彼らのほうだ。われわれは平和を愛する民である」――近代以降、紛争時に繰り返されてきたプロパガンダの実相を、ポンソンビー卿『戦時の嘘』を踏まえて検証する。現代人の必読書。

脱原発の罠
日本がドイツを見習ってはいけない理由
川口マーン惠美

エネルギー事情に恵まれていたはずのドイツでさえ悪戦苦闘している脱原発と再生可能エネルギー活用の厳しい現実を、ドイツ在住の著者が詳述。特に日本の脱原発が他国と比べて難しい理由を整理する。

草思社文庫既刊

外来種は本当に悪者か？
新しい野生 THE NEW WILD
フレッド・ピアス　藤井留美＝訳

「外来種＝排除すべきもの」というイメージを根底から覆した、知的興奮にみちたノンフィクション。著名科学ジャーナリストが調査報道の成果を駆使し、悪者扱いの生物の知られざる役割に光をあてる。

「自然」という幻想
多自然ガーデニングによる新しい自然保護
エマ・マリス　岸 由二・小宮 繁＝訳

人間の影響や外来種の排除に固執する旧来の自然保護は、カルトであり科学的・費用対効果的に不可能な幻想にすぎない。幅広い自然のあり方を認める新しい保護の形「多自然ガーデニング」を提案する。

最悪の事故が起こるまで人は何をしていたのか
ジェームズ・R・チャイルズ　高橋健次＝訳

巨大飛行船の墜落事故や原子力発電所の事故、毒ガスの漏出など、五十あまりの巨大事故を取り上げる。誰がどのように引き起こしたのか、どのようにして食い止めたか、人的要因とメカニズムを描く。

草思社文庫既刊

異端の統計学 ベイズ

シャロン・バーチュ・マグレイン　冨永 星＝訳

先端理論として現在、注目を集めているベイズ統計。じつは百年以上にわたって学界で異端とされてきたのだ。それはなぜなのか。逆境を跳ね返した理由とは何か。その数奇な遍歴が初めて語られる。

思考する機械 コンピュータ

ダニエル・ヒリス　倉骨 彰＝訳

コンピュータは思考プロセスを加速・拡大し、われわれの想像力を飛躍的に高め、未知の世界にまで思考を広げてくれる。もっとも複雑な機械でありながら、その本質は驚くほど単純なコンピュータの可能性を解く。

学校では教えてくれなかった算数

ローレンス・ポッター　谷川 漣＝訳

算数がなかった昔の人は、日々の計算をどうしてた？　教育なしでは4までしか数えられない人間に、筆算や比例、方程式までできるようにする「算数」の裏にある秘密とその歴史を語る。